JN161456

カラーアトラス

爪の診療実践ガイド

改訂第2版

編集 安木良博（佐賀記念病院／昭和大学）
田村敦志（伊勢崎市民病院）

全日本病院出版会

改訂に際して

本書の初版刊行から早くも4年半が経過した．幸いにも江湖の好評を得て発行部数を伸ばすことができ，企画編集に携わった者として読者の皆様に深く感謝の意を表したい．

初版刊行時，爪に関し入手できるモノグラフは，本邦ではほかに一書を数えるのみであったが，この数年の間に，よりハンディーな体裁の単行本や，本書刊行の出版社からも本書と同じような体裁で，フットケアの観点から治療に，よりウェイトを置いた解説書などの刊行が相次ぎ，この領域の出版事情が変化してきた．Baran & Dawberの爪の教本も2019年に第5版が刊行され，新しいchapterが追加されたりして，かなりの改訂がなされた．これらは誠に歓迎すべきことで，爪の臨床に臨み生じた問題をテキスト検索する際，複次的に情報提供がなされる状況が整ってきた訳である．

爪疾患に正しく関わる医師が以前より増加したと感ずる局面が多くなったが，こういう状況変化に本書も貢献できたとすれば幸甚である．そこで本書の役割は終わったのではなく，また新たな取り組みが要求されるようになって来るので，ここに本書改訂の機運が醸成されてきたことは自然な成り行きであった．しかし折角，改訂するなら，或る程度以上内容が更新されていなければ，状況への対応として充分でなく，改訂の意味がなくなって，読んで頂く読者の方に申し訳が立たない．

編者としては協議の上，初版に欠けていた爪の病理について3項を設定し，加えて薬剤による爪障害，過彎曲爪の保存的治療，麻酔法と駆血法についての項目を増やし，さらに項目によって執筆者を一部変更した．本書のような共著の場合，すべての担当執筆者にこういう認識が周知されていなければならないので，改訂作業の始動時に各執筆者に予めこれらの意向は伝えられたが，時を経て脱稿し送付された原稿による改訂ゲラをざっと閲覧した段階で，このような心配は杞憂に過ぎないことが判明した．ほとんどの執筆者がかなりの程度に内容の改訂に努め，内容の一新に至った論文が多かったためである．

初版以来本書の特徴として目指した，体裁は過重ではないが，簡便なhow to路線に留まることなく，そのテーマについてbackgroundを配慮して，発展性のある応用可能な知識，技術を解説するという編集コンセプトは保持できたと自負している．

編者の独りよがりでないかどうか，これからの読者の皆様の厳正な評価を待ちたい．

2021年5月

安木良博　田村敦志

初版　序めに

皮膚疾患を診療する機会のある臨床医の中でも爪の疾患の診療に苦手意識を持つ医師が多い，という．大学付属病院や公的病院など医師の研修，教育機能を果たす医療施設においても，爪疾患について豊富な知識と経験を有する指導医は少なく，そのため，臨床研修を受ける医師は爪疾患に対しては充分な経験がないまま多忙な臨床の場に入っていかなければならない，という状況になることも多い．

このような場合に必要なのは診断，治療にどんな点に留意すべきかを解説する参考書である．しかし,当面必要な知識のみを解説するhow toもの的な論考や,玉石混交のネットの知識では発展性,応用性のある情報は期待できない．もし背後に連なる医学領域まで踏み込み，応用性もある解説が示されていれば，例え爪疾患診療の入り口に立った医師であっても今後の展開までを含めて対応の途が開けるであろうが，それは口でいう程簡単なことではない．その書き手には，広く文献を渉猟し該博な知識を有しているばかりでなく，現在標準とされる対処が最良の方法なのかについて吟味を続けながら，自己経験を蓄積していることが要求されるからである．本書がそういう点で意図したところを実現できているかどうかは，読者に判断してもらうほかはないが，集まった論文のゲラ刷りを一読した印象では，常識的な線に終始せず，踏み込んだ解説に至った論説が多く，ボリュームの割にズッシリした読後感を味わった．

爪のモノグラフの改訂刊行を終えたばかりの東禹彦先生にも分担執筆して戴いたが，執筆者の顔ぶれをご覧戴くとき，既にその領域では名の通った執筆者が多いにも拘わらず，内容はそこから予測できる範囲を超えた論説が多く，読者を失望させない内容になったと信じている．

本書は皮膚科雑誌MB Dermaに似た体裁で造本されてはいるが，Mookではなく単行本である．編集企画者として既にMB Dermaにおいては，No. 128「ありふれた爪疾患の対処の実際」，No. 184「爪疾患のすべて」の2冊を安木が編集企画して刊行しており，幸いにも多くの読者に受け入れて戴いての書籍化の企画である．しかし，単に時期的差異のみで類似した企画を重ねるのは意味がないので，新たな企画意図をどう加えるか，にはかなり難渋し，実のところ本書の上梓は相当の難産であった．性格付けが曖昧なままの企画では，まず読んで戴く読者に申し訳が立たず，企画意図の不明瞭さは必ず露見して，面白味を減じて薄味になってしまうからである．企画段階でこういう懸念があったので，企画者の独断，偏見を避ける意味から田村が加わり，複数の編者のそれぞれ異なった立場からの切り口で企画した．

標榜科として爪専門科は存在しないので，爪にトラブルを抱えた患者さんはどの診療科に受診すべきか，迷うケースも多い．MB Dermaでの2回の企画はターゲットを皮膚科臨床医を主体に考えていたが，今回の企画では門戸を拡大した．皮膚科医ばかりでなく実際に爪疾患診療を担当する整形外科医，形成外科医，外科医にも参考にしていただくようにとの方針が早い段階から決定していたので，皮膚科医であれば暗黙の了解に属するような事項であっても丁寧に解説して戴くことを旨としてもらった．

本書の特徴に即した読まれ方がなされ，爪疾患診療のレベルアップに寄与できれば本書刊行の意味があった訳で大変嬉しい．

2016年9月

安木良博　田村敦志

CONTENTS

カラーアトラス 爪の診療実践ガイド 改訂第2版

I章 押さえておきたい爪の基本

II章 診療の実際—処置のコツとテクニック—

執筆者一覧

編　集

安木　良博　　佐賀記念病院皮膚科/昭和大学皮膚科，客員教授

田村　敦志　　伊勢崎市民病院皮膚科，医療副部長兼主任診療部長

執筆者（執筆順）

田村　敦志　　伊勢崎市民病院皮膚科，医療副部長兼主任診療部長

長谷川道子　　伊勢崎市民病院皮膚科，診療部長

泉　　美貴　　昭和大学医学部医学教育学講座，教授

小泉　亜矢　　群馬県立小児医療センター新生児科，部長

浜島　昭人　　群馬県立小児医療センター形成外科，中央手術部長

山口　　有　　群馬県立小児医療センター遺伝科，部長

東　　禹彦　　東皮フ科医院，院長

宇原　　久　　札幌医科大学皮膚科，教授

小林　　憲　　こばやし皮ふケアクリニック，院長

安木　良博　　佐賀記念病院皮膚科/昭和大学皮膚科，客員教授

望月　　隆　　金沢医科大学皮膚科，教授

平瀬　雄一　　四谷メディカルキューブ手の外科・マイクロサージャリーセンター，センター長

中西　健史　　明治国際医療大学皮膚科，教授

岡田　悦子　　産業医科大学皮膚科，准教授

衛藤　　光　　聖路加国際病院皮膚科，診療教育アドバイザー

新井　裕子　　新井ヒフ科クリニック，院長

新井　健男　　YOU ヒフ科クリニック，院長

新城　孝道　　メディカルプラザ篠崎駅西口，院長

清水　　晶　　群馬大学医学部皮膚科，講師

尼子　雅敏　　防衛医科大学校病院リハビリテーション部，教授

高山かおる　　埼玉県済生会川口総合病院皮膚科，主任部長

竹之内辰也　　新潟県立がんセンター新潟病院，副院長/同病院皮膚科，部長

（2021 年 1 月現在）

Ⅰ章 押さえておきたい爪の基本

I章 押さえておきたい爪の基本
【解　剖】

1 爪部の局所解剖

I 爪部の表面解剖

彎曲を有する板状の角質塊である爪甲(爪板, nail plate)は指趾末節を物理的に防護するとともに, 指趾の腹側に加わる力を受け止めることによって指趾の繊細な運動や知覚に寄与する機能を有している. 爪部は爪甲を中心に, 周囲を皮膚で囲まれており, この爪甲を取り囲む皮膚を爪郭(nail fold)と呼ぶ. 爪甲基部と両側面を囲う皮膚は, 爪甲辺縁よりも軽度隆起している. 爪甲の遠位側にある皮膚は爪を極端に短く切っていれば爪甲より上に隆起するが, 通常は爪甲よりも下に位置する. 爪郭のうち爪甲の近位部を覆い隠している部分を近位爪郭(proximal nail fold), あるいは後爪郭(posterior nail fold)と呼び, 両側の爪甲側縁部を覆っている部分を側爪郭(lateral nail fold), 爪甲先端部の皮膚を遠位爪郭(distal nail fold)という(図1). 近位爪郭で覆われた爪甲近位部が爪根(nail root)であり, 爪根を容れたポケットは爪洞(nail sinus)と呼ぶが, いずれも外表からはみえない.

爪甲は伸長方向である先端付近に至ると上皮との接着性を失う. この部分を爪甲遊離縁(free edge of nail plate, distal edge)と呼ぶ. 遊離縁の手前にはこれと平行に弧状を呈する幅1～1.5 mmの爪床と色調の異なる領域が存在する. この部分はonychodermal bandと呼ばれ, 爪甲下への異物や微生物などの侵入を防ぐバリアーをなす. すなわち, onychodermal bandの位置には爪甲底面と爪甲下の上皮を強固に結合する角質層(solehorn)が存在している. このsolehornは爪甲が下床から遊離した後も爪甲下面に固着して爪甲とともに伸長する. Onychodermal bandをよく観察すると末梢側には紅色調の弧状帯を含んでいる. こ

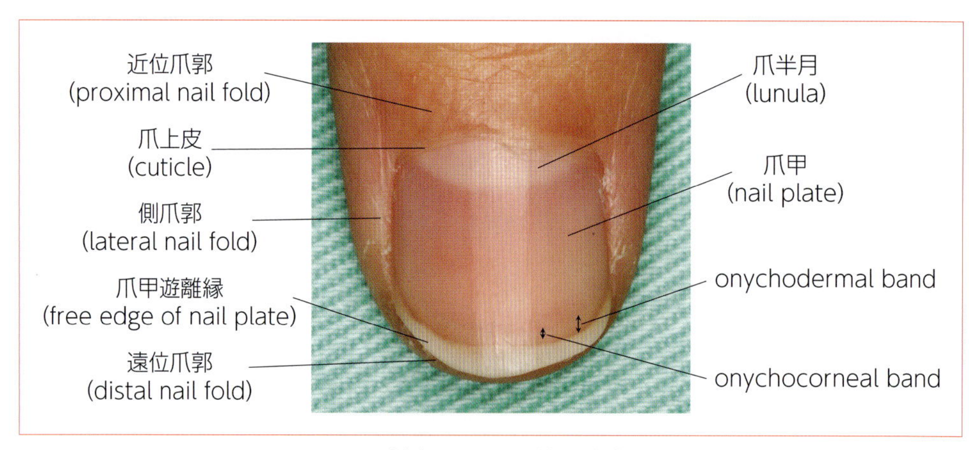

図1　外表からみた爪部の各名称

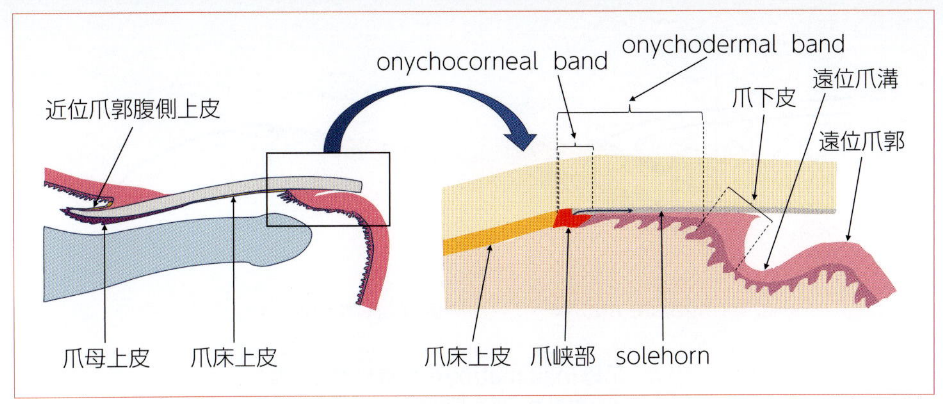

図 2　爪甲遠位部の縦断面模式図
外表からみた各部位の名称と組織像との関係を示す．

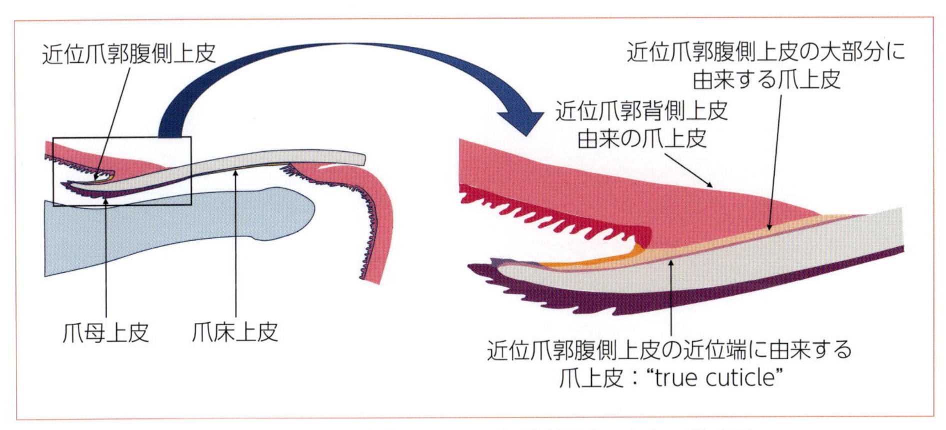

図 3　爪上皮の形成に関わる爪甲近位部の上皮の模式図

のため，中枢側の黄白色調の領域は onychocorneal band, white band (yellow line) of Pinkus などと呼ばれることがある[1)]．Onychocorneal band の位置には，組織学的に不全角化を示す上皮の層が存在し，この部分を毛包構造に準えて峡部(isthmus, nail isthmus)と呼ぶことが提唱されている[1)]．峡部で形成された密な不全角化物が solehorn であり，これは遠位部で爪下皮の角層と一体になり，爪甲遊離縁の裏側に固着するが，さらに末梢に移動すると両者は離れて，峡部で形成された角質のみが爪甲遊離縁の裏側に固着し続ける(図 2)．病的状態では爪下皮が爪甲下面から剝がれにくくなり，爪に固着したまま爪甲先端付近まで延長することがある．この状態は pterygium inversum unguis と呼ばれ，爪切りなどで出血や疼痛をきたしやすい．

爪甲が先端部で上皮との接着性を失う部位では爪甲遊離縁下の上皮から産生された角質が solehorn とともに爪甲下面に短い距離であるが，接着している．この部位の角質や上皮は爪下皮(hyponychium)という．爪下皮の位置は図 2 に示したが，これよりも末梢側の遠位爪郭までの爪甲下の間隙や上皮を含めて爪下皮と呼ぶ場合や，中枢側の onychodermal band を含める者もいるので注意が必要である．爪下皮は指尖部皮膚と同様の性格を有しており，角化様式も epidermal keratinization を示す．

爪甲と爪郭の間の溝は爪溝(nail groove)といい，側爪郭の内側には彎曲を増した爪甲側縁がやや深く食い込む溝がある．この溝を側爪溝(lateral nail groove)と呼ぶ．陥入爪で側爪郭が炎症を起こして腫脹すると側爪溝は深い溝になる．過彎曲爪(巻き爪)では疼痛などの陥入爪症状がなくても爪溝側縁が深く皮膚に食い込み，側爪溝は趾の正中に向かって著しく深くなる．

近位爪郭の遠位端からは，ここで作られた角質

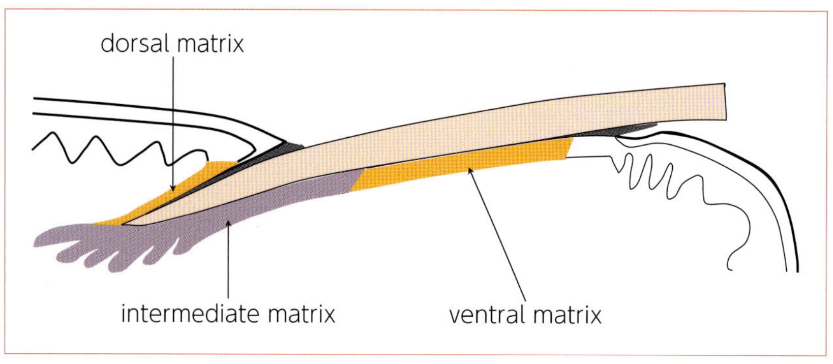

図4　爪母(nail matrix)の名称に潜む混乱
本稿では dorsal matrix，ventral matrix は爪母(nail matrix)に含めていないが，図のように種々の部位に対して nail matrix の呼称が用いられることがある．現在では，単に爪母(nail matrix)と呼んだ場合は，通常，図の intermediate matrix の領域を指す．

が膜様に爪甲の上まで伸びており，爪上皮(eponychium[注1]，cuticle)を形成する．爪上皮の形成には，このほか近位爪郭腹側上皮の顆粒層を経て形成された角質と，その最近位部の顆粒層を経ずに形成された密な角質が関与している．特に後者は真の爪上皮(true cuticle)とも呼ばれており，それぞれが重なりあって爪洞から現れた爪甲表面に固着している(図3)．抜爪時に爪根部表面に固着して爪洞内から現れる膜様の角化物はこの爪上皮そのものである．近位爪郭腹側上皮および近位爪郭遠位端で作られた角層は，いずれも爪甲が伸長することによって爪上皮として爪甲の上に固着したまま伸びていく．爪上皮は爪甲と近位爪郭との隙間をシールして爪洞内に外来物質，細菌，真菌などが侵入するのを防いでいる．しかし，手作業などで近位爪郭に物が当たったり，外力を加える習癖があったりするなど，近位爪郭を前方から押すような外力が加わると爪上皮や近位爪郭遠位部は容易に爪甲から剝離してしまう．これが長く続くと近位爪郭が後退するとともに爪洞内に異物が侵入しやすくなり，慢性爪囲炎を引き起こす．

爪母(nail matrix)[注2]は爪甲形成に関わる爪甲下の上皮であり，その大部分は近位爪郭に覆われた爪根部の下に隠れている．しかし，一部は近位爪

注1：Eponychium と cuticle は，ほぼ同義に使用され，爪甲背面と近位爪郭との間をシールする角質全体(近位爪郭腹側上皮と爪根背面の間に存在するものも含む)，または，このうち近位爪郭遠位端から爪甲表面に向かって膜様に伸びている表面からみえる部分のみのいずれかを指す場合が多い．しかし，cuticle はシーリングのための角質を，eponychium は近位爪郭腹側上皮，または近位爪郭を指して使用される場合があるので，何を意味して用いられているのか注意が必要である．

注2：爪母(nail matrix)という用語の使用には多少の混乱がみられる．爪母が爪を形成する組織の名称として使用されることは，現在の共通認識である．しかし，それがどの部位を示すかについては年代による変遷があるため，特に海外の教本や論文を読む際には注意を要する．爪甲は爪母(上皮)の角化により形成されるため，多くの文献では爪母は爪甲を産生する上皮成分を指している．このため，単に爪母といえば爪母上皮を意味する場合が多い．しかし，爪母直下に存在する間質には CD10 陽性の紡錘形細胞(爪線維芽細胞：onychofibroblast)がみられるなど，他部位の間質と異なっており，この間質領域を含めて爪母と呼ぶ場合もある．

さらに爪母と呼称される爪甲を産生する上皮が存在する領域についても，著者や年代により異なる考えが存在していたため，現在でも本来爪甲を産生しない部位を爪母と呼ぶ場合がある．すなわち，図4に示すように爪根部背面に接する近位爪郭腹側上皮を dorsal matrix，爪根部腹側に存在し，爪甲の大部分を形成する部分を intermediate matrix，爪床上皮を ventral matrix と呼ぶことがある．また，爪甲を形成する本来の爪母を germinal matrix，爪床上皮を sterile matrix と呼ぶこともある．通常，単に爪母(nail matrix)と呼んだ場合には，爪の大部分を形成する図4の intermediate matrix を指す．

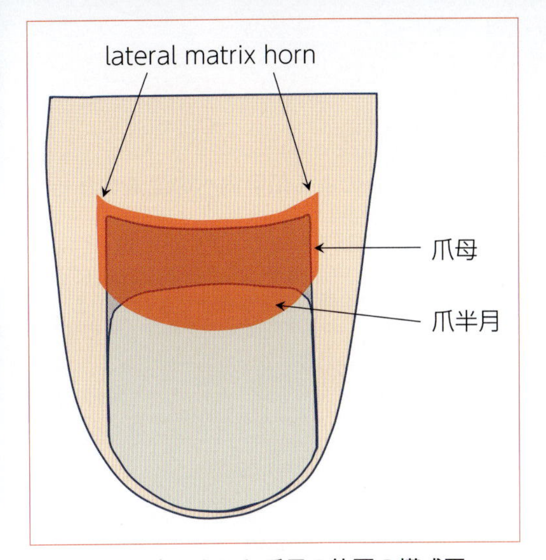

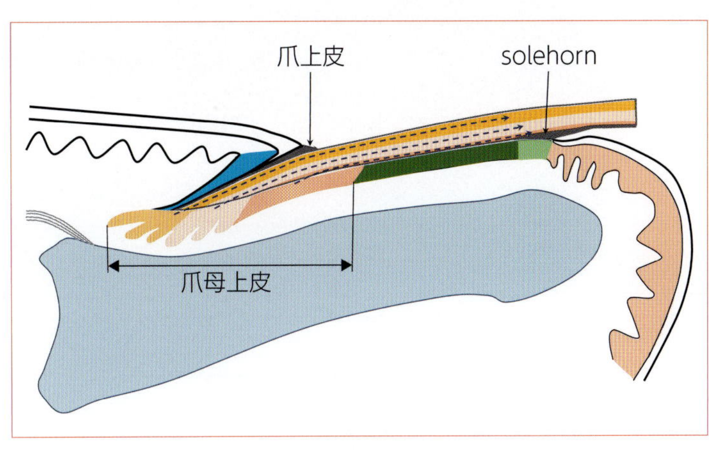

図5　上からみた爪母の位置の模式図
爪母の領域（オレンジ色）は爪甲の範囲よりも近位部および側面で広いため，爪母を除去する外科的治療では特にlateral matrix hornの取り残しに注意を要する．

図6　爪部縦断面の模式図
破線矢印で示したように，爪母は近位部から遠位部にいくに従って，それぞれ爪甲の表層から深層を形成する．

郭よりも遠位部にまで拡がり，爪甲表面から半月状の白色領域，すなわち爪半月（lunula）として透見される．爪半月や爪母が白色調を呈する主な理由は，爪母上皮の上層を占めるkeratogenous zoneで光の乱反射が起こることや，爪床と異なり爪母の上皮は厚く，下床の血管の色調が反映されにくいことなどが挙げられる．爪半月は第1指（趾）のように大きな爪ではみられることが多いが，第5指（趾）のような小さな爪では必ずしもみられない．爪半月は病的状態では赤みがかったり，青みがかったりすることがあり，全身性疾患の診断の手がかりとなる．

II　爪の形成と局所解剖

爪甲（nail plate）は硬い板状の角質塊であり，乾燥重量の80%をケラチンが占める．K14，16，17，5，6の軟ケラチンに加えて，K31〜34，81〜84の硬ケラチンを含んでおり，大部分は爪母（nail matrix）と呼ばれる特殊なケラチノサイトからなる上皮が角化することにより形成される．爪母の存在する位置を爪甲表面側からみた模式図で平面的に表すと，爪半月として認識される部位からおおむね近位爪郭で覆われた爪根部の存在する位置に相当する（図5）．爪母を形成する上皮は上皮突起を爪の成長方向に対して斜めに結合織内に伸ばしている．したがって，爪根部を除去した後の爪洞の拡がりよりも爪母上皮の存在する範囲はやや広くなる．特に爪母の最も近位部の両側縁ではこの拡がりが大きく，lateral matrix hornと呼ばれる．この部位を手術などで取り残すと，後に皮下に角質塊を生じたり，棘状の爪が再生したりする．また，爪母を傷つけるような処置や手術操作を行う場合にはその後の爪甲の形成に影響を与え，爪の変形や形成障害をきたす可能性がある．一般に爪甲に障害を残さない爪母の欠損の大きさは最大で3 mmといわれている．陥入爪の外科的治療の多くは意図的に陥入のある側の爪母側縁部を廃絶することにより，陥入部位に相当する爪甲が再生しないように処置するものである．

指の縦断面でみると図6に示すように爪母は爪甲近位部を下方から起始部まで囲むように存在している．この部分から爪甲が形成されるために抜爪ないしは外傷などで爪甲が脱落した際には，まず，正常では角層をほとんど形成しない爪床全体が角化する．このときに一見，爪甲が早くも再生したような外観を呈するが，これは爪甲ではなく爪床が軟ケラチンを産生して角化した状態である．その後，再生した爪甲は爪母から現れるため，

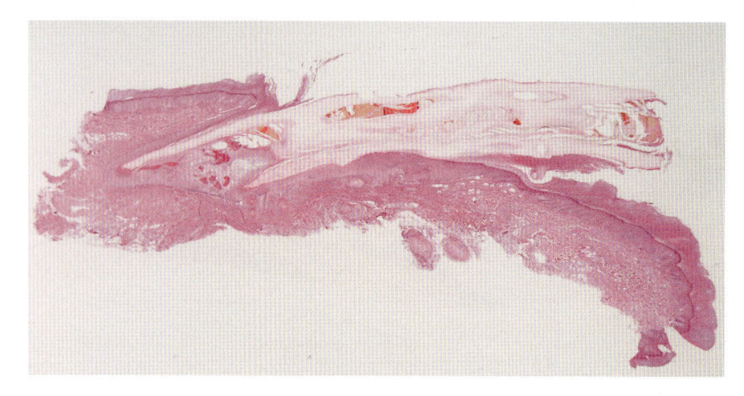

図 7
爪母出血による爪甲内への血液の移行（爪部縦断面）
縦断面における爪母の中央 1/3 付近に生じた爪下被角血管腫からの断続的な出血により，爪甲の中層に血液が組み込まれている．
（自験例：文献 3 より引用）

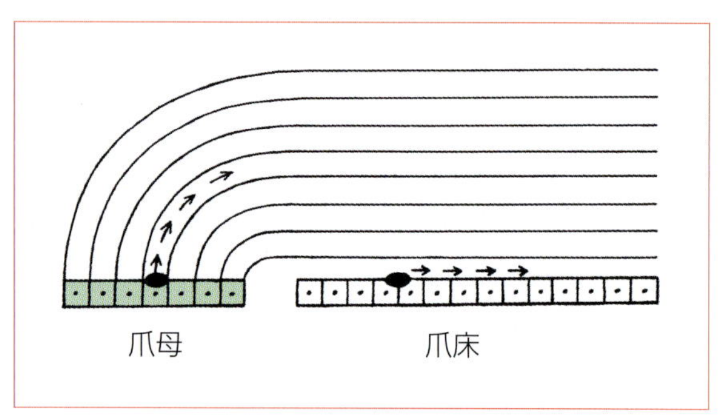

図 8
爪母出血と爪床出血の経過の模式図
爪母の小出血では出血した位置により爪甲の各層に血液が組み込まれ，矢印で示したように爪甲内を遠位に移動する．爪床の小出血では爪甲内に組み入れられることなく爪甲下を遠位に向かって移動する．
（文献 4 より引用）

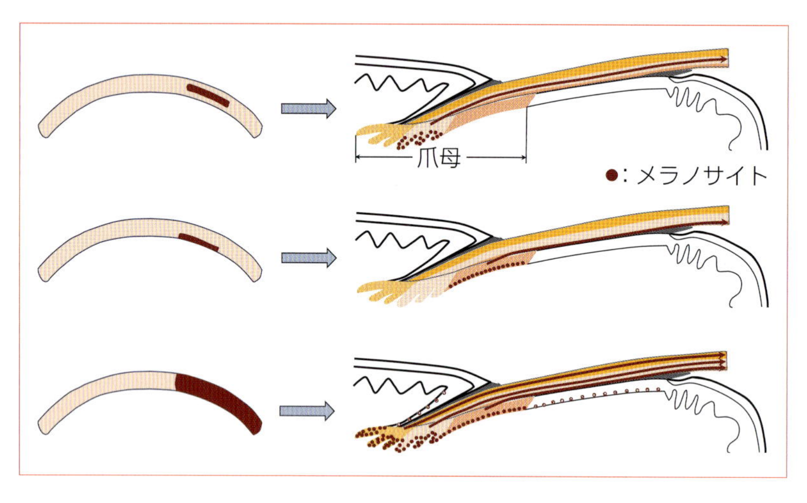

図 9
爪甲色素線条における爪甲先端のダーモスコピー所見と病変部位との関係
図の左側は爪甲先端部のダーモスコピー所見，右側は推定される病変部位を示す．最下段に示すように爪甲全層に色素沈着を認める場合には，爪母以外に爪床や近位爪郭腹側上皮にも病変を認める可能性がある．

まるで爪半月が肥厚したようにみえる．爪母には，図 6 の破線矢印で示したように，近位部から遠位部にいくに従って，爪甲の表層から深層をそれぞれ形成する役割がある．このうち近位部の爪母が特に重要で，爪甲を形成する爪細胞（nail cell，onychocyte）の 80％は爪母の近位 50％の部分から産生される[2]．このため，爪甲の脱落をきたさないような小さな爪甲下出血が生じた際には出血した部位によっては血液が，形成された爪甲内に組み入れられたり，組み入れられなかったりする．爪母における微細な出血では血液は爪甲内に入り込み，爪甲の伸長とともに遊離縁へと移動する（図 7）[3]．出血部位が爪母の近位側であるほど，爪甲の表面近くに組み込まれて移動する．これに対して爪半月よりも遠位での小出血では爪甲内に組み入れられることなく，爪甲下（爪母で形成される爪甲本体の下面）を遠位部に向かって移動する（図 8）[4]．同様の現象はメラノサイト系腫瘍でもみられるため，爪甲に色素沈着をきたす病変では，爪甲遊離縁での新鮮な切断面をダーモスコープで観察することにより，爪甲下の病変の位置をある程度推測することができる（図 9）．

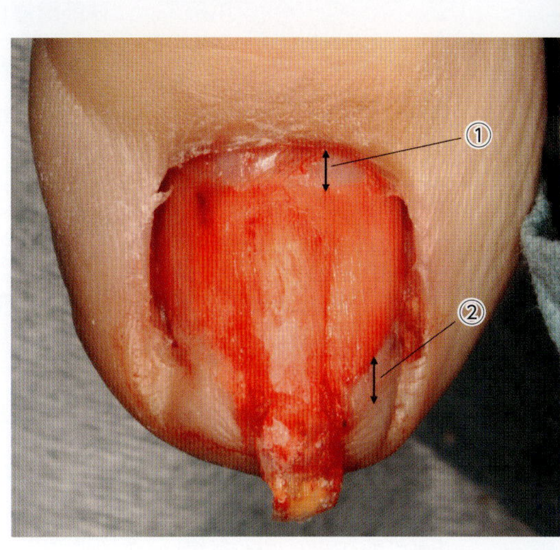

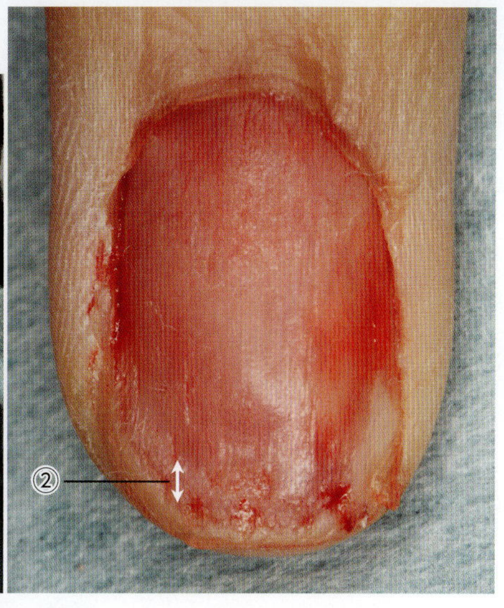

a|b

図 10　抜爪後の爪部

①は爪半月部の爪母，②は onychodermal band に相当する領域．両者の間にある爪床には縦方向に平行に並ぶ細かな凹凸が存在する．この爪床にみられる縦溝は爪床小溝（sulcus lectuli unguis），縦隆起は爪床小稜（cristae lectuli unguis）と呼ばれる．bの症例では爪半月がなく，爪母は観察できない．いずれも爪下外骨腫の症例である．

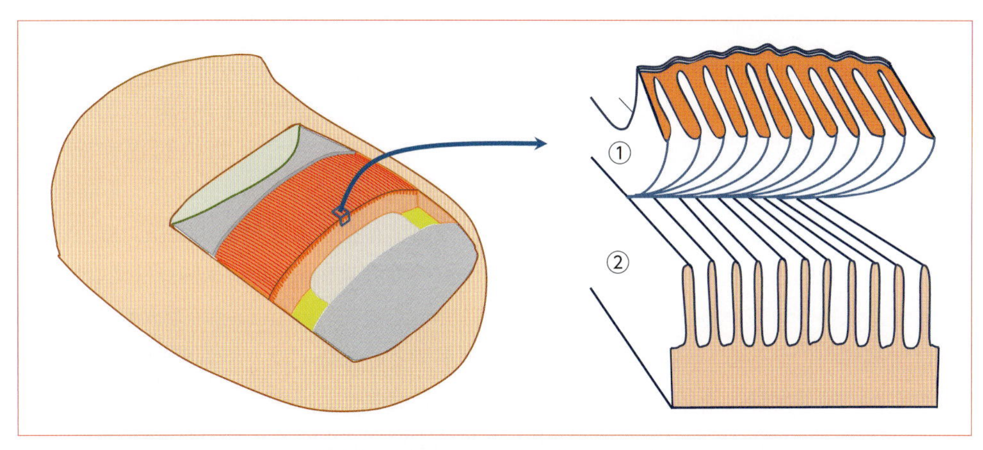

図 11　爪床上皮，爪床真皮の模式図

隣同士の上皮突起が縦方向に平行に長く伸びて，これに対応する真皮の隆起部と強固に噛み合う．爪床上皮の表面にも同様に縦方向に並ぶ凹凸があり，爪甲下面の凹凸と噛み合う．①は爪床上皮，②は爪床真皮を示す．

爪床（nail bed）は爪半月から遠位の爪甲下の組織で，爪下皮までの部分を指す．爪床は爪甲を指趾末節にしっかりと固定しながらもその伸長を補助するレールとしての役割を有する組織であり，爪床上皮（nail bed epithelium）とその下の真皮に相当する結合織成分（爪床真皮：nail bed mesenchyme，nail bed dermis）からなる．抜爪した爪床を上からみると図 10 に示すように白色の爪母領域と異なり，爪床には縦方向に平行に並ぶ軽度の凹凸が存在する．この爪床にみられる縦溝は爪床小溝（sulcus lectuli unguis），縦隆起は爪床小稜（cristae lectuli unguis）と呼ばれる．爪床小溝，爪床小稜は爪床上皮表面の構造を反映している．爪床においては，爪母遠位部から爪下皮に至るまで，波板のように縦方向に規則正しく爪床の上皮突起が配列し，これと噛み合うように真皮の突起も縦に並んでいる（図 11）．爪床におけるこの縦走する真皮の隆起そのものを爪床小稜と呼ぶ場合もある．この構造を反映するように爪床上皮表面に縦方向の凹凸が形成され，対応する爪甲下面に

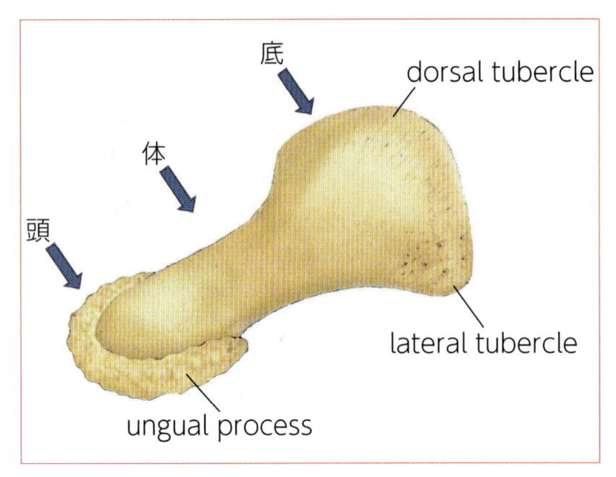

図 12　末節骨の形態と各部位の名称
末節骨は頭，体，底の 3 つの部分からなり，体は細く表面が滑らかであるが，頭と底は膨隆し，靱帯や腱が付着する粗糙な面を有する．
（文献 6 より改変）

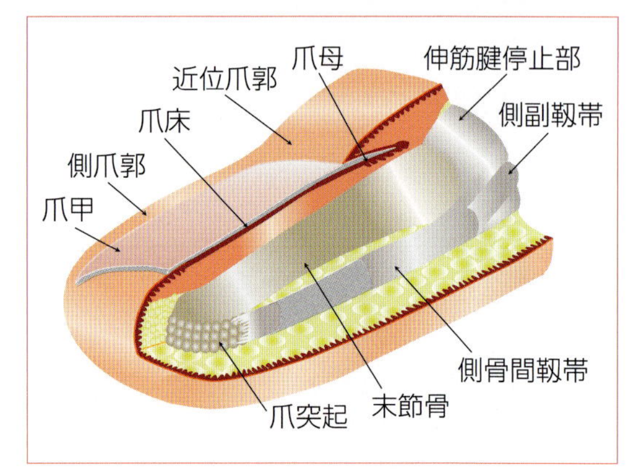

図 13　末節骨，靱帯，伸筋腱と爪部の各組織の関係
爪母近位部は伸筋腱停止部に近接する．側爪溝直下に存在する側骨間靱帯は末節骨底側面の隆起部（lateral tubercle）に起始し，末節骨頭の爪突起（ungual process）に停止する．

もこれと噛み合う凹凸がある．この縦方向の凹凸は爪半月から近位部の爪母上および爪下皮から遠位部では認めない．爪下皮から遠位部でみられないのは爪甲遊離縁手前の onychocorneal band で産生された角質（solehorn）が爪甲下面に追加されるためである．

爪床ではこのように爪甲と爪床上皮，爪床上皮と爪床真皮がそれぞれ強固に噛み合うことで爪甲の下床への固定が保持されている．また，爪床上皮そのものは増殖傾向に乏しく，平常時には基底層も含めほとんどの細胞が静止期（G0 期）にあり，爪の伸長に伴って極めて緩徐に爪甲下で角化する[5]．このため，爪床上皮は爪母で新たな爪甲成分が追加され，爪甲が遠位に移動するのと一緒に，遠位方向に移動する．

III　爪囲の骨軟部組織との関連性

爪甲は周囲の上皮および結合織を介して末節骨に強固に固定されているため，他の部位の皮膚と異なり下床との可動性がほとんどない．末節骨は中央部（体：shaft，Corpus phalangis）が細長いが，両端は膨隆している．底（base，Basis phalangis）と呼ばれる近位端には中節骨または基節骨と連結するための関節面があり，関節面のすぐ遠位側では背側と両側側面がやや粗糙に隆起している．末節骨底の背側の隆起部（dorsal tubercle）には関節包およびこれと一体化した伸筋腱停止部が付着する（図 12）[6]．伸筋腱の停止部は，上皮内悪性腫瘍などで爪母を完全に切除する際の目安となる．

末節骨先端の膨隆部（頭：tuft，Caput phalangis）には三日月状の粗面があり，爪突起（ungual process）と呼ばれる．末節骨底の両側の側面に存在する隆起部（lateral tubercle）と末節骨頭の爪突起（ungual process）は側骨間靱帯（lateral interosseous ligament）で繋がれている（図 13）．爪甲との関係では，側骨間靱帯は爪甲側縁部の直下に存在し，爪床真皮（nail bed mesenchyme，nail bed dermis）と線維性に結合することで爪甲の両側縁部を支持している（図 14）．爪床には皮下脂肪織の層がなく，爪床上皮と末節骨との間には線維性結合織成分を主体とした爪床真皮が存在するのみである．爪床の線維成分は筋膜様に密になっており，爪床真皮内の垂直方向に発達した膠原線維束は随所で下床の骨膜と融合している．既に述べたように爪甲と爪床上皮との結合が強固であるうえに爪床真皮と末節骨もこのように強く結合しているため，爪甲は下床との可動性に極めて乏しい．爪床や爪甲側縁部以外でも爪甲の辺縁部は全周性に下床に固定されている．爪甲遊離縁手前の onychodermal band の位置では，爪下皮（hyponychium）領域が hyponychial-phalangeal ligament（anterior ligament）と呼ばれる線維性組

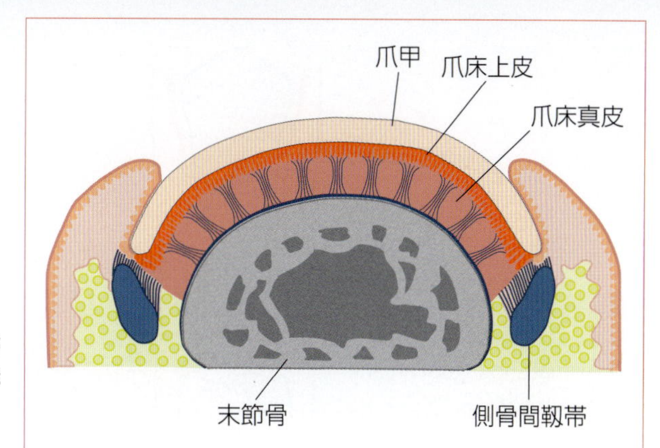

図 14
爪床レベルでの爪部横断面の模式図
爪甲側縁部を囲む結合織は爪床真皮とともに側骨間靱帯と線維性に融合．さらに爪床真皮は垂直方向の線維の発達により下床の骨膜と強固に結合している．

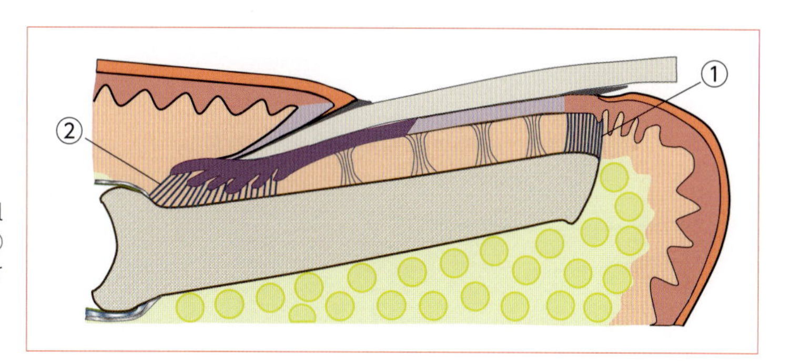

図 15
指末節の縦断面の模式図
爪床と末節骨との強固な結合のほか，前縁，後縁でそれぞれ①hyponychial-phalangeal ligament(anterior ligament)，②matricophalangeal ligament(posterior ligament)により爪部は骨に固定されている．

織で骨膜と連結されており，爪母近位部では同様に matricophalangeal ligament(posterior ligament)で爪母が骨膜に固定されている(図 15)．これらの構造により指(趾)腹から大きな力を受けても爪甲の形態が保たれるようになっている．

Ⅳ 爪部の血管・神経

指趾には掌側(底側)と背側にそれぞれ一対の指(趾)動脈が存在し，指趾を栄養している．しかし，背側の動脈は口径が細く，主に基節・中節部の背面を環流しているに過ぎない．爪部を含む指趾末節の血流は主に指趾の掌側(底側)を走る固有掌側指動脈(proper palmar digital artery)，あるいは固有底側趾動脈(proper plantar digital artery)の分枝や終末により保たれている．

末節背面には両側の指動脈を吻合する動脈弓が3か所存在し，近位側にあるものから，それぞれ浅動脈弓(superficial arcade, dorsal nail fold arcade)，近位爪下動脈弓(proximal subungual arcade)，遠位爪下動脈弓(distal subungual arcade)と呼ばれている(図 16)[7]．最も近位部にある浅動脈弓は末節骨底の伸筋腱停止部の上を走り，爪母のすぐ近位に位置する．この動脈弓は固有指動脈の中節部における分枝と末節部における分枝の二重支配を受けている(図 17)[8]．このため，指に外傷が加わった際にも爪母の血流は維持されやすい．浅動脈弓からは近位爪郭やその周辺に分布する枝のほか，爪母下の結合織内を通過して近位爪下動脈弓と交通する縦方向の分枝が出ている．近位爪下動脈弓は爪半月付近の爪母下に形成され，遠位爪下動脈弓は爪床遠位部に存在する．この遠位側の2つの動脈弓は，いずれも両側の指動脈が末節指腹で合流した後に背側に向けて再び分枝した動脈により形成されたものである(図 18)．この分枝は側骨間靱帯(lateral interosseous ligament)の下を通過して背側に現れる[7]．指背の3つの動脈弓の間には縦方向に走る血管による吻合が発達している．これらの吻合により，爪床の表層には密な血管網が形成されているが，表面付近では特に縦方向の微細な血管が発達している．

指趾末梢付近の静脈系は四肢の他部位と類似し

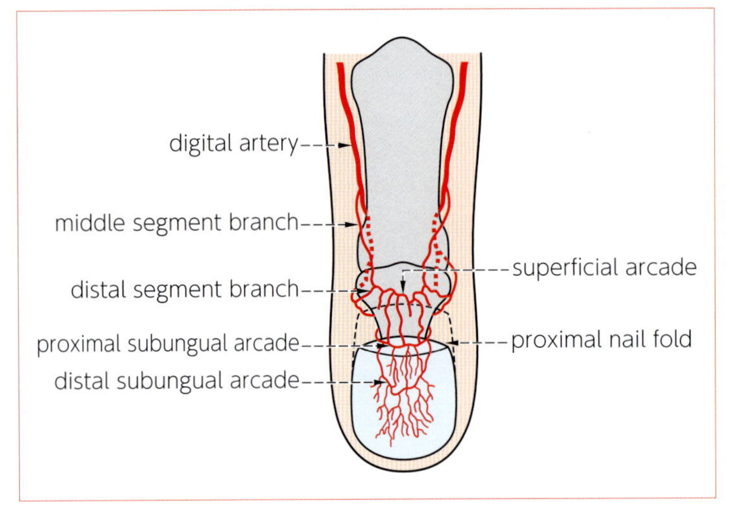

図 16
爪部の動脈(背面)
末節の指背には両側の動脈を連結する3か所のアーチ(superficial arcade，proximal subungual arcade，distal subungual arcade)が存在する．
(文献7より引用)

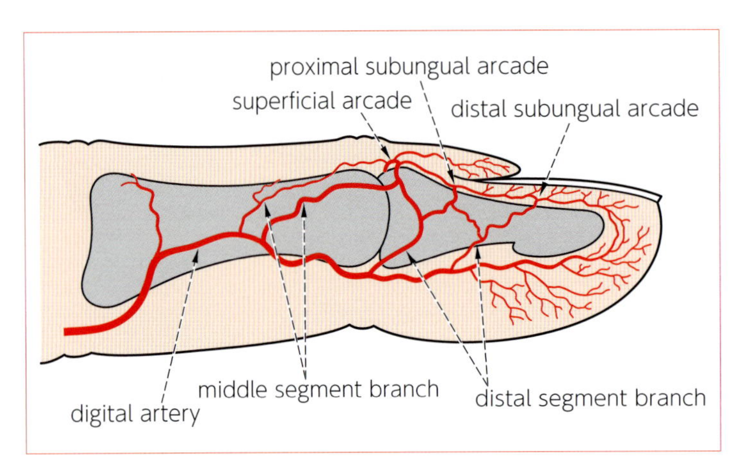

図 17
爪部の動脈(側面)
浅動脈弓(superficial arcade)は，中節における分枝(middle segment branch)と末節における分枝(distal segment branch)の両者から血流を受ける．
(文献8より引用)

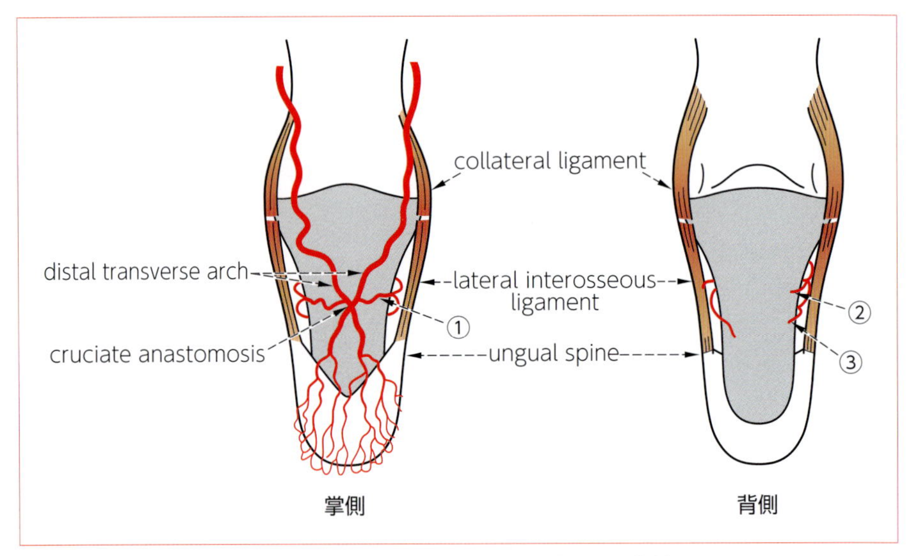

図 18　爪部の掌側における動脈弓への分岐
遠位側の2つの動脈弓は，いずれも両側の指動脈が末節指腹で合流した後に背側に向けて再び分枝した動脈(①)により形成される．この分枝は側骨間靱帯(lateral interosseous ligament)の下を通過して背側に向かう．②proximal subungual arcadeへの分枝，③distal subungual arcadeへの分枝
(文献7より引用)

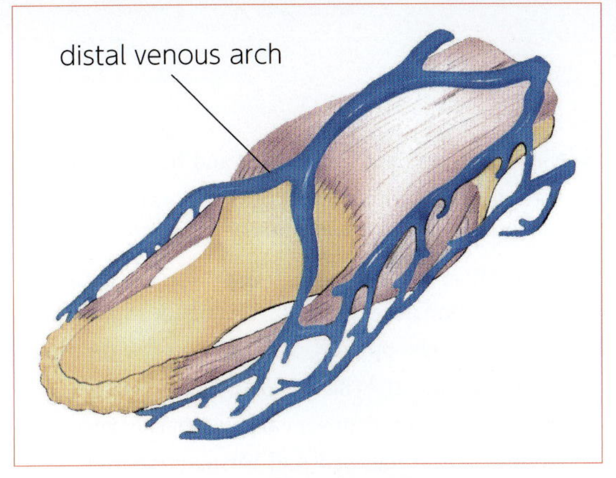

図 19　爪部の表在静脈系
背面の両側にある静脈は爪根周囲を走行する distal venous arch を経て正中で 1 つになり，近位部で再び 2 つに分かれる．
（文献 6 より改変）

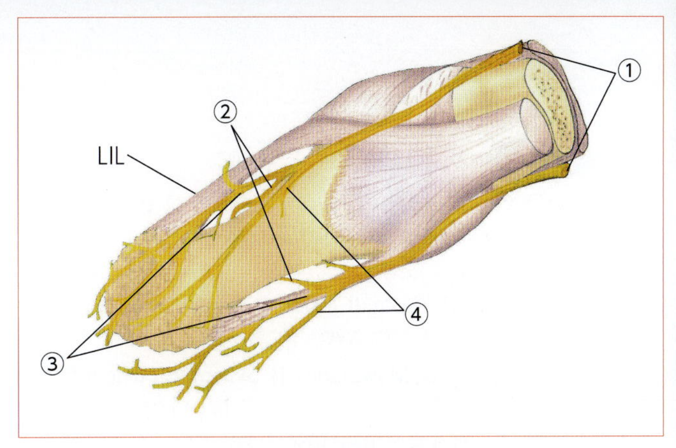

図 20　指末節の神経支配
掌側からみた固有掌側指神経（①）の末節へ分布．爪部を支配する分枝（②）は側骨間靱帯（LIL）の下を通過して背側に向かう．③，④はそれぞれ指尖部，指腹を支配する分枝である．
（文献 6 より改変）

ており，深部の静脈系と表在静脈系に分けられる．両者の間には交通枝が存在する．深部の静脈は主に腹側を走る動脈の伴走静脈として認められる．これに対して表在静脈系は背側，側面，腹側で豊富な吻合を有する静脈網を形成し，背面の両側から爪根周囲を走行する distal venous arch を経て，正中で 1 つになり，中枢側に向かう．この静脈は DIP 関節ないし，それよりも近位部で再び 2 つに分かれて背側を走る（図 19）[6]．

爪部の存在する末節背面の神経支配は指により異なることが知られている[9]．動脈と同様に背側，掌側（底側）にそれぞれ一対ずつ指（趾）神経があるが，発達しているのは，固有掌側指動脈あるいは固有底側趾動脈とともに走る固有掌側指神経（proper palmar digital nerve）ないし固有底側趾神経（proper plantar digital nerve）である．この神経は DIP 関節を越えてすぐに 3 つの枝に分かれる（図 20）．このうち，1 つが側骨間靱帯の下を通過し，爪床の知覚を支配する．他の 2 つの枝はそれぞれ，指尖部と指腹に分布する．しかし，全指趾の爪部が固有掌側指神経や固有底側趾神経の支配を受けるとは限らず，手の第 1 指，第 5 指では背側指神経の末梢が爪郭を越えて爪甲下に分布する場合が多い（図 21）．解剖学的にはこのように両端の手指では背側，その他の指では主に掌側の指神経が爪部に分布する．また，背側と掌側の指神経の間には交通枝が存在することも多い[9]．したがって，爪部手術のために指趾の基部などで伝達麻酔を実施する際には，どの指を麻酔するかを考慮したうえで麻酔法を選択する必要がある．具体的な注意点は，本書「Ⅱ章 20，pp. 181〜191」の稿に記した．

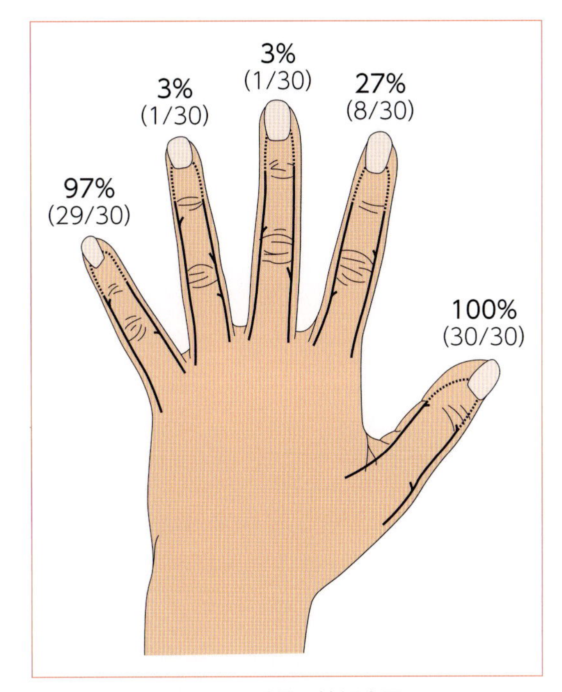

図 21　爪部の神経支配
30 例の解剖所見から，背側指神経が爪部にまで分布する割合を示している．第 1 指，第 5 指では爪部は高率に背側指神経支配であり，その他の指では固有掌側指神経支配が多い．
（文献 9 より引用）

（田村敦志）

文献

1) Perrin C：The 2 clinical subbands of the distal nail unit and the nail isthmus. Anatomical explanation and new physiological observations in relation to the nail growth. Am J Dermatopathol. 30：216–221, 2008.
2) de Berker D, Mawhinney B, Sviland L：Quantification of regional matrix nail production. Br J Dermatol. 134：1083–1086, 1996.
3) Hasegawa M, Tamura A：Subungual angiokeratoma presenting as a longitudinal pigmented band in the nail. Acta Derm Venereol. 95：1001–1002, 2015.
4) Stone OJ, Mullins JF：The distal course of nail matrix hemorrhage. Arch Dermatol. 88：186–187, 1963.
5) González–Serva A：Structure and function. Scher RK, et al. eds. pp.11–30, Nails：Therapy, Diagnosis, Surgery. London：WB Saunders Co, 1990.
6) Morgan AM, Baran R, Haneke E：Anatomy of the nail unit in relation to the distal digit. Krull EA, et al. eds. pp.1–28, Nail surgery：a text and atlas, Lippincott Williams & Wilkins, 2001.
7) Flint MH：Some observations on the vascular supply of the nail bed and terminal segments of the finger. Br J Plast Surg. 8：186–195, 1955.
8) Flint MH, Harrison SH：A local neurovascular flap to repair loss of the digital pulp. Br J Plast Surg. 18：156–163, 1965.
9) Bas H, Kleinert JM：Anatomic variations in sensory innervation of the hand and digits. J Hand Surg Am. 24：1171–1184, 1999.

I章

押さえておきたい爪の基本

【病 理】

2 爪部の病理組織診断にあたっての基礎知識（爪生検の仕方，正常な爪部の組織像）

I はじめに

本稿では爪部の病理組織像を読むにあたって予備知識として知っておくべき爪生検の仕方と正常な爪部の組織像について解説する．

II 爪生検の仕方

1．生検部位の選定

爪部生検を行うにあたっては，まず，臨床的な爪の変化から病変の主座が爪母，爪床，爪郭のいずれにあるのかを推定する必要がある．病変が爪郭にある場合には爪自体に大きな変化を及ぼさないことが多い．しかし，近位爪郭の病変，特に近位爪郭腹側に存在する腫瘍や爪母直下に存在する腫瘍などでは水分を含んで柔らかい爪根部を上から，あるいは下から圧排するため，対応する爪甲に幅広く深い縦溝を生じたり，大きな尾根状の縦隆起をきたしたりする．

原則として爪母病変では爪そのものの色調や形態に変化が生じ，爪床病変では爪の変化は軽く爪甲下の変化が主体となる．前者の代表的なものとしては爪扁平苔癬や爪甲色素線条を呈する疾患があり，後者の代表的なものには乾癬や爪白癬のように爪甲下角質増殖や爪甲剝離を呈する疾患が挙げられる．また，爪甲表面の点状陥凹（pitting）は爪甲の表層を形成する爪母の近位部に原因病巣があることを示している．

爪生検は採取する部位や大きさによっては，その後の爪甲の形態に悪影響を与える可能性があり，爪母生検では爪甲の縦線や縦裂，爪床生検では爪甲剝離を生じる可能性がある．そのため，広範囲の生検や爪母の最近位部の生検は可能であれば避けたほうがよい．爪郭部の生検は爪に与える影響がほとんどないが，近位爪郭を生検する場合に直下の爪母まで損傷すると爪郭と爪母の瘢痕が癒着して爪の形成に影響を与える可能性が高くなる．

大まかにいえば，爪生検では爪郭，爪床，爪母の順に生検後の爪の生長や形態に与える影響が少なく，生検手技も容易であるといえる．したがって，爪病変の原因疾患が爪郭にも存在すると考えられる場合には爪郭を生検するのがよい．また，爪母，爪床のいずれにも病変があると考えられる場合には爪床を生検する．病変の主座が爪母と推定される場合には爪母を生検する必要がある．

例えば，爪甲色素線条（longitudinal pigmented band）は爪甲に縦方向にみられる線状，帯状の色素沈着であり，その多くは黒色や褐色調でメラニンによる色素沈着（longitudinal melanonychia）である．原因は爪母におけるメラノサイトの活性化やメラノサイトの増殖であるので，爪母生検が原則である．稀に良性の母斑性病変であっても爪甲遊離縁や近位爪郭まで線条に沿って病変が存在（Hutchinson 徴候）することがあるが，多くは爪母に限局する．爪部ボーエン病においても爪甲色素線条を呈することがあるが，この場合には色素線条に沿って爪床にも病変があるのが普通である．爪扁平苔癬でみられる爪の菲薄化，縦の線条・隆起・溝，縦裂などの症状は爪母病変による爪変化である．したがって，爪母生検が適応となるが，扁平苔癬では爪根部を上下から挟むように爪母から近位爪郭腹側にかけて病変が存在する傾向にある．このため，爪甲側縁部にも病変があれば，後述する lateral longitudinal nail biopsy のような方法が多くの情報を得やすい．爪甲下角質増殖とともに爪表面にも変化があれば爪母，爪床の両者に病変があると考えられるため，爪床から生検すればよい．乾癬を疑う爪病変が代表的である．

2. 生検の仕方

爪生検を行うにあたっては，まず麻酔が必要であり，多くの場合，駆血も必要となる．麻酔と駆血は爪部手術の際と同じ手技であり，他稿（Ⅱ章20，pp. 181〜191）に詳述したので参照されたい．

a）爪母生検

爪母は爪半月から近位部の爪甲下に存在する．したがって，特に爪半月が大きい場合には直上から直接，爪母を生検することが可能である．しかし，通常は爪母の大部分は近位爪郭に隠れているので，他部位の皮膚生検とは異なる前処置が必要となる．また，爪甲は爪母で作られるため，爪母生検の部位と大きさによっては爪甲の萎縮を招く可能性がある．一般に 3 mm 以内のパンチ生検は安全とされ，爪甲の下層を形成する爪母の遠位部の生検では爪が薄くなることはあっても，萎縮は生じにくい．しかし，爪母近位部の生検では 3 mm 以内でも爪の萎縮や縦裂を招く可能性がある[1]．したがって，爪母近位部の生検が必要なければ遠位部から生検するほうがよい．幸いにも爪母生検の対象として重要な爪甲色素線条などは爪母遠位部から始まることが多い．爪母直上では爪甲が柔らかいため，爪甲とともに一塊に採取できれば爪甲を含んだ切片作成は爪床よりも容易である．しかし，残念なことに爪母領域では爪甲と爪母上皮との結合が強固ではなく，生検過程で剝離しやすい．したがって，爪甲が必ずしも必要でない場合には始めに爪甲を除去してから生検する．

爪母生検にはトレパンを用いたパンチ生検とメスによる紡錘形生検，さらにシェーブ生検があるが，本邦では前 2 者が一般的と思われる．いずれの方法においてもまずは近位爪郭を爪根部から剝離し，近位爪郭の両端に縦方向の切開を加えてこれを挙上，翻転し，爪根部が見える状態にしてから生検する（図 1-a）．近位爪郭と爪甲の間の剝離には先端が薄くて鈍な骨膜剝離子などを用いると組織の損傷が少ない．なければ無鉤のモスキート止血鉗子などを先端を閉じた状態で代用する．近位爪郭を翻転した状態で直接，爪甲を含めてパンチ生検することも可能であり（図 1-b），生検後は，翻転した近位爪郭を元の位置に戻して，1〜2 針ずつ縫合しておく（図 1-c）．爪甲色素線条などでは実際には幅の狭い病変であれば病変部の完全切除を目指した切除生検を行う場合が多い．その際には，病変部位の爪甲を翻転して爪母の病変部を切除する．筆者らはまずトレパンで爪甲のみを丸く切除して，この孔を足がかりに爪甲に必要な幅の縦切開を加えて爪甲基部を挙上・翻転している（図 1-d）．これで爪母の病変部を直視下に観察できるので，トレパンやメスで病変部を採取する．ただし，爪甲色素線条の場合，爪甲よりも爪母の方が色素沈着が淡く辺縁もわかりにくいことが多いので詳細な観察が必要となる．また，良性の母斑性病変であっても爪床や近位爪郭腹側上皮にまで線条，帯状に色素斑が及んでいることがあり（図 1-f），この場合には爪甲の縦裂や翼状爪の発生などを覚悟したうえでないと全摘できない．トレパンやメスで病変部を採取した後，3 mm 以下の生検では縫合せずに翻転した爪甲，爪郭を元に戻して，爪郭のみを縫合しておく．トレパンで切り取った丸い爪も元に戻してテープで接着させておけば 1〜数か月間は固着している（図 1-e）．

病変が大きい場合には欧米ではシェーブ生検（shave biopsy，tangential excision〔接線切除〕）が推奨されているが，本邦では melanoma *in situ* が疑われるような幅の広い色素線条に対しては初めから爪部の全切除が行われる場合が多いと思われる．爪母のシェーブ生検は，近位爪郭と爪根部を挙上後に病変部周囲にまずメスで浅い切開を全周性に加え，次いで，メスや剪刀を用いて切開を加えた範囲を 0.5 mm 程度の厚さで水平方向に切除する方法である[2]（図 2）．したがって，パンチ

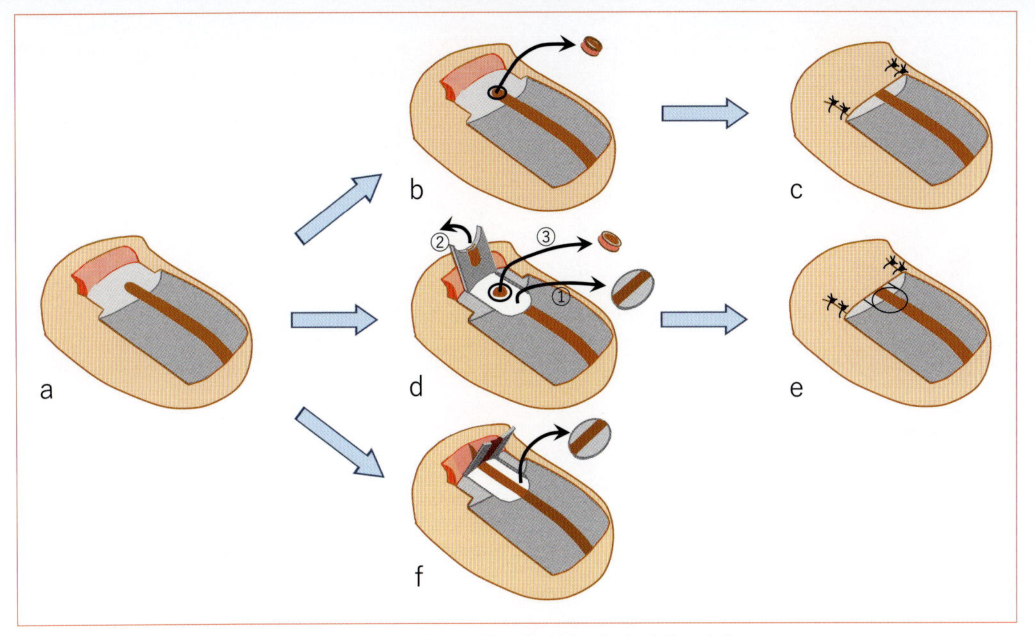

図 1　爪母生検の模式図（爪甲色素線条の例）

a：近位爪郭と爪甲との間を鈍的に剝離し，近位爪郭の両端付近に縦切開を加えて翻転する.
b：病変（色素線条）起始部を爪甲とともにトレパンで採取する.
c：翻転した近位爪郭を元に戻して縫合する.
d：①まず，爪甲の一部をトレパンで除去する．②この孔から爪甲の近位部を必要な幅だけ剪刀で切開して爪甲基部を翻転する．③肉眼で病変範囲を確認後，トレパンやメスで爪母の病変を採取する.
e：翻転した爪甲，近位爪郭を元に戻して，近位爪郭は縫合する．トレパンで除去した爪も元に戻してテープで固定する.
f：良性の母斑であっても爪床や近位爪郭腹側上皮にまで線状，帯状に病変が及んでいる場合がある.

生検や紡錘形生検に比べ技術を要する方法であり，万人向けではない．紡錘形生検は 3 mm を超えるような組織を採取する際に行われるが，爪母の遠位部で生検する際には近位部に切り込まないように横方向を長軸とするのがよいとされる．しかし，幅が狭い紡錘形生検であれば縦方向でも大きな問題はない．紡錘形生検では創を縫合するのが基本であり，爪母で抜糸が困難な場合には吸収糸が用いられる．なお，欧米では爪母生検や爪母手術の際には爪甲の全幅を横方向に切断して爪甲を横に翻転することにより，全爪母を露出する手技が用いられる（図 2）．全爪母の露出が必要ない場合には，縦方向に病変部の爪を必要な幅と長さだけ翻転する筆者らの方法のほうが侵襲が少なく安全であると考える.

なお，生検後は病変に応じて多くの場合，横方向または縦方向での切片を作成するが，トレパン

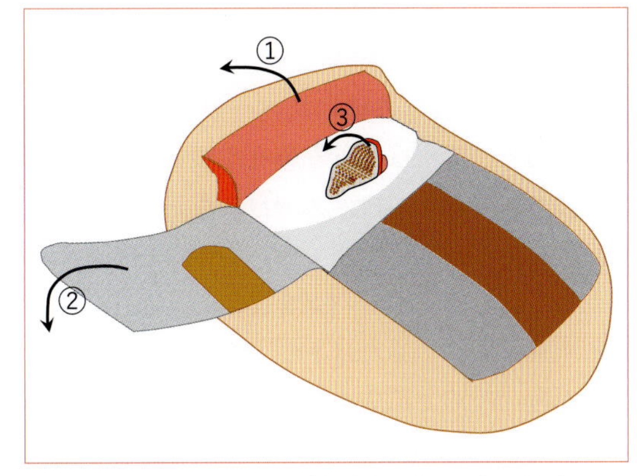

図 2　爪母のシェーブ生検（接線切除）の模式図

①近位爪郭を爪甲から剝離後，両端付近を縦切開し，翻転する.
②爪甲を横方向に切断し，片方の側縁部以外は爪床，爪母から剝離して爪甲近位部を横方向に翻転することで全爪母を露出する.
③病変部周囲にメスで切開を加え，切開線に沿ってメスや剪刀で病変部を 0.5 mm 前後の厚さで水平方向に切除する.

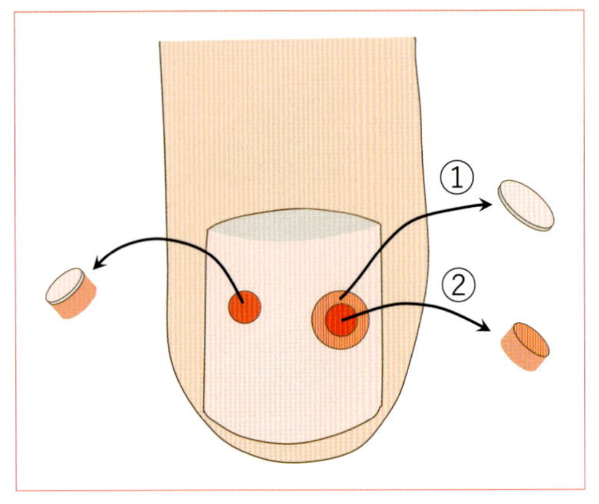

図 3　爪床のパンチ生検
左：トレパンで爪甲，爪床を一気に切開して採取する.
右：①まず，大きめのトレパンで爪甲のみを除去する. ②その後，小さめのトレパンで爪床の組織を採取する.

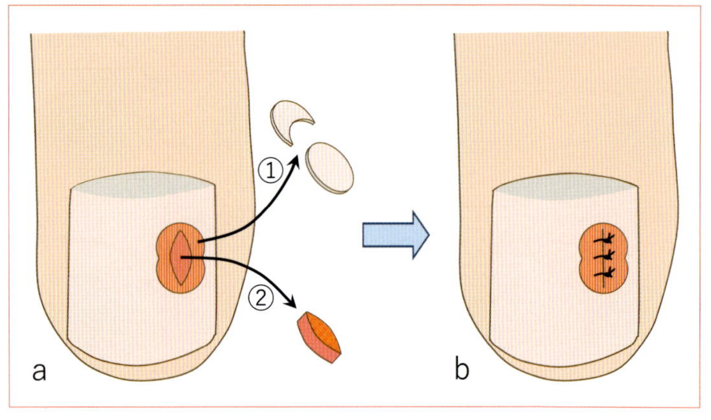

図 4　爪床の紡錘形生検
a：①まず，生検後の縫合が可能な広さまでトレパンで爪甲のみを除去する. ②爪床をメスで紡錘形に切開して組織を採取する.
b：組織採取後の爪床は縫合する.

で円柱状の組織を採取した場合には採取直後から方向性がわからなくなる. したがって，採取前に印を付けておき，これが消えないうちに採取直後にもマークする必要がある. 特に爪甲を含めて採取した場合には生検時や標本作成過程で爪と爪母組織が分離する可能性があるので爪母側の組織のみで方向性がわかるようにマーキングしなければならない.

b）爪床生検

爪床生検は爪母生検に比べ，安全で容易である. ただし，爪甲は爪母を覆う爪根部よりも硬いので，前処置なしではメスで自由な形に切ることが困難である. 爪床生検では爪甲の萎縮や変形はきたさないため，トレパンを使用して爪甲ごとパンチ生検するか，またはトレパンで爪甲のみを除去した後，改めて爪床をパンチ生検する. 後者の場合には径が5～6 mmのトレパンであらかじめ爪甲を除去した後，3 mmトレパンで爪床を採取すると組織の採取が容易になる（図 3）. 紡錘形生検を行う場合には，生検部位の爪甲をやや広めに除去した後，爪床を縦方向を長軸とする紡錘形にメスで切開して組織採取後は縫合しておく（図 4）. 幅広く採取した場合には，縫合前に周囲を骨膜上で広範に剝離しておく必要がある. 生検後は除去した爪甲を元の位置に戻しておくと，1～数か月程度固着している.

パンチ生検における切片作成時の方向性に関する注意点は爪母の場合と同様である.

c）爪郭生検

爪郭生検は基本的には他部位の皮膚生検と変わらない. 近位爪郭の生検においては，直下に爪根やさらにその下には爪母が存在するので，これらを損傷しないように深さをコントロールする必要がある. 深さのコントロールに自信がないときには近位爪郭と爪根部をあらかじめ爪母生検のときのように鈍的に剝離しておいて，生検時にこの隙間に剝離子やモスキート止血鉗子などを挿入してメスやトレパンの刃先から保護しておく.

d）Lateral longitudinal nail biopsy

爪部のすべてのコンポーネントを採取することが可能な生検法であり，爪甲，爪母，爪床，爪郭，爪下皮を一塊として生検する方法である. 手技としては，かつて陥入爪手術のgold standardであった楔状切除術（あるいはlabiomatricectomy[3]）と基本的には同じである. この方法の利点は観察できる病変部が多岐にわたることで，例えば，爪甲を挟んで爪郭，爪母の両者の組織像や爪母近位部の組織像をみることが可能である. したがって，扁平苔癬などにおいてはパンチ生検では観察し難い貴重な組織像を得ることができる. また，爪甲側縁部からの採取であるため，爪甲に目立った変形が生じにくいことも利点である. 欠

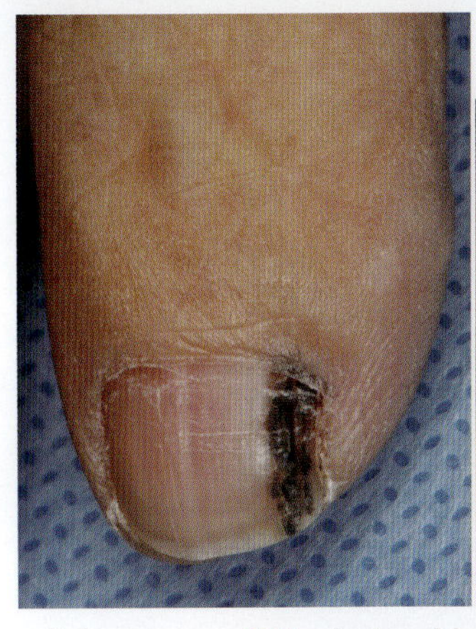
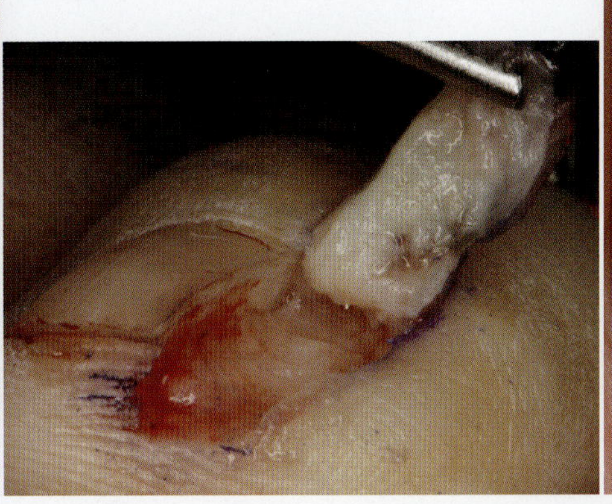
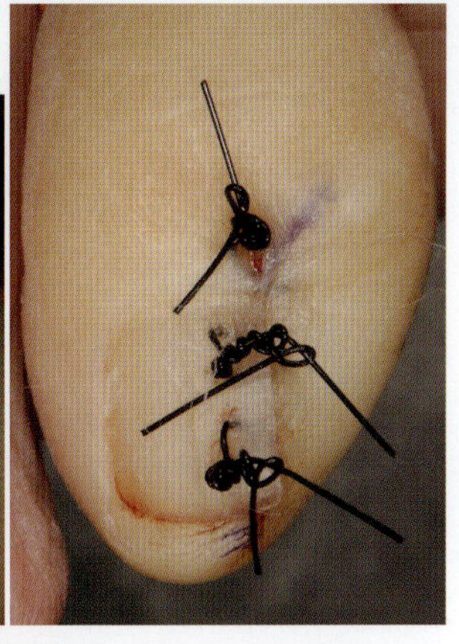

a|b|c

図5 Lateral longitudinal nail biopsy の実際(爪下被角血管腫の例)
a：生検前の臨床像．爪甲側縁部の色素線条を呈する病変(自験例：文献4より引用)
b：生検中．遠位部から切開，挙上している．
c：生検終了時．爪郭が爪甲下に入り込むように縫合した．

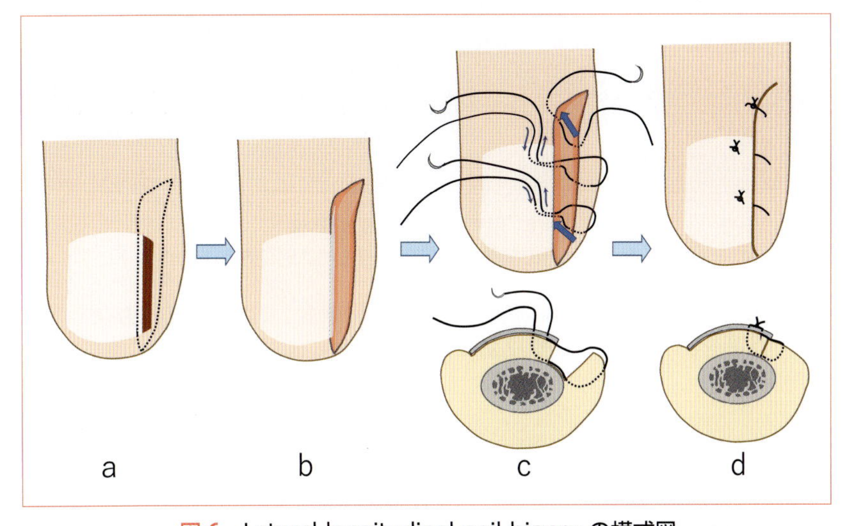

図6 Lateral longitudinal nail biopsy の模式図
a：切開線のデザイン．爪母近位の側縁部を取り残さないように近位部では側方に長めに切開線をデザインする．
b：組織採取直後
c：近位爪郭が最も緊張が強く創縁を寄せにくいので，太い矢印の方向へ指の側面全体を移動させるようにして縫合する．針を細い矢印のように刺入することで縫合創は爪の下に入り込み，爪甲切断面の刺激を受けなくなる．
d：縫合終了時

点は手技がやや難しく，爪母の辺縁を取り残した場合，後に棘状の爪が側縁部から再生してきたり，爪甲の生長の向きが多少偏位したりする可能性がある．当然のことながら，この方法で生検が可能なのは病変が爪甲の側縁部に存在する場合に限られる．よい適応は爪甲側縁部に病変がある扁平苔癬や爪甲側縁部の色素線条などである．

実際の手技を図5に示す[4]．なお，爪母の取り残しを防ぐためと，縫合する際に，最も緊張が強くなる近位部での縫合を容易にするため，皮切のデザインは近位部で外側にカーブさせ，残りの側爪郭全体を近位部に移動させるようにして縫合するとよい(図6)．また，爪甲の切断面と側爪郭の切断面が接しないように筆者らは図6のようにして側爪郭の切断面が爪甲下に入り込むように縫合している．

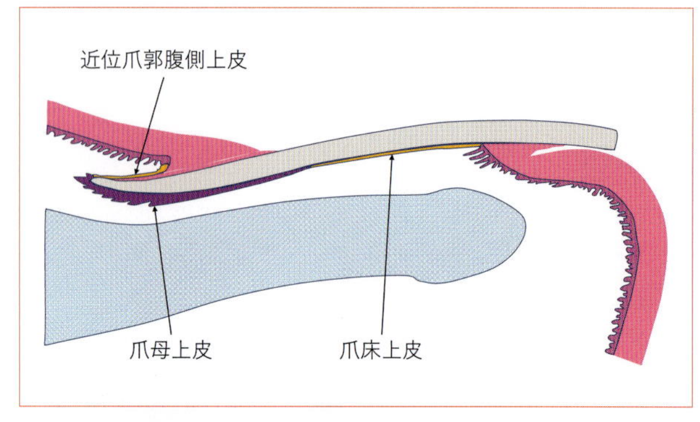

図 7
爪部の縦断面(模式図)
縦断面における爪母の上皮突起は骨に向かって下方に伸びるのではなく，斜めに中枢側に向かう．

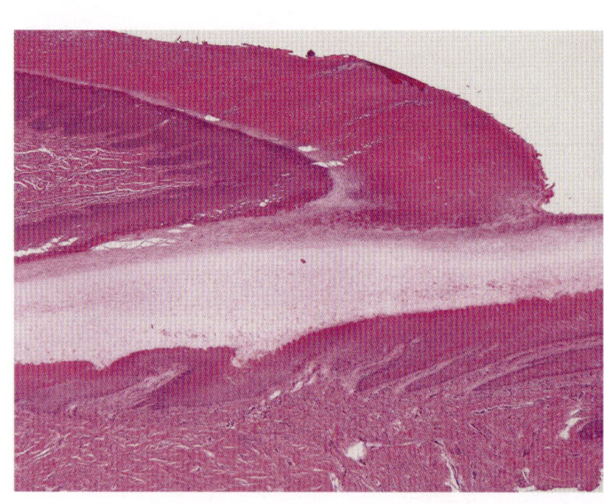
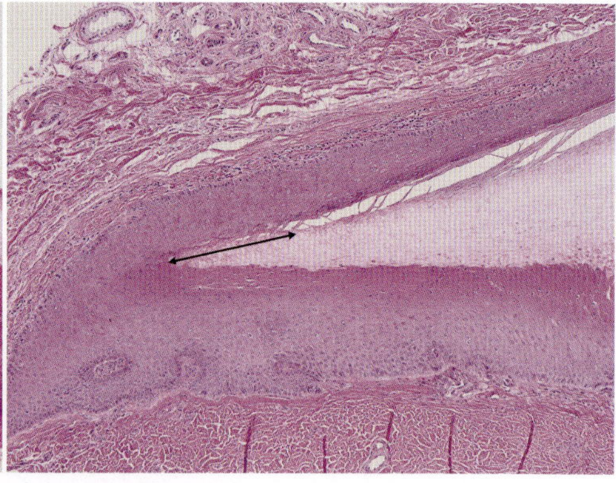

図 8　爪母の縦断面の組織像 a|b

a：近位爪郭遠位端付近の組織像．爪母の遠位部は図の左半分の爪甲下に存在する．
b：爪母近位部の組織像．両端矢印は近位爪郭腹側上皮の最近位部に存在する顆粒層を経ずに角化する領域を示す．

III 正常な爪部の組織像

爪疾患の病理組織像を読み解くうえでは正常な爪部の組織像を理解している必要がある．特に角化様式，上皮突起の構造と配列などが皮膚と異なることを知っておくことが重要である．

1. 爪　母

爪母は爪甲を産生する組織であるが，特に近位の爪母の働きが重要で，爪甲の80％は近位50％の爪母から産生されるという[5)]．毛が表皮に対して斜めの角度をなして生えているように，爪甲も水平に近い斜めの角度で近位爪郭から表出しているため，爪母の上皮突起は下床の末節骨に向かって垂直方向に伸びるのではなく，爪甲の傾きに沿うように中枢側に向かって斜めに伸びている(図7, 8)．また，その上皮突起は爪床と異なり，横断面で見ると幅の広い棍棒状を呈している(図9)．上皮突起間でも上皮に厚みがあり，爪床で上皮突起に挟まれた真皮の隆起部直上の上皮が薄いのと対照的である．

爪母の基底層には好塩基性で背の高い細胞が配列しているが，その上では好酸性で明るい多角形の細胞となり，これが上に向かうに従い腫大しながら扁平化していく(図9-b, e)．さらに均質な好酸性の細胞質に至る層で核が濃染しながら縮小し(keratogenous zone, onychotization zone)，ついには核の消失とともにHE染色上，細胞質の染色性もほとんど失われ，爪細胞(nail cell, onychocyte)になる(図9-d)．このときの角化様式は顆粒層を欠くものでonychokeratinizationと呼ばれる．表皮の角層がエオジンによく染まるのと対照的に爪甲はエオジンに対する染色性が極めて乏しい．ときに爪甲内に核の遺残が観察されることがあるが，これはpertinax bodiesと呼ばれ，高齢者

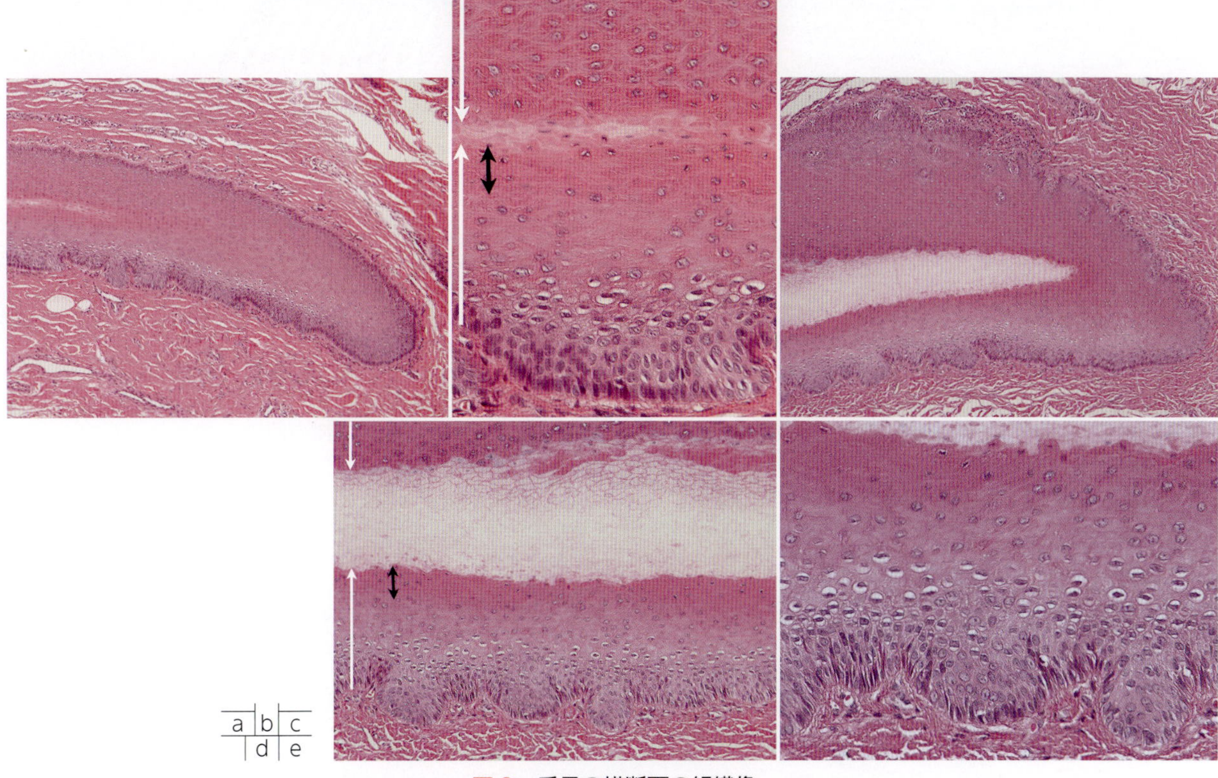

図 9　爪母の横断面の組織像

a：爪母側縁部の横断面．下面の上皮は毛母の近位端に近い領域の爪母上皮であり，上皮突起は幅の広いつぼみ状ないし棍棒状を呈する．上面の上皮は近位爪郭腹側上皮であり，上皮突起は発達していない．左端付近には両方の上皮に挟まれた横に帯状の明るい領域があり，爪根の先端付近であることを示す．
b：a の拡大像．上向き矢印（白）は爪母上皮，下向き矢印（白）は近位爪郭腹側上皮，両端矢印（黒）は keratogenous zone を示す．最近位部であるため，近位爪郭腹側上皮には顆粒層がない．
c：爪母側縁部の横断面．a よりも遠位部．中央には染色性に乏しく白色調を呈した爪甲が存在する．
d：c の拡大像．矢印の意味は b と同じ．b と異なり，近位爪郭腹側上皮には顆粒層がある．
e：d の強拡大像．爪母の基底層には好塩基性で背の高い細胞が配列し，上に向かうと好酸性で明るい多角形の細胞となる．さらに均質な強い好酸性を示す層（keratogenous zone）で核が濃染しながら縮小し，細胞質の染色性がほとんど失われた爪細胞になる．

で増加するという[6]．

病的状態では爪母でも顆粒層が出現しうる．

2. 爪　床

爪床には毛包，脂腺などの皮膚付属器はなく，汗腺は爪床遠位端にのみみられる場合がある．また，爪床真皮には神経やグロムス体が豊富に存在するが，爪床真皮と末節骨との間に皮下脂肪織の層はない．このため，爪甲は爪床を介して強固に末節骨と結合し，可動性が極めて少ない．爪床の上皮と真皮の接着面は特殊な凹凸を形成して噛み合っている．生毛部における真皮乳頭は乳頭状，指状の突出であり，これが表皮裏面の陥凹部に嵌まり込んでいる．ところが，爪床の真皮乳頭に相当する突出部は，横断面では櫛の歯のように整然と並ぶ細長い隆起であり，これが途切れることなく波板のように指趾の長軸方向に縦走し，爪床の全長にわたって配列している．爪床上皮の裏側には，これに対応するように長軸方向に配列する長

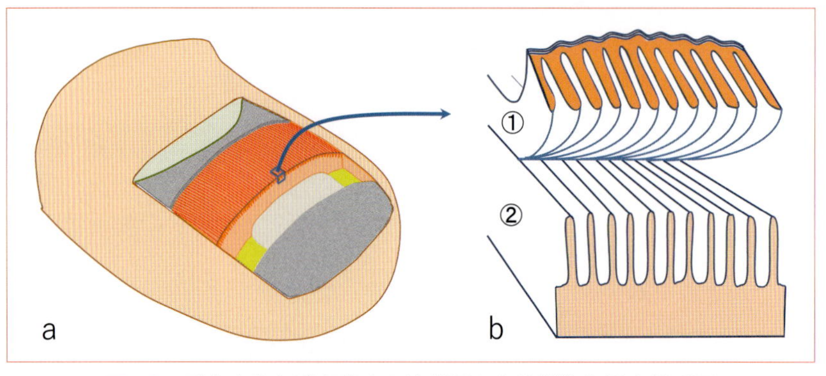

図 10　爪床上皮と爪床真皮の接着面の立体構造を示す模式図

a：爪甲を剥がすと爪床表面には縦方向に交互に配列する浅い陥凹（爪床小溝）と隆起（爪床小稜）がある．

b：爪床上皮（①），爪床真皮（②）には横断面でみるとそれぞれ櫛の歯が向かい合うように並んだ縦走する隆起があり，互いに噛み合っている．

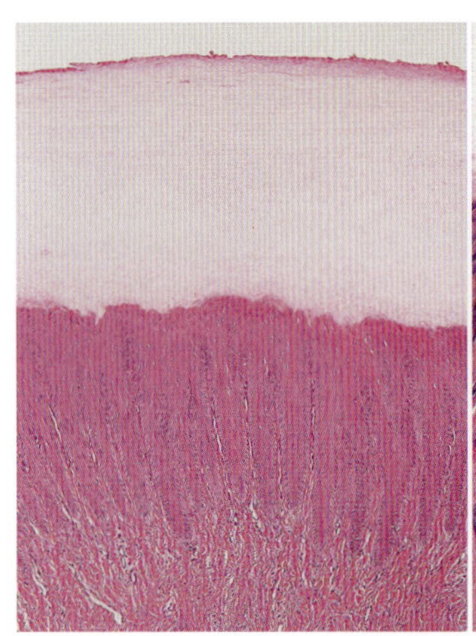
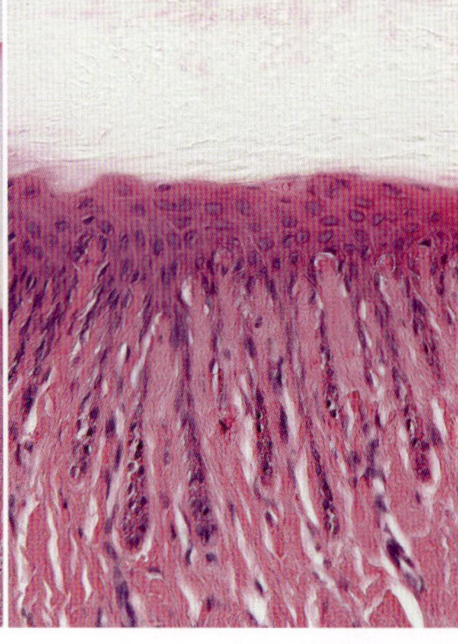
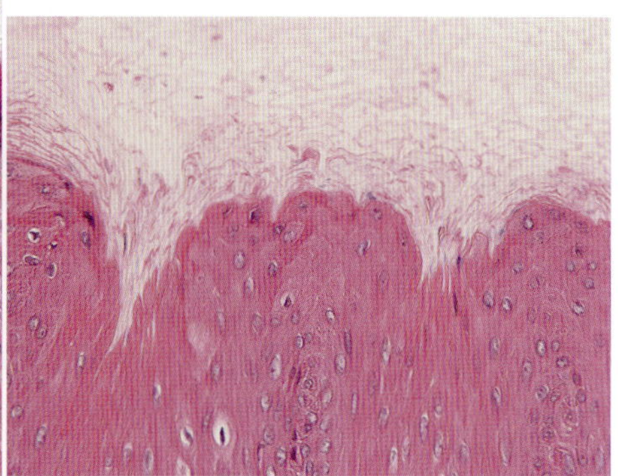

図 11　爪床の横断面の組織像　a|b|c

a：爪床側縁部付近．櫛の歯のように細長く規則正しい上皮突起と真皮の隆起部が互いに噛み合っている．上皮突起はよく発達している．

b：爪床中央部付近．a と同様の構造を示すが上皮突起は側縁部ほど発達しておらず，長さも短めである．

c：爪床表面の強拡大像．爪床上皮と爪甲との間に凹凸があり，爪床小溝，爪床小稜に対応すると考えられる．

い溝状の陥凹があり，真皮の隆起部と深く噛み合っている（図 10）．このため，爪床の横断面では櫛の歯のように細長く規則正しい上皮突起と，同じく櫛の歯のように細長い真皮の隆起部が互いに噛み合っているような構造が観察される（図 11）．この爪床の上皮突起は辺縁部のほうがよく発達しており，中央部ではやや細く短い．爪床上皮と爪との間には若干の凹凸がみられるが（図 11-c），これは抜爪した爪床表面にみられる爪床小稜，爪床小溝に対応するものと考えられる．爪床における上皮突起と真皮の隆起部との関係は爪床組織で Mohs surgery の標本のように水平方向の切片を作成すればよく理解できる．水平方向の標本では幅の狭い直線状の上皮突起と真皮の隆起部が交互に配列する像が得られる（図 12）．爪部の病理組織標本で作成されることの多い指趾の長軸に平行な縦断面の切片では，うまく上皮突起に平行にスライスされれば，上皮突起に相当する凹凸はほとんどみられない．また，縦断面のスライスでは上皮の厚い部分と薄い部分とが交互に現れ

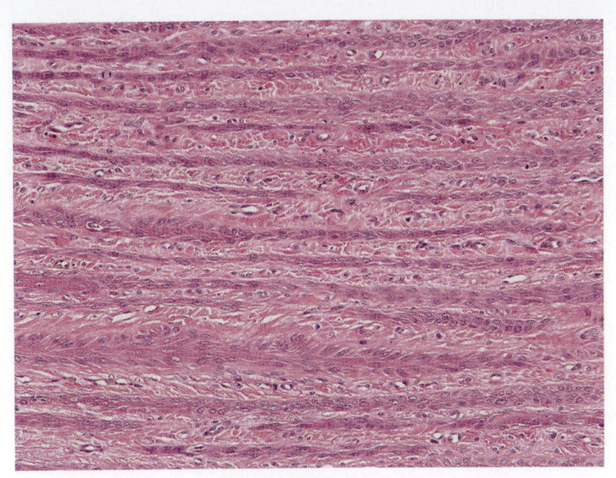

図 12　爪床の水平方向の切片の組織像
幅の狭い直線状の上皮突起と爪床真皮の隆起部が交互に規則正しく並んでいる.

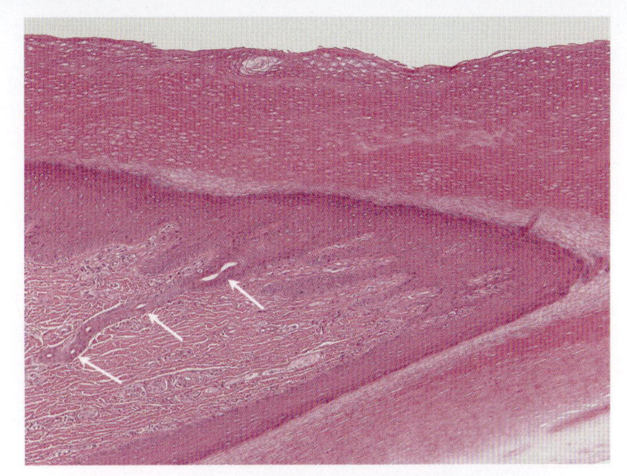

図 13　近位爪郭遠位端の縦断面の組織像
近位爪郭背側・腹側上皮はいずれも顆粒層を経て角化している. 背側上皮にはエクリン汗腺が付属する(矢印は汗管を示す).

るため, 正常の爪床でも上皮の厚さはスライスされる部位で著しく異なってくる. この立体構造自体は非生毛部である足底の表皮と真皮の関係に類似しているが, 爪床ではより顕著で整然としている.

爪床上皮の角化様式は爪母と類似した顆粒層を欠く角化様式で onycholemmal keratinization と呼ばれる(図 11). しかし, 爪母と異なり, 爪床上皮は正常では分裂・増殖する細胞の割合が極めて少なく, 角層は極くわずかしか形成しないため, 爪甲の形成にはほとんど関与しない[7].

3. 爪　郭

爪母や爪床と異なり, 他部位の皮膚に近い構造を有している. しかし, 皮膚付属器としての毛包と脂腺は存在せず, 汗腺のみが存在する. 近位爪郭には表面からみえる背側の上皮と反転して爪根部に固着する腹側の上皮とが存在する(図 13). 近位爪郭遊離縁からは近位爪郭の背側および腹側の上皮が産生する角質が一緒に爪の上にまで伸びて爪上皮を形成する. 近位爪郭腹側の上皮は他の爪郭の上皮と同様に顆粒層を経て角化するが, 最も中枢側の狭い領域には顆粒層がなく爪甲下の爪母や爪床と同様に顆粒層を経ずに角化する(図 8-b). この領域ではわずかの角層しか形成されず, 爪床と同様にその角化様式は onycholemmal keratinization と見なされる. この領域から, 爪甲背面に固着する所謂, 真の爪上皮が形成される[8].

IV　爪部のケラチン発現

各種の抗ケラチン抗体を用いた免疫組織化学的研究によると, 爪部のケラチン発現は爪母, 爪床, 爪郭でそれぞれ異なる. 文献により多少違う結果が出ているが, これらを簡略化して図 14 にまとめた[9)~15)]. 皮膚の有棘層や顆粒層で発現しているケラチン 1(K1)とケラチン 10(K10)のソフトケラチンのペアは爪母や爪郭の基底層より上層では発現しているが, 爪床では発現していない[9]. K31(Ha-1)は毛母に発現するハードケラチンであるが, 爪部では爪母に限局して発現している. そのほか, K85(hHb5), K34(hHa4), K81(hHb1), K86(hHb6)などのハードケラチンの発現が爪母でみられる[10]. 爪部のケラチン発現は病的状態では変化し, 表皮において分化の過程で K5, K14 のケラチンペアと交代して発現する K1, K10 は, 正常な爪床では発現していないが, 爪床が角化する種々の疾患において発現することが知られており, この際, 正常ではみられない顆粒層も出現する. また, 爪床や爪郭で発現している K6, K16, K17 のそれぞれの遺伝子変異は, 爪甲・爪床の肥厚や爪郭・掌蹠の角化をきたす先天性厚硬爪甲症(pachyonychia congenita：以下, PC)を引き起こすことが知られている[16]. これまで臨床的に 2 つの亜型(PC type 1, PC type 2)に分類されていたが, 近年では原因遺伝子が *KRT6A*, *KRT6B*,

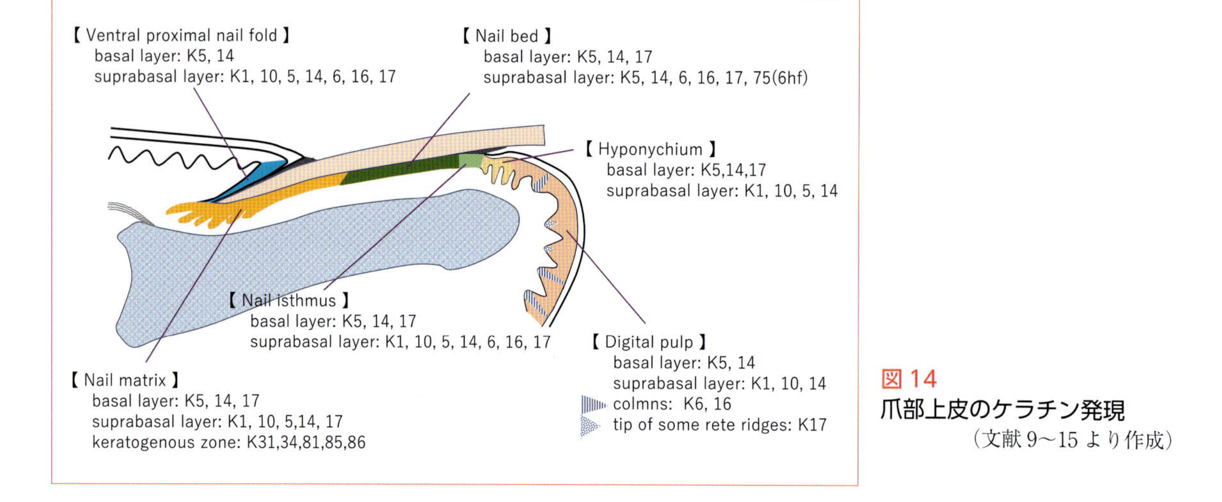

図 14
爪部上皮のケラチン発現
（文献 9〜15 より作成）

KRT6C, *KRT16*, *KRT17* のいずれであるかにより，PC-K6a，PC-K6b，PC-K6c，PC-K16，PC-K17 の 5 型に分類されている．本症における爪甲肥厚は爪床での角質増殖により圧縮された爪甲下角質が原因と考えられている．

V　おわりに

爪は角質塊であるので，爪疾患の病理組織を読み解くためには，大前提として病変が存在する適切な部位から生検することが必要になる．生検部位そのものが爪の産生部位となることも多いため，可能であれば爪への影響が少ない部位，大きさで採取することが望まれる．組織学的評価に当たっては爪床や爪母の特徴的な角化様式や上皮突起の構造・配列を理解しておかなければならない．これらと疾患の性質を考慮したうえで，縦方向の切片にするか，横方向の切片にするかをあらかじめ決めて組織を採取し病理標本作成に供するとよい．

（田村敦志，長谷川道子）

文献

1）Jellinek N：Nail matrix biopsy of longitudinal melanonychia：diagnostic algorithm including the matrix shave biopsy. J Am Acad Dermatol. 56：803-810, 2007.
2）Di Chiacchio N, Loureiro WR, Michalany NS, et al：Tangential Biopsy Thickness versus Lesion Depth in Longitudinal Melanonychia：A Pilot Study. Dermatol Res Pract. 2012：353864, 2012.
3）Mogensen P：Ingrowing toenail. Follow-up on 64 patients treated by labiomatricectomy. Acta Orthop Scand. 42：94-101, 1971.
4）Hasegawa M, Tamura A：Subungual angiokeratoma presenting as a longitudinal pigmented band in the nail. Acta Derm Venereol. 95：1001-1002, 2015.
5）de Berker D, Mawhinney B, Sviland L：Quantification of regional matrix nail production. Br J Dermatol. 134：1083-1086, 1996.
6）Lewis BL, Montgomery H：The senile nail. J Invest Dermatol. 24：11-18, 1955.
7）de Berker D, Angus B：Proliferative compartments in the normal nail unit. Br J Dermatol. 135：555-559, 1996.
8）Haneke E：Histopathology of the Nail, pp. 1-18, Boca Raton：CRC Press, 2017.
9）de Berker D, Wojnarowska F, Sviland L, et al：Keratin expression in the normal nail unit：markers of regional differentiation. Br J Dermatol. 142：89-96, 2000.
10）Perrin C, Langbein L, Schweizer J：Expression of hair keratins in the adult nail unit：an immunohistochemical analysis of the onychogenesis in the proximal nail fold, matrix and nail bed. Br J Dermatol. 151：362-371, 2004.
11）Perrin C：Expression of follicular sheath keratins in the normal nail with special reference to the morphological analysis of the distal nail unit. Am J Dermatopathol. 29：543-550, 2007.
12）de Berker DAR, J Baran AR：Nail biology and nail science. Int J Cosmet Sci. 29：241-275, 2007.
13）de Berker D, Ruben BS, Baran R：Science of the

nail apparatus. Baran R, et al eds. pp. 1–58, Baran & Dawber's diseases of the nails and their management, 5th edn, Hoboken：John Wiley & Sons, 2019.
14）Oiso N, Kurokawa I, Kawada A：Nail isthmus：a distinct region of the nail apparatus. Dermatol Res Pract. 2012：925023, 2012.
15）Fleckman P, Jaeger K, Silva KA, et al：Comparative anatomy of mouse and human nail units. Anat Rec（Hoboken）. 296：521–532, 2013.
16）稲葉　豊，金澤伸雄，古川福実：本邦における先天性爪甲肥厚症―症例報告と全国疫学調査のまとめ―．皮膚病診療．37：1019–1023，2015.

Ⅰ章 押さえておきたい爪の基本

【病 理】

3 爪部の病理組織（非メラノサイト系疾患）

Ⅰ はじめに

本稿では爪部の炎症性疾患と非メラノサイト系腫瘍の病理組織像について解説する．

Ⅱ 炎症性疾患の病理組織

炎症性疾患では爪扁平苔癬や爪乾癬が疑われ，爪以外に病変がない場合に確定診断のため組織学的検索がなされる．

1. 爪乾癬

皮膚病変のない爪乾癬は5〜10%とされる[1)2)]．点状凹窩は爪母の近位部に生じた乾癬微小病巣，爪甲異栄養は爪母の広範な病変を反映し，爪甲下角質増殖や爪甲剝離は爪床病変を反映したものである．生検にあたっては臨床像から病変部位を推定して，爪床・爪母のいずれが適しているか，見定める必要がある．いずれにも病変がある場合は，爪の形成に影響を与えない爪床から生検する．

爪母や爪床における乾癬の組織像は表皮病変における組織像と類似している．すなわち，爪母・爪床上皮においては過角化，不全角化，上皮の肥厚，上皮突起の延長，白血球の上皮内侵入，上皮下では炎症細胞浸潤や毛細血管拡張がみられる（図1）．爪乾癬の組織像をみるうえで注意すべきは上皮突起の延長の評価であり，爪母で上皮突起が棍棒状に肥厚し，爪床で長い上皮索と真皮乳頭が規則的に配列する様は生理的所見であることを考慮する必要がある．正常な爪母・爪床をみる機会は少ないため，正常よりも上皮が肥厚しているのか，上皮突起が延長しているのかを判断することは必ずしも容易ではない．皮膚の乾癬でみられる顆粒層の消失は爪下皮では生じるが，爪母・爪床では逆に本来ないはずの顆粒層が出現しうる．しかし，顆粒層の出現は高頻度ではなく，爪乾癬の所見としては36%と最も出現頻度が低い所見とされ，また乾癬に特異的でもない[3)]．最も出現頻度が高い所見は過角化，不全角化とされる．また，手掌の乾癬のように細胞間浮腫もしばしばみられる．

脆弱な不全角化層は乾癬の爪病変を理解するうえで重要である．すなわち，爪母近位部に消長を繰り返す小さな乾癬病巣があると，爪甲表層に不全角化層ができるため，脆弱な不全角化層が脱落して点状の陥凹を生じる．同様に爪床の過角化や不全角化は爪甲下角質増殖や爪甲剝離をもたらす．

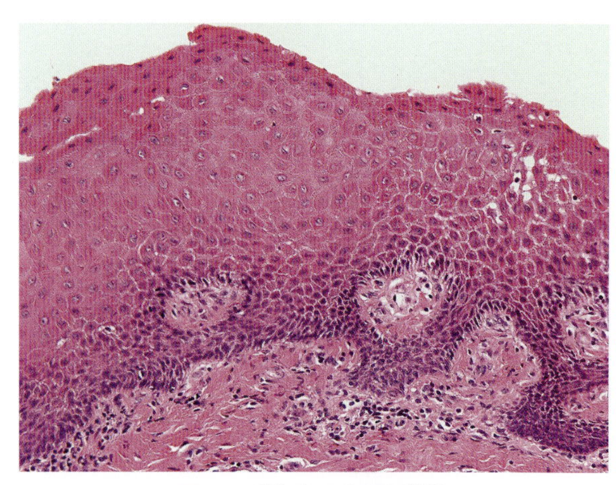

図1 爪乾癬の病理組織像
不全角化と一部に細胞間浮腫があり，上皮下では炎症細胞浸潤がみられる．

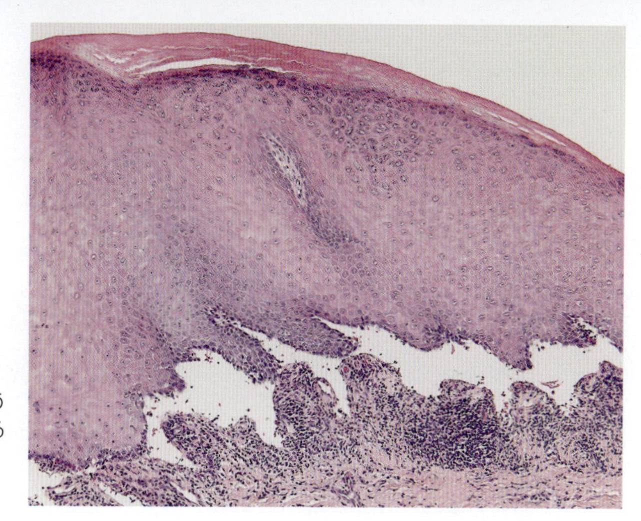

図 2
爪扁平苔癬の病理組織像
過角化，厚い顆粒層の出現，液状変性を伴う帯状で稠密な炎症細胞浸潤，鋸歯状を呈する上皮突起を認める.

2. 爪扁平苔癬

扁平苔癬の1～4%は爪のみに病変が限局する[4)～6)]．また，組織学的に爪扁平苔癬と確定診断された例のうち爪病変の発症前あるいは発症後に他部位に扁平苔癬を生じた例は25%とされる[7)8)]．爪扁平苔癬の症状は爪の菲薄化，縦の線条・隆起・溝，縦裂，光沢の消失，層状分裂，爪甲剝離，萎縮，翼状爪などであり，病変の部位，範囲，持続期間を反映して異なった症状を呈する．また，爪郭部の皮膚に扁平苔癬を伴うことも少なくない．

爪扁平苔癬の病理組織像は爪以外の扁平苔癬と類似しており，典型的な組織像は過角化，顆粒層肥厚，液状変性を伴う帯状で稠密な炎症細胞浸潤である(図 2)．基底層の細胞がアポトーシスで失われる結果，上皮突起は鋸歯状を呈しながら不規則に肥厚する．上皮細胞間浮腫が高頻度にみられることは皮膚の扁平苔癬と異なる点である．正常な爪母・爪床には顆粒層はみられないので厚い顆粒層の出現は特徴的である．

爪組織内における罹患部位は爪母と爪床であるが，爪母が侵される場合が多い．また，爪床が侵されている場合にも爪母病変を伴うことが多い．爪母における病変は，爪根部を挟み込むようにして爪母と近位爪郭腹側上皮の両者が侵される傾向にある．ひとつの爪の中でも病変にはムラがあり，病変部では正常な爪甲が形成されないため，爪甲に縦方向の隆起や溝，爪甲の萎縮を生じる．病変が進行すると爪母と近位爪郭腹側上皮が破壊されて癒着するため，部分的な爪甲欠損を生じ，ここに近位爪郭と連続した三角形の瘢痕組織が入り込んで翼状爪(pterygium unguis)を呈する．爪床に病変があると爪甲剝離と爪甲下角質増殖を生じることが多いが，多くは爪母病変も伴うため，このほかに縦方向の変化(縦線，縦隆起，縦溝，縦裂)を伴う．

III 非メラノサイト系腫瘍の病理組織

1. 爪部の良性腫瘍

a)グロムス腫瘍

爪甲下に好発し，極めて特徴的な圧痛や自発痛を呈する．特に爪母から爪床近位部の真皮内が好発部位であり，爪甲に縦方向の隆起や遠位部での亀裂を生じることがある．

病理組織学的には通常，境界明瞭で(図 3)，小血管を取り巻いてシート状に増殖するグロムス細胞が硝子化した膠原線維からなる間質(図 4)，あるいは粘液腫状の間質を背景に観察される(solid glomus tumor)(図 5)．爪甲下発生例ではこの solid type が多いが，組織学的亜型として glomuveous malformation(glomangioma)，glomangiomyoma，glomangiopericytoma などがある．Glomuveous malformation(glomangioma)は通常の静脈奇形を思わせる大きく拡張した静脈の壁をグロムス細胞の小集塊が取り囲むもので，glomulin 遺伝子の変異が原因とされる静脈奇形の特殊型である．常染色体優性遺伝を示すが，弧発性もある．

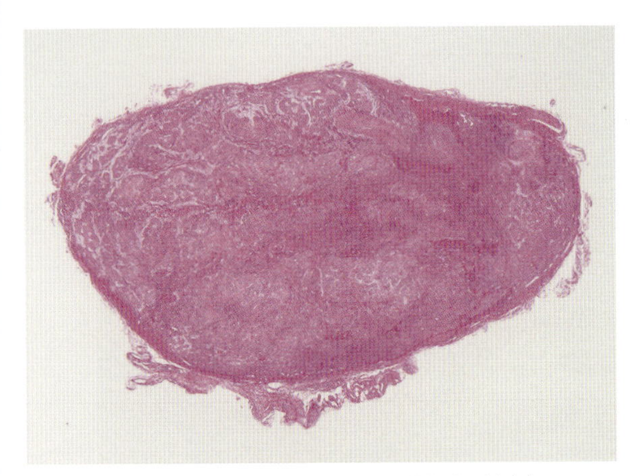

図3　グロムス腫瘍の病理組織像(弱拡大)
線維性被膜に被われた境界明瞭な腫瘍塊

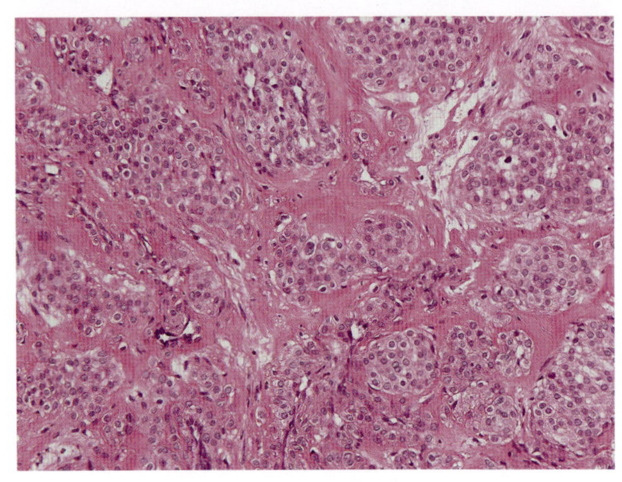

図4　グロムス腫瘍の病理組織像(拡大像)
硝子化した膠原線維からなる間質内にシート状に増殖するグロムス細胞の集塊

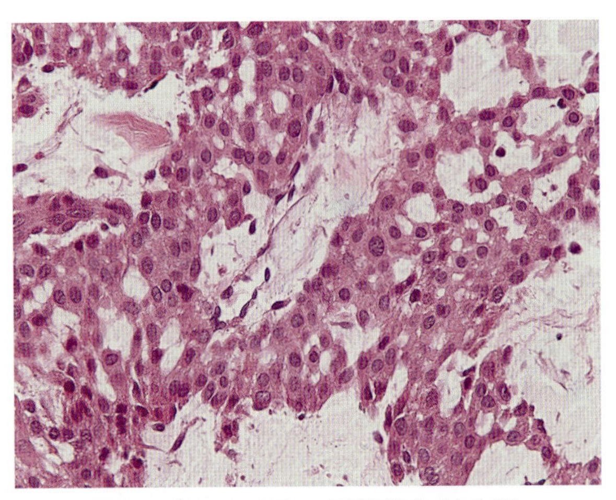

図5　グロムス腫瘍の病理組織像(拡大像)
粘液腫状を呈する間質内にシート状に増殖するグロムス細胞の集塊

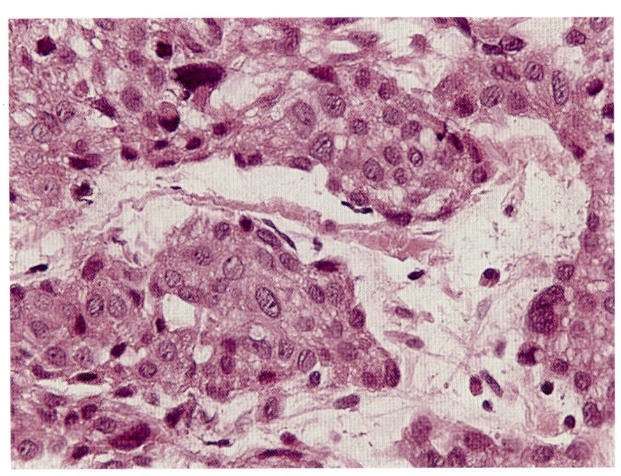

図6　Symplastic glomus tumor の病理組織像
核異型の強い細胞を認めるが，核分裂像はない．

病変は多発性であるが，爪甲下発生は稀である．Glomangiomyoma は solid glomus tumor や glomuveous malformation の亜型でグロムス細胞が部分的に平滑筋に分化して紡錘形を呈したものである．Glomangiopericytoma は，紡錘形から卵円形の腫瘍細胞が多数の血管を取り巻くように同心円状に増殖する myopericytoma の組織像に加え，円形のグロムス細胞の増殖も認めるものである．

特殊型として稀に顕著な異型性を示すグロムス細胞が存在しながら，核分裂像など他の悪性を疑わせる所見がなく，良性の経過をとる symplastic glomus tumor がある(図6)．

b)爪下外骨腫

爪下外骨腫は10～20歳台の若い男女の末節骨爪甲下に好発する良性骨腫瘍であり，染色体転座 t(X;6)(q24-26;q15-25)が確認されている．本邦では本症の病理組織像を骨軟骨腫型と線維性骨化型(外骨腫型)の2型に分類するのが一般的である．骨軟骨腫型は10～20歳台の若年者に多く，末節骨全長の中央部1/3から末梢に生じる．一方，線維性骨化型は20～40歳に好発し，通常，末節骨先端部に発生する．欧米では爪下外骨腫とは別の疾患として爪下骨軟骨腫(subungual osteochondroma)という概念もある．しかし，爪下骨軟骨腫と爪下外骨腫の骨軟骨腫型とが異なる疾患である

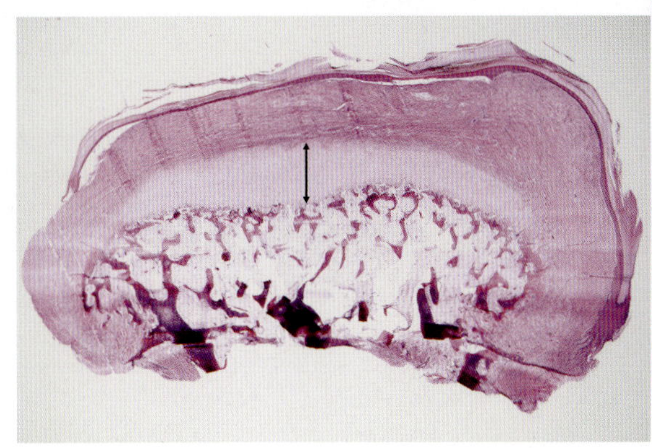
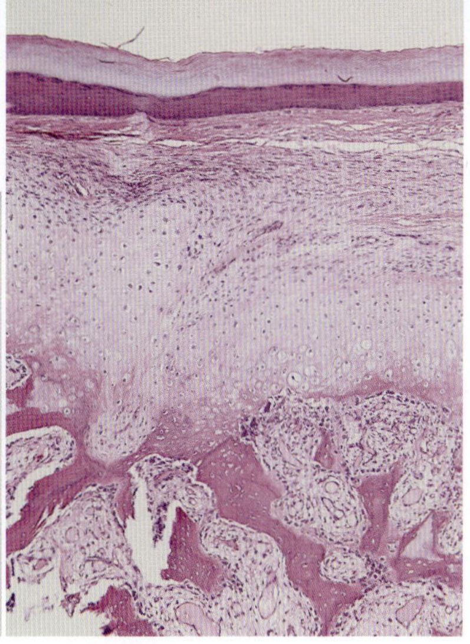

a|b

図7　爪下外骨腫(骨軟骨腫型)の病理組織像

a：弱拡大像．腫瘍の表層には軟骨帽と呼ばれる硝子軟骨からなる淡明な層があり，その直下に骨梁構造を形成する骨組織が存在．両端矢印は硝子軟骨の層を示す．
b：拡大像．硝子軟骨から連続する骨梁構造と血管の目立つ骨梁間の髄質．硝子軟骨の上には線維軟骨様の層も存在する．

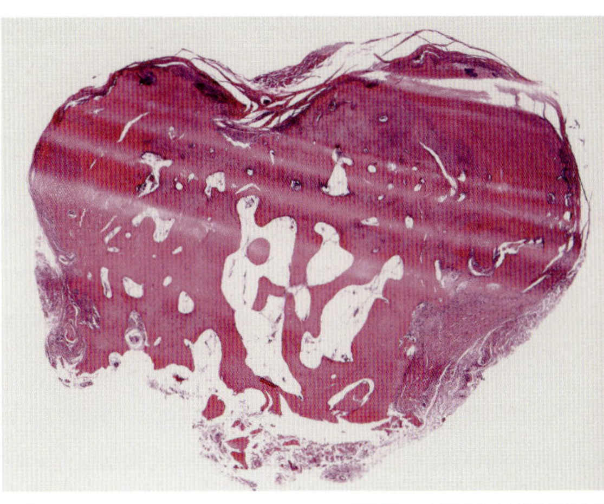
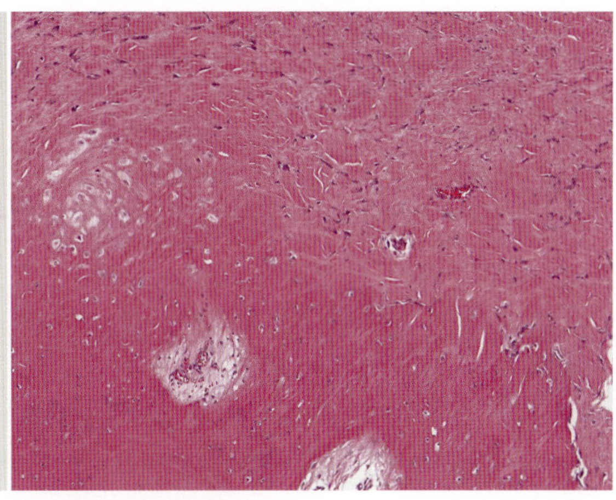

a|b

図8　爪下外骨腫(線維性骨化型)の病理組織像

a：弱拡大像．表層に硝子軟骨を伴わない厚みのある骨形成
b：拡大像．線維性組織から硝子軟骨を経ずに骨梁を形成する骨組織に移行

かどうかについて議論があり，本邦では爪下骨軟骨腫として報告される例はほとんどなく，欧米でも極めて少ない．

骨軟骨腫型の組織像は，辺縁部に軟骨帽と呼ばれる硝子軟骨の層があり，その下層に骨梁構造を形成する骨組織が存在する(図7)．線維性骨化型では辺縁の線維軟骨または線維性組織から硝子軟骨を経ずに骨梁を形成する骨組織に移行する像がみられる(図8)．しかし，骨軟骨腫型であっても硝子軟骨の周囲には線維軟骨が存在するのが普通である．いずれも骨梁間に造血の所見はみられず，下床の骨と外骨腫との間に骨梁構造や髄腔の連続性はない．他方，長管骨の骨幹端に好発する骨軟骨腫は骨梁，髄腔が下床の骨と連続しており，末節骨での発生は極めて稀である．爪下骨軟骨腫では末節骨との間に髄腔や骨梁の連続性があるとされるが，必ずしもそうではないとする報告もある[9]．

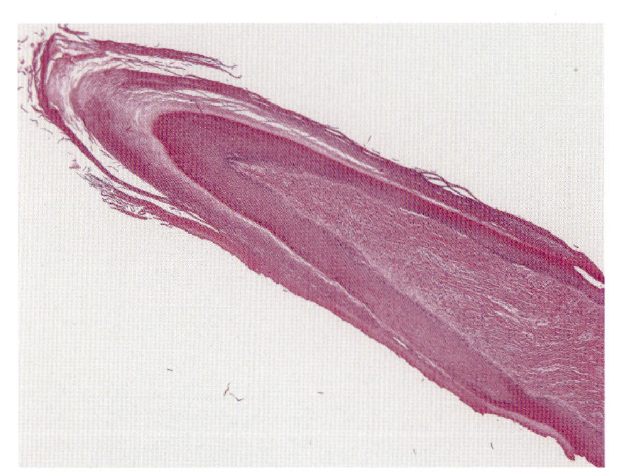

図 9　後天性爪囲被角線維腫の病理組織像（弱拡大）
角質増生，表皮肥厚があり，表皮下には膠原線維が増生している．

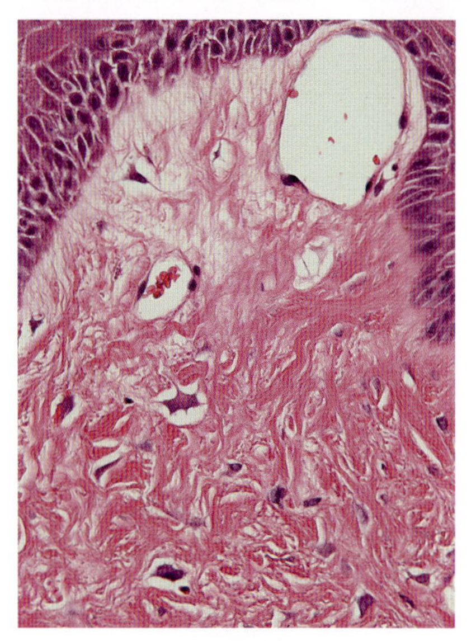

図 10　後天性爪囲被角線維腫の病理組織像（強拡大）
先端付近の結合織が疎な部分では，血管の拡張や星芒状の線維芽細胞を認める．

c）後天性爪囲被角線維腫

爪の周囲から発生する線維性腫瘍である．Yasukiの分類[10]では腫瘍の発生部位から4型に分けられるが，多くは爪洞内から発生する．すなわち，Yasukiの分類のⅠp（近位爪郭腹側より発生），もしくはⅠm（爪母下結合織から発生）が多く，爪に縦方向の陥凹や萎縮を生じやすい．

病理組織像は過角化と膠原線維の増生が主体であり，膠原線維間には線維芽細胞や毛細血管がみられる（図 9）．腫瘍の遠位部は浮腫性で結合織が疎であり，血管の増生・拡張や，ときに星芒状の線維芽細胞を認める（図 10）[11]．基部に近い部位では膠原線維の密な増生が主体となる．毛包などの皮膚付属器は存在せず，腫瘍内の結合織では弾性線維が減少または欠如する．本症の組織像はKoenen腫瘍や後天性指趾被角線維腫と同じであり，Kintらの報告した後天性指趾被角線維腫の3型に分ける組織分類[12]が本症においても用いられる．Type Ⅰは不規則な方向または腫瘍の軸の方向に並ぶ膠原線維束の増生を主体とするもので最も多い．Type Ⅱは線維芽細胞の増生が顕著なもの，type Ⅲは浮腫性の間質を主体とし，細胞成分や膠原線維に乏しいものである．Type ⅡとⅢは少ない．表皮は菲薄化している場合と肥厚している場合があるが，肥厚は多くの場合，表皮突起の延長による．ちなみに結節性硬化症におけるKoenen腫瘍の病理組織像には血管増生と間質の線維化の程度によって3亜型に分ける別の分類[13]が提唱されている．すなわち，太い膠原線維の増生を主体とするfibrotic subtype，拡張した血管の増生が目立つangiomatous subtype，両者の中間の組織像を呈するmixed subtypeである．

d）指趾粘液囊腫

ゼリー状の内容物を容れた囊腫状の結節で指趾，特に手指の末節背面に好発する．大きさは通常5～10 mm以内と比較的小型であり，表面は透光性のあるものが多いが，皮膚常色のこともある．近位爪郭の背面やその腹側，ときに爪母下に生じる．爪母を上から圧排することで爪甲に縦の陥凹をきたすことが少なくないが，稀には下から爪母を圧排して縦の隆起をもたらすこともある．発生機序は，骨関節炎などによる関節包の傷害と関節内圧の上昇により，関節包の一部が破損し滑液が漏れ出て組織の抵抗の少ないところに貯留したものである．

病理組織像は，初期には皮膚限局性ムチン沈着

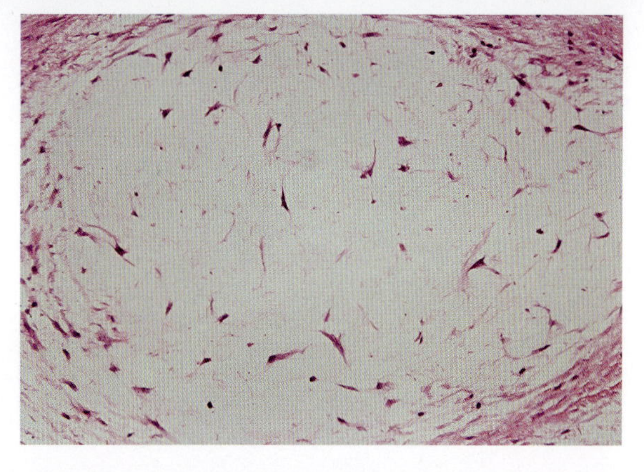

図 11
指趾粘液囊腫の初期の病理組織像
真皮内に限局性に粘液沈着があり，その中に線維芽細胞が散在している．

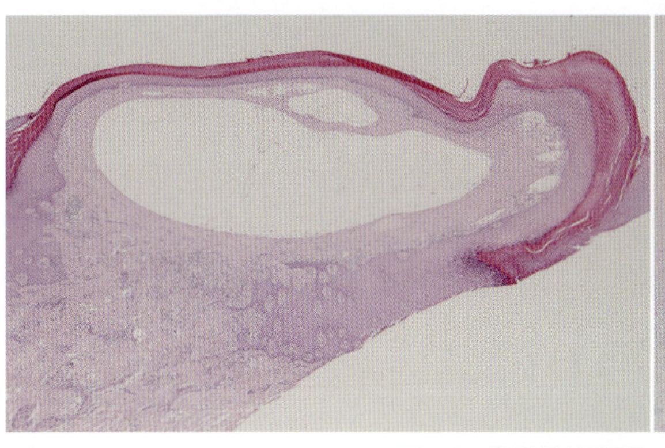

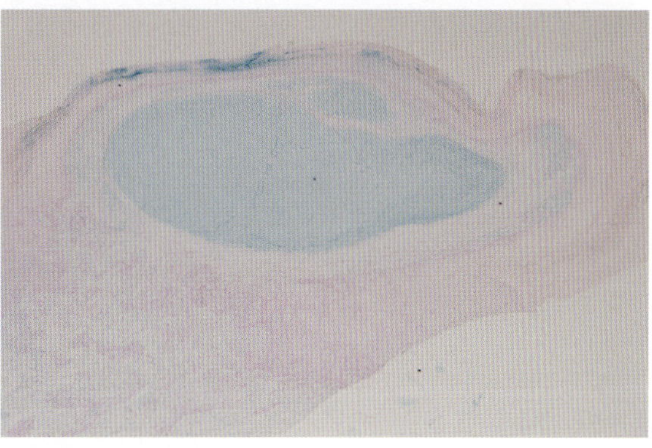

a|b

図 12　**指趾粘液囊腫の病理組織像(弱拡大)**
a：HE 染色．近位爪郭先端付近に存在する囊腫構造
b：アルシャン青染色．囊腫内は青染する．

症と同じで，真皮内に限局性に粘液の沈着を生じ，その中に紡錘形あるいは星芒状の線維芽細胞が認められる(図 11)．やがて，内腔に粘液を貯めたいくつかの裂隙を生じ，これらが融合してついには囊腫を形成する(図 12)．長期間経過すると皮内から排除される場合があるが，その過程で延長した表皮突起が襟のように囊腫側面を覆うようになる(epidermal collarette)．囊腫壁には通常，圧排された膠原線維や線維芽細胞がみられるが，滑膜細胞は認めない．

e) Onychomatricoma

本腫瘍は稀であるが，爪組織に特異的な線維上皮性腫瘍である．多くは爪母の一部を侵すため，爪甲に黄色調からときに黒色調の縦方向の帯状隆起や肥厚をきたすが，爪母全体に病変が及ぶ場合もある．罹患部位では爪甲の横方向の彎曲が増加している場合が多い．腫瘍の本体は爪母に存在し，爪母上皮が固有の結合織とともに爪形成能を有したまま，絨毛状ないし指状に増殖したものである．ここで形成された爪甲には基部で絨毛状の腫瘍成分が侵入するため，肥厚や色調変化を生じる．このため，手術時に抜爪された場合，爪甲には腫瘍が引き抜かれた後の多数の空洞が観察される．爪の先端でも蜂の巣状の空洞が確認されることもある．

病理組織像では爪母から絨毛状，乳嘴状に突出する腫瘍があり，表面は顆粒層を経ずに角化する正常な爪母上皮と同じ上皮で被覆されている(図 13-a)．結合織部分には繊細な膠原線維の増生と比較的密な紡錘形細胞の増殖がみられる(図 13-b)．爪甲とともに組織標本が作製された場合には多数の爪甲内の空洞に絨毛状の腫瘍組織が入り込んでいる所見が得られる．稀には絨毛状の組織の先端が爪甲遊離縁にまで達することもある．

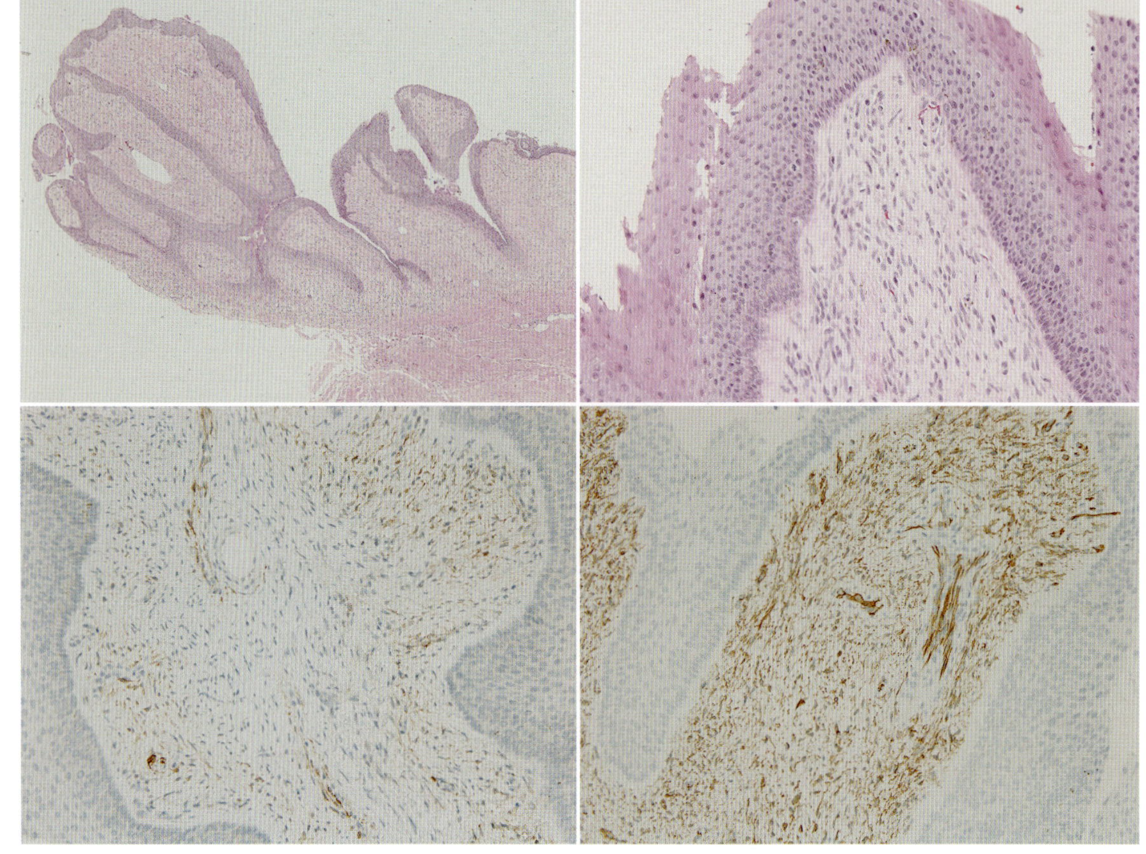

図 13　Onychomatricoma の病理組織像

a：弱拡大像．爪母から絨毛状，乳嘴状に突出する腫瘍があり，腫瘍内の結合織は下床に比べてエオジンへの染色性が淡い．
b：拡大像．顆粒層を欠く上皮で被覆された結合織内には，繊細な膠原線維の増生と比較的密な紡錘形細胞の増殖がみられる．
c：CD10 の免疫染色．間質の紡錘形細胞は CD10 陽性
d：CD34 の免疫染色．間質の紡錘形細胞は CD34 陽性

（群馬大学皮膚科 栗山裕子先生の御厚意による）

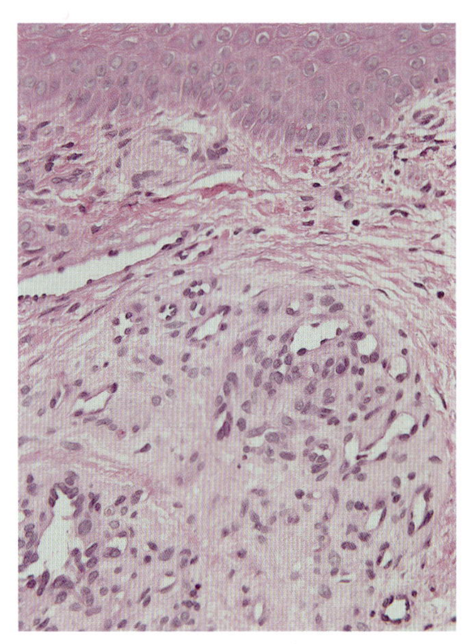

図 14　毛細血管拡張性肉芽腫の病理組織像
間質内に小葉状に増生した毛細血管の集塊がある．

間質の紡錘形細胞は CD10 陽性（図 13-c），CD34 陽性（図 13-d）であり，CD99，S100，EMA，actin，desmin などはいずれも陰性である．CD10 は爪母と近位爪床に存在する間葉系細胞に発現することから，間質の紡錘形細胞は爪線維芽細胞（onychofibroblast）と考えられている．

f）毛細血管拡張性肉芽腫

外向性に発育することの多い小型の紅色結節で，有茎性あるいは広基性のものがほとんどである．表面はびらんしやすく易出血性である．本体は毛細血管の増殖からなる後天性の血管性腫瘍であり，妊娠中や微小外傷を契機に発生することが少なくない．爪部では，ささくれなどの軽微な外傷から生じやすく，爪郭部が好発部位である．そ

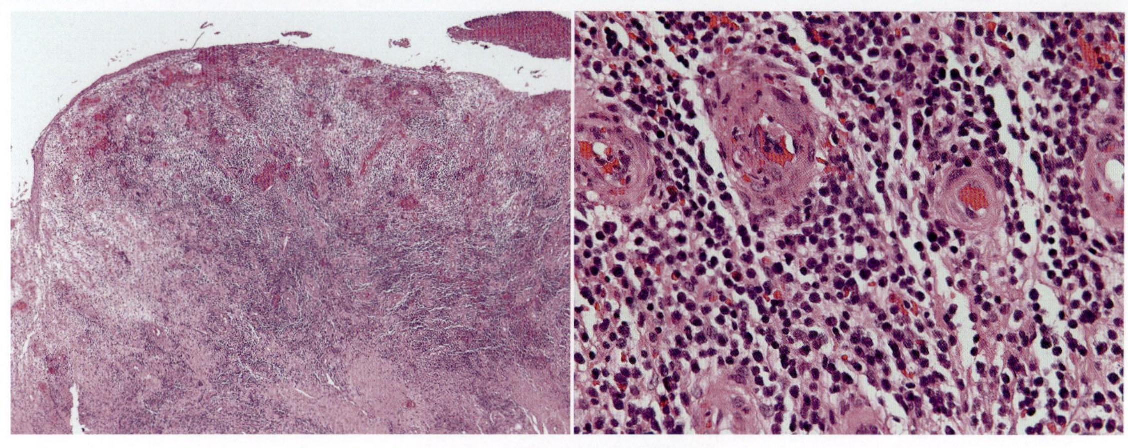

a|b

図 15　爪囲肉芽の病理組織像

a：弱拡大像．表皮の欠損，浮腫，炎症細胞浸潤，毛細血管の増生がみられるが，小葉状の毛細血管増殖を欠く．

b：強拡大像．増生した毛細血管周囲には単核球を中心とする稠密な炎症細胞浸潤があり，多数の形質細胞が混在する．

のほか爪床や爪母にも生じることがあり，爪母に生じると爪甲の形成に影響を与え，乏色素性メラノーマや有棘細胞癌などの悪性腫瘍と鑑別を要する．

病理組織学的には，疎で浮腫性ないし粘液腫状の間質内にいくつかの小葉状に増生した毛細血管の集塊があり，全体を菲薄化した表皮が囲んでいる(図 14)．表面がびらんした病変では好中球を含む炎症細胞浸潤を伴うが，びらんしていない病変には炎症細胞浸潤はほとんどない．爪部では外的刺激が多いため，多くはびらんしている．爪郭部に生じて爪に接していると臨床的に陥入爪における肉芽と鑑別を要する．陥入爪による肉芽を毛細血管拡張性肉芽腫と呼ぶ者もいるが，両者は別疾患であり，経過や治療法も異なるので区別すべきである．

g) 爪囲肉芽

陥入爪やEGFR阻害薬を代表とする薬剤投与時などに，爪郭皮膚の軽微な損傷を契機に発生する．爪甲側縁部の爪の断端付近を中心に側爪郭やときに爪甲下まで増殖する易出血性で湿潤した淡紅色の結節である．Retronychia(後爪郭部爪刺し，後方陥入爪)などに伴い，近位爪郭に出現することもある．

病理組織像では，表皮の欠損や浮腫，炎症細胞浸潤，毛細血管の増生などがみられるが，毛細血管拡張性肉芽腫でみられるような小葉状の毛細血管増殖はない(図 15-a)．炎症細胞は部位や時期によってリンパ球，好中球，組織球などが様々な割合で浸潤するが，多数の形質細胞が集塊をなして存在することが多い(図 15-b)．

2. 爪部の上皮性悪性腫瘍

a) 爪部ボーエン病

爪部ボーエン病の臨床像は多彩であるが，爪甲色素線条を呈するものと疣状結節を呈する病変が多い[14)]．いずれも子宮頸癌の発症に関与するhigh-risk グループに属するヒト乳頭腫ウイルス(human papillomavirus：以下，HPV)の検出頻度が高く，特に HPV16 型や 56 型が多く検出されている[14)]．爪甲色素線条は爪甲側縁部に生じることが多いが，側縁部に接しないものもそれほど稀ではない．色素線条を呈する病変では，わずか数 mm の幅の狭い病変でも高率に爪甲の部分欠損や爪甲剝離を伴う．疣状結節を呈する爪部ボーエン病は爪郭部にみられることが多く，臨床像は尋常性疣贅に類似する．

病理組織像は基本的には他部位のボーエン病と同様であるが，爪郭の病変は爪甲下に入り込みやすく，爪床や爪母上皮を侵して爪甲の色調や形態の変化・部分欠損をもたらす(図 16)．爪部に最も特徴的である爪甲色素線条を呈するボーエン病では，主病変は爪床から爪母にかけて存在するこ

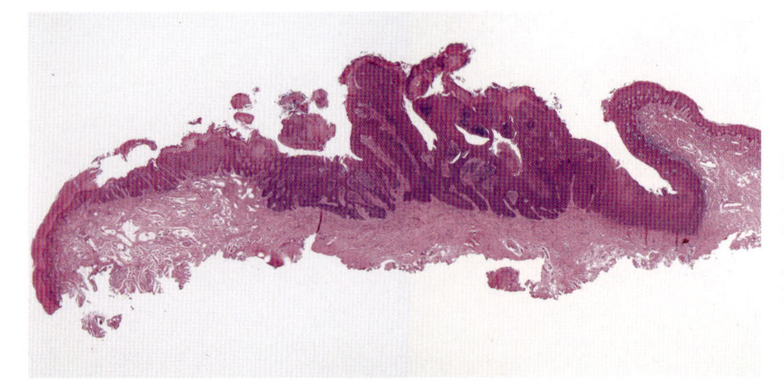

図 16
爪部ボーエン病の病理組織像(爪部の縦断像，弱拡大)
爪甲は欠損し，爪床・爪母の全長および近位爪郭腹側上皮も腫瘍に侵され，爪床上皮は不規則に肥厚している.

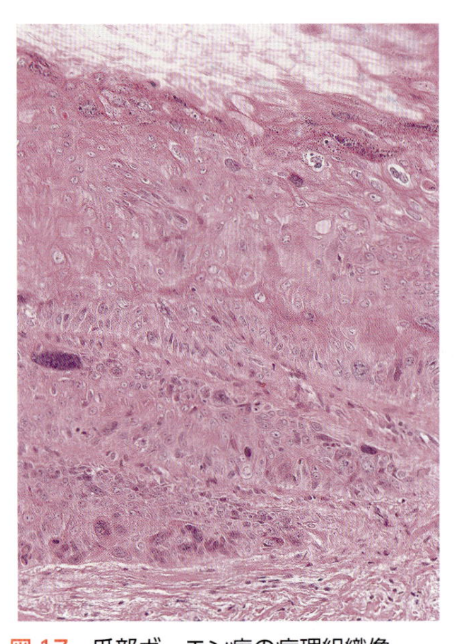

図 17　爪部ボーエン病の病理組織像(爪部の縦断像，強拡大)
爪床上皮は核の大小不同や異型性の強い核を有するケラチノサイトに置換されている.

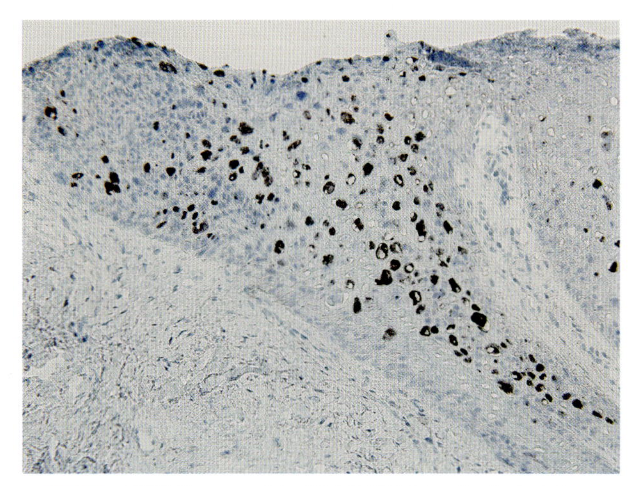

図 18　爪部ボーエン病におけるHPV *in situ* hybridization
高リスク型HPVカクテルプローブを用い，爪床上皮の核内にウイルスDNAを検出

とが多く，爪床の上皮索の配列方向に沿って爪甲遊離縁に向かう縦長の病変を形成する．多くは爪床と爪母の両者を侵すが，色素線条を形成していても爪母の病変は軽微で爪床が病変の主座であることも少なくない．臨床的にも色素線条は爪甲基部で不明瞭な場合がある．このことは，同じく爪甲色素線条を呈する色素性母斑では，多くは爪母に母斑細胞が存在し，爪甲自体は爪母で形成されたメラニンが移行したに過ぎないのと対照的である．

爪床・爪母のボーエン病では病変部の爪床上皮，爪母上皮は肥厚し，正常ではみられない顆粒層が現れ，錯角化を呈する．Koilocyteもしばしばみられ，核の大小不同や異型性の強い核を有するケラチノサイト，dyskeratotic cellなどが現れる(図 17)．HPVの検出頻度が高く，高リスク型HPVカクテルプローブを用いた*in situ* hybridizationでは，しばしば爪床上皮の核内にウイルスDNAが検出される(図 18)．

b)有棘細胞癌

爪部有棘細胞の多くは爪下に発症し，近位爪郭や側爪郭，爪下皮に発症することは少ない．その臨床像は多彩なため，初期に診断することは比較的難しいが，滲出を伴う爪甲剥離がよくみられる症状で，やがて爪甲の破壊や出血を生じ，結節や潰瘍を形成するに至る．ボーエン病から進展する

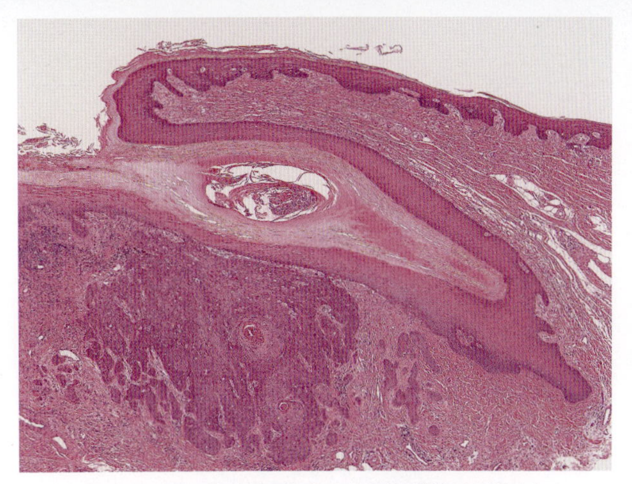

図 19　爪下有棘細胞癌の病理組織像（弱拡大）
爪母下に異型ケラチノサイトが浸潤増殖している．

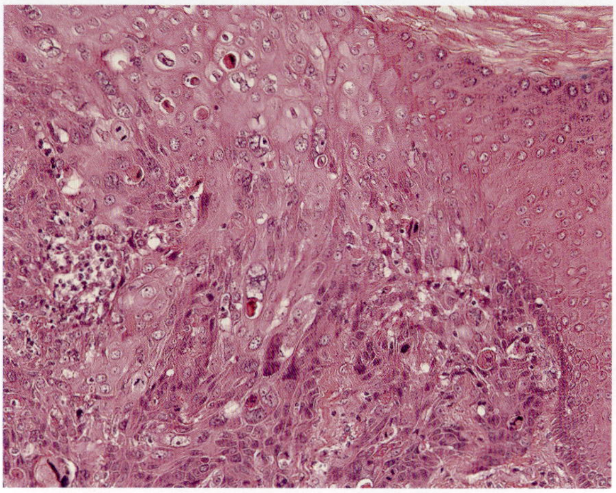

図 20　爪下有棘細胞癌の病理組織像（強拡大）
軽度の好塩基性を示す異型ケラチノサイトは核の異型性や大小不同が目立ち，個細胞角化が散在する．

例も少なくないが，HPV が検出される例は爪部ボーエン病ほど多くはない．

病理組織像では異型ケラチノサイトが爪床あるいは爪母の上皮下に浸潤増殖するが，爪床・爪母の両者が侵される場合が多い（図 19）．一般の皮膚の有棘細胞癌のように腫瘍胞巣の中心部が層状に角化して，いわゆる癌真珠を形成する傾向は少ない．顆粒層をみることも稀である．ボーエン病から進展したものでは浸潤した部位もボーエン病に類似した高度の異型性，多形性を示す（図 20）．爪床・爪母に発生した場合，末節骨直上では下床に脂肪層がなく骨が近接して存在するが，骨浸潤は 20％以下とされ，転移は稀である．このため，生命予後は大部分の症例で良好である．

IV　おわりに

爪部の上皮性病変の病理組織像を読み取るうえでは，爪母・爪床が他部位の皮膚とは異なる固有の上皮突起の形態と角化様式を有していることを理解しておく必要がある．非上皮性病変の病理組織像に接するのはほとんどが爪部の非上皮性腫瘍の摘出時である．メラノーマを除けば他の部位での発生が比較的稀で爪部に特徴的な疾患が多いため，その病理組織像を一度理解しておけば診断は比較的容易である．

（田村敦志，長谷川道子）

文献

1）Langley RG, Daudén E：Treatment and management of psoriasis with nail involvement：a focus on biologic therapy. Dermatology. 221（Suppl 1）：29-42, 2010.
2）Salomon J, Szepietowski JC, Proniewicz A：Psoriatic nails：a prospective clinical study. J Cutan Med Surg. 7：317-321, 2003.
3）Grover C, Reddy BS, Uma Chaturvedi K：Diagnosis of nail psoriasis：importance of biopsy and histopathology. Br J Dermatol. 153：1153-1158, 2005.
4）Marks R, Samman PD：Isolated nail dystrophy due to lichen planus. Trans St Johns Hosp Dermatol Soc. 58：93-97, 1972.
5）Scott MJ Jr, Scott MJ Sr：Ungual lichen planus. Lichen planus of the nail. Arch Dermatol. 115：1197-1199, 1979.
6）Tosti A, De Padova MP, Taffurelli M, et al：Lichen planus limited to the nails. Cutis. 40：25-26, 1987.
7）Tosti A, Peluso AM, Fanti PA, et al：Nail lichen planus：clinical and pathologic study of twenty-four patients. J Am Acad Dermatol. 28（5 Pt 1）：724-730, 1993.
8）Chiheb S, Haim H, Ouakkadi A, et al：Clinical characteristics of nail lichen planus and follow-up：a descriptive study of 20 patients. Ann Dermatol Venereol. 142：21-25, 2015.
9）Göktay F, Atış G, Güneş P, et al：Subungual exostosis and subungual osteochondromas：a description of 25 cases. Int J Dermatol. 57：872-881,

2018.
10）Yasuki Y：Acquired periungual fibrokeratoma-- a proposal for classification of periungual fibrous lesions. J Dermatol. 12：349-356, 1985.
11）大澤一弘，高橋亜由美，田村敦志ほか：後天性爪囲被角線維腫の1例．臨皮．51：655-657，1997.
12）Kint A, Baran R, De Keyser H：Acquired（digital）fibrokeratoma. J Am Acad Dermatol. 12（5 Pt 1）：816-821, 1985.
13）Ma D, Darling T, Moss J, et al：Histologic variants of periungual fibromas in tuberous sclerosis complex. Am Acad Dermatol. 64：442-444, 2011.
14）長谷川道子，清水　晶，田村敦志：爪甲色素線条を呈した爪部Bowen病―症例報告と爪部Bowen病内外報告156例の検討．日皮会誌．128：1327-1332，2018.

I章

押さえておきたい爪の基本

【病　理】

4

爪部のメラノサイト系病変の病理診断

I　爪母における正常のメラノサイト

爪部の色は，人種により肌の色が異なっても全く同じ色（肌色）を呈する（図 1）．これは，ヒトの爪母におけるメラノサイトやメラニンの量はあまねく等しく，しかもメラニン（黒色調）が乏しいことを意味している[1]．組織学的にも，正常の爪母や爪床には実はメラノサイトはほとんど存在しない（図 2）．つまり，成人爪部のメラノサイト系病変において，爪母や爪床にメラノサイトが少数でも散見されれば，爪甲下悪性黒色腫を疑う必要がある．

図 1　様々な人種における爪の色
爪の色は，肌の色の違いにかかわらず全く同じ色（肌色）を呈している．
https://wakuwork.jp/archives/21038（2020 年 9 月 20 日アクセス）

II　爪甲色素線条のでき方

爪母で産生される上皮細胞は表層に向かい成熟して爪甲（爪）を形成する．爪母部は盲端であり，上皮細胞と爪甲は常に指の尖端方向（前方）に向けて進展を続けている（図 3-a）．皮膚における悪性黒色腫は 360° 方向に浸潤するが，爪の伸長方向は一方向（前方）だけである．そこで皮膚の悪性黒色

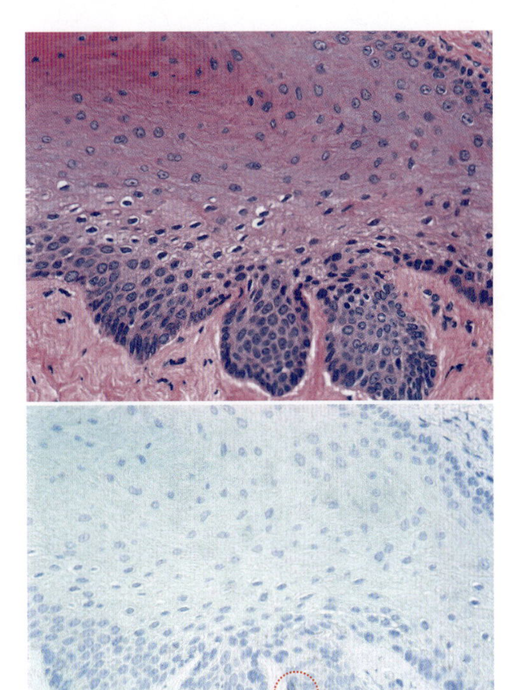

図 2　正常の爪母におけるメラノサイト
a：H-E 標本．非メラノサイト系病変としてたまたま切除された爪の爪母や爪床にはメラノサイトはほとんどみられない．
b：Melan-A 抗体．わずかに 1 個，陽性細胞がみられる．

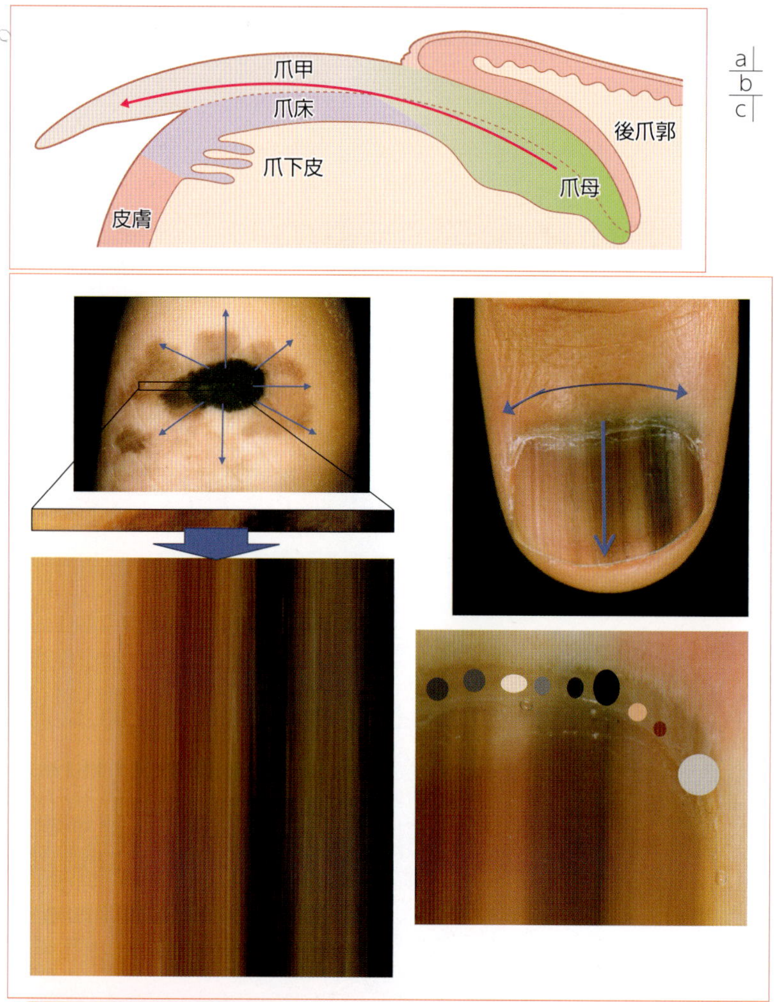

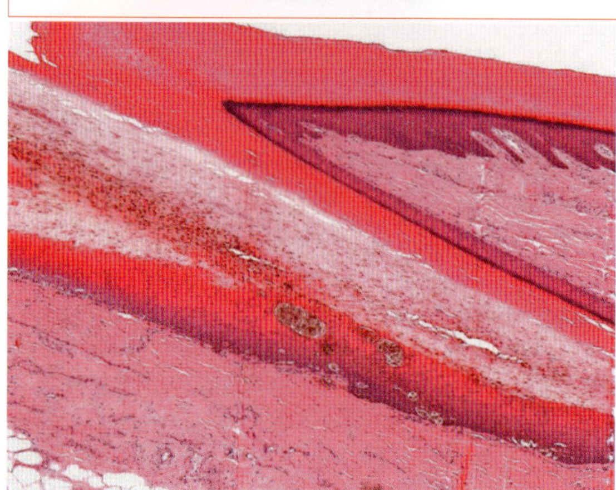

a|
b|
c|

図 3

爪の増殖の方向

a：爪母で造られた爪（爪甲）は成熟しながら表層・前方に進展する．

b：爪甲下悪性黒色腫における爪甲色素線条のでき方

左上下：皮膚の悪性黒色腫が 360° 方向に浸潤するが，爪は前方だけに進展する．悪性黒色腫の一部を切り出しコンピューター上で一方向だけに引き伸ばすと爪甲色素線条ができあがる．

右上下：爪甲色素線条の色や幅の多彩さは，爪母におけるメラニンの量（数）や胞巣の大きさに左右される．

（b は，虎の門病院皮膚科前部長 大原國章先生のご厚意による）

c：悪性黒色腫の腫瘍細胞やメラニン色素が，爪部の成熟に伴い浅層かつ前方に進展しており，爪甲色素線条に一致する．

腫を切り取り，コンピューター上で一方向だけに引き伸ばすと，爪甲下悪性黒色腫の爪甲色素線条ができあがる（図 3-b）[2]．爪甲色素線条の色むらは，爪母におけるメラニンの量（細胞数）により決まり，線条の幅は腫瘍細胞の数や胞巣の大きさによる．爪母において腫瘍細胞は，まず横方向に増殖し，浅層・前方に押し出される．このメラノサイトの浅層・前方への進展は，組織学的にも確認することができる．図 3-c に示すように，腫瘍細胞であっても浅層に向かいながら，前方へまっす

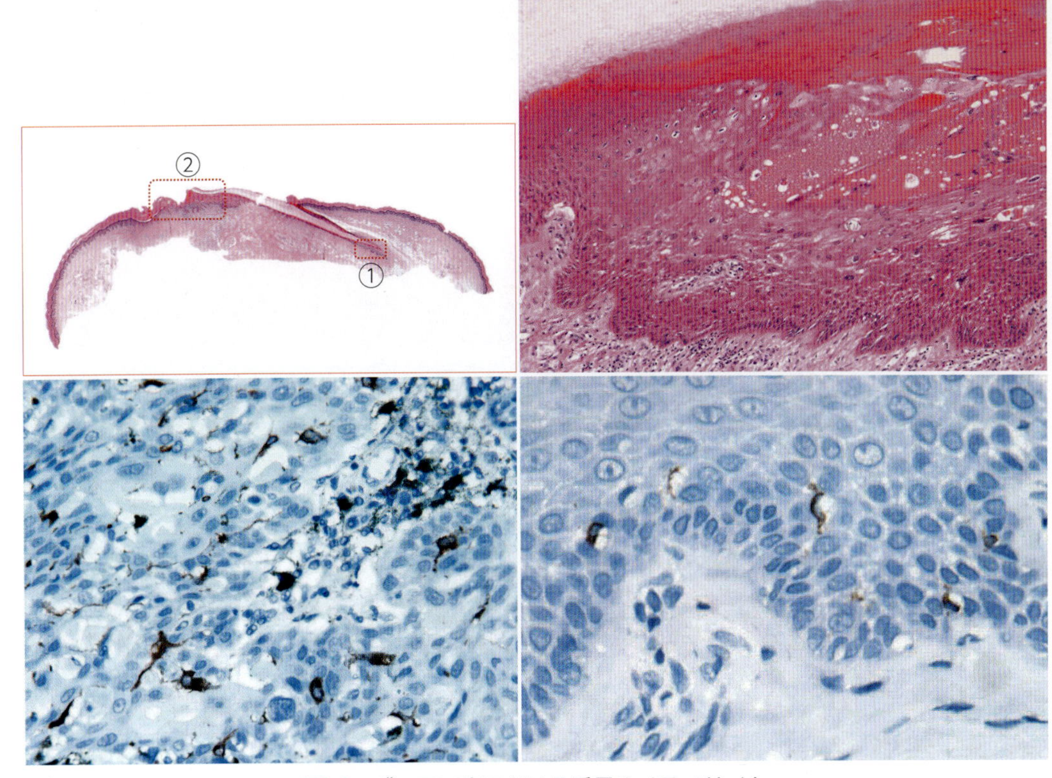

a | b
c | d

図 4　ボーエン病における爪母のメラノサイト

a：爪甲辺縁の表皮に生じたボーエン病のために爪が全摘されている．
b：病変部(a-②)は，Clumping cells，個細胞壊死および核分裂像などが散見される，ボーエン病に一致する所見である．
c：病変部(a-②)に，melanocyte colonization により Melan-A でハイライトされる多くのメラノサイトが混在している．
d：爪母(a-①)において，異型性の乏しいメラノサイトが基底層より 1，2 層表層に散見される(Melan-A)．

ぐに進展する．爪甲下悪性黒色腫の浸潤をきたす部位が，爪母ではなくしばしば爪床の遠位部や爪下皮であるのは，爪甲の成熟に伴うこの腫瘍細胞の動きによると推測される．

III　メラノサイト系病変における反応性のメラノサイトの増生

正常では爪母や爪床にはメラノサイトはほとんど存在しないが，非メラノサイト系病変においてメラノサイトが反応性に増加することがある(図 4)．爪囲のボーエン病(Bowen's disease)や扁平上皮癌(squamous cell carcinoma)などのために切除された爪の爪母，爪床，爪下皮において，メラノサイトが増生する．反応性のメラノサイトは核異型が乏しく，MART-1/Melan-A，HMB-45，S-100 蛋白，SOX-10 などのメラノサイト系マーカーにより細胞質の樹状突起がハイライトされる．このメラノサイトの増生のため，ボーエン病や扁平上皮癌において爪甲色素線条をきたすことがある．なお，病変が表皮内にはない爪部の疾患(グロームス腫瘍，爪甲下外骨腫，未分化多形肉腫，undifferentiated pleomorphic sarcoma［悪性線維性組織球腫，malignant fibrous histiocytoma；MFH］など)では，メラノサイトが増生することはない．

ボーエン病や扁平上皮癌では，非腫瘍性病変にもかかわらず病巣内にメラノサイトが混在することが稀ならずある．この現象は “melanocyte colonization(植民地化，入植)” と呼ばれ，その名の示すように，異型性の乏しい反応性のメラノサイ

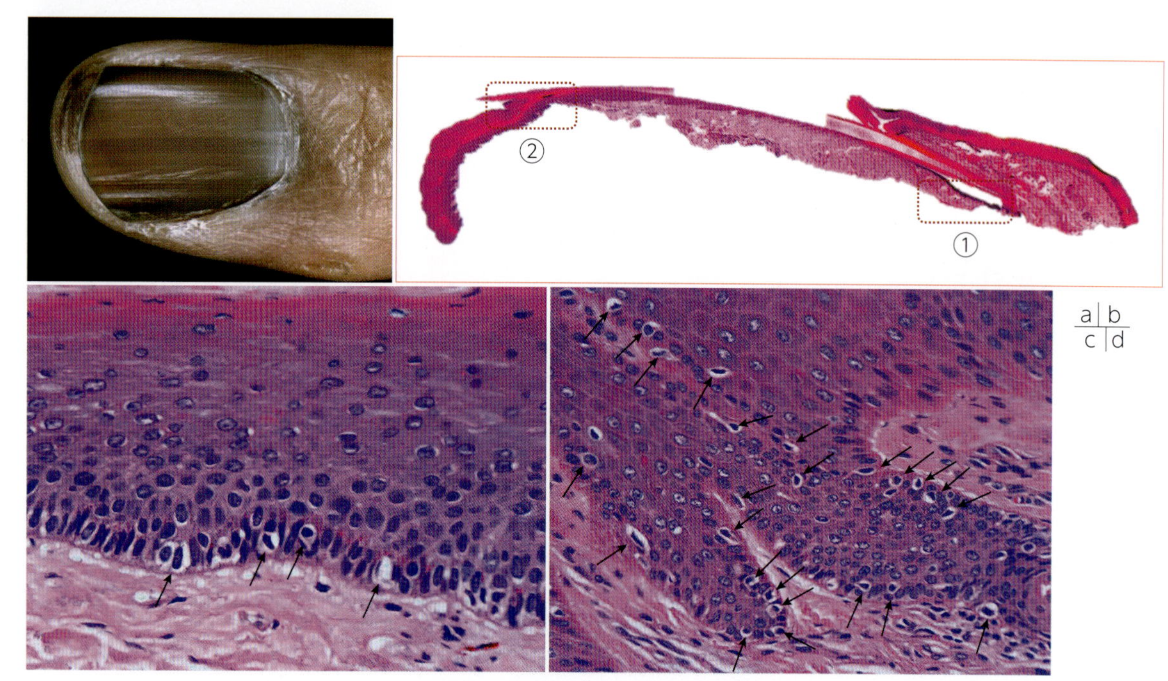

図5　初期の爪甲下悪性黒色腫

a：臨床的には爪甲にびまん性の不規則な色素沈着があり，Hutchinson 徴候を伴う明らかな爪甲下悪性黒色腫である.
b：爪母(①)から爪下皮(②)まで腫瘤の形成や浸潤像はない.
c：爪母には，基底細胞と同大で異型性が乏しいメラノサイトが少数点在するのみである.
d：爪下皮にメラノサイトが増殖しており，病理学的に爪甲下悪性黒色腫と診断することができる.

トが病巣内に様々な程度で出現する．Melanocyte colonization は爪部のみでなく，脂漏性角化症，基底細胞癌，汗孔腫，隆起性皮膚線維肉腫(DFSP)およびHPV 感染症(尋常性疣贅や尖圭コンジローマ)など多くの疾患においてみられる.

IV　爪甲下悪性黒色腫の病理像

爪甲下悪性黒色腫は臨床的に，早期では細い爪甲色素線条あるいは爪甲全体の薄い色素沈着に始まり，やがて爪甲全体に広がるとともに黒色調が濃くなり，進行すると爪の破壊や結節を形成し，最終像は骨に達する浸潤をきたす．病理像は各臨床病期により異なる[2)〜7)].

1．初期像：爪甲下悪性黒色腫 *in situ*

ごく初期の爪甲下悪性黒色腫の病理診断は，(正常では爪母にメラノサイトは存在しないため)「爪母にメラノサイトが存在すること」に尽きる．初期にはしばしば臨床像と病理像が乖離し，臨床的に明らかな爪甲下悪性黒色腫と判断される爪甲色素線条を示す症例であっても，病理学的にはごく少数の(腫瘍性の)メラノサイトが点在するのみで診断に苦慮することが多い．図5は右手中指の爪で，臨床的には爪甲色素線条というより既にびまん性に不規則な茶色〜黒色調を呈し，指尖部にHutchinson 徴候を伴う疑う余地のない爪甲下悪性黒色腫である．ところが病理学的には，爪母には少数のメラノサイトが基底層に沿い点在するのみである．メラノサイトは基底細胞と同大で核の異型性や多形性は軽度で，繊細なクロマチンを有し，核小体は目立たない．メラノサイトの上皮表層への上昇(ascent，transepidermal melanocyte migration)もほとんどない．細胞質のメラニンの含有量は様々だが早期には乏しいことが多い．このようなごく初期に病理学的に爪甲下悪性黒色腫と診断するためには，「爪下皮」におけるメラノサイトの増殖を確認することが有効である．爪甲下では悪性黒色腫は前述のごとく，メラノサイトは常に表層かつ指尖方向に押し出されるため，爪母

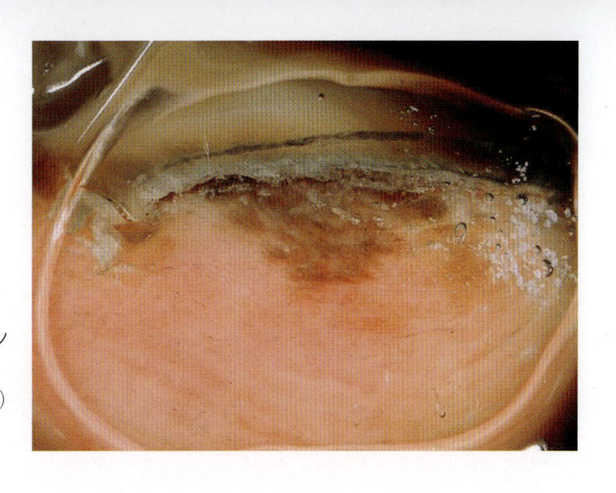

図 6
指尖部の Hutchinson 徴候
指尖部の Hutchinson 徴候は，足底の ALM と同様にメラニン色素が皮丘優位に沈着する．
（虎の門病院皮膚科前部長 大原國章先生のご厚意による）

で増殖することは稀である．指尖で爪甲が遊離すると，メラノサイトはもはや爪甲中に排除されることなく爪下皮，続いて指尖の皮膚に沿い増殖する．爪母にごく少数しかメラノサイトがみられない時期でも，爪下皮においてメラノサイトが出現し，むしろ爪母より多数みられることもあるため，爪甲下悪性黒色腫と診断する大きな助けとなる．

Hutchinson 徴候は，指尖，側爪郭，爪上皮および後爪郭など爪囲の皮膚に異型メラノサイトが浸潤し黒色調を呈する現象で，爪甲下悪性黒色腫の証拠とみなされる．Hutchinson 徴候が指尖に生じると，ダーモスコピーでは足底の悪性黒色腫（肢端黒子型黒色腫，acral lentiginous melanoma；ALM）と同様に，メラニン色素が皮溝よりも皮丘優位に沈着する parallel ridge pattern を呈する（図 6）．Hutchinson 徴候は組織学的にも確認することができる．指尖部の皮膚や，正常ではメラノサイトが存在しない腹側面の後爪郭および背面の後爪郭の表皮基底層において，異型メラノサイトが増殖する（図 7）．

経過とともに異型メラノサイトは大型となり異型性を増し，基底層から離れて ascent や Pagetoid spread を示したり，胞巣形成性，重積性に増殖する．図 8 の症例の臨床像は図 7 に比較し，爪甲色素線条の範囲は狭く色も薄いが，組織学的に腫瘍細胞の数は圧倒的に多い．臨床的な色の濃さと，病理学的なメラノサイトの数や増殖の程度とは必ずしも比例しないことがわかる．

免疫組織学的にメラノサイトを高い感度で認識するマーカーとしては，S-100 蛋白，MART-1/Melan-A（両者は同程度の染色性を示すため，どちらを用いても良い），HMB-45，SOX-10 などが有用である．S-100 蛋白は核と細胞質が，MART-1/Melan-A と HMB-45 は細胞質が，SOX-10 は核のみが染色される．爪甲下悪性黒色腫のごく初期では，H-E 標本ではメラノサイトの存在を認識することがしばしば困難であるため，免疫組織学的検索が必須となる．爪甲下悪性黒色腫や掌蹠の悪性黒色腫では，メラノサイトが（非腫瘍性のメラノサイトではみられない程度に）不規則で長い樹状突起を有するため，S-100 蛋白や MART-1/Melan-A による細胞質の観察が診断の一助となる（図 9）．残念ながらメラノサイト系病変において良悪性の判断に有効なマーカーは存在しない．メラノサイトの核に p53 が過剰発現していれば悪性黒色腫が疑われるが，表皮内では基底層あるいは基底層直上の正常角化細胞において発現するため紛らわしく，初期病変の検出には向かない．

2. 中期像：爪の破壊あるいは結節の形成

臨床的に爪が破壊されたり結節を形成する時期になると，病理学的にはメラノサイトの増殖は高度で，上皮下に浸潤していることも多い．

この時期になると，メラノサイトは孤立性ないし胞巣を形成し多数増殖する．核は周囲の角化細胞の核より腫大し，多稜形や紡錘形を示し，核異型性が明瞭となる（図 10）．Ascent やパジェット様進展（Pagetoid spread）を生じ，しばしば上皮全層性に及ぶ．ただし，核分裂像をみることはほとんどない．

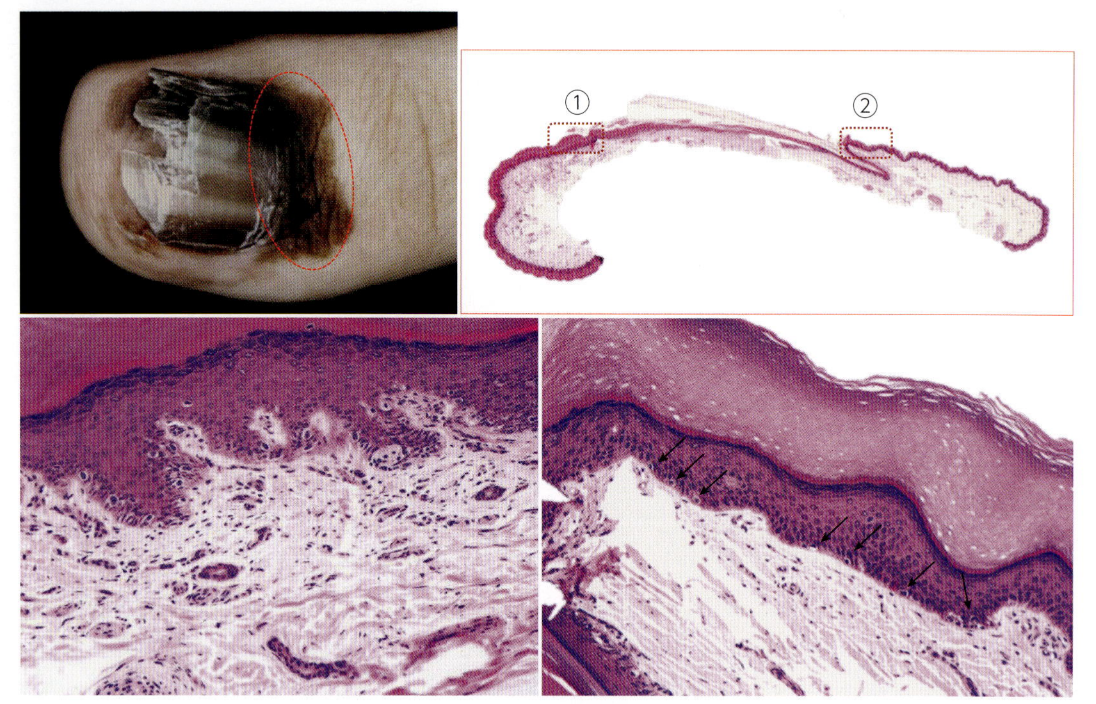

図 7　Hutchinson 徴候の病理像

a｜b
c｜d

a：比較的早期の病変ながら，Hutchinson 徴候が趾尖と後爪郭（赤色点線）にみられる．
b：左端のやや隆起する部位が爪上皮に相当し，それより指尖の異型メラノサイトが Hutchinson 徴候に相当する．
c（b-①）：汗管があることから，爪下皮より指尖であることがわかる．異型メラノサイトが点在しており Hutchinson 徴候に相当する．
d（b-②）：基底層に沿うように異型メラノサイトが点在（増数）している．

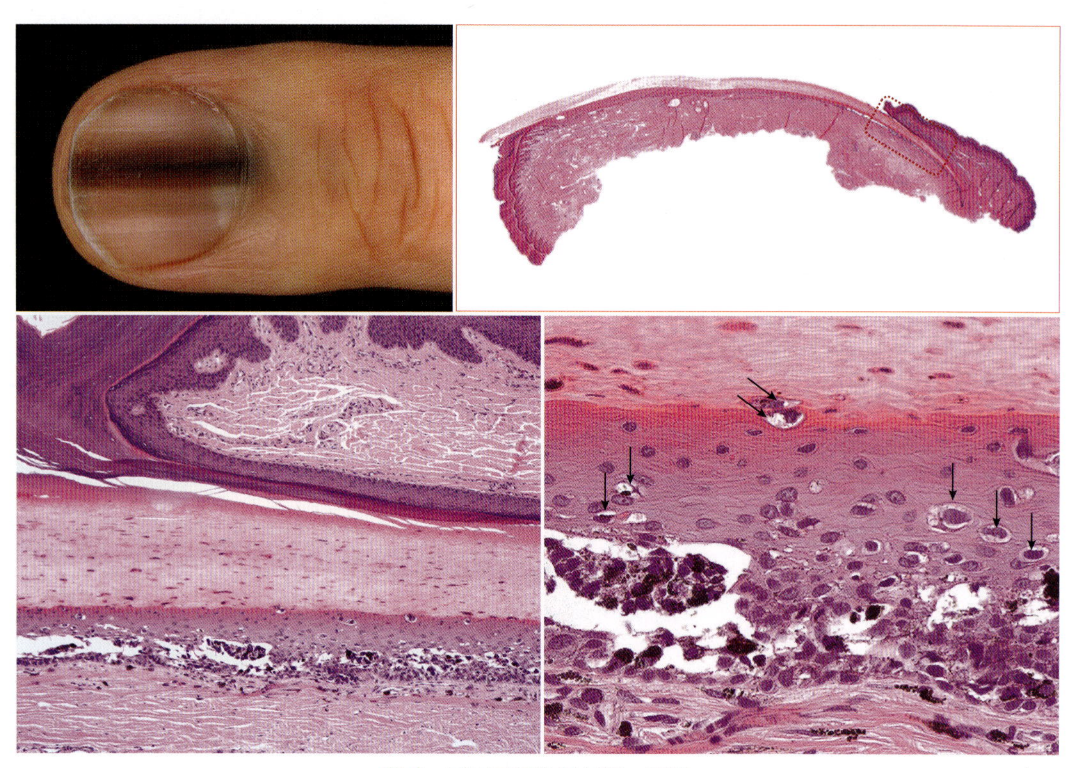

図 8　爪甲下悪性黒色腫，初期

a｜b
c｜d

a：爪甲色素線条は中央部で濃い．爪の破壊や Hutchinson 徴候はない．
b：腫瘤の形成はない．
c：爪母でメラノサイトが大小多数の胞巣を形成している．
d：メラノサイトは角化細胞よりやや大型で，爪甲に達する ascent を示す（矢印）．

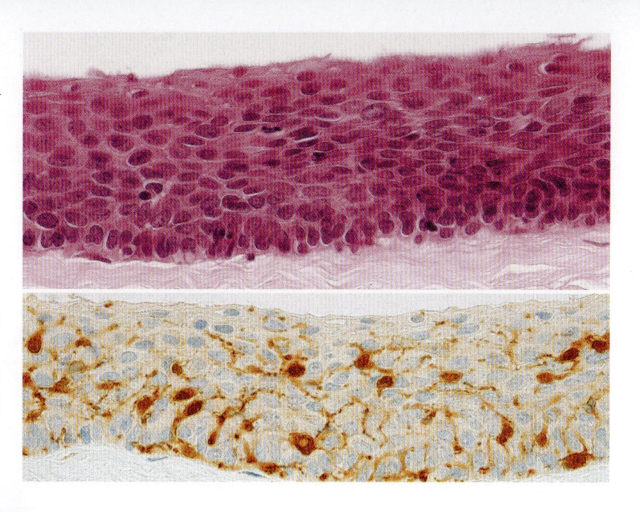

a
b

図9
長く不規則に伸びる樹状突起を有するメラノサイト
a：H-E 標本では，メラノサイトの存在を指摘することが困難である．
b：S-100 蛋白により，爪甲下悪性黒色腫で特有の不規則に長く伸びる樹状突起を有するメラノサイトの核と細胞質がハイライトされる．

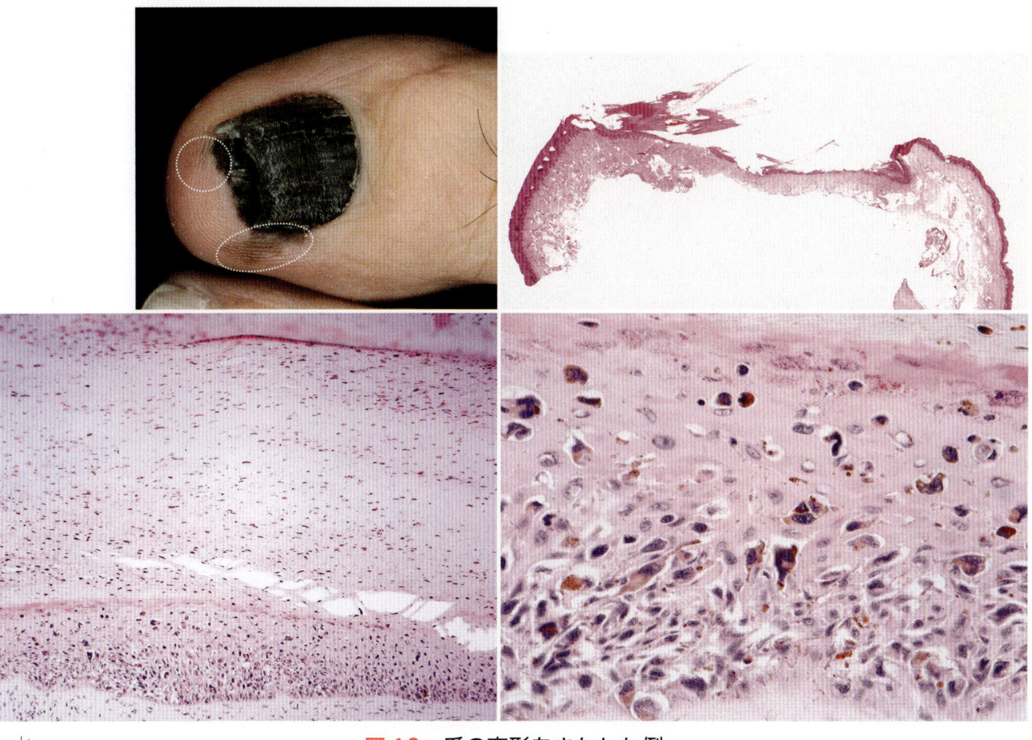

a|b
c|d

図10　爪の変形をきたした例
a：爪全体が厚く肥厚し，濃い黒色調を呈し不規則に波打っている．Hutchinson 徴候がみられる（白色点線）．
b：指に垂直な方向で切り出しされているため，爪母の観察ができない．
c：爪甲に無数の異型メラノサイトが上昇（ascent）している．
d：個々の異型メラノサイトは多稜形ないし紡錘形の大型細胞で，核異型やクロマチンの濃縮を示す．核小体が明瞭な細胞もある．核分裂像はない．

爪甲下悪性黒色腫は常に指尖方向に押し出されているため，上皮下への浸潤は爪母部ではなく，爪床の遠位部や爪下皮で生じることが多い（図11）．わずかでも浸潤すると，メラノサイトは高度の核異型や明瞭な核小体を示す．この時期でも核分裂像をみることは稀で，脈管侵襲像もまずない．

In situ 病変や上皮下のごく浅い部位に留まる浸潤性病変の治療は，骨膜直上で爪郭を含めた爪の全摘術が基本で指の離断は必要ない．皮弁には，適当な厚みと硬度があることから足底の土踏まずの皮膚が利用される．

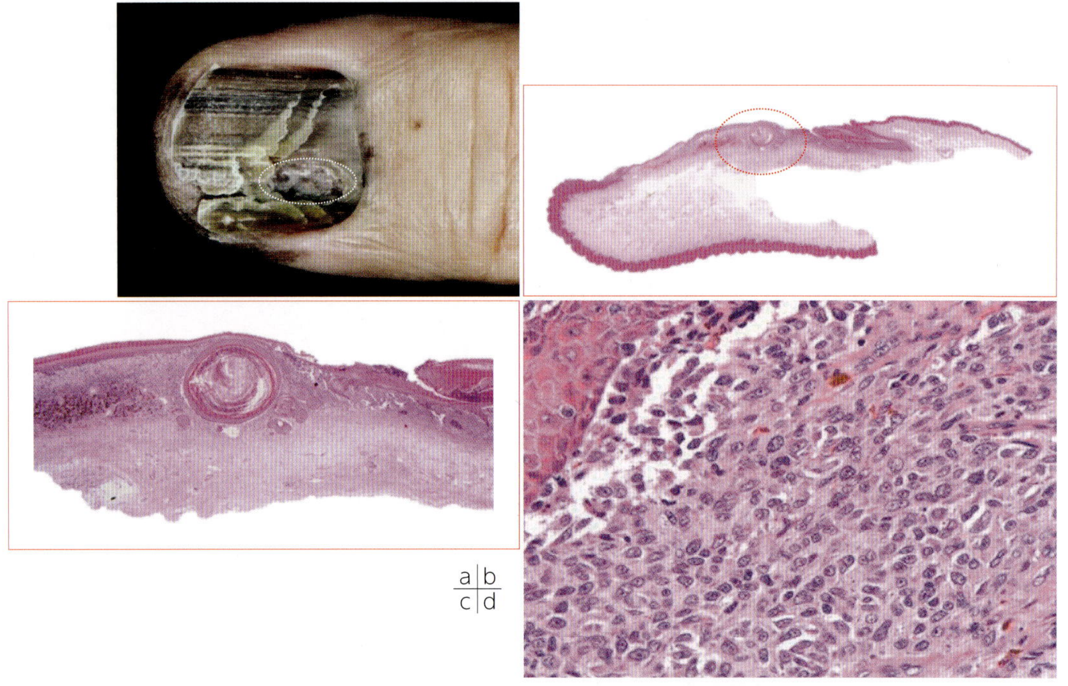

図 11　爪甲下悪性黒色腫，浸潤早期

a：爪が根部から割れ，鱗状を呈している．正常な爪甲はほとんど消失するが最も色が薄い部位も灰褐色を呈しており，病変がびまん性であることがわかる．一部では結節が形成されている（白色点線）．
b：爪床で上皮下に浸潤をきたしている．
c：上皮が反応性に増殖し角質嚢胞を形成している．
d：浸潤するメラノサイトは明瞭な核小体を示し，異型性や多形性を示す．

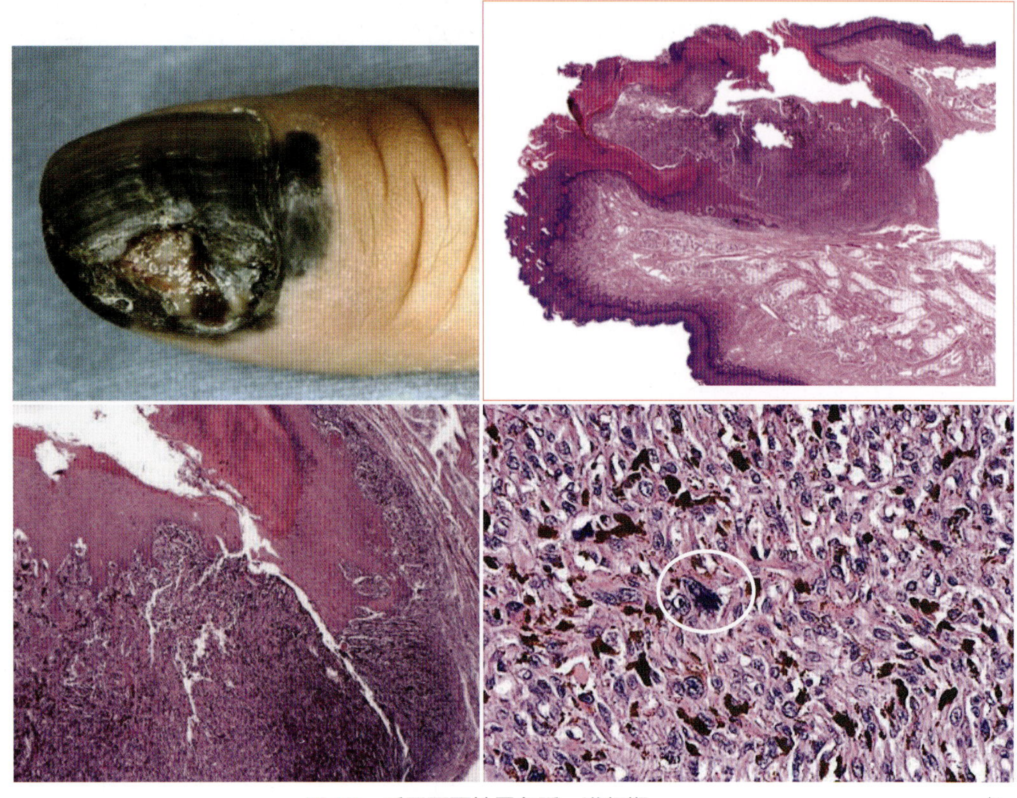

図 12　爪甲下悪性黒色腫，進行期

a b
c d

a：部分的に爪が完全に破壊され，爪甲下の腫瘤が露出している．側爪郭や後爪郭に広がる．
b：爪甲下悪性黒色腫における浸潤は爪母では稀で，本例のように爪床や爪下皮で生じることが多い．
c：爪母の上皮は比較的保たれている．浸潤胞巣ではメラニンが不規則に分布している．
d：異型メラノサイトは，著しい異型性や多形性を示す．核分裂像もこの時期では散見される（白色線）．

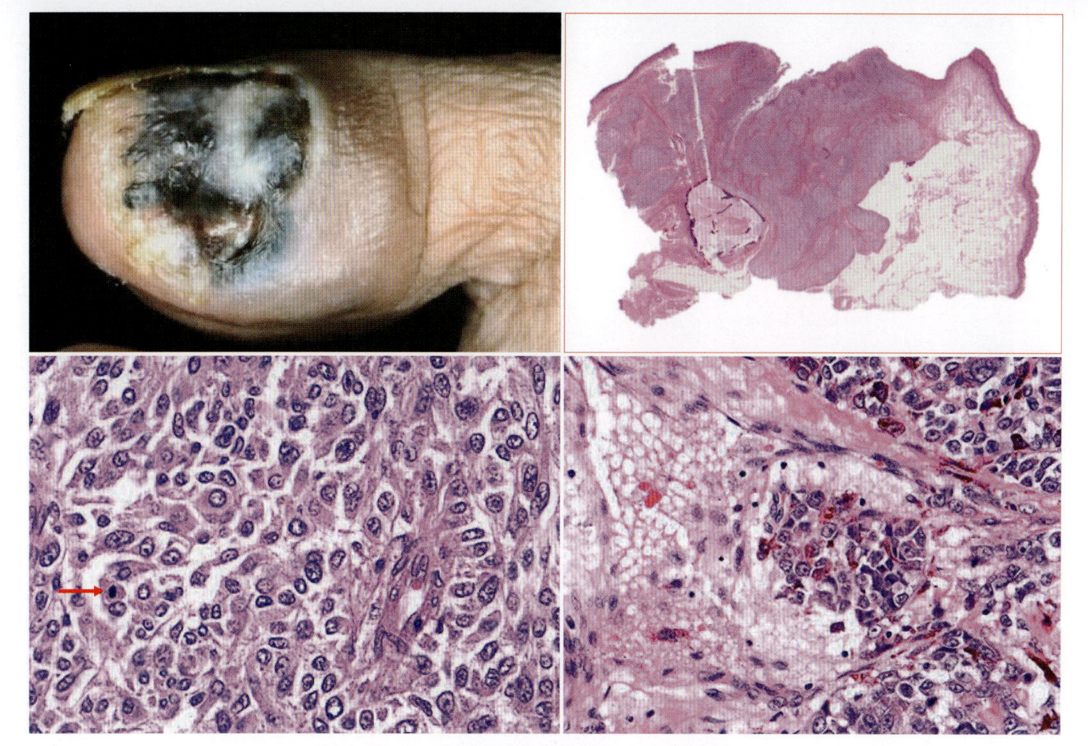

a | b
c | d

図 13　爪甲下悪性黒色腫，骨浸潤期

a：爪甲が完全に破壊され，側爪郭や後爪郭を巻き込む大型の腫瘤を形成している．
b：腫瘤の浸潤により爪組織は完全に破壊・消失している．浸潤は骨に達し，骨の破壊や骨髄内への浸潤をきたしている．
c：多稜形の異型メラノサイトがびまん性に浸潤している．核分裂像がみられる（矢印）．この症例はメラニン色素は乏しい．
d：静脈内にメラノサイトが侵襲している．

3. 進行期像：爪の高度の破壊や大型腫瘤の形成

爪が破壊され大型の腫瘤を形成する時期には，脈管侵襲やリンパ節転移を生じ得る．治療は指の離断が必要となる．

病理学的な黒色調の程度は様々で，必ずしも黒色が濃くなるわけではないが，メラニンの沈着は不規則になる（図 12）．メラノサイトは類円形あるいは短紡錘形で，著しい異型性を示す．核小体が明瞭でクロマチンは粗く，大型の核内細胞質偽封入体（Apitz 小体，核内封入体）が散見される．多形性の程度は様々で，浸潤部ではむしろ均一に増殖することもある．異型核分裂像を含む核分裂像が容易に散見される．

浸潤が進行すると，終末像として脈管侵襲をきたしたり直接骨に浸潤する（図 13）．リンパ管や血管侵襲像がみられることも多い．指を離断しても，リンパ節転移や遠隔転移をきたすことが多く予後は非常に悪い．

V　色素性母斑と小児における爪甲色素線条の自然消褪現象

爪甲における色素性母斑の発生は実は非常に稀で，組織学的検索に供される例は世界的にもごく少数しかない．色素性母斑は基本的に先天性（来院は乳幼児～小児期．大多数は 10 歳以下）の発症であり，成人での発症はまずない．逆に 10 歳以下の爪甲色素線条は（爪甲下悪性黒色腫ではなく）色素性母斑にほぼ限られるといっても過言ではない．

興味あることに，爪の色素性母斑（小児の爪甲色素線条）は自然消褪をきたす（図 14）[8)～10)]．小児の爪甲色素線条は，色素沈着が爪囲の皮膚に及ぶ“Hutchinson 徴候”に相当する色素の浸み出しが高頻度に生じる．手指では約 1/4，趾指では実に 1/3 以上の症例でみられる（図 15）．しかし爪甲下悪性黒色腫と異なり Hutchinson 徴候も爪甲色素

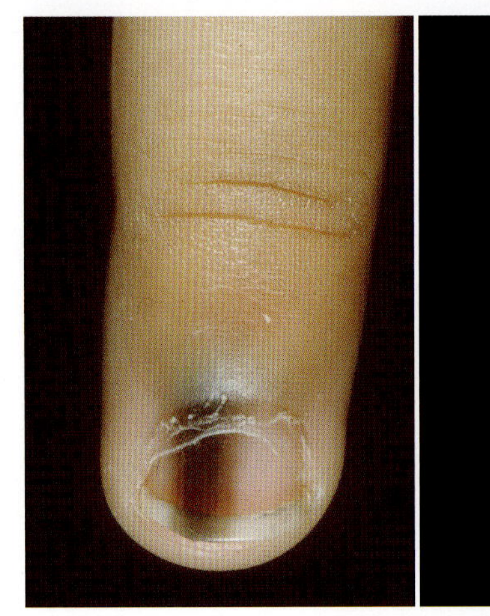
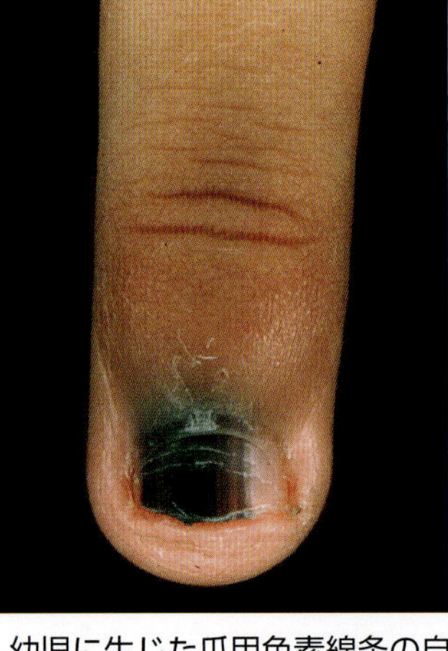
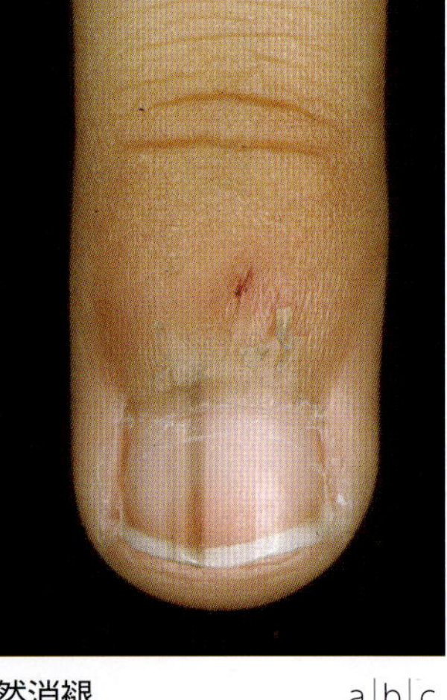

図 14　幼児に生じた爪甲色素線条の自然消褪　a|b|c

a：1 歳の来院時．茶褐色の色素線条が爪甲の 1/3 に広がる．
b：1 年後．爪甲の中央を越えて広がり色調も濃くなっている．
c：4 年後．薄く細い爪甲色素線条を残して消褪している．
（虎の門病院皮膚科前部長 大原國章先生のご厚意による）

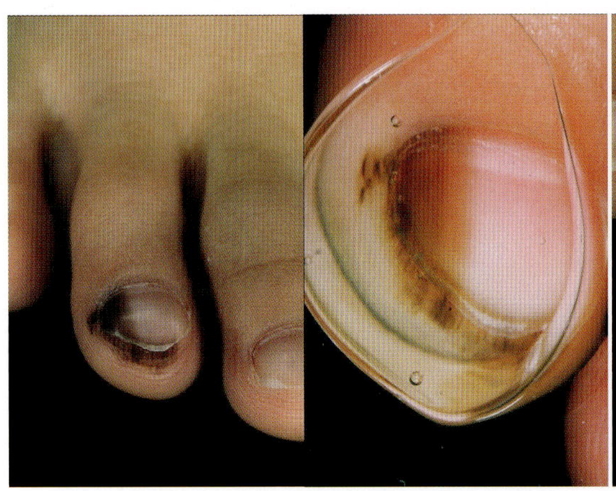
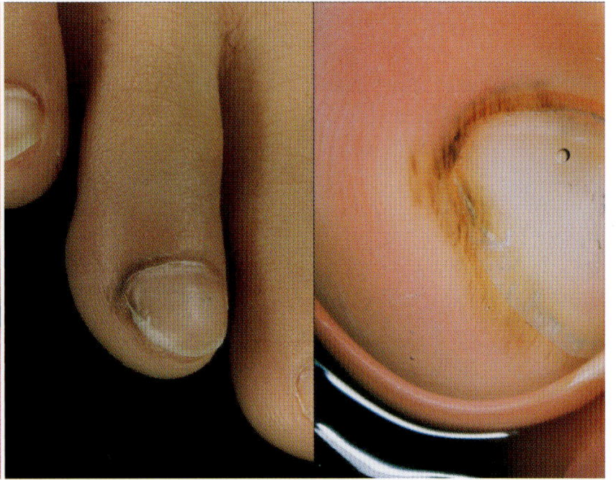

図 15　幼児の“Hutchinson 徴候”を有する症例の自然消褪（臨床像・ダーモスコピー像の変遷）　a|b

a：来院時 3 歳．爪甲色素線条とともに側爪郭から指尖に色素沈着がある．
b：2 年後．爪甲色素線条はほぼ完全に消失し，皮膚にわずかに薄い色素沈着を残すのみとなった．
（虎の門病院皮膚科前部長 大原國章先生のご厚意による）

線条とともに自然消褪する．経過とともに，爪甲色素線条の幅や色調が一旦濃くなっても，さらに経過を観察し続けるとやがては消褪することがわかっている．

組織学的に小児の爪甲色素線条は，約 9 割が表皮に留まる境界母斑で，稀に複合母斑もある．上皮下における“成熟（maturation）”は通常はない．定型的なメラノサイトは，境界が比較的明瞭な胞巣を形成し，しばしば周囲に孤立性のメラノサイトを伴う（図 16，17）．爪の色素性母斑の組織像は多彩で，後に自然消褪が確認された症例であっても，生検組織ではメラノサイトの腫大，核異型，クロマチンの濃縮を示し，孤立性に増殖することがある（図 18）．小児の爪甲色素線条は，臨床情報なしで組織像のみから爪甲下悪性黒色腫と色素性母斑を鑑別することは不可能といっても過言ではない．

Ⅵ まとめ

爪甲下悪性黒色腫の病理診断の難しさは，何と

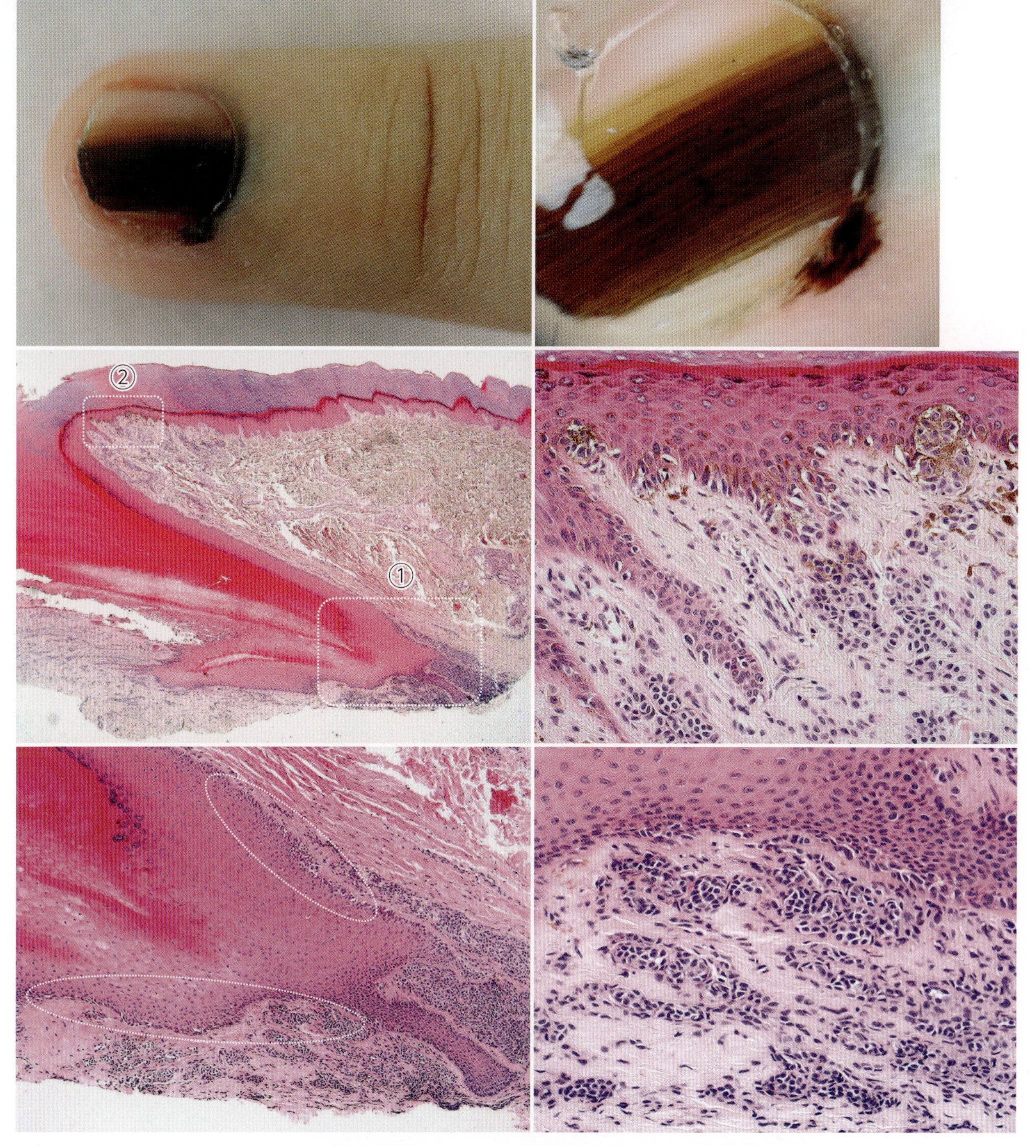

a	b
c	d
e	f

図 16　4 歳で発症した，16 歳男性の右小指の色素性母斑

a：色素線条が爪の半分を越え，爪上皮と側爪郭に色素の浸み出しがある．
b：ダーモスコピー像．徐々に色調が濃くなり幅が拡大したという．
c：爪母の上皮下(①)と一部後爪郭(背面)に及ぶメラノサイトの集簇巣がある(②)．
d：後爪郭(背面，c-②)の表皮と真皮内に胞巣形成性ないし孤立性に異型性が乏しいメラノサイトが増生している．
e：爪母と後爪郭(腹側面，c-①)の上皮内にメラノサイトが線状に増殖している(白点線)．
f：爪母の上皮内と上皮下にメラノサイトが増殖する複合型の色素性母斑である．成熟傾向はない．

（虎の門病院皮膚科前部長 大原國章先生のご厚意による）

言っても初期像の診断である．病理医が爪甲下悪性黒色腫を,「良性の爪甲色素線条」,「母斑」あるいは,「所見なし」と誤診する恐れがあるのは，初期には異型メラノサイトは数が少数で異型性が乏しく，ascent や胞巣の形成がほとんどないためである．浸潤する時期まで核分裂像をみることも稀である．爪甲下悪性黒色腫と診断するには，爪母だけでなく,「爪下皮」における異型メラノサイトの増殖を確認することが重要である．時期が進めば，皮膚に発生する通常の悪性黒色腫の診断と同

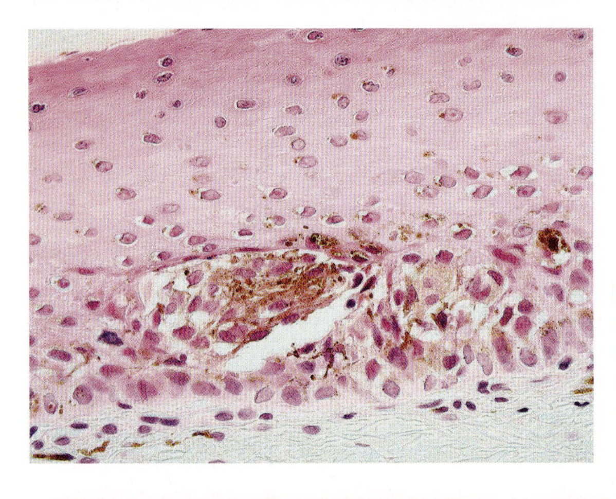

図 17
爪の色素性母斑の組織像
基底層の直上に比較的境界明瞭な胞巣を形成している．周囲に孤立性のメラノサイトもみられる．核異型は乏しい．

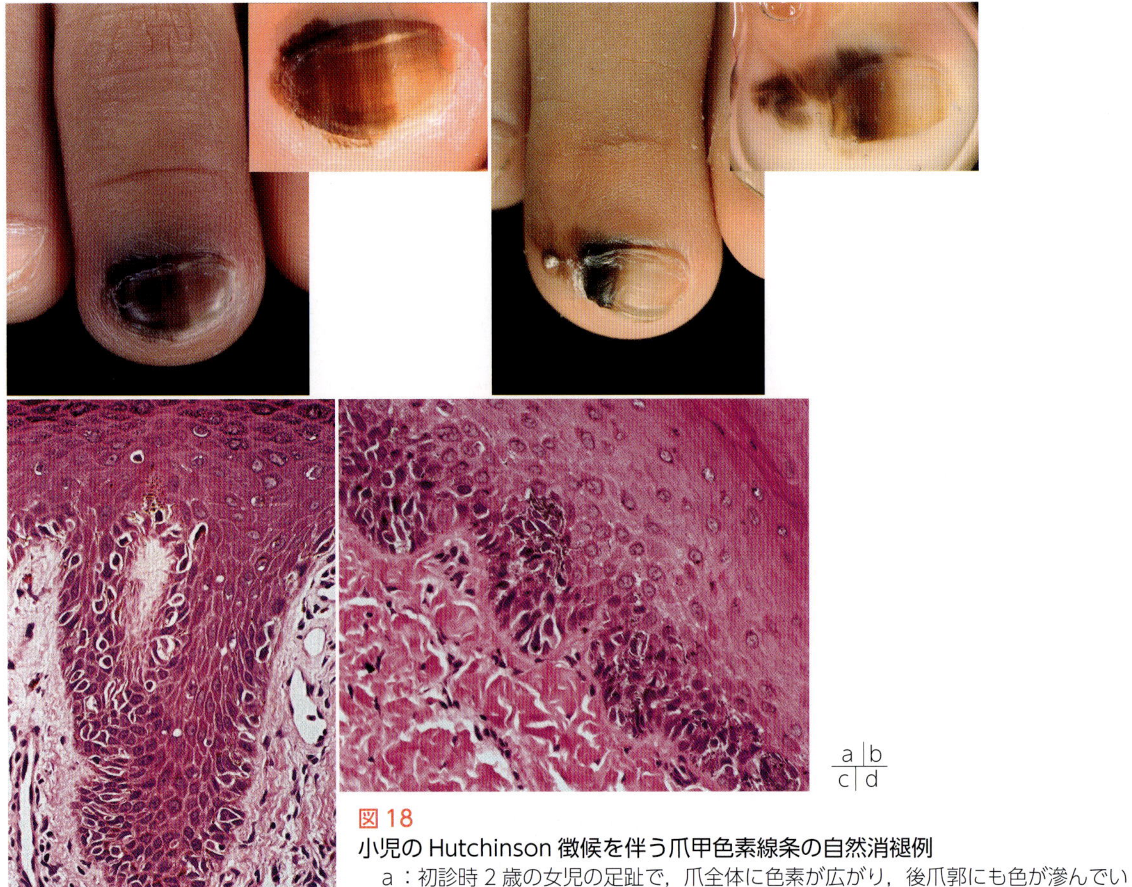

図 18
小児の Hutchinson 徴候を伴う爪甲色素線条の自然消褪例
a：初診時 2 歳の女児の足趾で，爪全体に色素が広がり，後爪郭にも色が滲んでいる．生検が施行された．
b：10 年後．色素の幅は約 1/3 まで縮小している．
c：初診時の生検像．指尖部の皮膚に大型のメラノサイトが孤立性に増生している．
d：爪母にも孤立性のメラノサイトがやや不規則に増生しており，組織像のみからは爪甲下悪性黒色腫が疑われる．
（虎の門病院皮膚科前部長 大原國章先生のご厚意による）

様に悪性所見が明瞭になる．

10 歳以下の小児における爪甲色素線条の本態は色素性母斑と考えられており，ほぼ全例で自然消褪をきたす．たとえ，偽 Hutchinson 徴候（良性疾患におけるメラニン色素の爪甲周囲への浸み出し）があったり，一旦爪甲色素線条が悪化することがあっても，侵襲的処置をせずに経過を観察する忍耐力が必要である．逆に成人では爪に色素性母斑が生じることはまずないことから，爪母におけるメラノサイトの存在は爪甲下悪性黒色腫を疑う．つまり爪の色素性母斑と爪甲下悪性黒色腫の診断は，組織像に加え，必ず発症年齢やダーモスコピー像などの臨床情報とを合わせて判断する必要がある．

（泉　美貴）

文献

1）東　禹彦：爪 基礎から臨床まで，改訂第２版，pp. 2-10，東京：金原出版，2016.
2）大原國章：大原アトラス５　色素性の母斑，pp. 309-311，東京：学研メディカル秀潤社，2020.
3）泉　美貴：みき先生の皮膚病理診断 ABC ③メラノサイト系病変，pp. 128-133，東京：学研メディカル秀潤社，2009.
4）Izumi M, Ohara K, Mukai K, et al：Subungual melanoma：histological examination of 50 cases from early stage to bone invasion. J Dermatol. 35：695-703, 2008.
5）泉　美貴：爪の病理．MB Derma．184：35-48, 2011.
6）大原國章：爪甲下悪性黒色腫．J Visual Dermatol．1：96-97，2002.
7）泉　美貴，大原國章：爪甲下悪性黒色腫―臨床期別による組織像の検討―．病理と臨床．25：1252-1259，2007.
8）大原國章：爪甲色素線条，その２．J Visual Dermatol．1：558-561，2002.
9）長山隆志，大原國章：爪の黒色腫の進展経過．J Visual Dermatol．3：324-325，2004.
10）大原國章：大原アトラス５　色素性の母斑，pp. 241-271，東京：学研メディカル秀潤社，2020.

I章 押さえておきたい爪の基本

【十爪十色―特徴を知る―】

5 小児の爪の正常と異常
―成人と比較して診療上知っておくべき諸注意―

I 小児の爪の特徴

1. 爪の発生と成長

爪の原基は胎生10週頃から形成され，肥厚して爪野(nail field)を形成し，背側面を移動して近位部と外側部を爪ひだ(爪郭：nail fold)と呼ばれる表皮のひだで囲まれる．爪野の近位部から先端に向け細胞が爪野を覆い，角質化して爪を形成する．爪は手指で胎生32週頃，足趾で胎生36週頃までに指の先端に到達する．ゆえに早期産児の爪甲は先端に達していない(図1)[1]．一方，過期産児では爪は先端を越えて伸びている(図2)[2]．爪の成長速度は10～14歳まで増加し続け，その後は成人と同じ速さになる[3]．

2. 年齢別にみた爪の生理的特徴

a)新生児期

新生児の爪甲は薄く，軟らかく，透き通っており外力により容易に損傷を受ける．左右への彎曲が強く，側爪郭に側縁が深く陥入している(図2)[2]．

(1)Beau's lines：爪甲にみられる横溝で，爪郭近位部に出現し爪の成長とともに遠位端へと移動する．爪甲形成の一時的な途絶による変化と考えられている[4]．年長児で感染などの全身疾患後に認めることもあるが，生後4～14週の乳児でも認めることがある．これは分娩のストレス[2]や分娩による代謝の変化によるものと考えられ[4]，病的意義はない．

(2)新生児の多発性手指陥入爪：複数の手指に陥入爪を生じ，ときに爪周囲炎を伴う．母指・示指・中指に多い．新生児の爪甲は薄く末節骨が未

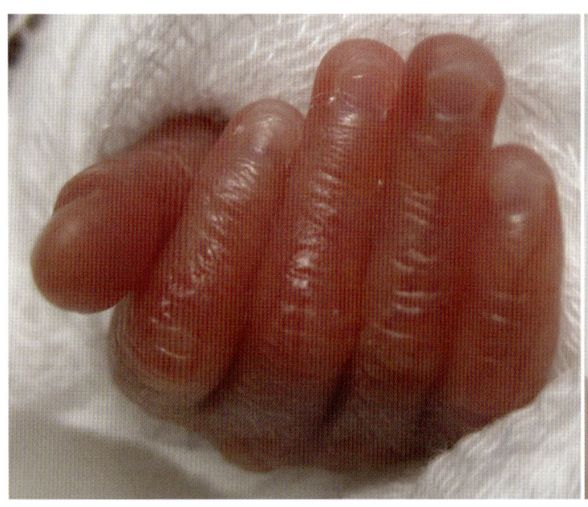
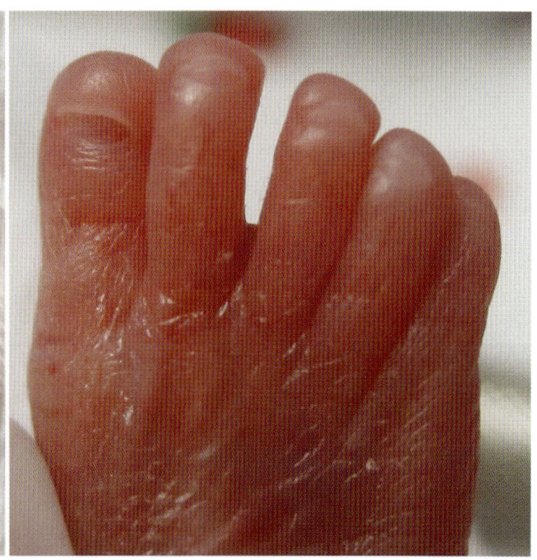

図1 早期産児の爪
在胎23週で出生した超低出生体重児．男児．爪甲は指先端まで達していない．

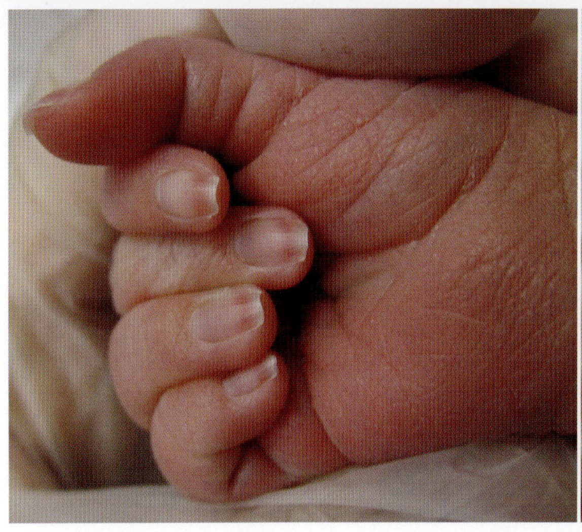
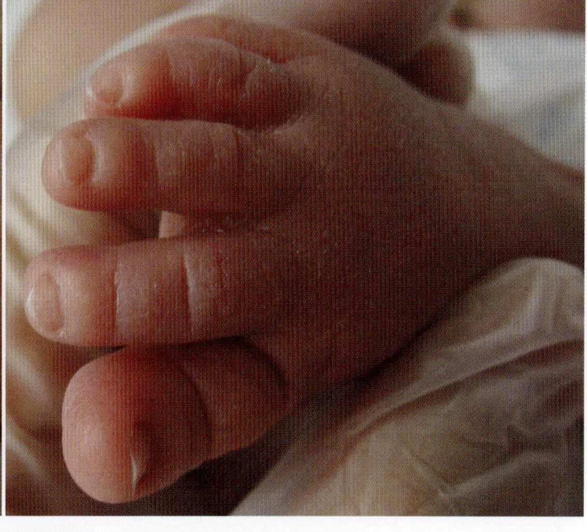

図 2　成熟児の爪
在胎 40 週，男児．爪甲は指先端より伸びている．左右の彎曲が強く，側縁は側爪郭に陥入している．

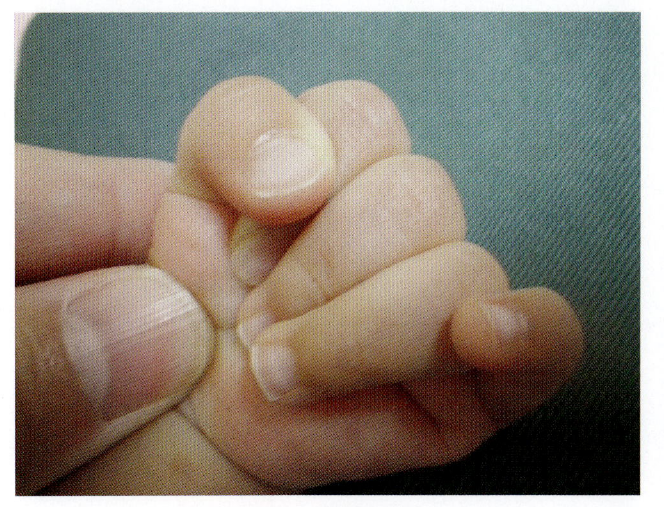

図 3　乳児の爪
6 か月，男児．爪甲の大部分が白色を呈している．

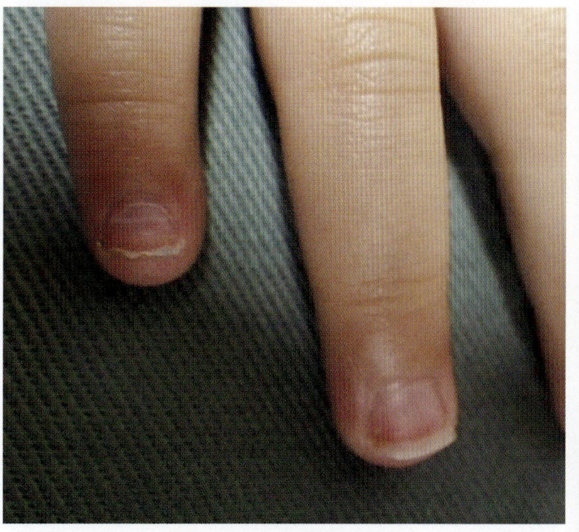

図 4　爪甲層状分裂症
2 歳，女児．爪甲遠位端が層状に剥離している．

発達なため，把握反射による外力が加わることで起こる．把握反射が消失する生後 3 か月頃には自然軽快する[5]．

b) 乳幼児期

新生児期に強く彎曲していた爪甲は 1～2 歳頃には扁平化する．爪の大部分が乳白色（白色爪）を示すことがある（図 3）．成人に比して菲薄で軟らかいため，外力の影響を受けやすい[6]．Sarifakioglu らは乳児 250 名の爪の変化の有無を調査し，6.8％に何らかの変化を認めたと報告している．爪甲層状分裂が 2.4％と最も多く，匙状爪の頻度は 0.8％であった[7]．

(1) 爪甲層状分裂症：爪甲遠位端が数層に分裂した状態．乳幼児の菲薄な爪甲は小さな外力でも容易に分裂しやすい．拇指や母趾に多く，指しゃぶりが要因となることもある（図 4）[7]．

(2) 匙状爪：乳幼児の爪は薄く軟らかいため，匙状爪はしばしば認められる．これは生理的で一時的な変化と考えられる．鉄欠乏性貧血でも認められるが，その場合，手足いずれの爪にも生じる．小児の生理的な匙状爪は足趾の爪のみに生じることが多い．したがって足趾のみの変化の場合は貧血の検索は不要である[7,8]．

(3) 爪甲縦条：爪甲に縦走する細かい線条．乳

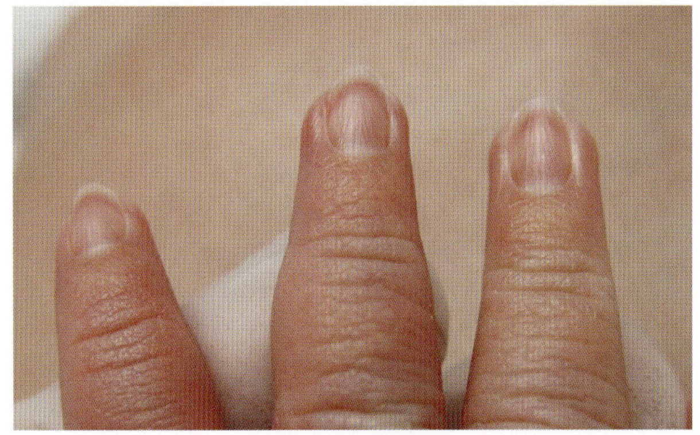

図 5　爪甲縦条
爪の先端に収束する線条を認める.

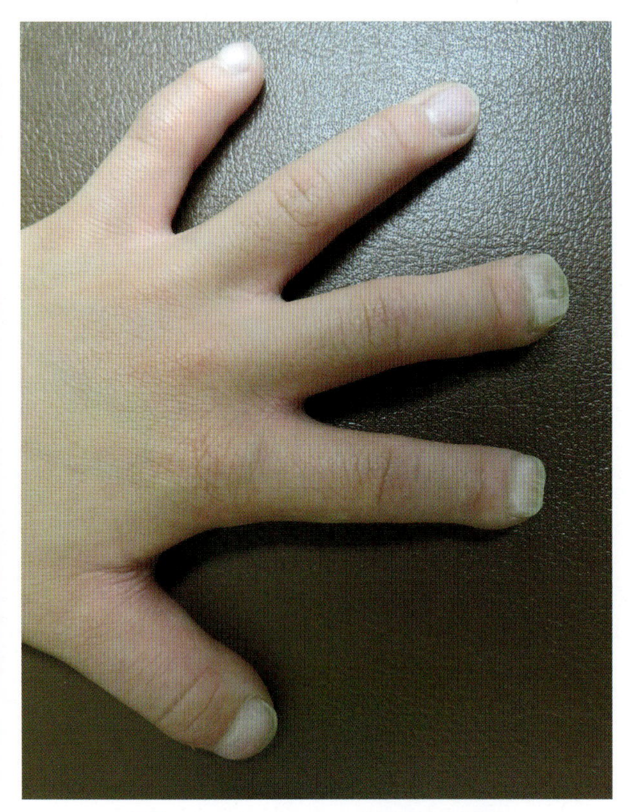

図 6　Hajdu-Cheney 症候群の爪異常
12 歳，女児．短い爪(全指)と凹状爪(第 2〜3 指)を認める．本症は常染色体優性遺伝の先天性骨融解症で，末節骨の骨吸収などを主徴とする.

幼児期にこの線条が平行ではなく，遠位側中心に収束しＶ字様になることがある．身体の急激な発育に伴うものと考えられる(図 5)[6)8)].

c)学童期以降

爪甲は厚く硬くなり，乳幼児期のような変化は生じなくなる．爪噛み癖や外傷などによる変化が増えてくる.

II　小児の爪の異常

小児の爪の異常は先天的な異常と全身疾患や外的因子による後天的な異常に分けられる.

1. 先天性の異常

新生児期より認められ，爪甲の欠損や幅・長さの短縮，罹患指趾の末節骨形態異常を伴う例が多い(図 6)．爪に限局する異常と，先天異常症候群などの部分症状としてみられる異常があり，両者の鑑別が重要になる．爪の形態異常についての記載と，主な先天性疾患を表 1 に示す.

a)全身性疾患の部分症状としての爪異常

爪の異常を伴う先天性症候群は数多くあり，爪の所見が診断の一助となることも多いため，全身の診察を注意深く行う[9)10)]．特に毛髪，歯牙，骨，全身皮膚の異常が種々の組み合わせでみられる外胚葉形成異常症，短指や多指など四肢骨の形態異常を伴う先天異常症候群，胎児期にリンパ浮腫をきたす染色体異常症には爪異常を伴うものが多い.

b)爪に限局した異常

(1)先天性示指爪甲欠損症：手の示指に限局．爪甲は完全に欠如するか異常に小さく，また二分していることもある．ときに示指末節骨の末端が背掌側方向に二分している(図 7)．原因は不明だが子宮内での虚血説や末節骨先端の異形成説がある．散発性だが稀に家族内発症がある[8)]．本邦での報告は多いが欧米では少ない[11)].

(2)ラケット爪(短い爪)：出生時から爪甲の幅が長さを上回り幅広い形を呈する．両側または一側の母指に認めるが，稀に母指以外にも生じる．X 線検査では末節骨の短縮を認める．常染色体優性遺伝の報告もある[2)11)].

(3)先天性異所性爪：出生時から爪の組織が末節骨の背面以外に存在し，爪甲を形成する．小指の掌側に多い．痕跡的な多指症としてとらえられる場合があり，随伴症状の有無に注意する．原因は不明．組織学的には正常の爪組織とほとんど同じである．大部分が散発例だが兄弟例の報告もある．放置すれば長くなり，生活に支障が出るので

表1　先天性の爪の形態異常についての記載と主な先天性疾患

爪にみられる形態異常所見	概　略	コメント（「　」は以前使われた用語，類語）
爪欠損（anonychia）		
小さな爪（small nail, micronychia）	幅と長さの減少	「爪低形成」
幅の狭い爪（narrow nail）	幅の減少	
短い爪（short nail, brachyonychia）	長軸方向の長さの減少	「ラケット爪（racquet nail）」
薄い爪（thin nail）		
凹状爪（concave nail）	横からみたときに凸状のアーチがないか反転	「匙状爪」，「皿状爪」
過度に凸化した爪（hyperconvex nail）	指尖からみたときのカーブが強い状態	
爪肥厚（thick nail）		「鉤彎爪（onychogryphosis）」，「厚硬爪甲（pachyonychia）」
二分爪（bifid nail）	2つの爪が存在（2爪の間に軟部組織が存在）	多指症とスペクトラムを形成する場合あり（痕跡的多合指）
融合爪（fused nail）	長軸方向の部分的分裂．爪甲が2つの曲面を形成	
分裂爪（split nail）	長軸方向の部分的分裂．爪甲が曲面を共有	
幅広い爪（broad nail）	幅の増加	
異所性爪（ectopic nail）	爪組織が末節骨の背面以外に存在	小指の掌側に多い．多指と関連する場合あり
爪のくぼみ（nail pits）	（典型的には1 mm以下）	
爪の線状隆起（ridged nail）	長軸方向の線状隆起	
粗糙爪（trachyonychia）	過剰な線状隆起により爪甲表面が粗くなった状態	「爪ジストロフィー」として表現されることがある

爪に限局した疾患（MIM No.）	爪（または末節骨）所見	責任遺伝子	遺伝形式
先天性非症候性爪疾患　nail disorder, non-syndromic congenital：NDNC			
NDNC1 粗糙爪，20爪ジストロフィー（161050）	粗糙爪，過形成，色素沈着	FZD6（8q22.3）	常劣
NDNC2 家族性匙状爪（149300）	凹状爪（母指，第2〜3指で重度）	不明	常優
NDNC3 爪甲白斑症（151600）	白色爪（全部または一部）	PLCD1（3p22.2）	常優/常劣
NDNC4 先天性無爪症/爪低形成（206800）	指趾の爪欠損，小さい爪，末節骨形成不全	RSPO4（20p13）	常劣
NDNC5 遺伝性爪甲剥離症（164800）	末端の爪甲剥離・肥厚	不明	常優
NDNC6 部分爪甲欠損（107000）	爪欠損（母指趾で重度），末節骨変形	不明	常優
NDNC7 先天性爪異形成（605779）	線条隆起，薄い爪	不明（17p13）	常優
NDNC8 趾爪ジストロフィー（607523）	趾の爪形成異常（母趾で重度）	COL7A1（3p21.31）	常優
NDNC9 爪ジストロフィー（614149）	（7歳頃から）爪甲萎縮，足の爪欠損	不明（17q25）	常劣
先天性示指爪甲欠損症（Iso-Kikuchi症候群）	示指の爪欠損，小さい爪，Y字型末節骨	不明	常優？
先天性第1趾軸偏位	母趾爪甲の外側偏位・肥厚・茶灰色への変色	原因不明	—
単独性先天性ばち指趾（119900）	指趾のばち爪，陥入爪，先天性ばち指趾	HPGD（4q34.1）	常劣/常優？
第4趾爪甲前方彎曲症（219070）	第4趾の爪甲前方彎曲・爪肥厚，末節骨短縮	原因不明	常劣？

短く切る[2)11)]．

（4）先天性第1趾軸偏位：母趾の爪甲が縦方向の軸から外側に偏位する．爪は肥厚し茶色がかった灰色に変色し三角形になる．表面は横走する隆起が生じる．原因は常染色体優性遺伝や，子宮内での圧迫など外因的な因子が考えられている[8)]．約半数は自然に改善するが，改善傾向のない重症例では2〜5歳頃に外科的治療を行う[3)]．

表1　つづき

	疾患(MIM No.)	爪(または末節骨)所見	合併症	責任遺伝子	遺伝形式
皮膚疾患	先天性表皮水疱症(131900 ほか)	繰り返す水疱形成による爪の萎縮，脱落，肥厚	皮膚脆弱性，水疱形成	KRT5 (12q13.13)ほか	常優/常劣
	外胚葉形成異常症				
	先天性角化異常症(127550 ほか)	爪甲の萎縮	皮膚の網状色素沈着，口腔粘膜白色角化，血球減少	TERC (3q26.2)ほか	常優/常劣/X 連鎖
	先天性爪肥厚症(167200 ほか)	爪甲の肥厚・黄色変化(遠位部)	有痛性掌蹠角皮症，表皮嚢腫，舌の白色角化	KRT16 (17q21.2)ほか	常優/(常劣)
	CFC 症候群(115150 ほか)	爪形成異常，成長の遅い爪，薄い爪	心奇形，眼間開離，魚鱗癬様皮膚，カールした頭髪	BRAF (7q34)ほか	常優
	その他の先天異常症候群				
	Coffin-Siris 症候群(135900 ほか)	小さい爪，(第 5 指の)爪欠損	第 5 指趾の低形成，疎な頭髪，太い眉，成長発達障害	ARID1B (6q25.1)ほか	常優
	Hajdu-Cheney 症候群(102500) (図 6)	短い爪，末節骨融解	短指，先端骨融解，早期歯牙脱落	NOTCH2 (1p12)	常優
	Rubinstein-Taybi 症候群(180849 ほか)	短い爪，陥入爪	太い母指趾，眼瞼裂斜下，多毛，知的障害	CREBBP (16p13.3)ほか	常優
	爪膝蓋症候群(161200)	小さい爪(橈側優位)，三角形の爪半月	膝蓋骨低形成，腸骨の角状突起，腎奇形	LMX1B (9q33.3)	常優
	DOORS 症候群(220500)	小さい爪，爪欠損，指趾末節骨低形成/無形成	難聴，視神経萎縮，発達遅滞，けいれん	TBC1D24 (16p13.3)	常劣
	染色体異常症				
	13 トリソミー症候群	幅が狭く過度に凸化した爪	多指，全前脳胞症，心奇形		
	18 トリソミー症候群	小さい爪(特に第 5 指趾)	手指の重なり，成長障害，心奇形	—	—
	Turner 症候群	小さい爪，幅が狭く過度に凸化した爪，趾爪欠損	翼状頸，鳩胸，大動脈縮窄	—	—
	4p 欠失症候群	小さい爪, 過度に凸化した爪	眼間開離，成長障害，けいれん	—	—
外的要因	胎児期の薬剤曝露				
	アルコール	小さい爪・爪欠損(特に第 5 指)	成長障害，小頭，眼裂狭小	—	—
	フェニトイン	小さい爪(特に第 5 指側)，末節骨低形成	成長障害，顔面中部低形成	—	—
	カルバマゼピン	小さい爪	小顎，口蓋裂	—	—
	ワーファリン	小さい爪，末節骨低形成	点状軟骨異形成，鼻低形成，短指	—	—
	羊膜索症候群	爪欠損, 末節骨と指先の欠損	絞扼輪		

(5)多指趾症による変化：多指趾症により過剰な末節骨があると，2つの末節骨を含む指趾癒合症を形成する．正常よりも幅の広い爪甲を生じ，癒合した境界部に縦走する線条を認めることもある(図 8)[11]．

(6)第 4 趾爪甲前方彎曲症：第 4 趾が前方に彎曲している(図 9)．多くは両側で第 4 趾に限定しており，末節骨の低形成を伴う．指の可動域制限や変形は伴わない[8]．常染色体劣性遺伝．臨床的意義や症候群との関連はない．彎曲した爪の遠位端は趾近位部に食い込み疼痛を生じるため，適宜先端を爪切りで切るように指導する[11]．

2. 後天性の異常

全身疾患や皮膚疾患に伴う変化と物理的刺激などの外的因子による変化がある．指しゃぶりや爪噛み癖や陥入爪，それに伴う爪囲炎などの頻度が

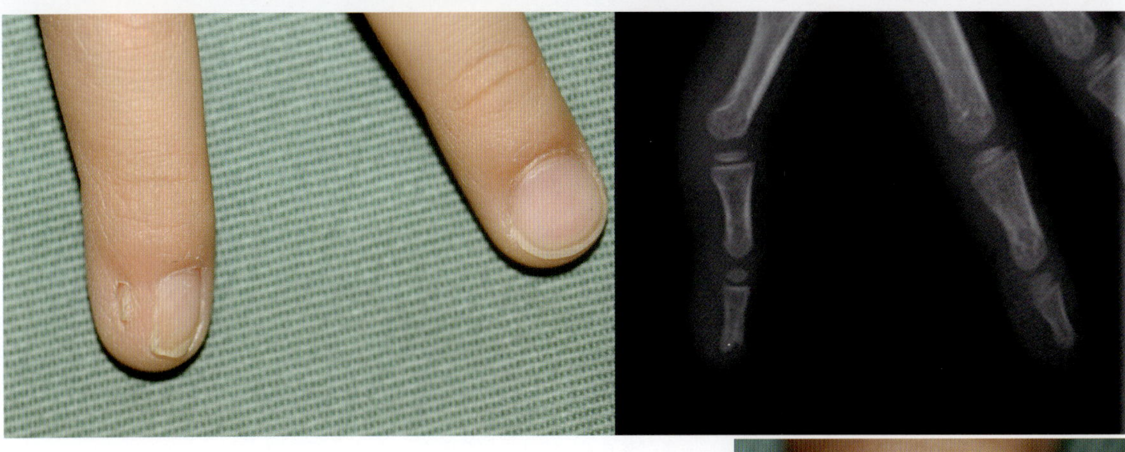

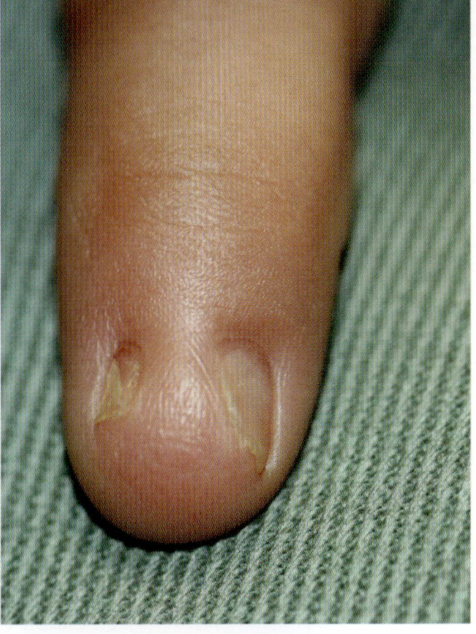

a|b

図 7
先天性示指爪甲欠損症
a：4 歳，男児．左示指．正中部のみが欠如する多爪型（分裂型）．末節骨末端が二分している．
b：3 か月，女児．左示指．多爪型（分裂型）．末節骨は軽度低形成を示していた．

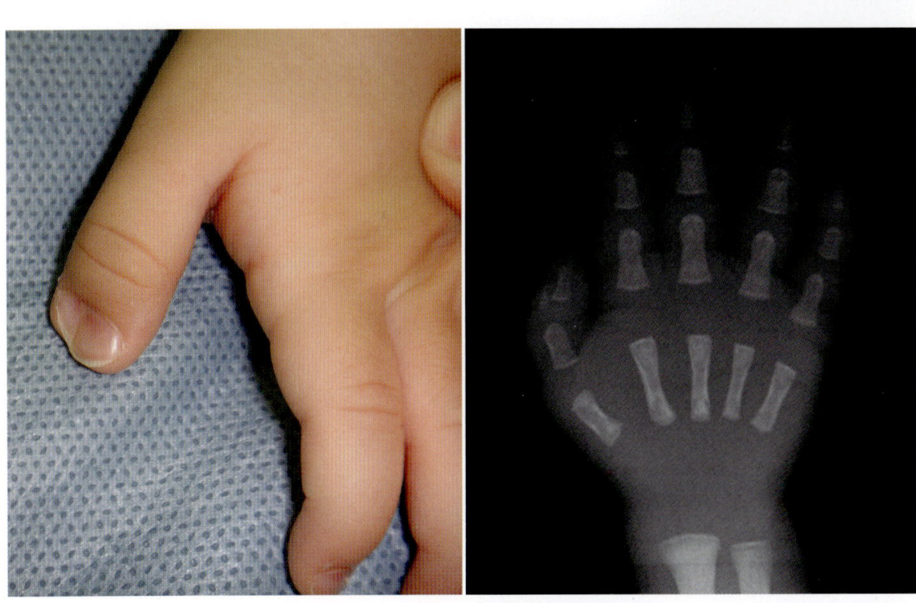

a|b

図 8　多指症による爪の変化
a：9 か月，男児．左母指多指症．幅広い爪甲と，融合部に縦走する線条を認める．
b：X 線検査．新生児期に撮影．左母指末節骨の横に痕跡的な骨構造を認める．

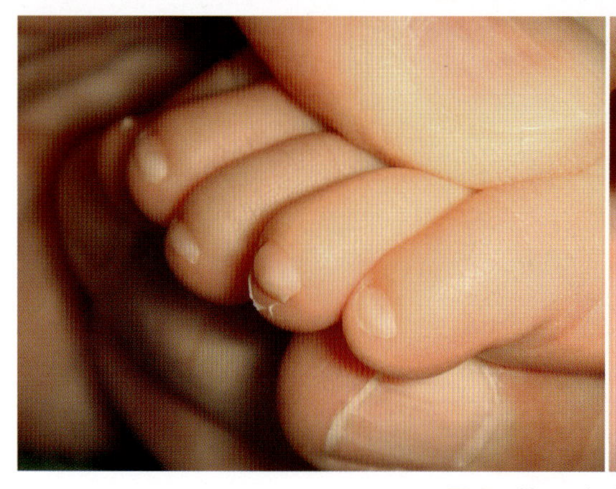
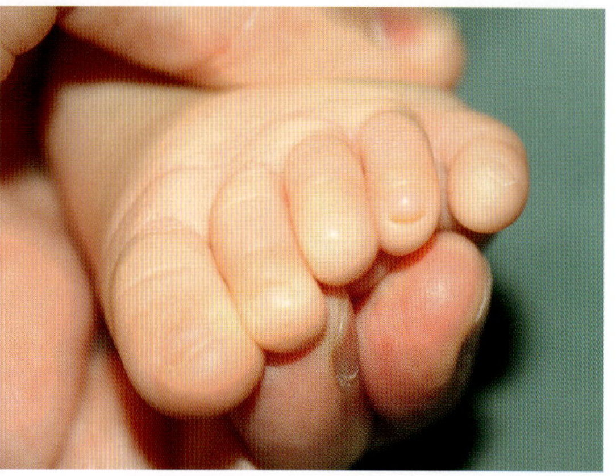

図 9　第 4 趾爪甲前方彎曲症　a|b

a：1 か月，男児．両側第 4 趾爪甲の前方彎曲を認める．X 線検査で同部位の末節骨低形成を認めた．
b：5 か月，男児．両側第 4 趾爪甲の前方彎曲を認める．X 線検査で同部位の末節骨低形成を認めた．

表 2　後天性の爪の異常

全身疾患に伴う異常	
Beau's lines，爪甲脱落症	川崎病，発熱，外傷，栄養障害などに続発
ばち状指	慢性の心肺疾患，消化器疾患，栄養障害など 特発性もある
皮膚疾患に伴う異常	
爪扁平苔癬	爪甲の菲薄化，縦裂，進行すると爪甲脱落，翼状片形成
乾癬	点状陥凹，爪甲剥離，変色，点状出血，爪甲下角質増殖 爪病変が初発症状のこともある
線状苔癬	四肢に線状に配列する小丘疹，爪甲の線状の亀裂，菲薄化
爪甲周囲の湿疹・皮膚炎	アトピー性皮膚炎などによる
爪に限局した異常	
感　染	
爪周囲炎	爪周囲の腫脹，発赤，疼痛，膿形成
尋常性疣贅	学童に多い 爪郭部や指趾先端爪甲遊離縁直下の角化した丘疹 爪噛み癖により爪から爪へ広がる
爪白癬	爪の白濁，肥厚，変形 小児では稀で，多くは家族内感染
物理的刺激による変化	
外傷	点状の白色斑，点状の凹み，爪下出血，爪甲脱落など
爪噛み癖	短い爪，先端が不整，出血，爪の変形
陥入爪	10 代の男児に多い 発赤，腫脹，肉芽形成，爪郭部の肥厚
腫　瘍	
爪囲線維腫	結節性硬化症に伴い思春期頃から出現，加齢に伴い増加・増大
爪母の色素性母斑	縦走する黒褐色の色素沈着帯 乳幼児期に出現，次第に色調が濃くなり幅も拡大
爪下外骨腫	思春期～青年期に好発する末節骨の良性腫瘍 爪下の角質に覆われた硬い結節，爪甲挙上
炎　症	
粗糙爪/20 爪異栄養症	爪甲表面の粗糙な変化，変色，肥厚，脆弱化 すべての爪に出現

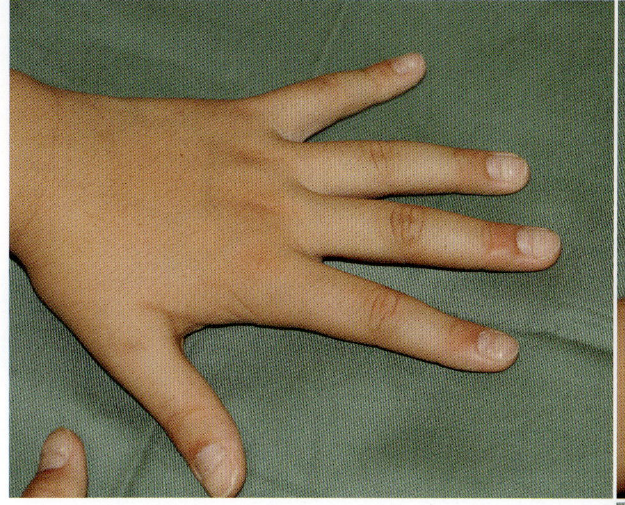

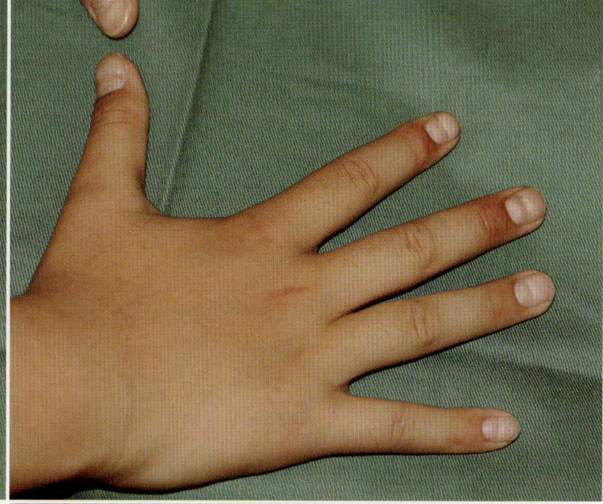

a b
c

図 10
Beau's lines
12 歳，男児．両手のすべての指の同じ部位に横溝を認める．2 か月前に両手指先の接触性皮膚炎と思われるエピソードがあった．

高い．爪の腫瘍は小児では稀である．主なものを表 2 に示し，主要な病態について解説する．

a)全身疾患に伴う異常

(1)Beau's lines，爪甲脱落症：爪甲脱落症は爪甲近位側が爪床から離脱する状態で痛みを伴わない．Beau's lines と同一のスペクトラムにあると考えられており[12]，爪母の成長の一時的な停止による．乳児期以降に認めるのは川崎病などの全身性疾患や外傷，亜鉛欠乏などの栄養障害，発熱，爪周囲の皮膚炎(図 10)，化学療法などの薬剤，感染症などに続発した変化である．特に手足口病後の爪の変化は多数報告がある．罹患患者の爪甲からコクサッキーウイルス A6 型が検出されたとの報告もあり，ウイルスの爪母への直接的な障害が推測されているが詳細な機序は不明である[13,14]．通常，手足口病の診断から 1～2 か月で出現し，1～8 週で治療を要さずに軽快し再発や後遺症も認めない[15]．保護者への詳細な病歴聴取と丁寧な説明が重要である．

(2)ばち状指：慢性の心肺疾患のほか，消化器疾患や栄養障害などでも起こり得る．チアノーゼ性の先天性心疾患では2歳頃から出現する．一方，基礎疾患のない家族性ばち状指もあり，思春期頃から現れることが多い．常染色体優性遺伝である[4,11]．

b)皮膚疾患に伴う異常

扁平苔癬，乾癬，線状苔癬などの皮膚疾患で爪に病変が及ぶことがある(表 2)．また，指先，特に爪郭に皮膚炎を生じると爪にも変化をきたし得る．小児ではアトピー性皮膚炎に伴い，爪表面の粗糙化や点状陥凹などの変化を認めることがある．皮膚炎の改善とともに爪の病変も改善する．

c)爪に限局した異常

(1)感　染

(i)急性爪周囲炎(図 11)：主な原因は指しゃぶり，爪噛み，ささくれなどである．起因菌は黄

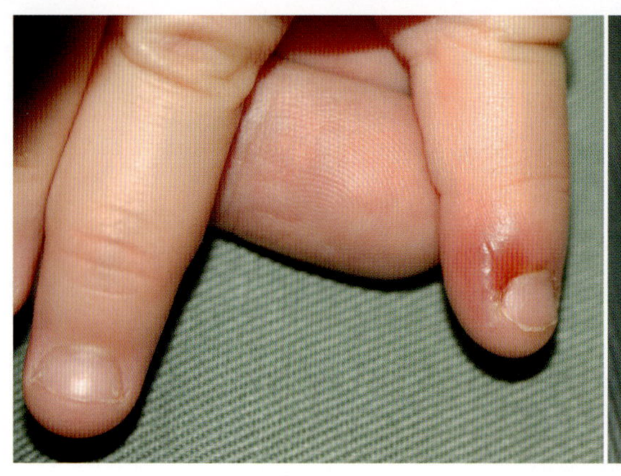
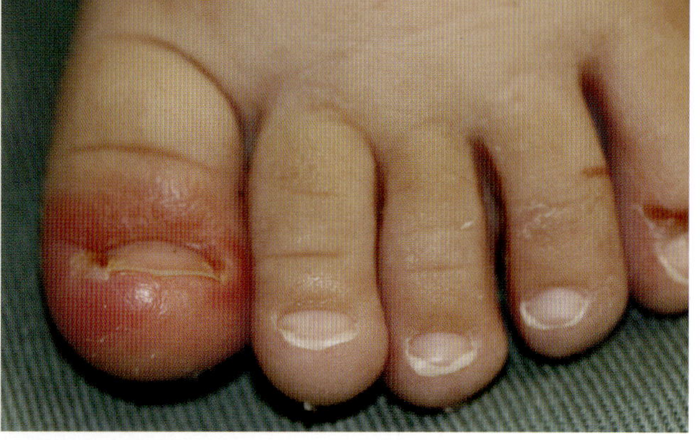

図 11　急性爪周囲炎　a|b

a：4 歳，女児．右第 2 指爪周囲組織の発赤を認める．
b：9 か月，男児．左母趾陥入爪，爪囲炎，肉芽形成を伴っている．

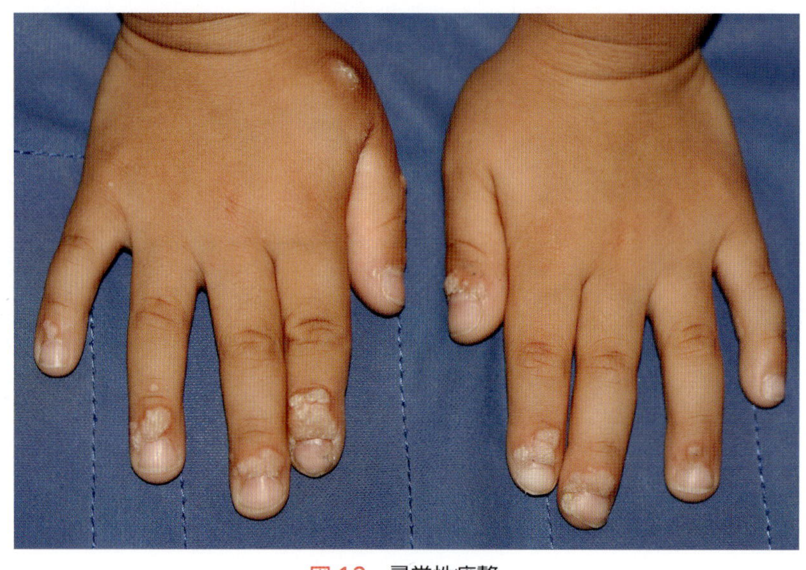

図 12　尋常性疣贅

4 歳，男児．両手指に多発する疣贅．レーザー治療により改善

色ブドウ球菌や溶連菌が多い[8)].

（ⅱ）尋常性疣贅（図 12）：6 歳以上の小児で多く，爪噛み癖により爪から爪へと広がる．爪郭部，あるいは指趾先端爪甲遊離縁直下に，固い角化した丘疹として生じ，爪甲剝離を伴うこともある．自然に消失することもあるが，疼痛を伴う場合や他部位への拡散を防ぐ場合には治療を行う[3)].

（ⅲ）爪白癬：小児での頻度は低い．足白癬を伴い，爪の白濁や肥厚，変形を認める．多くは家族内感染による[8)].

(2) 物理的刺激による変化

（ⅰ）外　傷：爪母に対する外傷により点状の白色斑を生じることがある．活発に活動する学童期に多い．放置しておいてよい[6)].

（ⅱ）爪噛み癖：3 歳未満では少なく，学童期から思春期にかけて増加し，それ以降は減少する．原因は不安，緊張，ストレスなど精神的な要因と家族的素因がある．爪の手入れ不足が関連することもある．すべての指を均等に噛むことが多いが，ときに足の爪を噛むこともある．爪は短く，先端が不整となり，ときに出血や爪の変形を伴う（図 13）．幼少児の場合，母親が患児の爪が伸びないといって受診することも稀ではない[11)]．爪周囲炎や歯根吸収などを合併する[8)]．軽症の場合は

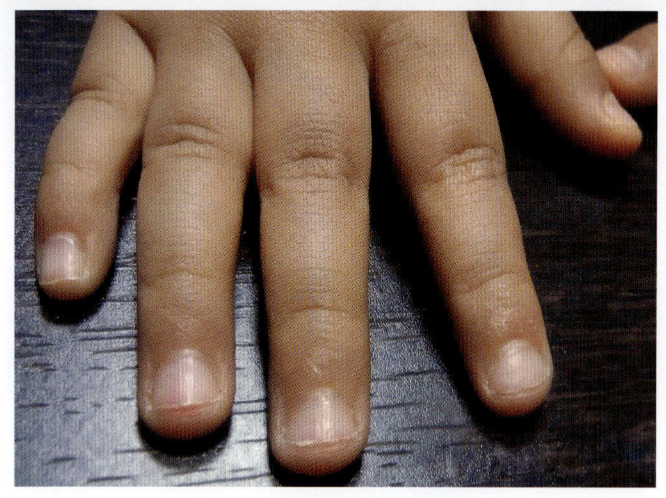

図 13　爪噛み癖による変化
3 歳，女児．爪甲先端の不整を認める．

成長とともに自然に改善することが多い．児に注意を向け，背景にある心理的要因を見極めることが大切で，叱ったり罰を与えることは逆効果である[16]．多動傾向やチック症など，ほかに気になる症状がある場合には小児神経学的評価が必要であり，専門機関への受診をすすめる[17]．

(ⅲ)陥入爪(図 10-b)：10 代の男児に多い．深爪や不適切な爪の切り方，窮屈な靴，多汗症などが原因である[10]．

(3)腫　瘍：小児の爪の腫瘍は稀で多くは良性である．最も多いのは爪母母斑で，爪甲に線条の黒褐色の帯を呈す(爪甲色素線条)．小児では稀だが悪性黒色腫との鑑別が重要であるため，成人と比較して注意すべき点について以下に解説する．その他に思春期から青年期に好発する爪下外骨腫や，結節性硬化症に伴う爪囲線維腫などがある．

(ⅰ)爪甲色素線条：爪母母斑が最も多く，その他外傷などによるメラノサイトの色素産生増加などによる．乳幼児期より出現し，時間の経過とともに色調が変化する[3]．思春期以前発症の爪部悪性黒色腫は非常に稀で，乳児期発症例は自然消褪が多いため思春期まで経過観察をする．一方，思春期以降発症例では注意深い経過観察が必要である[11]．成人で悪性黒色腫を疑う所見(爪異栄養症や爪周囲皮膚の色素沈着，太い線条幅など)は，小児の爪母母斑でもみられることが多い．小児における悪性病変についての明確な診断基準はなく，病理組織検査の侵襲や鎮静のリスクなどを考慮し，症例ごとに慎重に検査の適応を判断する．図 14 に管理方法の例を示す[18]．

(ⅱ)爪下外骨腫：思春期～青年期に好発する末節骨の良性腫瘍である．角質に覆われた硬い結節で，爪甲は上方に押し上げられる．痛みや潰瘍を生じることもある[19]．疣贅と間違われることがあるが，X 線検査で診断可能である(図 15)[11]．

(4)炎　症

(ⅰ)粗糙爪/20 爪異栄養症：爪甲に線条を伴う，紙ヤスリ状の表面粗糙な変化を生じる．ほとんどすべての爪に生じ，爪甲は黄褐色調でやや肥厚し，脆くなり表面の光沢が失われる．原因は不明であるが，東は組織学的には後爪郭部から爪母・爪床に円形細胞浸潤を認め，ときに上皮に海綿状態を認めるとし，爪部に生じた湿疹反応としている[11]．多くは数年で自然軽快する．

（小泉亜矢，浜島昭人，山口　有）

文　献

1) Moore KL：Integumentary System. Moore KL, eds. pp. 437–455. The Developing Human：Clinically Oriented Embryology, Epub 10th ed, Amsterdam：Elsevier, 2016.
2) Silverman RA：Nail Disorders. Eichenfield LF,

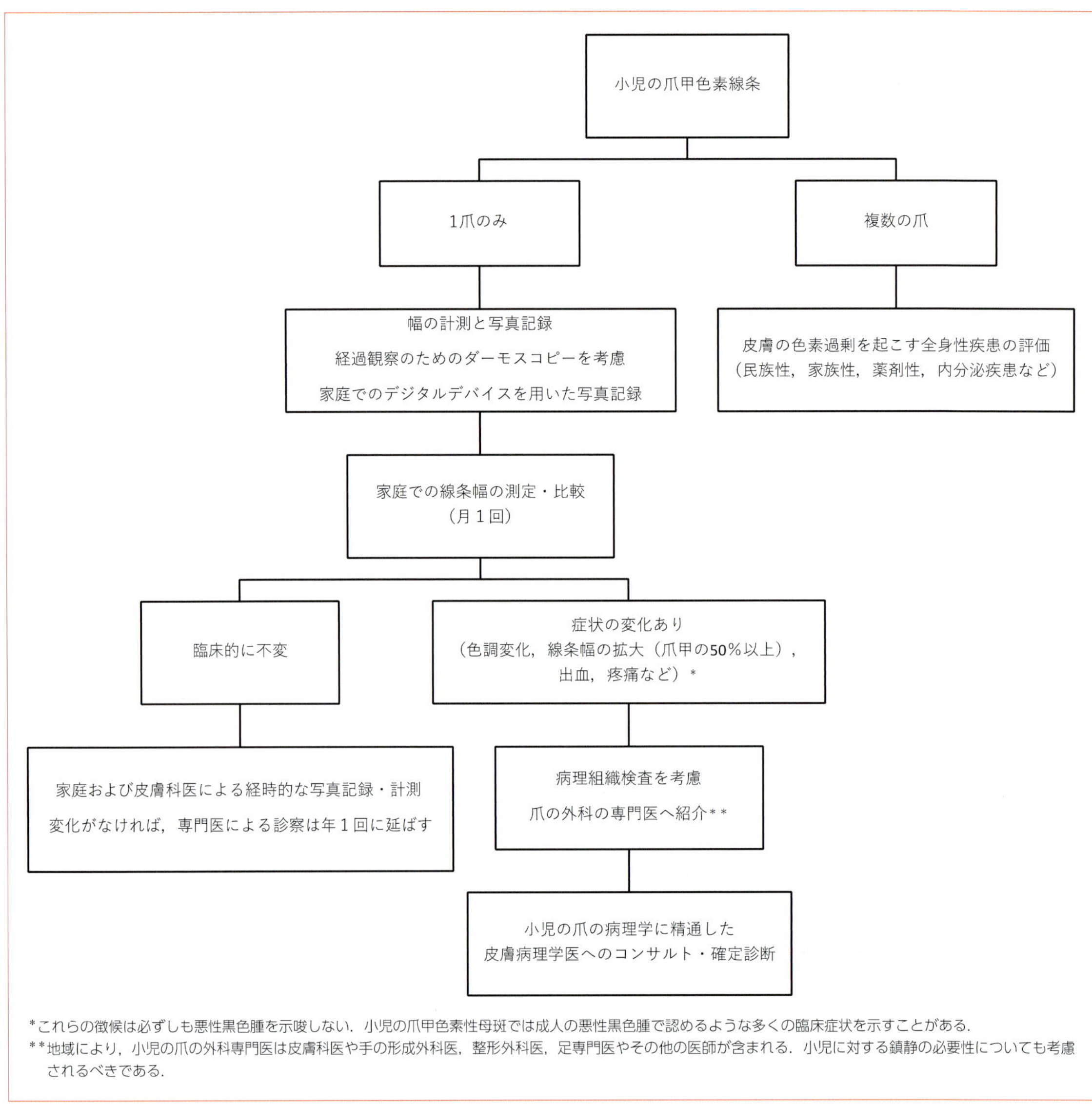

図 14　小児の爪甲色素線条の診断アプローチ

（文献 18 より引用，和訳）

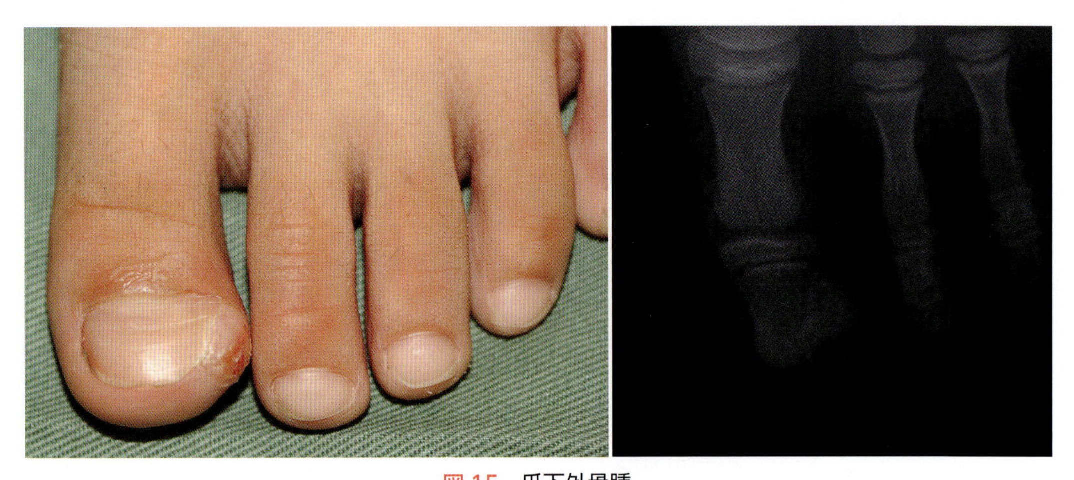

図 15　爪下外骨腫

10 歳，女児．左母趾外側に腫瘍を形成している．X 線検査では末節骨から突出した腫瘍を認める．

eds. pp. 537-546, Neonatal Dermatology, 2nd ed, Amsterdam：Elsevier, 2008.
3) Piraccini BM, Starace M：Nail disorders in infants and children. Current Opinion in Pediatrics. 26：440-445, 2014.
4) Martin KL：Disorders of the Nails. Kliegman RM, eds. pp. 3197-3201. e1, Nelson Textbook of Pediatrics, Epub 20th ed, Amsterdam：Elsevier, 2016.
5) Matsui T, Kidou M, Ono T：Infantile multiple ingrowing nails of the fingers induced by the graspreflex— a new entity. Dermatology (Basel, Switzerland). 205：25-27, 2002.
6) 東　禹彦：爪の異常．小児科診療．54：256-258, 1991.
7) Sarifakioglu E, Yilmaz AE, Gorpelioglu C：Nail alterations in 250 infant patients：a clinical study. J Eur Acad Dermatol Venereol. 22：741-744, 2008.
8) Wulkan AJ, Tosti A：Pediatric nail conditions. Clin Dermatol. 31：564-572, 2013.
9) 東　禹彦：爪の異常．小児科診療．70：330-333, 2007.
10) 東　禹彦：爪の異常．小児内科．28：1507-1510, 1996.
11) 東　禹彦：爪 基礎から臨床まで，東京：金原出版，2004.
12) Chu DH, Rubin AI：Diagnosis and management of nail disorders in children. Pediatr Clin North Am. 61：293-308, 2014.
13) Bettoli V, Zauli S, Toni G, et al：Onychomadesis following hand, foot, and mouth disease：a case report from Italy and review of the literature. Int J Dermatol. 52：728-730, 2013.
14) Chiu H, Liu M, Chung W, et al：The mechanism of onychomadesis (Nail shedding) and Beau's lines following hand-foot mouth disease. Viruses. 11：522, 2019.
15) Long D, Zhu S, Li C, et al：Late-onset nail changes associated with hand, foot, and mouth disease：a clinical analysis of 56 cases. Pediatr Dermatol. 33：424-428, 2016.
16) Tanaka OM, Vitral RWF, Tanaka GY, et al：Nail-biting, or onychophagia：a special habit. Am J Orthod Dentofacial Orthop. 134：305-308, 2008.
17) 南光弘子：くせによる皮膚症状．小児科臨床．60：1305-1310，2007.
18) Smith R, Rubin A：Pediatric nail disorders：a review. Curr Opin Pediatr. 32：506-515, 2020.
19) Richert B, André J：Nail disorders in children：diagnosis and management. Am J Clin Dermatol. 12：101-112, 2011.

I章

押さえておきたい爪の基本

【十爪十色—特徴を知る—】

6

中高年の爪に診られる変化 —履物の影響，生活習慣に関与する変化，広く爪と靴の問題を含めて—

I はじめに

爪は高齢になっても，正常では形態も色調も20歳代と同様である．高齢になると爪甲の伸長速度は20歳代に比較すると遅くなることと，爪甲表面の縦条が少し目立つようになるぐらいである．したがって，中高年者で足趾爪に変化を認めれば，それはすべて病的な変化ということができる．ここでは履物を含めて生活習慣に基づく足趾爪の変化を記すことにする．

II 足の爪先の形

足の爪先の形は図１に示すように３型に分けられる．エジプト型は第１趾が他趾より長い型である．ギリシャ型は第２趾が第１趾より長い型である．スクエア型は足趾の長さがほぼ同じである．靴を購入するときに，自分の足趾の形を考慮する必要がある．人の足は夕方には少しむくむので，靴を購入するのは夕方がよいとされている．靴を履いたときに，踵の部位に指を入れて，爪先が靴内面に接する大きさがよく，そして踵を靴の後面に密着させて靴紐をしっかりと結ぶと，靴の内面と爪先の間に指１本分の隙間を生じることになる．要するに，靴を履いたときに，爪先と靴先端内面とが接しないようにする必要がある．ギリシャ型の爪先の人では第２趾に合わせて靴を購入しないと，後に問題を生じることになる．

III ギリシャ型の爪先と靴

ギリシャ型の爪先の人が紐をしっかりと結ばないで靴を履いていると，第２趾が靴によって圧迫されて，爪に変形や爪下血腫を生じてくる．図２に示す症例では第２趾爪甲表面に段々を形成している．図３に示す症例では第２趾爪甲が肥厚し，

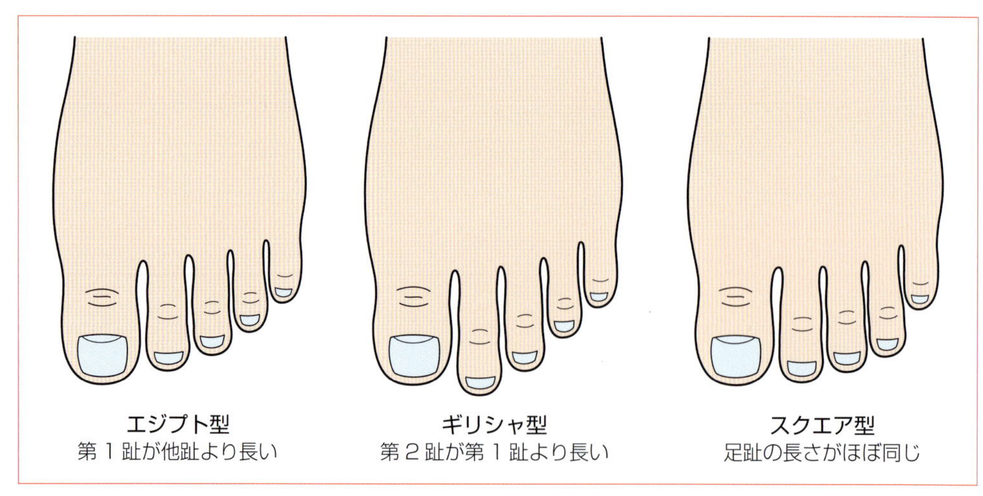

図１　爪先の形

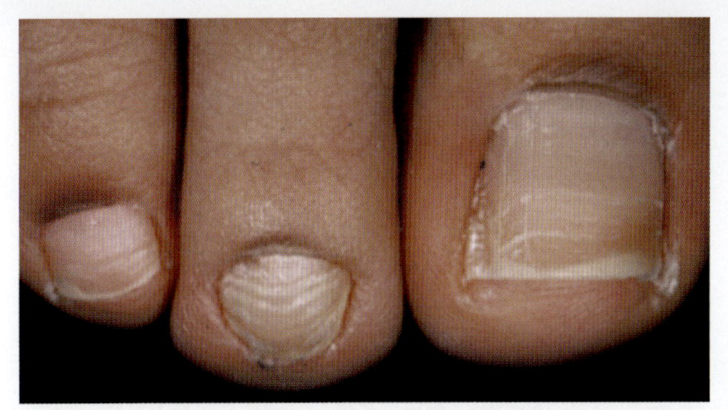

図 2　31 歳，女性．ギリシャ型の爪先
第 2 趾爪甲表面に段々を形成

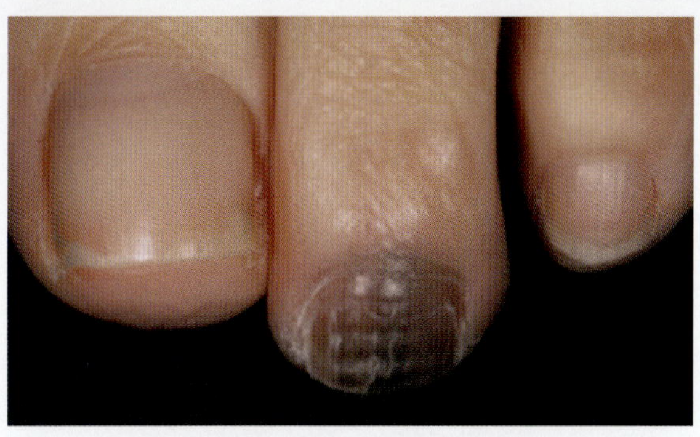

図 3　60 歳，女性．ギリシャ型の爪先
第 2 趾爪甲は肥厚，混濁している．

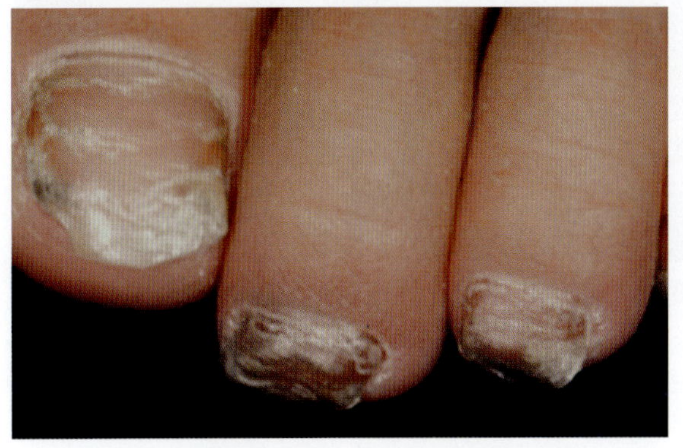

図 4　73 歳，男性．ギリシャ型の爪先
第 2，3 趾爪甲は先端が屈側に彎曲している．

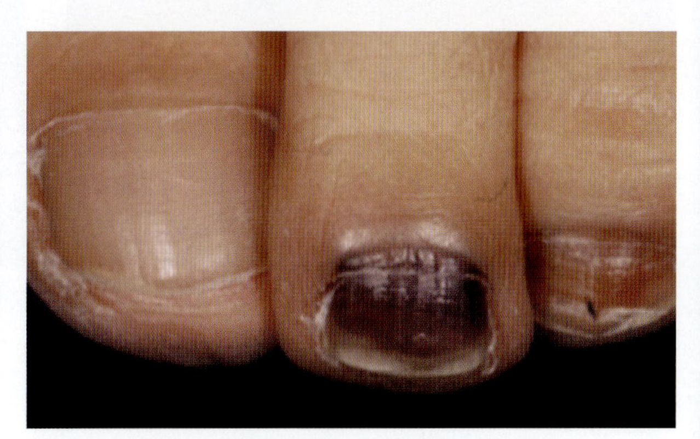

図 5　73 歳，女性．ギリシャ型の爪先
第 2 趾爪甲に爪下血腫

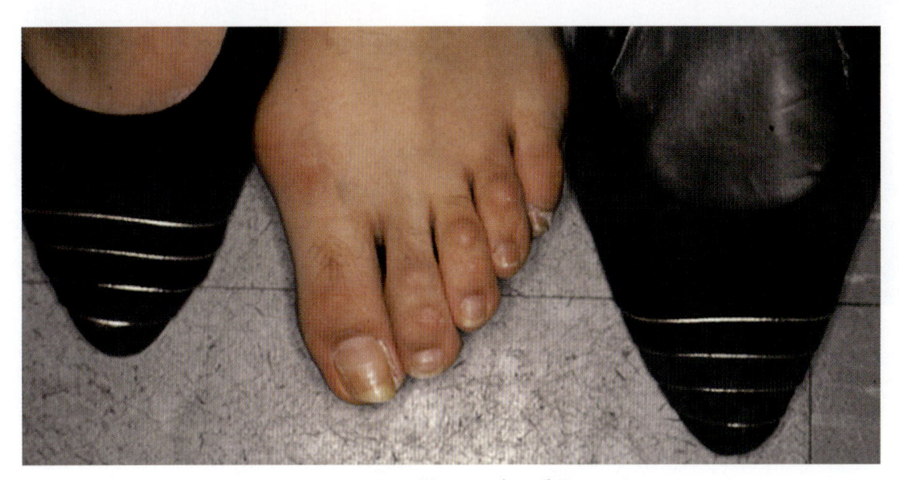

図 6　足趾の形と靴の形がほぼ同じである

混濁している．図 4 に示す症例は靴内面の圧迫により，第 2，第 3 趾爪甲が趾先端でほとんど直角に屈側に彎曲している．図 5 に示す症例では第 2 趾爪甲下に血腫を形成している．第 2 趾自体も圧迫のためにハンマートゥになっていることも多い．また，爪甲の異常に加えて第 2 趾先端に胼胝を形成することも多い．抜爪すると正常爪甲が再生するので，履物および靴の履き方に注意すれば正常爪にすることは可能である．

Ⅳ　先端の狭小な靴による爪変形

先端の狭小な靴は足趾に多くの変形を生じる．図 6 に示す症例は足趾の形が靴の形と同じになって，外反母趾となっている．図 7 に示す症例は 26

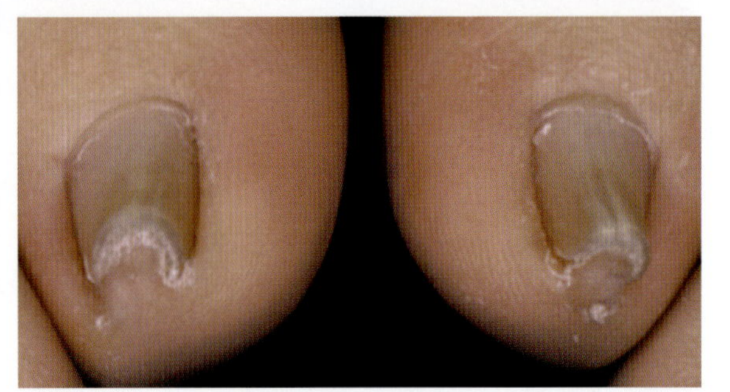

図7　26歳，男性．両第1趾爪甲の巻き爪

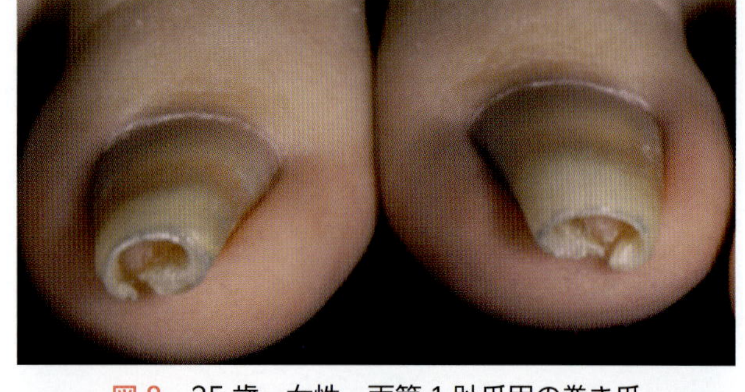

図8　25歳，女性．両第1趾爪甲の巻き爪

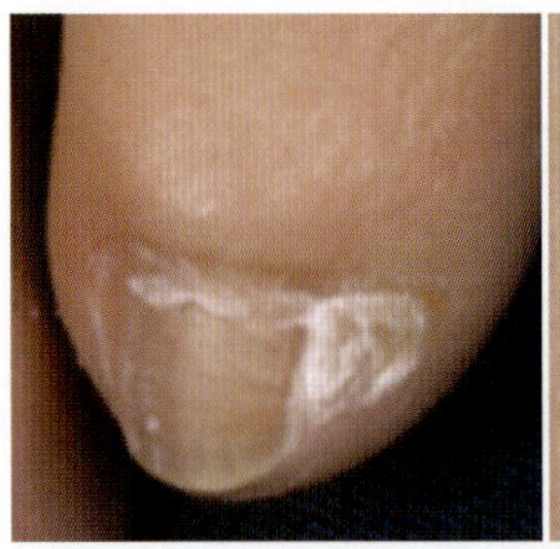
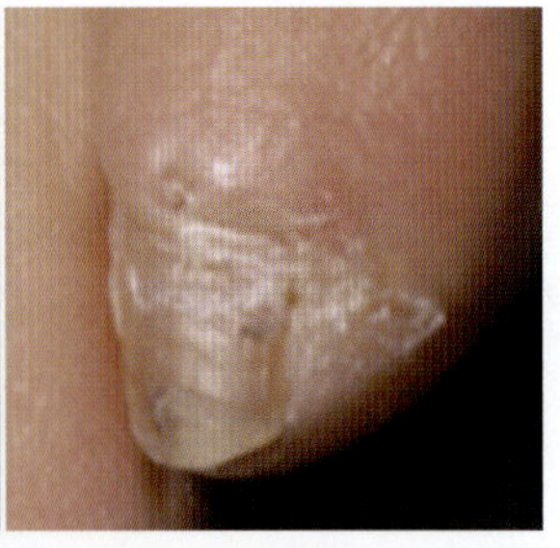

図9　26歳，男性．第5趾外側の角化物形成．歩行時痛を伴う　a|b
a：初診時
b：角化物を楔形に切除し，縫合した術後2か月目である．

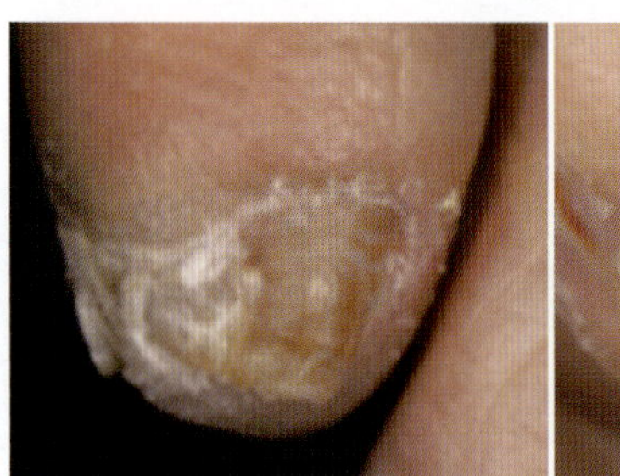
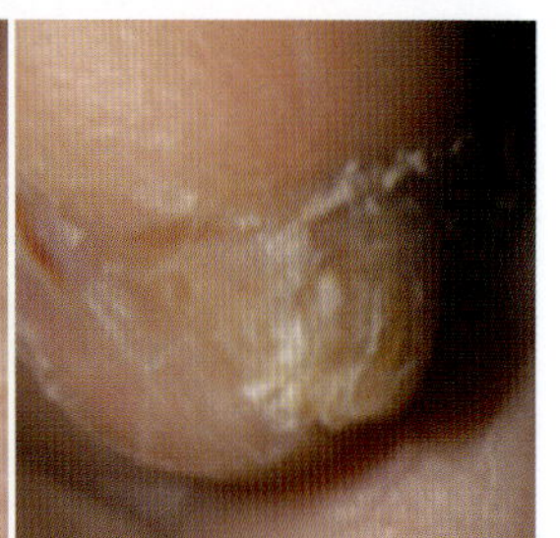

図10　73歳，女性．第5趾外側の角化物形成．歩行時痛を伴う　a|b
a：初診時
b：角化物を爪切りで除去した状態である．

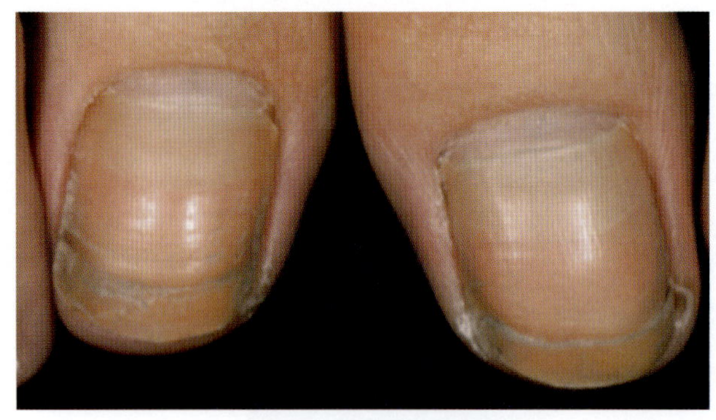

図11　29歳，女性
両第1趾爪甲に爪甲が脱落した痕跡が遠位部と近位部にあり，両第1趾爪母に同じ時期に衝撃が加わったものと考えられる．

歳，男性であるが，先端の狭小な靴を着用し，両第1趾爪が巻き爪となっている．図8に示す症例は25歳，女性で，先端の狭小な靴を着用し，両第1趾爪が巻き爪となっている．両例とも履物に注意するように指示し，アクリル人工爪を装着し[1]，1年後には正常化した．巻き爪に対する治療法は様々な方法が報告されているが，どのような症例にも対処できるのはアクリル人工爪療法と考えている[2]．

第5趾爪では靴外側内面との摩擦により，爪に変形を生じる．第5趾爪甲が萎縮し，痕跡的になることもある．一方，第5趾爪の後爪郭部爪上皮の外側に硬い爪甲様の不透明な角質が形成されて，圧迫により疼痛を生じるようになる．図9に示すように爪甲とは区別可能である．このような症例では角化物を楔形に切除し縫合すると治癒する．図10に示す症例は第5趾外側側面に胼胝様の角化を伴って疼痛を訴えていたので，爪切り(ニッパー型，リストン型爪切り鉗子)で角化物を除去した．疼痛は消失し歩行しやすくなった．

V　靴の履き方に起因する障害—周期性爪甲脱落症

靴紐をしっかり締めないと，ギリシャ型の爪先の場合に第2趾爪に変形を生じることを記したが，どのような爪先の型でも第1趾にも障害を生じる．図11に示すように第1趾爪甲に爪甲脱落の痕跡を次々と生じる．おそらく爪甲先端と靴先端内面の摩擦あるいは機械的衝撃により，爪母から爪甲が離れ，新たに爪甲が形成されるために起

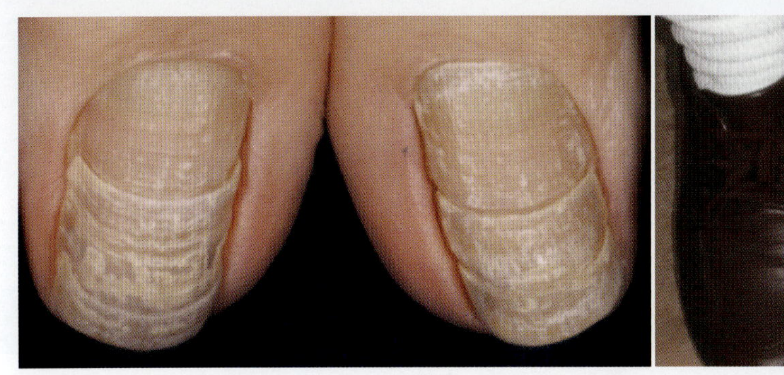

図 12　79 歳，女性
周期性爪甲脱落症であるが，右に示すのは患者の靴の履き方である．靴紐の締め方がゆるく，この状態で靴の着脱を行っている．

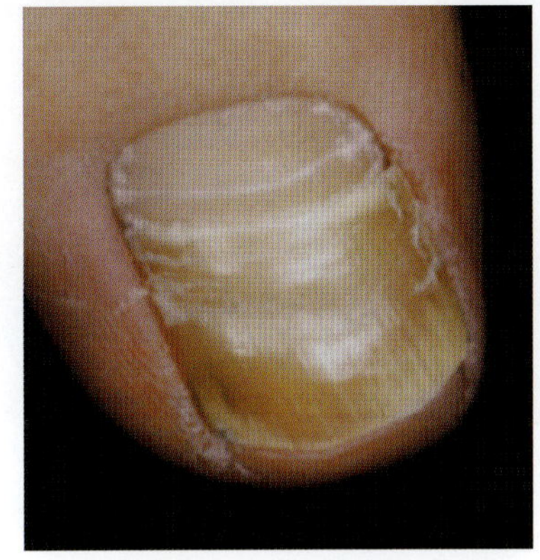

図 13　39 歳，女性
脱落の周期が短くなっている．

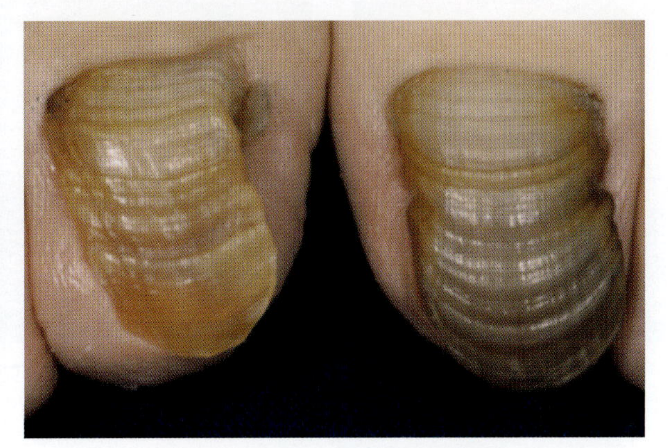

図 14　29 歳，女性．爪甲鉤彎症

きる変化ではないかと考えている．ヒールの高い靴で生じやすい．不完全な爪甲脱落を繰り返しているものと考えて，筆者は仮に「周期性爪甲脱落症(periodic onychomadesis)」と名付けている．図 12 に示す症例では靴を履いた状態も示しているが，靴紐はしっかりと結ばれていないので，歩行時に足先は前方に滑りやすく，第 1 趾爪先には衝撃の加わる可能性が高いことが明らかである．図 13 に示す症例はさらに進行した状態を示すもので，脱落の周期が短くなっている．

VI　爪甲鉤彎症

第 1 趾爪甲が牡蠣殻のように厚く，硬くなるか，山羊の角状に変形した状態を爪甲鉤彎症という．原因は外傷などによる爪甲の脱落，医師による抜爪，周期性爪甲脱落症などがある．趾爪白癬も原因の 1 つである．爪甲鉤彎症は高齢者に多い変形で，靴を履くと第 1 趾爪に疼痛を生じるが，図 14 に示すように，若い人にも生じるものである．図 15 に示す症例は 52 歳，女性であるが，すべての足趾爪甲が牡蠣殻状あるいは山羊の角状に変形している．爪甲は通常爪床から離れているので，爪甲遠位部から爪甲下面に沿って紐を挿入すると図 16 に示すように爪甲下に紐を通すことが可能である．趾先端は通常，隆起して爪甲の伸長を妨げている[3]．

治療法は欧米の教本にもほとんど記載がないが，治療により軽快，治癒する変形である[4]．多くの患者は治療を求めて皮膚科や形成外科を受診し，治療法のない疾患であると宣告されて，当院を受診している．

筆者が行っている治療法を以下に記す．

1. 分厚くなった爪甲を薄くする方法

図 17 に示す例は 83 歳と高齢なので，リストン型爪切り鉗子を用いて爪甲を薄くし，日常生活に支障のないようにした症例である．このような処

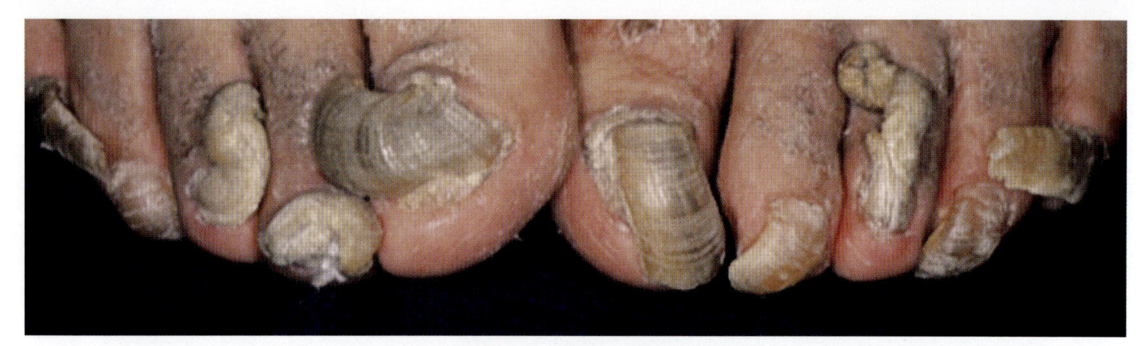

図 15　52 歳，女性
すべての足趾爪甲が変形，肥厚している.

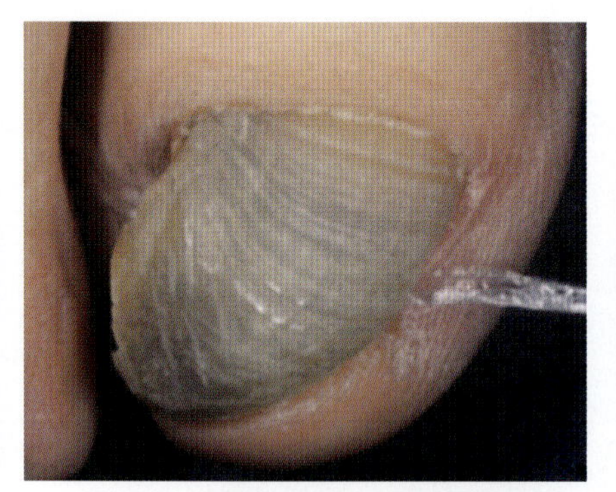

図 16　69 歳，女性．爪甲鉤彎症
爪甲下に紐を通すことが可能である.

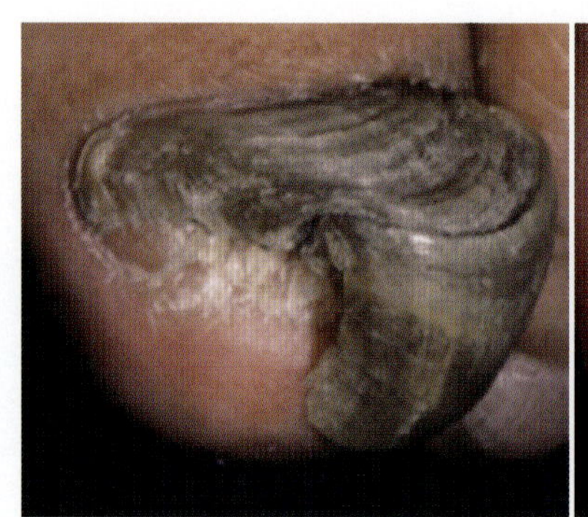
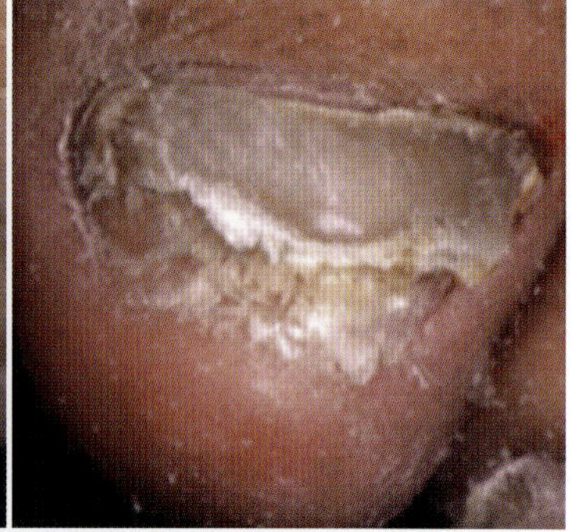

図 17　83 歳，女性．爪甲鉤彎症の爪切り療法　a|b
a：初診時で，爪甲の変形のため靴を履けない.
b：爪甲を爪切りで薄くした状態

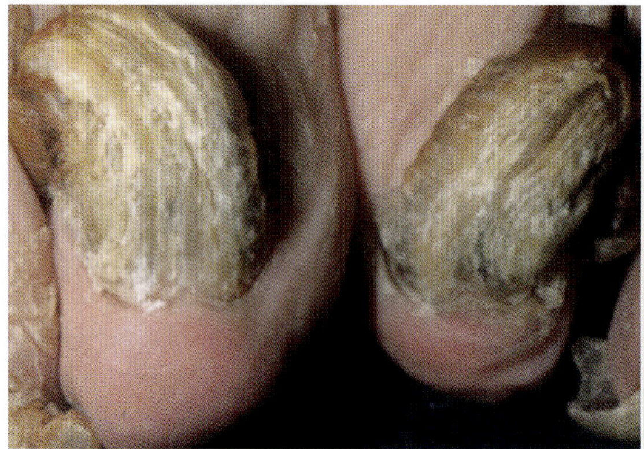
a．初診時

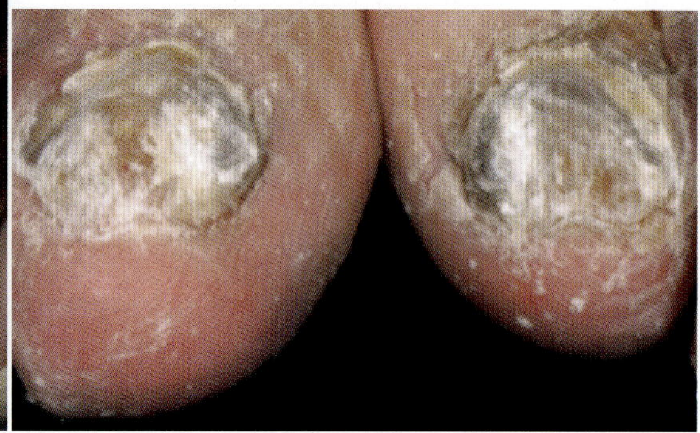
b．爪甲を切除した状態

図 18　85 歳，女性．角状に変形した爪甲鉤彎症
リストン型爪切り鉗子で爪甲をできるだけ切除した.

置はネイルサロンでも行われており，QOL を改善できる．図 18 に示すような山羊の角状に変形している症例では，爪甲先端が足趾背面に刺さり，皮膚を損傷していることも稀ではない．85 歳と高齢なのでリストン型爪切り鉗子で爪甲をできるだけ除去し，QOL の改善をはかった.

元気な患者に対しては抜爪術，ときには爪床形成術を行っている．ただし，陥入爪に対する爪母外側部の切除術(鬼塚法，フェノール法)を受けて，その後，爪甲鉤彎症となった例では，爪甲側縁と側爪郭部皮膚が繋がることがないので，治療は成功しない(図 19)．治療の対象外と考えるのがよい.

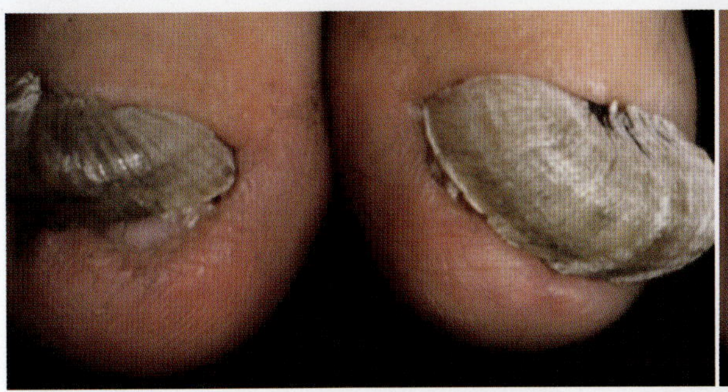
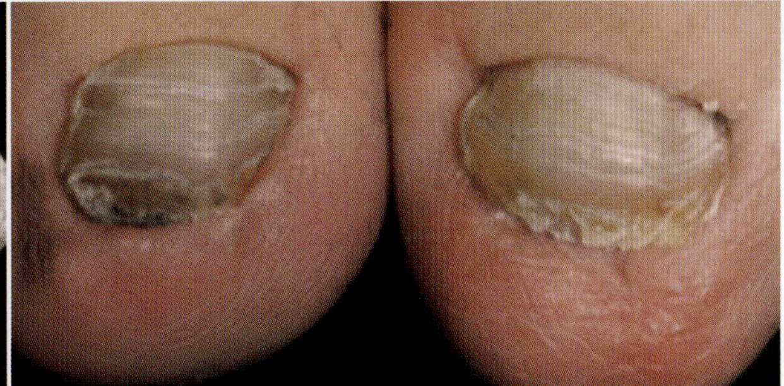

a|b

図19　37歳，女性
a：両1趾とも10年以上前に陥入爪のために鬼塚法による治療を受けている．
b：抜爪，爪床形成術を行ったが，正常化しなかった．

a|b

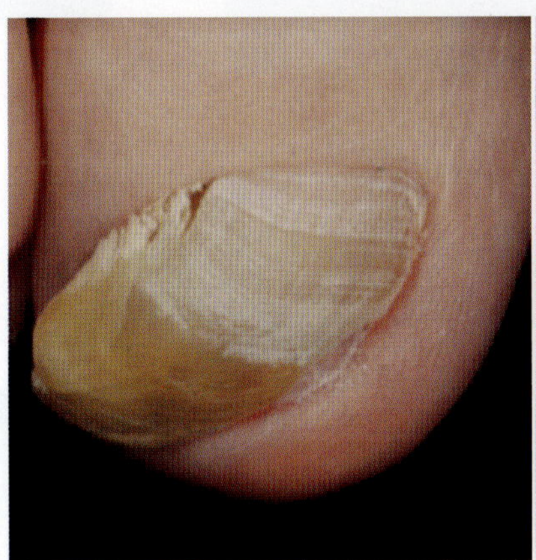
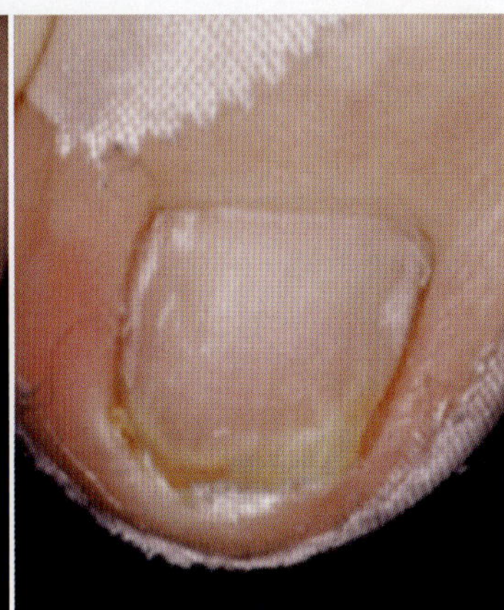

図20
31歳，女性．爪甲鉤彎症の抜爪とテーピング療法
a：初診時
b：抜爪8か月後

2. 抜爪し，その後，第1趾先端を押し下げるようにテーピングをする方法

抜爪すると必ず正常爪甲が再生する．図20に示す例は初診時に爪甲は曲がって伸びているが，抜爪後は真っすぐに伸びている．なお，爪甲が曲がって伸びている理由は第1趾先端の隆起部にある．抜爪のみであると多くの場合，第1趾先端の隆起部のために爪甲の伸長が妨げられて，再び元通りの爪甲鉤彎症となる．抜爪後に第1趾先端の隆起部を押し下げるように，1年間くらいテーピングを続けると多くの症例で爪甲は正常化する．テーピングに用いるテープは伸縮性のないものを使用する．ニチバン(株)から非伸縮性テーピングテープとして発売されている．

3. 爪床形成術[4)]

テーピングを行っても，第1趾先端の隆起部が新生爪甲の伸長を妨げている場合には，第1趾先端で魚口切開を行って，末節骨の遠位部で，上半分を削って平坦化する爪床形成術を行う．術後もテーピングは必要である．図21に46歳，女性の例を示す．抜爪後に爪床形成術を行い，図21-bは2年後であるが，爪甲は正常化している．術後5年時点では正常爪を保っている．

Ⅶ　高齢者における巻き爪

先端の狭小な履物による巻き爪は原因がわかりやすいが，高齢者で先端の狭小な履物を使用していないのに，巻き爪を訴えて受診する例がある．あまり歩くこともなく，ときには車椅子での移動という症例もある．爪甲基部では，爪甲は末節骨上半分に沿って形成されるので，根元ではかなり彎曲している．第1趾遠位部屈側に圧力(体重)が加わると，爪甲はその圧力により扁平化するのである．ところが，歩行をあまり行わないと，爪甲は扁平化せずに巻き爪となると考えている．治療はアクリル人工爪で矯正している．治療期間は1年間以上である．図22にあまり歩かない高齢者に生じた巻き爪を示す．

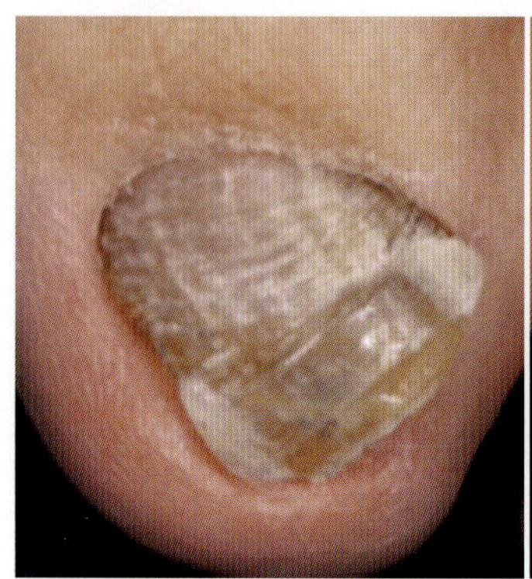
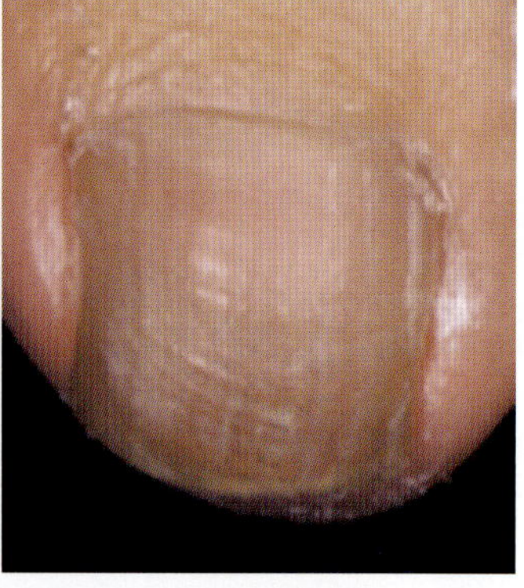

図 21　46 歳，女性．爪甲鉤彎症で爪床形成術を行った症例　a|b

a：初診時

b：抜爪後，爪床形成術を行った．2 年後の状態を示す．

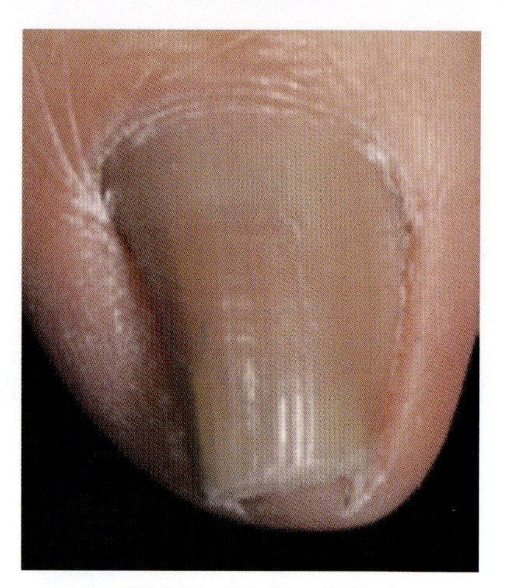

図 22　71 歳，女性
歩行をあまりしない女性の爪甲

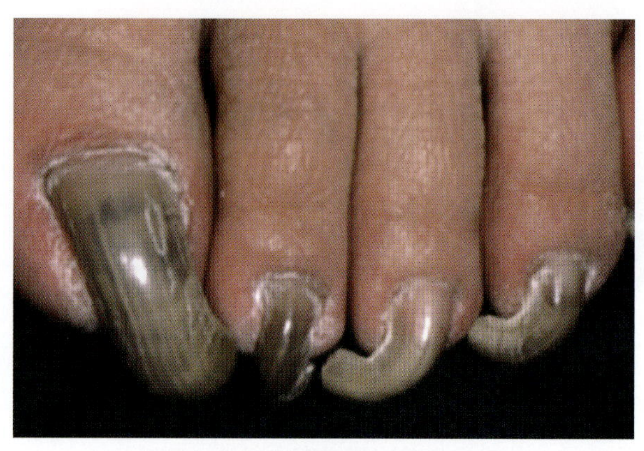

図 23　36 歳，女性
厚くなった爪甲が長くなり，彎曲

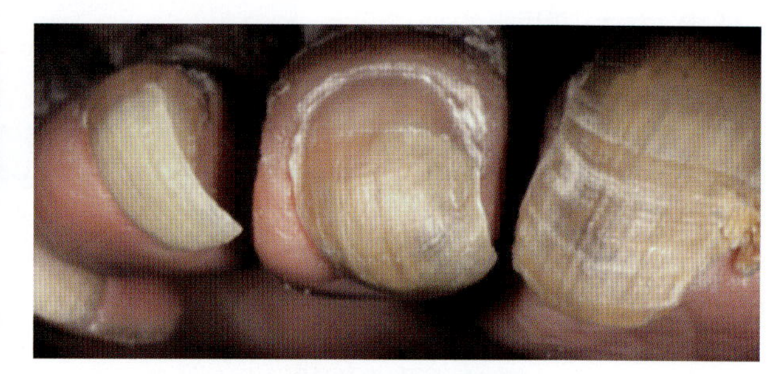

図 24　80 歳，男性
爪甲が趾先で下方に彎曲

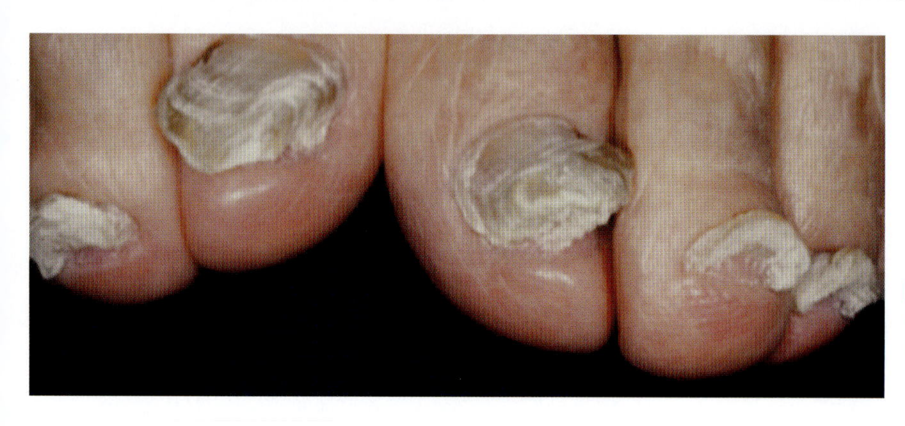

図 25
61 歳，女性
爪甲が肥厚し，背側に向いている．

Ⅷ　高齢者における爪切り

高齢者では肥満している人も多く，そのために足先に手が届かずに趾爪を切れない人や，手が足先に届いても握力の低下のために趾爪を切れない人もいる．図 23，24 に症例を示す．趾先より長く伸びた爪は屈側に彎曲するので，歩行困難となる．リストン型爪切り鉗子で丁寧に爪を切る．靴内面の圧迫により，爪甲が背面を向いて伸長することもある（図 25）．いずれの症例でも靴を履くのは困難でQOLを妨げている．靴の選び方，履き方を指導して，丁寧に爪を切る．

Ⅸ むすび

履物が原因で生じる第2趾爪および第5趾爪の変形，および罹患者が多いにもかかわらず放置されている爪甲鉤彎症の治療を中心に対処法を簡単に記した．

（東　禹彦）

文献

1）東　禹彦，久米昭廣，谷口龍生ほか：爪甲過度内方彎曲証（挟み爪，巻き爪）のアクリル人工爪による治療．皮膚．42：437-444，2000．
2）東　禹彦：陥入爪，巻き爪に対するアクリル人工爪療法．MB Derma. 184：126-132, 2011.
3）東　禹彦，松村雅示：鉤彎爪の発症機序と原因（付：陥入爪の原因）．皮膚．30：620-625，1988．
4）東　禹彦：爪甲鉤彎症に対する手術療法．皮膚病診療．33：314-319，2011．

I章 押さえておきたい爪の基本

【十爪十色―特徴を知る―】

7 手指と足趾の爪の機能的差異と対処の実際

I はじめに

手指は日常生活，スポーツなどにおいて様々な作業をするのに役立っている．手指は爪甲があるために触覚が鋭敏になり，細かな作業をしやすくなる．一方，足趾は体重以上の重さを支え，身体を移動するのに役立っている．

II 手指爪の役割[1)]

1. 爪甲は指先を守っている

手指の爪甲は手指を使って様々な作業をするときに，指先の皮膚を保護する役割がある．爪甲を短く切っていると，指先の皮膚とほかの物体との摩擦を生じるために，指先の皮膚に落屑や亀裂を生じる（図１）．この指先の落屑は外用ステロイド薬を塗布しても治癒しないが，爪甲を指先よりも長く伸ばすと簡単に治癒する．爪甲が短いと，ときには側爪郭に亀裂を生じる（図２）．爪甲側縁先端が凶器となっている．外用薬の塗布では治癒しないが，爪甲側縁が指先より長くなると簡単に治癒する．凶器が側爪溝より遠位に移動するからである．

2. 爪甲は指先の形を整えている

爪甲が適切な長さでないと，指先の形態は変形し，先端が少し膨らんだ形となる．図３に示す例は爪噛み癖のある 24 歳，女性の患者で，指先の形が悪いと訴えて受診した．爪を噛むのを止めればきれいな形になると指導したところ，１年半後に受診したときには，図４に示すようにきれいな指先になっていた．爪甲が指先の形を整えていることがわかる．

通常，爪噛み癖は本人の努力ではなかなか治癒しないので，現在ではスイス製のトップコート（マニキュア製品），バイターストップの使用を勧めている．バイターストップは安息香酸デナトニウム（苦み成分）を含んでいる．安息香酸デナトニウムは濃度が 10 ppb で苦く，LD50：500 mg/kg と安全である．

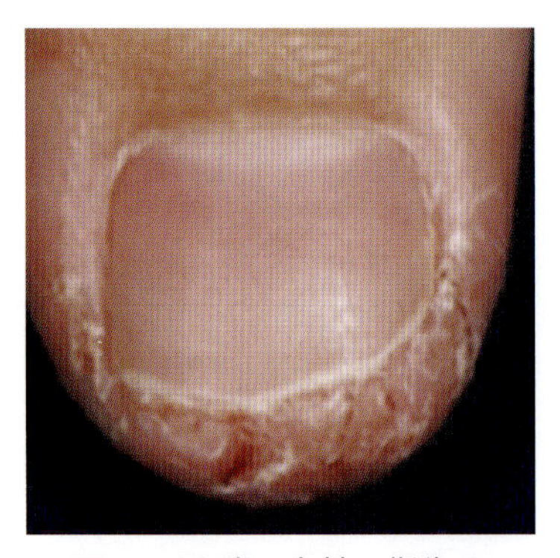

図１　18 歳，女性．指先の落屑と亀裂
爪甲が短いため生じる．

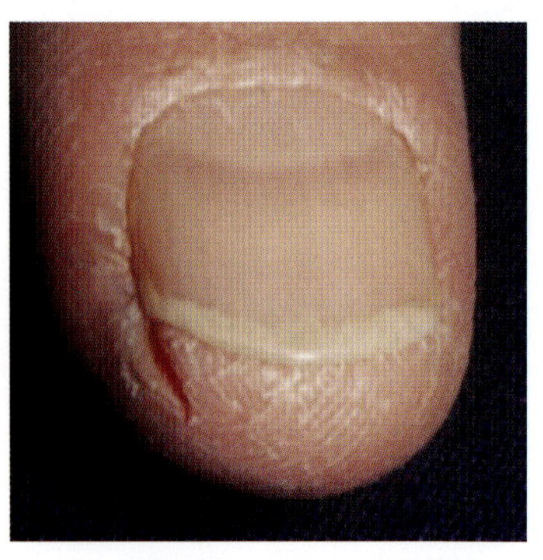

図２　68 歳，女性．側爪郭の亀裂
爪甲を長くすると治癒した．

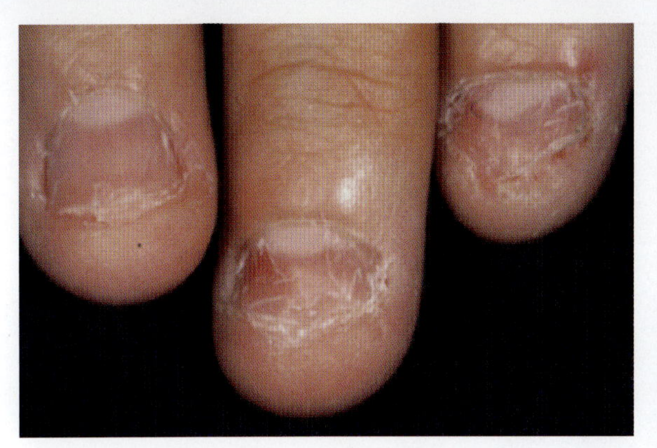

図 3　24 歳，女性
爪噛み癖で爪甲が短縮し，指先が変形している．

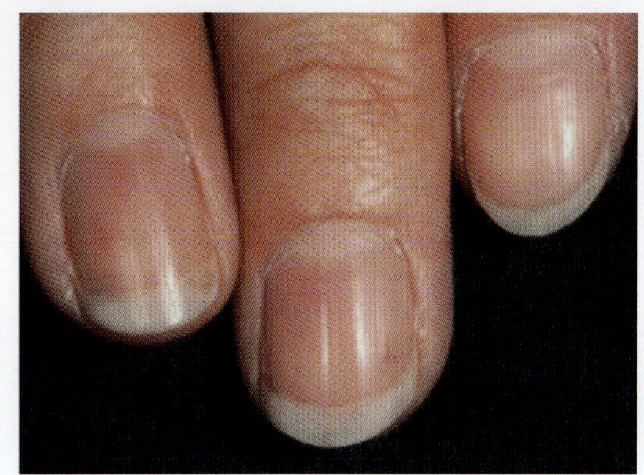

図 4　25 歳，女性．図 3 の 1 年半後
爪噛みを中止し，きれいな指先になった．

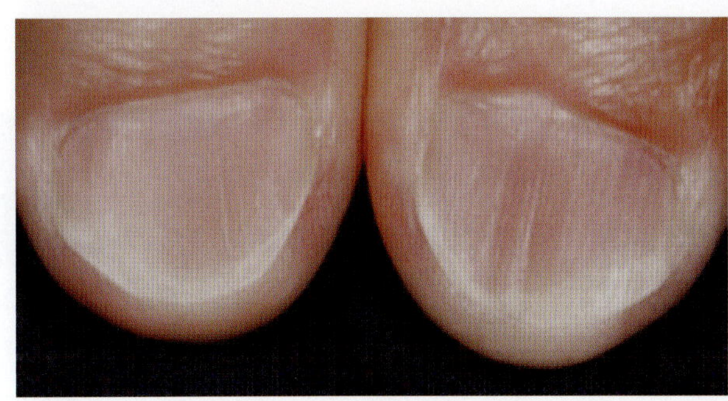

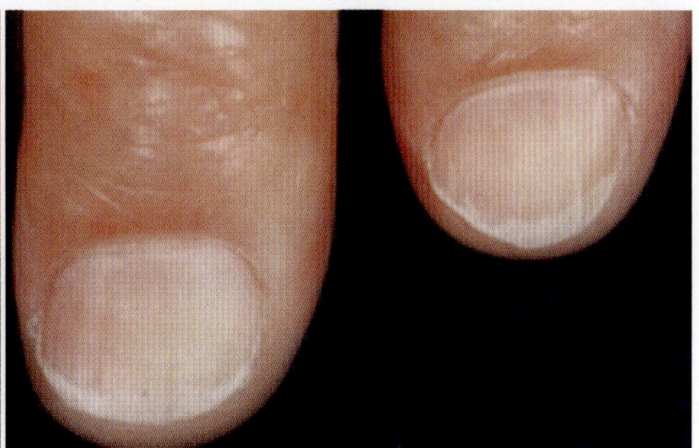

図 5　71 歳，男性．初診時
両母指爪は匙状化している．爪甲側縁が短く切られている．匙状爪となっている．

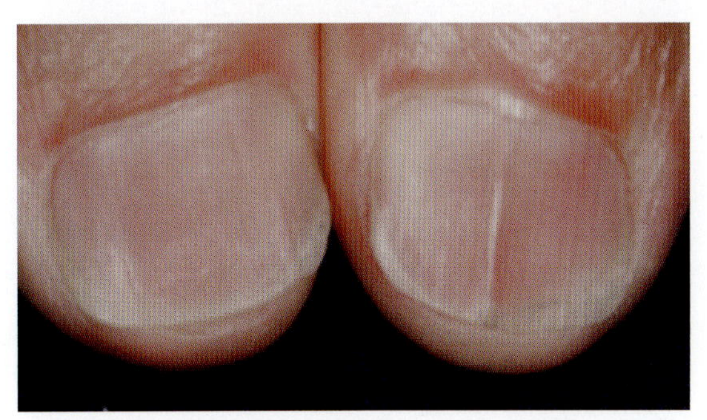

図 6　71 歳，男性．図 5 の 2 か月後
爪甲側縁を切らないようにしたら匙状爪が軽快

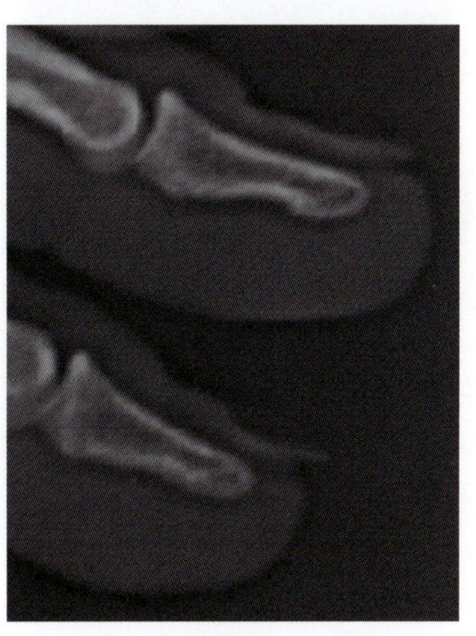

図 7　末節部の X 線写真
末節骨のない部分で爪甲は上方に反り返っている．

3. 側爪郭は爪甲を指背に固定する役割がある

側爪郭の役割は成書には記載がないが，爪甲を指趾背側に固定する役割がある[2]．

図 5 の男性は両母指，示指，中指爪の匙状化を訴えて受診した．図 5 に示すように爪甲側縁が短く切られている．そこで，爪甲側縁を短く切らないようにと指導したところ，2 か月後には図 6 に示すように爪甲の形はほとんど正常化した．

指腹に加わる力を支えているのは末節骨であるが，指先の末節骨のない部位では爪甲遠位部が支えることになる（図 7）．末節骨は爪甲の幅より狭いので，末節骨のない部分では，爪甲が指屈側に加わる力を支えている[3]．爪甲側縁では側爪郭部皮膚と爪甲側縁が繋がっているので，爪甲を支え

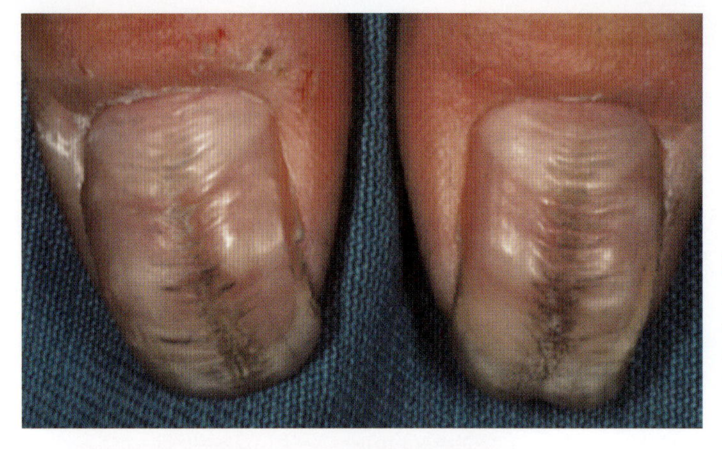

図 8
25 歳，女性．波板状爪＋爪甲中央縦溝症
後爪郭部遊離縁を後退させる癖により生じる．爪半月が大きくみえる．爪甲表面に横溝を連続して生じ，中央には縦溝を生じている．

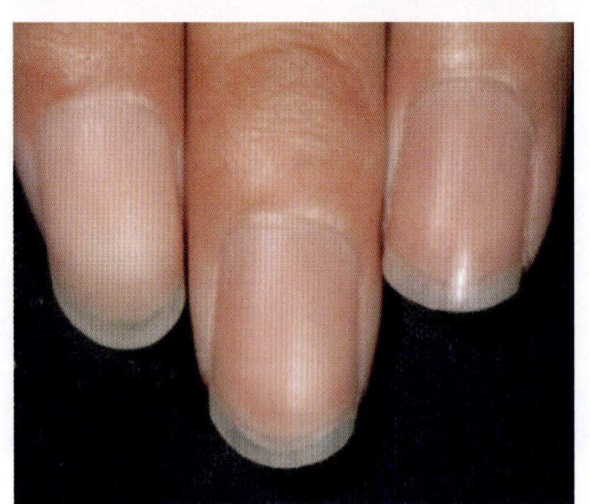

図 9　31 歳，男性．腹側翼状爪
爪甲が長くみえる．

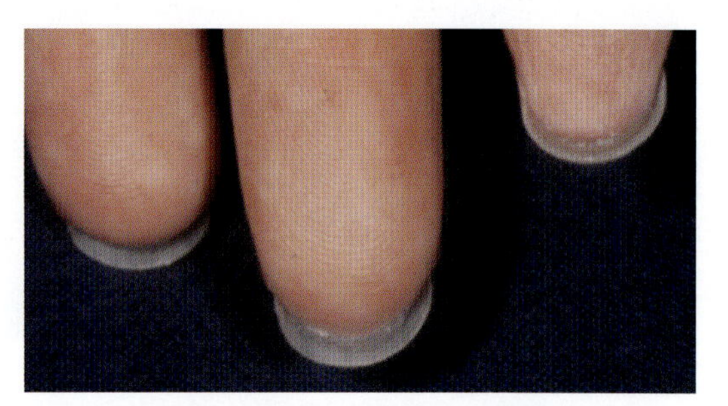

図 10　図 9 と同症例．指腹側
示指では指先の組織が遠位方向に引っ張られたために，指先の丸みが消失している．

ることが可能となっている．ところが，爪甲側縁が短く切られると，爪甲の辺縁は屈側に加わる力を支えられなくなり，反り返るのである．

4. 後爪郭部は爪甲の発育方向を決めている[4]

後爪郭部遊離縁の位置が変動すると，爪甲の発育方向が変化する．後爪郭部遊離縁の位置が遠位方向に移動すると，爪甲の厚みは薄くなり，近位方向に移動すると爪甲は厚くなる[1]．図 8 に示すように爪甲表面に横溝を連続して生じ，ときに中央部では縦溝を伴っている例は後爪郭部を自分の指で後退させる癖により生じる．爪半月部が大きくみえるのが特徴である．治療は後爪郭部を後退させないように指導し，ステロイド外用薬を後爪郭部に近位部から遠位方向に塗布させるとよい．

5. 爪下皮は指を使わないと長く伸びる

爪下皮は指先背面皮膚とは通常離れて爪甲下面に付着している．しかし，指先を使用しないと，指先背面皮膚と爪甲下面は離れずに，爪甲下面とともに指先背面皮膚が遠位方向に移動し，腹側翼状爪となる．図 9 に示すように爪甲が通常よりも長くみえる．爪甲裏面では指先が爪甲に引っ張られていることがわかる(図 10)．治療法は爪下皮を爪甲から丁寧に剝がすようにする．最近では，ジェルネイル装着者によくみられる．その理由はジェルネイルは指先よりも通常長く装着し，装着したジェルネイルが外れないように，日常生活に注意するためと考えられる．また，上肢が麻痺している場合にも生じることがある．指先で皮膚を掻くような動作をすると爪下皮は爪甲下面から剝がれるために腹側翼状爪を生じない．

6. 指爪の長さ

指爪の切る長さは指先と同じ位で，爪先(爪甲遊離縁)の白く混濁した部分を少し残すのがよいと考えている．爪甲遊離縁の白く混濁した部分が

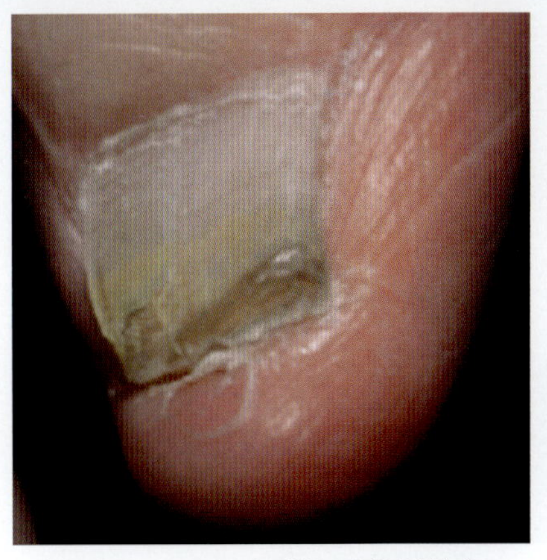

図11　27歳，男性．鬼塚法術後
趾先端が隆起している．

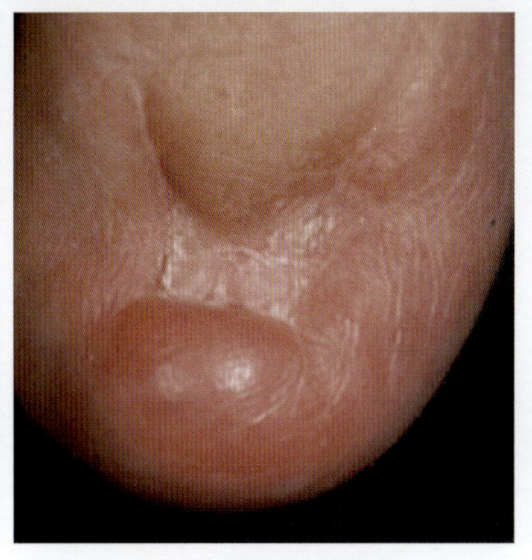

図12　爪母切除術後
鬼塚法術後で，疼痛のために爪母を切除．
趾先端は軽度に発赤，腫脹している．

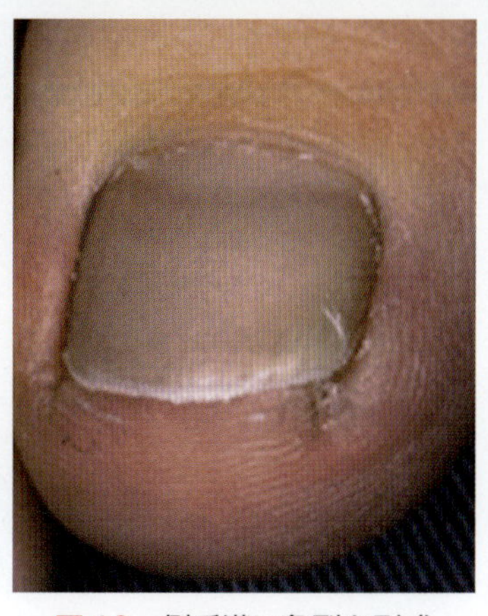

図13　側爪溝に亀裂を形成

気になるといって切り取る人もいるが，爪甲を極端に短く切っても図1，2に示すように爪甲遊離縁は白く混濁する．指先を保護するためには，爪甲を指先よりも短く切るのは避けるべきである．図4に示すように爪甲先端が指先と同じぐらいにするのがよいと考えている．

III　足趾爪の役割

1. 爪甲は趾先を守っている

手指爪甲と同じように足趾爪甲も趾先に加わる機械的刺激を守る役割がある．通常はわかり難いが，爪甲がなくなると爪甲の役割がわかるようになる．爪甲が存在するために，足趾の形態は正常に保たれているのであるが，陥入爪に対して行われる爪母外側を切除する鬼塚法を両側に行った術後では，爪甲の形態が変形し，爪甲が趾屈側に加わる力を支えられないために，趾先端が隆起するようになる（図11）．趾先端には脂肪組織が存在し，外力が趾先端に加わったときにクッションの役割を果たしている．しかし，爪甲が趾先端までない場合には，脂肪組織は趾先端に加わる外力で周囲に移動し，趾先端に加わる外力が末節骨遠位端に直接作用し，その部に疼痛を生じるようになるのである．疼痛の原因は爪甲の趾先端を守る機能が喪失したためである．図12に示す症例は，陥入爪に対する鬼塚法術後で趾先端に加わる疼痛がひどくなり，医師を受診した．医師は疼痛の原因が爪甲にあると考え，疼痛を除去する目的で，爪甲が生えなくなるようにと爪母全摘術が行われた結果，趾先端の疼痛がさらに増強し受診した症例である．

2. 爪甲は足趾に加わる力を支えている

足趾爪甲は趾屈側に加わる力を支えている．そのためには，爪甲の長さは足趾先端まで必要である．また，爪甲側縁と側爪郭が繋がっていることが必要である．その結果，運動に際して瞬発力を必要とする運動を行うことが可能となる[5]．第1趾の爪甲が医師による抜爪や外傷により喪失すると，趾遠位端の隆起が生じる原因となる．陥入爪の治療として爪母外側を除去する鬼塚法やフェノール腐食法は側爪郭と側爪郭皮膚の繋がりをなくすので，爪甲が趾背面に固定されなくなり，趾屈側に加わる力を支えることが不可能になる（図11）．また，第1趾爪甲の深爪は趾先端に亀裂を生じたり（図13），陥入爪を生じたりする（図14）．爪甲が短いだけでは陥入爪にならないことは，指爪を短く切っても，ほとんど陥入爪にならないことからわかる．足趾爪では歩行時や運動時に短い爪甲周囲に体重以上の強い外力が作用するために，陥入爪を生じるのである．陥入爪の治療は短くなった爪甲をアクリル人工爪により長くするのが理論的に優れた治療法である[6]．

3. Retronychia（後爪郭部爪刺し）[7]

歩行時につまずいたりして，第1趾爪甲先端に

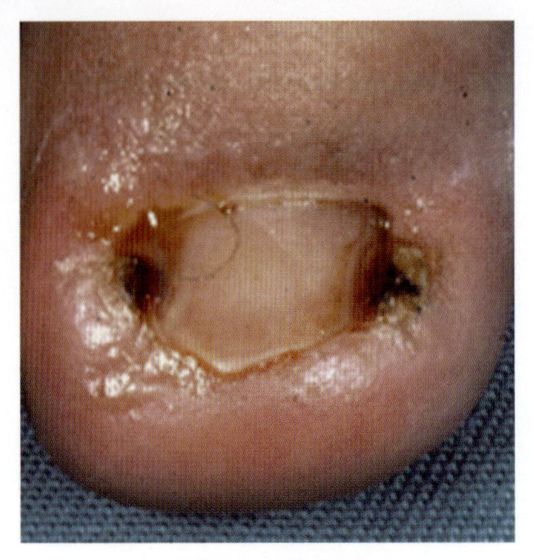

図14　陥入爪
両側の爪甲側縁遠位部の爪甲が短く切られて，陥入爪となっている．

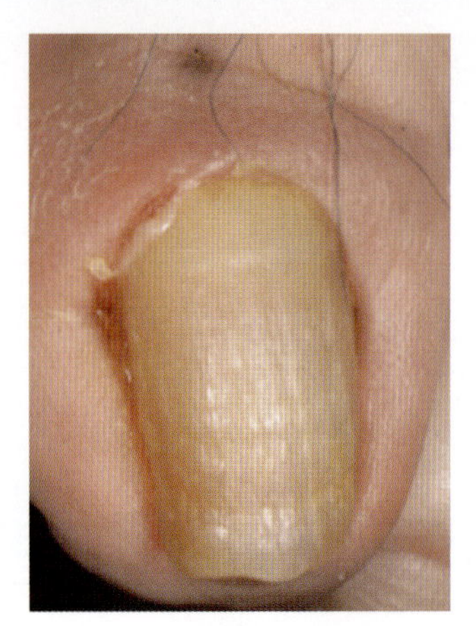

図15　68歳，男性．Retronychia
後爪郭部が発赤，腫脹している．爪甲基部を押さえると上下に動く．

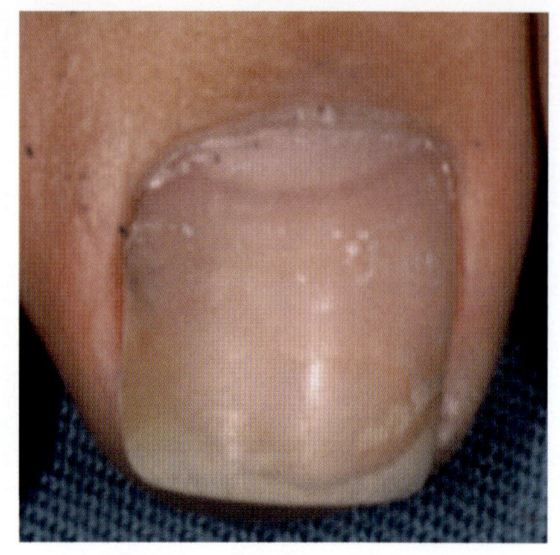

図16　足趾爪甲の切り方
爪の切り方はスクエア・カット・オフがよい．

強い力が作用すると，後爪郭部内で爪甲が爪母から外れる場合がある．通常は，爪甲が新たに再生するにつれて，古く外れた爪甲は押し出されて問題を生じない．ところが，稀に爪甲が押し出されずに，後爪郭内にとどまることがある．図15に示すように，後爪郭部に発赤，腫脹，疼痛が持続し，ときに排膿を認めるが，抗菌剤の投与で治癒せず，症状は長く続くのである．抜爪すると後爪郭内に新生爪甲を1個，あるいは数個認める．新生爪甲も同時に除去すると正常爪甲が再生し治癒する．

4. 足趾爪甲の切り方

足趾の爪甲は体重以上の力を支える必要があるので，特に第1趾の爪甲は趾先端よりも短くならないようにすることが大事である．図16に示すように，爪甲を趾先端より少し長くして四角く切り，爪甲先端両側縁を少し切り落として丸みを付けるスクエア・カット・オフがよい．爪甲は注意して切らないと爪半月遠位端に平行なラウンド形に切れるのである．その場合には爪甲両側縁が短くなり，側爪郭部に障害を生じる可能性がある．

Ⅳ　むすび

指趾爪甲の役割と機能について記し，不適切な爪甲の手入れ法に基づく障害や第1趾に対する外傷による retronychia（後爪郭部爪刺し）の治療法について簡単に記した．

（東　禹彦）

文献

1）東　禹彦：爪の役割．J Visual Dermatol. 6：678-681, 2009.
2）東　禹彦：Q11 爪に関する基本的な用語を解説してください．皮膚臨床．53：1535-1540，2011.
3）東　禹彦：匙状爪の発症機序．皮膚．27：29-34，1989.
4）東　禹彦：爪甲における横溝形成の機序．臨皮．31：785-790，1977.
5）東　禹彦：爪の構造と爪甲の役割―第Ⅰ趾を中心に．靴の医学．24：155-160，2011.
6）東　禹彦：人工爪の陥入爪治療への応用．皮膚臨床．35：417-421，1993.
7）東　禹彦：Retronychia：Proximal ingrowing nail（後爪郭部爪刺し）の3例．皮膚の科学．10：505-507，2011.

Ⅰ章 押さえておきたい爪の基本
【十爪十色―特徴を知る―】

8 爪の変色と疾患
―爪部母斑と爪部メラノーマとの鑑別も含めて―

Ⅰ 色調と疾患[1)～5)]

爪の色調を決める要素としては，爪自体の変化としてはメラニン，ヘモジデリン，爪の肥厚と脆弱，爪表面の変化としては外的な色素沈着，粗糙化，爪下の変化としては爪床の角化や出血，血管拡張などが挙げられる．

1. 爪表面の変化

白癬やカンジダでは表面が白色調を呈する．粗糙化は除光液などによる爪表面の脱脂により白色調を呈する．黄色化は薬品やたばこのヤニなどの沈着による．

2. 爪実質の変化

a）灰色，茶，黒（メラニン）

均一な灰色の縦線は色素細胞の増加がなく，メラニンのみの増加を示すといわれている．ただし黒色調が混じる場合もあり，色だけで鑑別することは困難な場合が多い．むしろ，複数の爪に似たような線条を認める場合は，メラノーマや色素細胞母斑よりは，有色人種に認められる線条，薬剤性（抗がん剤，AZT），血行不良，外傷後色素沈着などを疑う（図 1）[6)]．抗がん剤による色素沈着は治療開始1～2か月後から目立つようになる．薬剤としては，5-フルオロウラシル（5-FU），シクロフォスファミド，ドキソルビシン，ハイドロキシウレア，タキサン系，白金製剤など，多種にわたる．分子標的薬では，イマチニブ，EGFR 阻害剤，MEK 阻害剤の報告がある[7)]．

茶色～黒い縦線は色素細胞の増加を示し，色素細胞母斑やメラノーマを疑う所見となる．

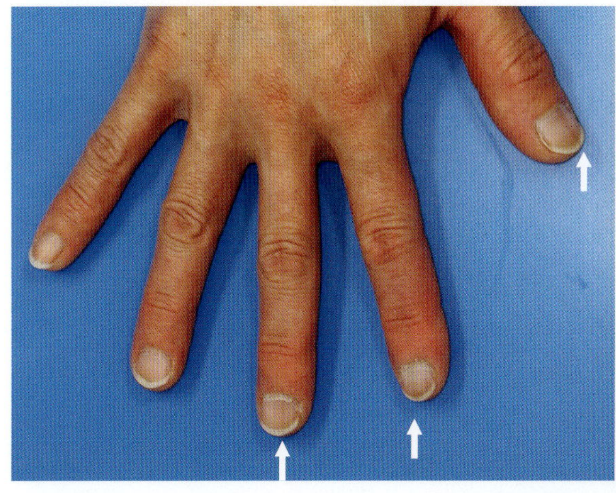
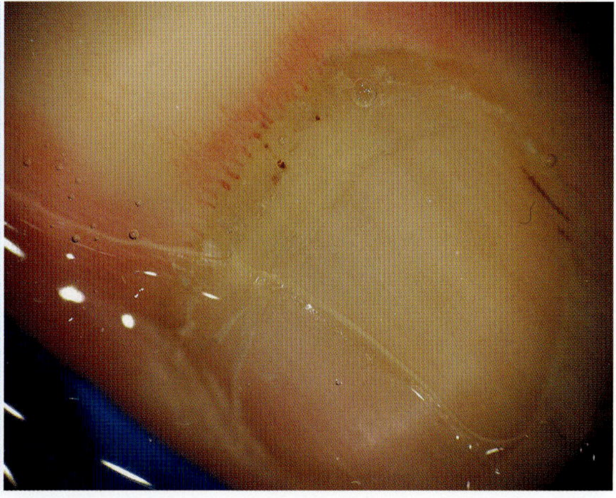

図 1　複数指の爪の色素線条（SLE）
メラノーマの可能性は少なく，むしろ人種的，末梢の血行不良，ホルモン異常などを疑う．
この症例は，爪上皮の延長と点状出血，後爪郭の血管拡張，爪の線状の出血，レイノー症状を伴っていた[6)]．

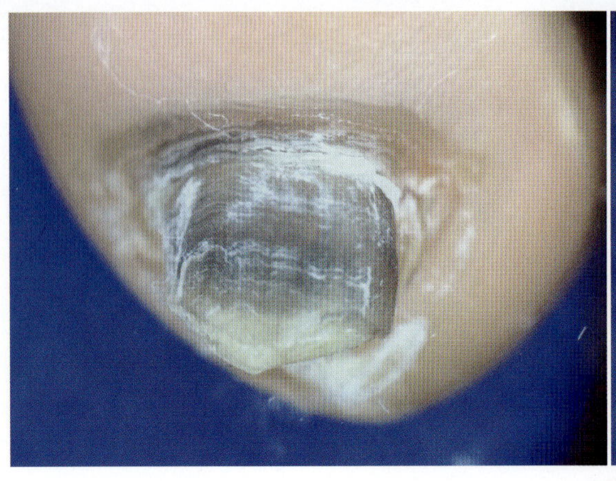
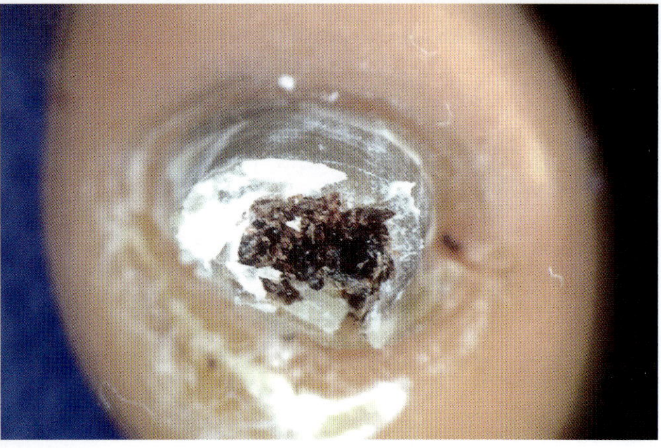

図 2　出血
爪部の出血はメラニンによる色素線条と鑑別が難しいことがある．
先端の断端を少し削ると凝血塊がみえた症例である．

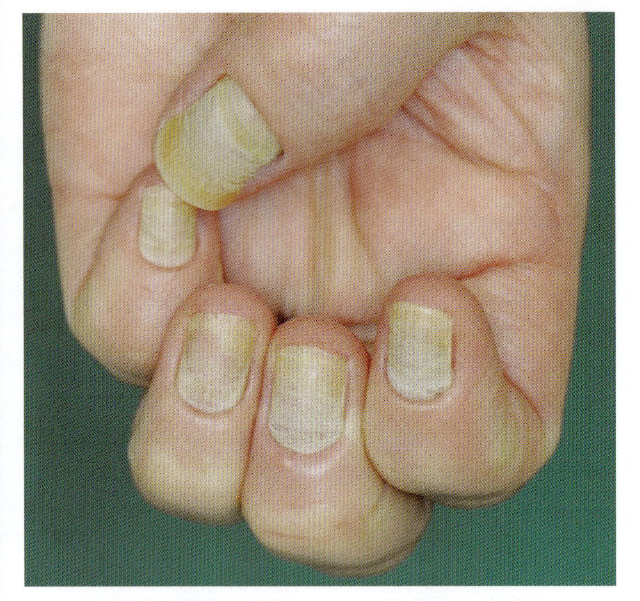

図 3　黄色い爪(twenty nail dystrophy)
単に爪の成長速度が遅いだけでも黄色調を呈してくる．
真菌症との鑑別が必須である．

爪先端の断面の表層に色調が強い場合は爪母近辺に原発部位があり，爪床側に色調が強ければ上記より前方に原発部位が存在する．

b）赤，黒，茶(出血)

ゲーム機端末のボタンを押すなどの指腹部への慢性的な圧迫や，趾への負荷によって繰り返された出血によって爪にヘモジデリンが入り込むと全体に淡い褐色調を呈し，メラニンによる変化と鑑別が難しい場合がある．爪周囲や指腹における炎症反応や爪下に出血を疑う所見があれば鑑別上参考になる(図 2)．

細く短い線条の出血(splinter hemorrhage)は細菌性心内膜炎や末梢循環不全，抗リン脂質抗体症候群に伴うことが知られているが，正常人にも認められる．爪周囲に強皮症や末梢循環不全を疑う所見(爪上皮の延長や点状出血，後爪郭の血管拡張)がないかをチェックする(図 1)．

c）白　色

爪基部に認められる白色の半月は成長が完了していない未熟な爪である．すべての爪が全体的あるいは基部の半分(Lindsay's nails，half-and-half nails)が白色調を呈する場合は，慢性の腎障害などによる低栄養を反映していることがある．薬剤性はドキソルビシン，シクロフォスファミド，ビンクリスチンなどの代謝拮抗剤による報告がある．

d）黄　色

手指全体の爪に変化があれば，爪の成長速度の低下による爪肥厚や薬剤性(関節リウマチの治療薬など)を疑う(図 3)．黄色爪症候群(yellow nail syndrome)はリンパ管浮腫と呼吸器病変を伴う疾患概念であるが，基本は爪の成長障害による黄色変化が主体と思われる．粗糙化を伴い，各爪ごとに症状に差がある場合は，白癬や乾癬などを疑う．

3. 爪下の変化

黄色の縦線は，爪床の角質増殖などを示し，白癬，疣贅，爪甲剝離に伴う爪床の角化，稀であるが有棘細胞癌などが鑑別となる．縦方向に 2〜3 mm

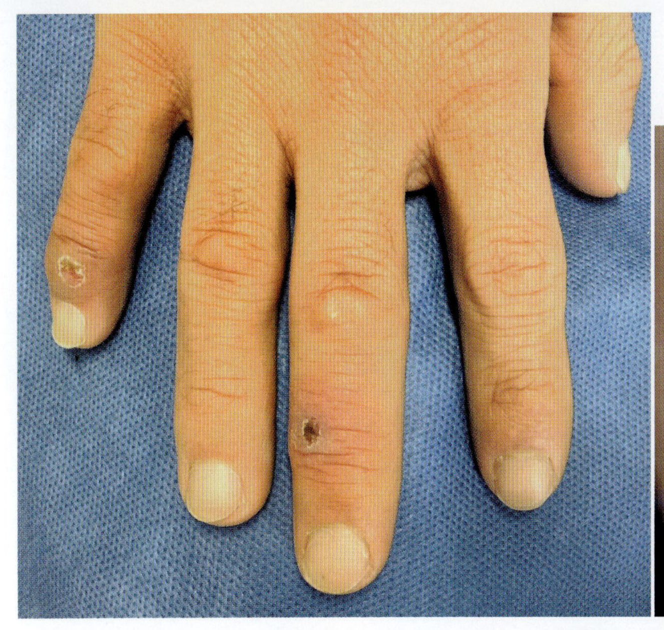
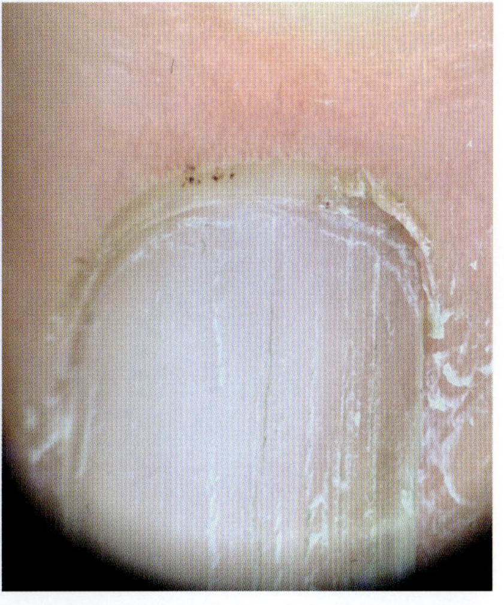

図4　白い爪
強皮症の血行不良を反映している．爪上皮に点状出血を認める．

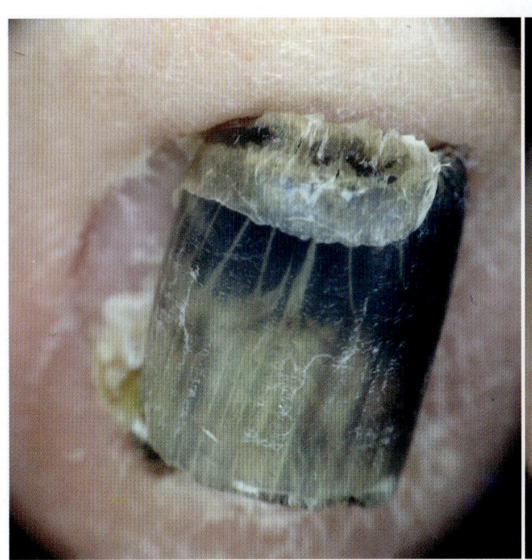
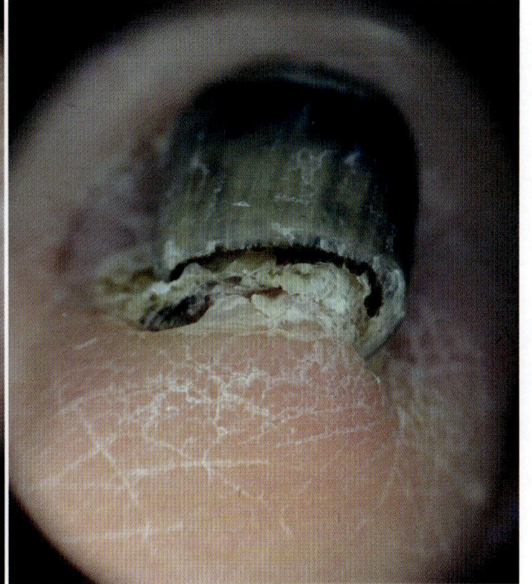

図5　黄色と緑と黒が混在した症例
最初は爪白癬に緑膿菌感染が合併したと思われたが，爪下出血であった．

長で黒色の線条が複数認められる場合は爪床における出血を疑う．爪床の末梢1/3は血管が豊富になるのでこの部位に認められることが多い．

強皮症やシェーグレン症候群や末梢循環不全があると爪全体が貧血状態になり，白色調を呈する（図4）．

グロームス腫瘍は爪下に白色からピンク色の小円形の斑が透見され，そこから爪先端に向かって線状の紅斑や亀裂を伴うことがある．後爪郭にできる場合もある．自発痛，圧痛，寒冷刺激による痛みの誘発が特徴的である．

後爪郭の粘液嚢腫は同部位に一致して爪の縦方向の菲薄化とハーフパイプ様の陥凹を伴うことがある．この陥凹部分は白〜ピンク色を呈する．

緑の要素があれば緑膿菌感染を疑う．爪白癬に合併することが多く，その場合は黄色のなかに緑色部分が混じる．出血との鑑別が難しい場合がある（図5）．両足の第1か2趾の爪下に出血を繰り

1．成人発症
2．1 本の爪のみ
3．基部と先端で太さと色に差がある
　（三角形）
4．爪周囲の色素斑
5．爪の亀裂
6．幅（爪全体に色がついている場合はあやしいが，細い場合でも否定できない）

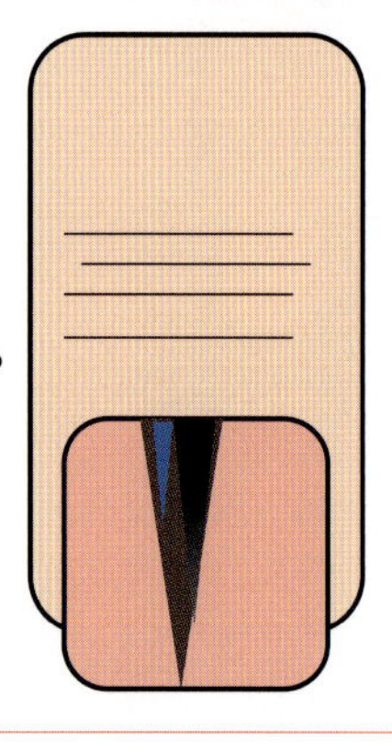

図 6　メラノーマを疑う所見

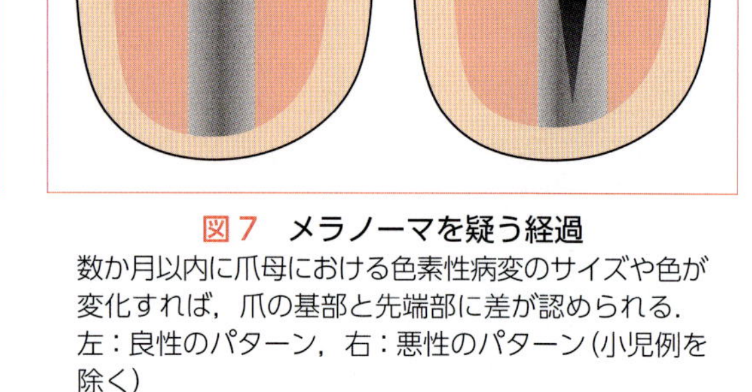

図 7　メラノーマを疑う経過
数か月以内に爪母における色素性病変のサイズや色が変化すれば，爪の基部と先端部に差が認められる．
左：良性のパターン，右：悪性のパターン（小児例を除く）

返す場合は靴の先端に足趾が当たっている可能性が高い．靴紐あるいはマジックテープで足首をきちんと固定するように靴の選び方（サイズ）と履き方を指導する．

II　メラノーマを疑うポイント

1. 疫　学

良性の爪部色素線条は本邦人の 1%弱，人口 10 万対 1,000 人に認められる．爪部のメラノーマは本邦人メラノーマの約 10%を占め，罹患率は 0.1〜0.2 人/10 万/年と推定される．

2. 早期病変の診断のポイント[8)]

爪のメラノーマの多くは爪母に始まる．手指の爪は3〜6か月程度で生え変わるため，数か月以内における爪母の変化は爪に記録として残る．皮膚の色素性病変の経過観察で数か月〜1 年以内に起こる不規則な変化は悪性を疑う所見である．爪では時間的な変化が記録されているため，爪母において病変が数か月以内に増大した場合は爪上に先細りの三角形の色素線条を形成することになる．ただし，良性の母斑でも初発から 1 年程度は三角形を呈し，徐々に同幅の帯状となるので，後述の所見がなければ経過を追う．また爪母における部分的な色の変化が起これば爪基部における新たな色の変化として出現してくる（図 6）．

メラノーマを疑う重要なポイントは，成人，1 指（趾）のみに黒い線がある，爪の基部のほうが先端より幅が広い（図 7〜10），基部のほうが先端より色調が濃い（図 7〜9），茶，黒，青，白，ピンクなどの複数の色が混在しており，特に基部の所見が顕著である，爪周囲皮膚に色素斑がある（Hutchinson's sign）（図 8，9），色素線条に一致して溝や亀裂，爪表面の粗糙な変化がある，などである．

色素線条の幅については，細くても悪性を否定できないが，逆に爪の半分を超えるようであればほかに悪性を示唆する所見がないか，注意深く観察しなければならない．ダーモスコピー検査は必須であり，爪小皮における色素沈着（micro Hutchinson），爪周囲の皮膚の色素斑が皮丘優位，爪部色素線条と爪周囲色素斑と色調の強い部分のずれ，などもメラノーマを疑う所見となる（図 8）．

なお，乳幼児期の色素線条は，良性でも幅広で爪周囲の色素の染み出しや爪の亀裂を伴うことがあるので，性急な対応をせずに可能な限り経過をみる．

外傷後に出現した色素線条や外傷後の傷が治らないなどの病歴はメラノーマを疑うきっかけになる．

3. 進行した病変

爪が破壊され，易出血性の肉芽様結節や局面を呈するようになる．進行した病変は炎症性病変と酷似するため，消毒や外用などによる保存的処置や抜爪などが行われ，診断が遅れることが少なく

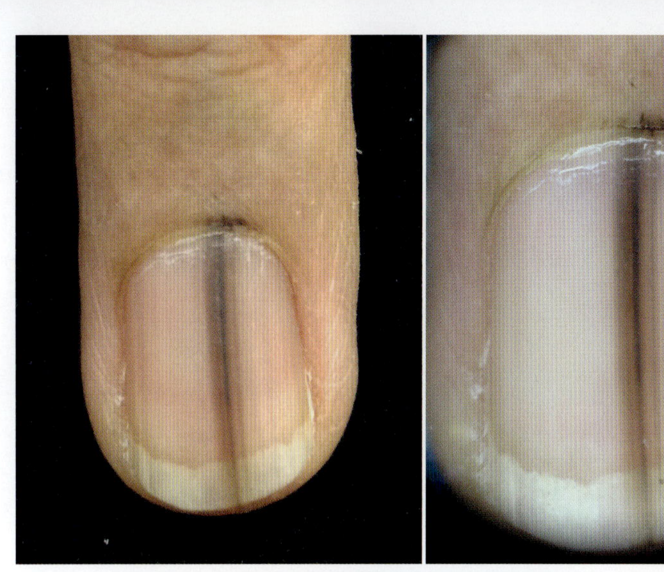

図 8
Hutchinson's sign
細い線条だが，中央の黒色線は爪基部ほど濃く，太い．数か月以内に変化してきている可能性を疑う．また，後爪郭に小さな色素斑を認め，その幅は爪の色素線条よりも太い．成人であれば慎重にフォローする．

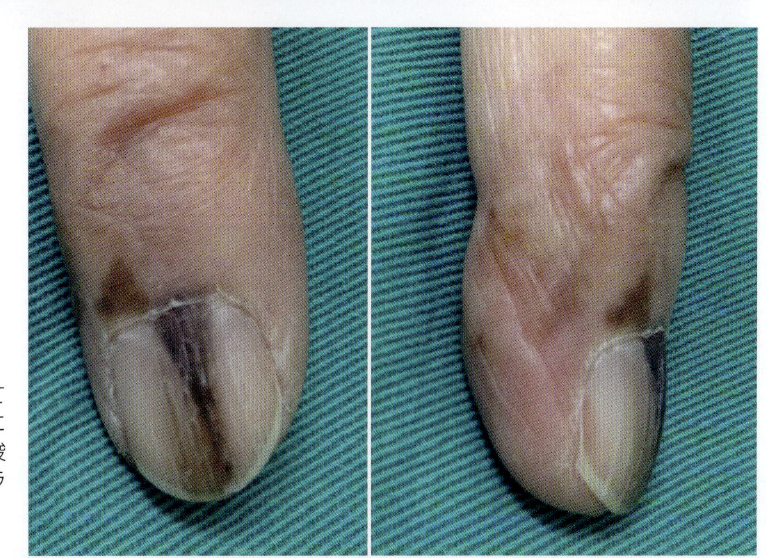

図 9
メラノーマ
爪の線条は比較的細いが，基部から先端にかけて細くなり，逆三角形を呈している．数か月以内に爪母部の病巣が急速に増大していることを示唆している．また，爪周囲の不規則な色素斑もメラノーマを疑う所見である．

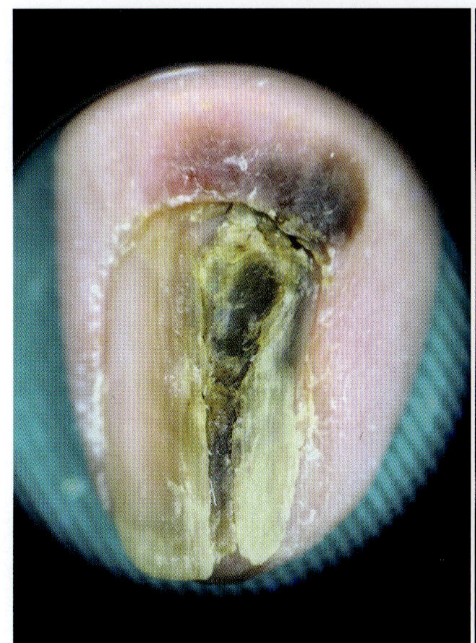

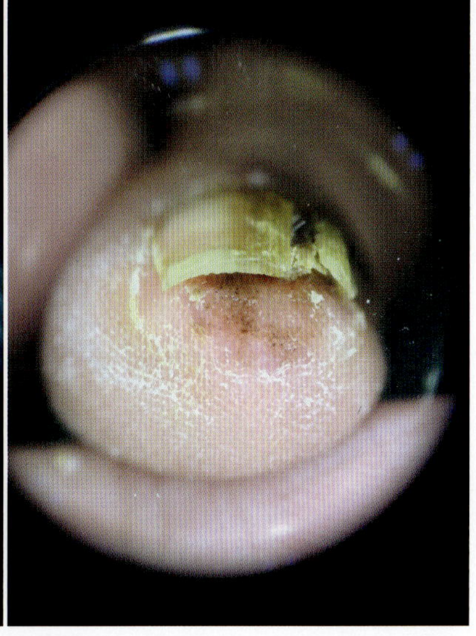

図 10
メラノーマ
一見，爪白癬＋出血あるいは緑膿菌感染様にみえるが，後爪郭部の色素斑と爪先端の点状の色素斑と血管拡張からメラノーマを疑うことができる．

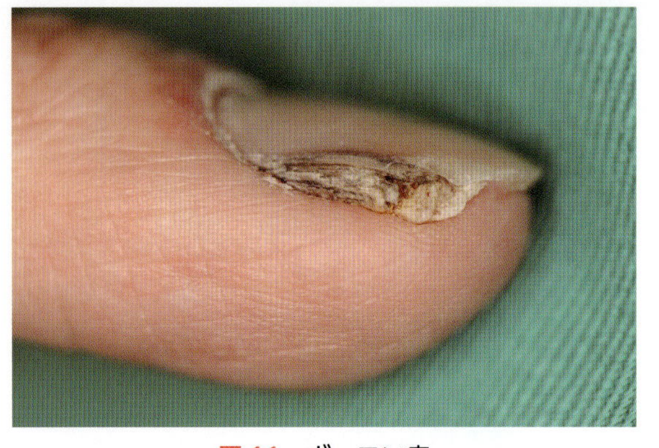

図 11　ボーエン病
稀であるが，爪側縁が肥厚し，黒色〜褐色を呈するボーエン病がある．疑わしい場合は生検を行う．

ない．細かい線状の血管が多数認められればメラノーマや有棘細胞癌を疑うサインとなる．爪の破壊があれば色素線条の先行の有無を必ず聞く(図10)．

4. メラノーマとの鑑別が必要な疾患

a) 色素沈着を伴う場合

単指(趾)の爪の色素沈着を起こす疾患として，ボーエン病，外傷や放射線治療後の色素沈着がある(図 11)．複数の指(趾)に色素線条を認める場合は，メラノーマよりは白癬などに続発した二次性の色素沈着，抗がん剤やミノサイクリンなどによる薬剤性色素沈着，血行不良，Peutz-Jeghers 症候群，Laugier-Hunziker 症候群，Addison 病，肌の色の濃い人種性に認められるものなどを疑う．血管拡張性肉芽腫は，ダーモスコピーでは無構造で均一な紅色斑が乳白色の区域に分けられた所見が主体であり，メラノーマは，表面に様々な形態の細い血管拡張が目立つ(有棘細胞癌も同様)ことが多い．最終的には生検が必要である．

b) 出血を伴う場合

明らかな出血と判断しても，斑状で爪のほかの所見が取れない場合は腫瘍性病変が隠れている可能性があるので，3〜4 か月後に再診して，出血斑が軽快しているか，ほかに隠れていた変化がないか，確認することが望ましい．

III 生検について

生検は，臨床的に診断が難しい場合，臨床的にはメラノーマと考えられるが侵襲の大きい処置前に組織学的診断を確定したいとき，厚さを知るため(患指趾切断か温存かを決めるため，センチネルリンパ節生検の適応を決めるため)などに行われることが多い．以下に爪の生検に関する筆者の個人的な見解を述べる．

成人以後に前述のような特徴的な所見が認められ，早期のメラノーマの診断が確実な場合は生検あるいは患者と相談のうえ根治的な手術を準備する．臨床的にメラノーマの診断に迷う症例(結節性病変，潰瘍，爪の破壊を伴う場合を除く)については6か月後に再診とし，ダーモスコピーで経過を追う．良性を確認するための生検は勧められない．臨床的に早期病変を疑わせる症例でも生検組織から確たる所見が得られないことがある．このようなときに再生検を行うことを勧める意見もあるが，組織学的に確証が得られるまで生検を繰り返すことは実際的ではない．臨床的には早期病変が疑われるが，生検をしても確証が得られない症例があることを前もって患者に伝えておき，その場合の対応についても相談しておいたほうがよい．個人的にはダーモスコピー所見や年齢からメラノーマの可能性が高いと考える症例については，組織所見がそろわなくても根治的な治療を勧めている．爪のメラノーマは稀な疾患であり，早期に専門医を受診した機会を大切にしなければならないと考えるからである．逆に肉芽様の結節を形成し，血管拡張性肉芽腫などとの鑑別が必要な場合はスタンプ標本を作るか，表面を浅く掻爬して採取した組織を病理検査に提出する方法で診断がつくことがある．

爪のメラノーマの tumor thickness を測る際に迷う症例がある．爪床表皮に顆粒層は存在しないため，爪と有棘層との境界部から最深部までを測ることが多いと思うが，爪母部の表皮が彎曲している部分(多くの症例におけるメラノーマの発生部位)では，どこを起点にどの方向で計測すべきかという指標はない．個人的には最も厚い病変の上方の爪上皮の基底層部に接線を引き，これに垂直な方向で測っている．日本皮膚悪性腫瘍学会の調査では，爪のメラノーマと爪以外の部位のメラノーマ間でtumor thicknessで比較した場合の予後に差はなかったので，爪病変についてもおおむね妥当な計測が行われていると想像される．なお，爪のメラノーマの手術は骨膜上で剝ぐ（指を温存する）か切断の2通りしかないため，術前のtumor thicknessの詳細な確認のためのみに生検を行う意義は乏しいかもしれない．

もし生検を行う場合は必ず爪母部を含め，できれば爪母周囲の後爪郭や爪床を含めて十分な量を縦方向に紡錘型に採取する．変形を懸念した狭小な生検は望ましくない．爪周囲皮膚の色素斑は爪床爪母部より明確な病理所見を示すことがある．標本は爪の縦方向に平行に切り出す．パンチ生検は切り出し方向を指定できないと組織所見の評価が難しくなるので勧められない．

（宇原　久）

文献

1）西山茂夫：爪疾患カラーアトラス，東京：南江堂，1993.
2）東　禹彦：爪 基礎から臨床まで，東京：金原出版，2004.
3）田村敦志：その他の爪の腫瘍．勝岡憲生ほか編．pp. 192-198，皮膚科診療プラクティス8 毛と爪のオフィスダーマトロジー，東京：文光堂，2000.
4）宇原　久：皮膚科セミナリウム（第83回）爪のみかた 爪の腫瘍．日皮会誌．122(3)：587-592，2012.
5）宇原　久：爪のみかた．MB Derma. 223：103-107, 2014.
6）Edamitsu T, Uhara H, Minagawa A, et al：Multiple melanonychia striata as a sign of connective tissue disorders. J Am Acad Dermatol. 79：375-377, 2018.
7）Robert C, Sibaud V, Mateus C, et al：Nail toxicities induced by systemic anticancer treatments. Lancet Oncol. 16：e181-189, 2015.
8）Koga H, Saida T, Uhara H：Key point in dermoscopic differentiation between early nail apparatus melanoma and benign longitudinal melanonychia. J Dermatol. 38：45-52, 2011.

I章 押さえておきたい爪の基本

【必要な検査・撮るべき画像】

9 爪部疾患の画像検査
―ダーモスコピー，X線，超音波，MRI―

I はじめに

爪部疾患は，爪甲の肥厚・変形や色調の変化など目視で確認できる変化から，爪甲下の病変あるいは骨と連続した病変など肉眼では観察できないものまで，多岐にわたっている．日常診療において爪部疾患と遭遇した場合，どのように画像検査を行っていくことが最適であるかを解説したい．

II 爪部疾患における画像検査の選び方

画像検査は非侵襲的なものから行うことが原則である．

ダーモスコピーは非侵襲検査であり，色素性病変のみならず，爪下出血・血腫や毛細血管拡張性肉芽腫などの非色素性病変の評価を行うことが可能である．爪甲状態の評価に簡便かつ有用であり，画像検査の第一選択となる．

単純X線は爪下外骨腫など骨病変の評価に有用である．単回の被曝であれば医療被曝も少ないため，CTやMRIなど侵襲を伴う検査の前に骨病変の有無を評価できる．

超音波は，①非侵襲的な画像検査である，②診察室で簡便に施行できるなどの利点があるため，爪下占拠性病変の検査ツールとして有用である．カラードプラ法による内部血流評価はグロムス腫瘍などの鑑別に役立つ．

CTは依頼しやすい検査の1つであるが，骨病変を除き皮膚科領域における表在病変や軟部腫瘤を評価するにはコントラストが悪く，ヨード造影剤が必要になるため侵襲を伴う検査である[1]．腫瘤内部の性状を評価する質的診断に適しておらず，周囲臓器との関係を示す局在診断に使用する．医療被曝の問題もあるため，骨病変における術前評価目的を除き検査しない．

MRIはマイクロコイルを用いたMR microscopyが質的診断(内部性状評価)に優れているため，爪下腫瘤性病変で鑑別が難しい場合に施行する．

III 各　論

1. ダーモスコピー

ダーモスコープという機器を使用することで，爪甲(ならびに側爪郭，後爪郭や指尖など)の色素性病変を色調のパターンや形状などで評価することのできる画像検査である．皮膚生検前に良悪性の評価をすることが可能であり，爪部疾患における画像検査で最も有用なものである．

a) 爪部色素細胞母斑 (nail apparatus melanocytic nevus)

爪母(稀に爪床)に出現する色素細胞性母斑は，臨床的に濃褐色で境界明瞭なメラニン爪(melanonychia striata)を示す．ダーモスコープで観察すると，規則的爪甲色素線条として描出される．規則的爪甲色素線条は細い細線条(lines)とやや太めの線条帯(bands)に分けられ，色調はほぼ均一で，太さ，鮮明さ，間隔，平行性に偏りが少なく，高度のばらつきや多様性がないことが特徴である(図1)．線条の途絶や爪甲変形もほとんど伴わない．

小児の場合は，爪甲に幅広い不規則色素線条帯

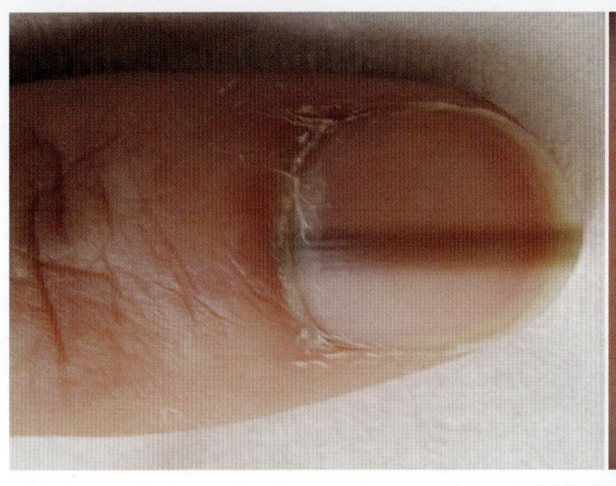
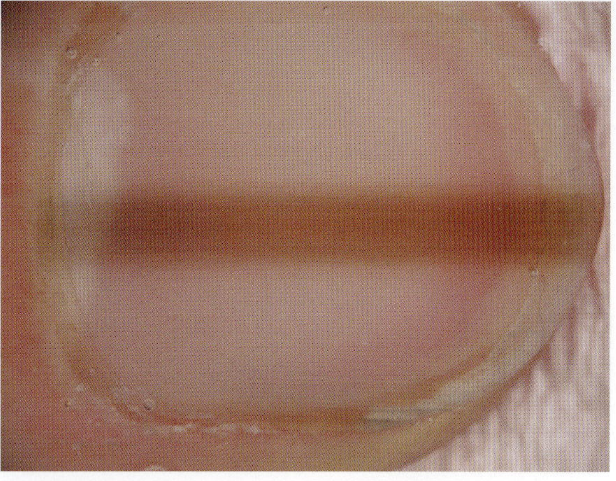

a|b　**図1　爪部色素細胞母斑(成人)**

a：臨床像

b：ダーモスコピー像．淡褐色の背景である線条帯の上に褐色の細線条が平行に配列する．色調，大きさ，鮮明さ，間隔，平行性に偏りがなく，均一である．

と規則的爪周囲色素沈着(偽Hutchinson徴候)を呈することがある(図2)．さらにネウマ(グレゴリオ音符)様と形容される，とぎれとぎれの細線条を伴うことがある[2)3)]．この所見は母斑による色素が自然消褪している過程と考えられ，経過観察にて自然消褪を確認することができる．

b)爪部メラノーシス(nail melanosis)(図3)

単純黒子，有色人種に特異的な爪甲色素線条，薬剤性爪甲色素線条などを含めた非メラノサイト病変の総称である[4)]．ダーモスコピーでは，ぼんやりとした単一あるいはわずかな濃淡を示す規則的な細線条か線条帯であり，色素細胞母斑(ほくろ)と鑑別可能である．

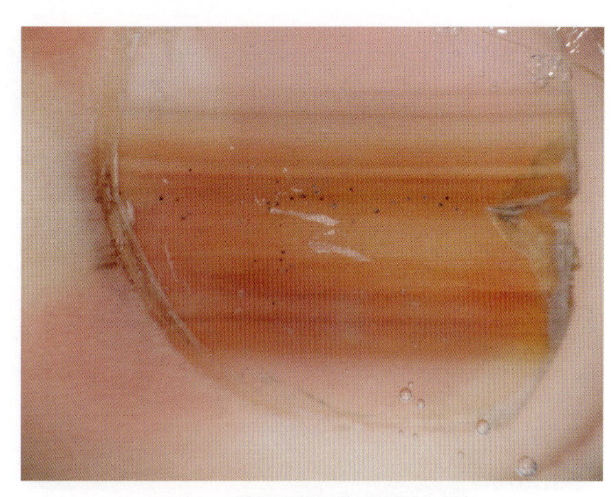

図2　爪部色素細胞母斑(小児)

ダーモスコピー像．爪甲に幅広い不規則色素線条があり，後爪郭には偽Hutchinson徴候を認める．線条帯の上にネウマ様のとぎれとぎれの細線条がみられる．

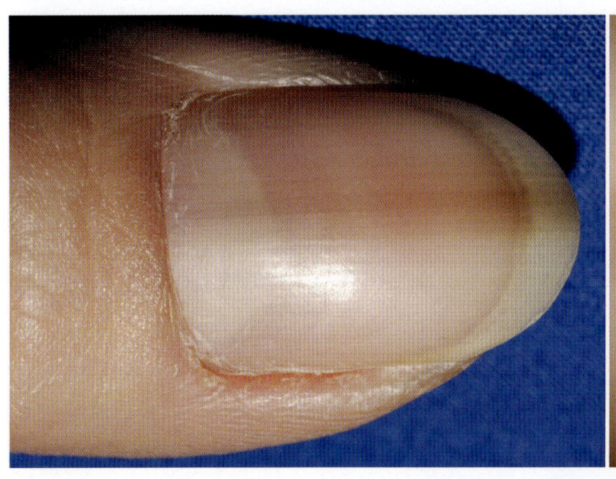
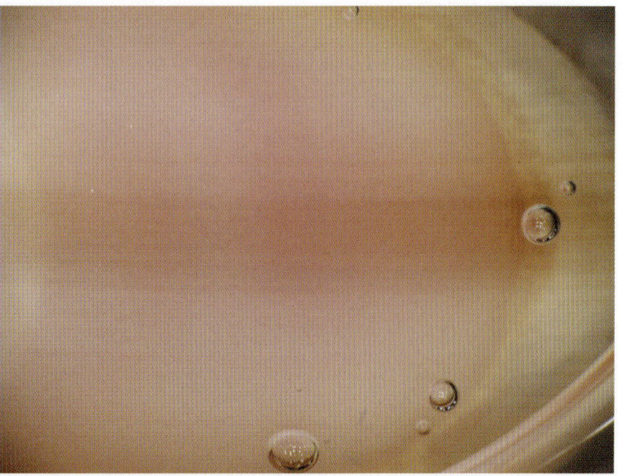

a|b　**図3　爪部メラノーシス**

a：臨床像

b：ダーモスコピー像．規則的な淡灰色の線条帯の上に規則的な灰色の細線条がみられる．

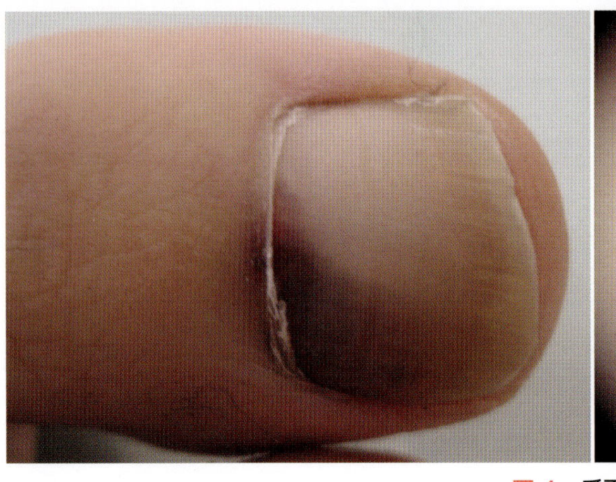
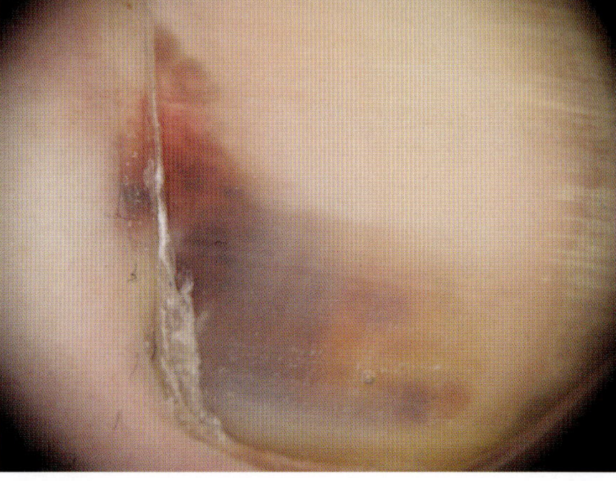

図4　爪下血腫　a|b

a：臨床像
b：ダーモスコピー像．爪母から連続する暗紅色〜暗紫色の均一領域としてみられる．全体的に丸みを帯びている．

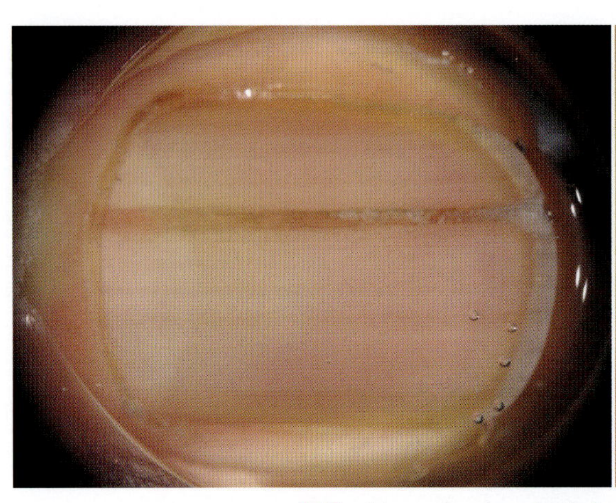
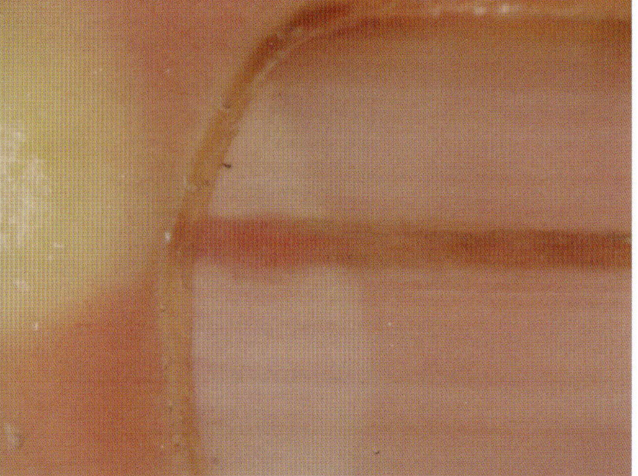

図5　Ungual seborrheic keratosis（onychopapilloma）
ダーモスコピー像．Erythronychia と呼ばれる紅色線条帯があり，爪甲遠位端には角化性の爪甲破壊を伴う．拡大すると爪母から連続する紅色線条帯がはっきりする．

c）爪下血腫（subungual hematoma）

爪下血腫は外傷の1か月後に出現することが多いため，問診では1か月前の外傷既往を確認する．外傷既往がはっきりせず生じた場合，悪性黒色腫のダーモスコピー所見と見分けがつきにくいことがあり，注意が必要である．その場合，経時的変化の有無を確認することが重要になる．ダーモスコピーでは全体的に赤色調を帯びる均一領域で示されることが多く，形状は円形から線条まで多彩である（図4）．

d）Ungual seborrheic keratosis（onychomatricoma, onychopapilloma）（図5）

2010年にBon-Mardionら[5]により初めて報告された，爪床部から生じた脂漏性角化症という概念である．臨床的には軽度に隆起する黄白色の爪甲縦線条であり，ダーモスコピーにて黄白色縦線条帯に線状出血と稗粒腫様嚢腫を認める（onychomatricoma）[6]．また erythronychia と呼ばれる限局的な紅色細線条あるいは線条帯と遠位端に角化性の爪甲変形を伴う場合があり，onychopapilloma ともいわれる[7]．鑑別疾患として爪下ボーエン病があり，経過観察していくことが重要である[8]．治療を目的としない安易な皮膚生検による診断は，生検による爪甲変形がQOL低下の原因になるため，ダーモスコピーによる経過観察が望ましい．

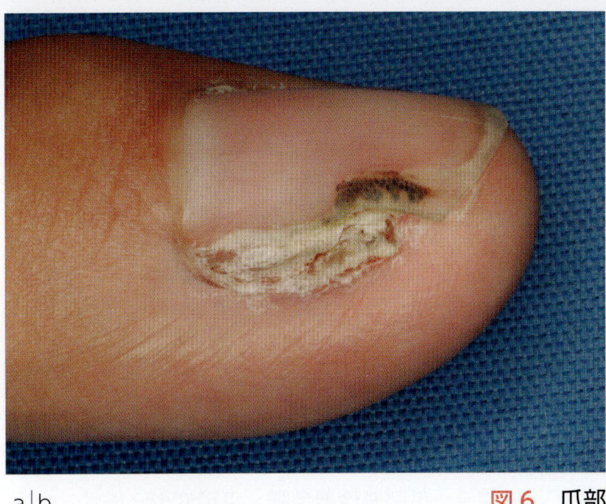
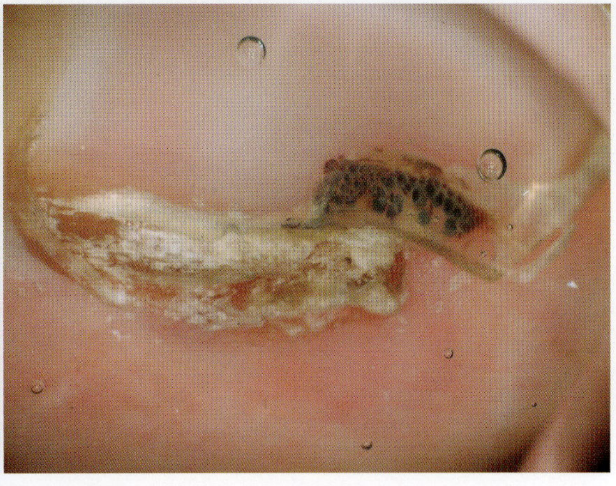

a|b

図6　爪部ボーエン病

a：臨床像

b：ダーモスコピー像．後爪郭から連続する雲母状白色鱗屑構造と爪甲下にある腫瘤により隆起している．底部には茶褐色不規則色素線条帯があり，遠位側にはイクラの卵様の血腫・出血を伴う．

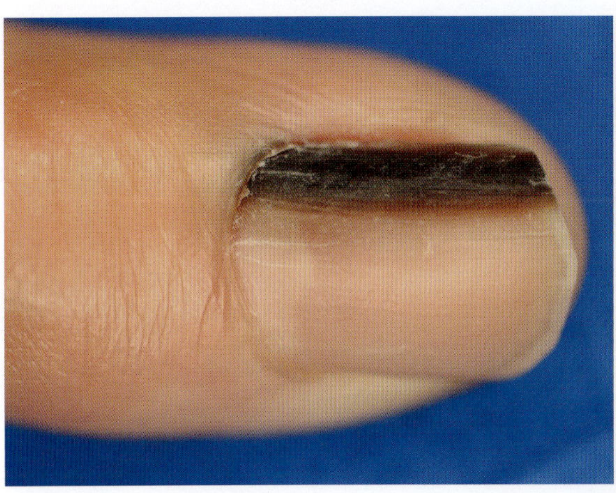
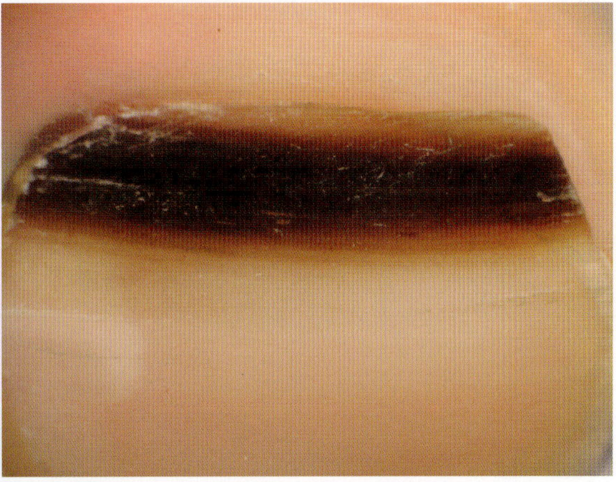

a|b

図7　爪部悪性黒色腫

a：臨床像

b：ダーモスコピー像．多様の色調を示す線条帯の上に不規則に分布する細線条がみられる．遠位側では先細りもみられる．

e)爪部ボーエン病 (Bowen's disease of the nail apparatus)

極めて稀な疾患であり，疣状角化性病変，爪囲炎，爪甲剝離症，爪甲破壊・変形をきたす．色素性ボーエン病の場合は黒色色素線条を呈するため，爪部悪性黒色腫との鑑別は難しい．通常のボーエン病でみられる白色鱗屑構造，小点状・糸球体状血管が爪甲により隠されており，ダーモスコピーでの評価が困難である．図6のダーモスコピーでは，後爪郭から連続する雲母状白色鱗屑構造と爪甲下にある腫瘤により隆起し，遠位側にはイクラの卵様の血腫・出血がみられる．底部には腫瘍により活性化したメラノサイトによると思われる，茶褐色不規則色素線条帯がある．

f)爪部悪性黒色腫 (nail apparatus melanoma)

爪母，(稀に)爪床に生じる黒色腫であり，掌蹠とともに日本人に多くみられる．典型例では，不規則爪甲色素線条と呼ばれる非連続性の多様な色調の線条帯の上に多様な細線条が不規則にみられる色素線条を呈する(図7)．色調，太さ，鮮明さ，間隔，平行性いずれも偏りがあり，分布に高度のばらつきや多様性を示す．近位側になると太くなる，突然途切れた細線条も特徴的である．臨床的

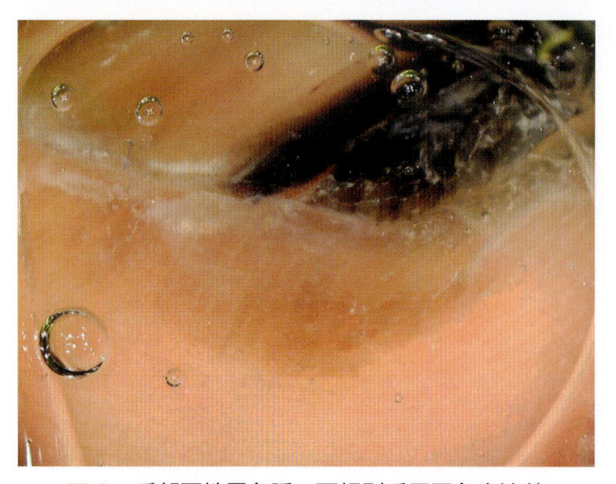

図 8　爪部悪性黒色腫．不規則爪周囲色素沈着（Hutchinson 徴候）

ダーモスコピー像．爪下皮に皮丘平行パターンがみられる．

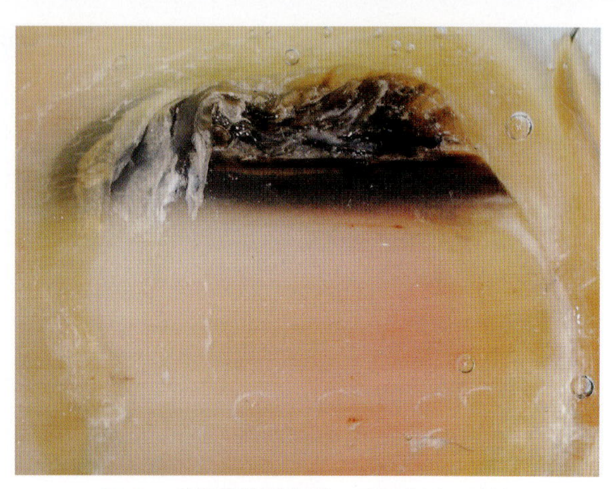

図 9　爪部悪性黒色腫．爪甲変形・破壊

ダーモスコピー像．不規則爪甲色素線条の上に高度な爪甲変形・破壊がみられる．

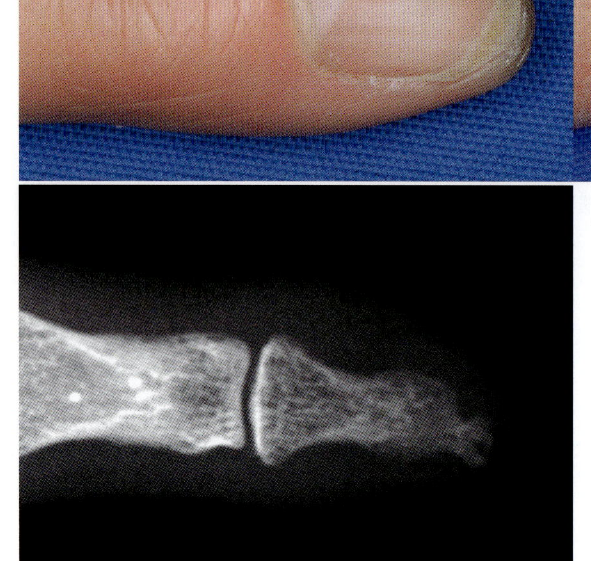

図 10

爪下外骨腫

a：臨床像．指尖ならびに爪下にかけて突出する骨様硬，有痛性結節あり．

b：単純 X 線写真．末節骨遠位端に隆起・突出する骨変形がみられる．

に Hutchinson 徴候と呼ばれる，不規則爪周囲色素沈着も特徴的な所見であり，爪周囲に不規則線条，不規則色素小点・色素小球，指趾爪下部に皮丘平行パターンを示す（図 8）．さらに高度な爪甲変形・破壊を伴うことがある（図 9）．

悪性黒色腫早期病変による爪甲色素線条と爪部色素細胞母斑や爪部メラノーシスの所見は似ているため，正しく鑑別することは難しい．そのため，

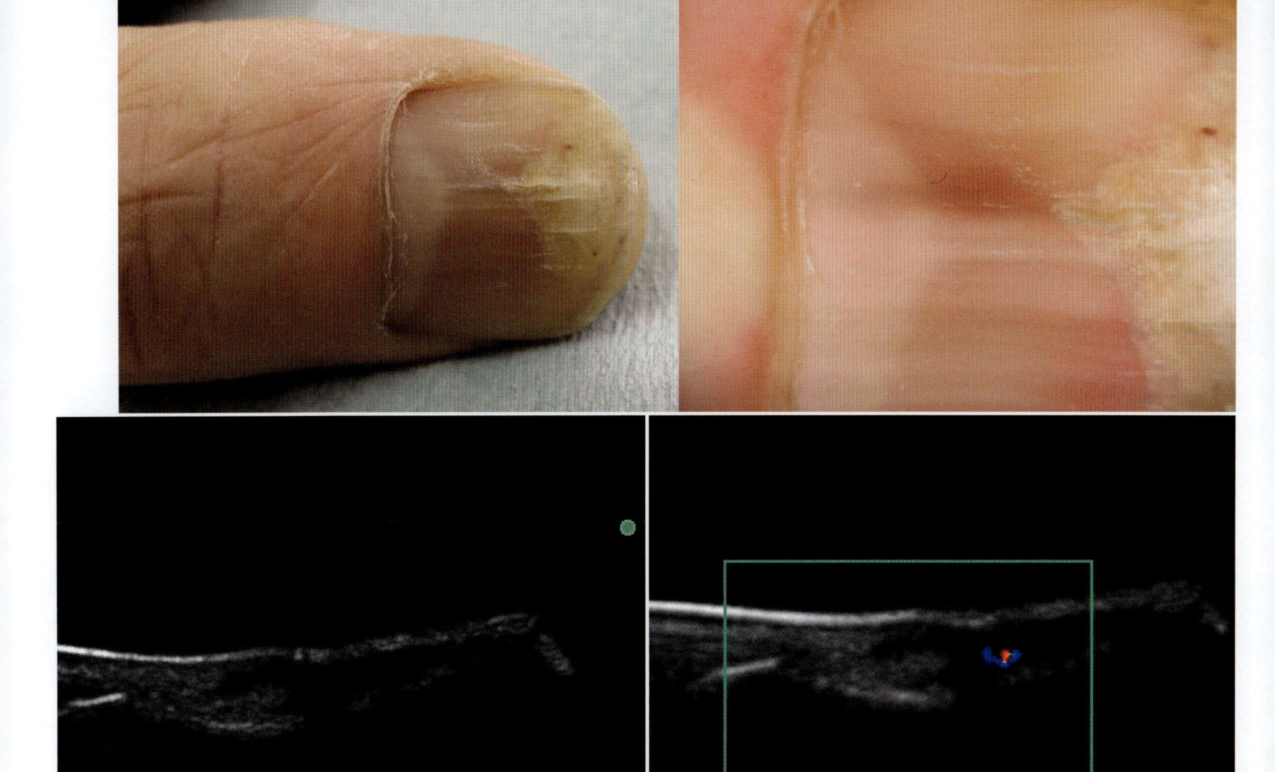

図11 グロムス腫瘍

a : 臨床像. 後爪郭から爪甲近位にかけて隆起性爪下結節があり, 遠位部には爪甲変形を伴う.
b : 超音波(Bモード). 後爪郭から爪甲近位部にかけての爪床部に低エコー輝度を示す結節がある.
c : 超音波(カラードプラ法). 低エコー輝度を示す結節近傍に強い血流を示す部分がある.

臨床経過ならびに不規則爪周囲色素沈着や爪甲変形・破壊の所見を加味して総合的に判断することが大切である.

2. 単純X線

放射線を使用する検査であるが, 骨病変を疑う場合は第一選択となる.

a) 爪下外骨腫(subungual exostosis)(図10)

爪甲下に出現した指趾骨末節由来の骨組織増生であり, 強い疼痛と爪甲変形を伴う. 肉眼的にはグロムス腫瘍との鑑別が難しいため, 単純X線による骨変形の有無を確認することが必要である.

3. 超音波

非侵襲検査であること, 診察中に簡便に施行できる, カラードプラ法による血流評価が可能であることから, 爪下占拠性病変を疑う場合はまず施行するべき検査である.

a) グロムス腫瘍(glomus tumor)(図11)

爪甲下に暗紫紅色調に透見する強い疼痛と爪甲変形を呈する良性腫瘍である. 夜間や寒冷時に発作性疼痛がみられる. 小動静脈吻合部のグロムス細胞の増殖により生じる過誤腫であるため, 画像診断では腫瘍の血流評価が重要となる. 超音波では, 爪床部に類円形で内部低エコー輝度を示す結節があり, カラードプラ法にて強い血流を呈する. MRI(MR microscopy)にて造影検査で血流を示す造影効果の有無を確認することが診断で重要となる[9].

4. MRI

腫瘤の内部性状を評価する質的診断に有用な検査である. 造影剤を使用しない場合でも信号の変

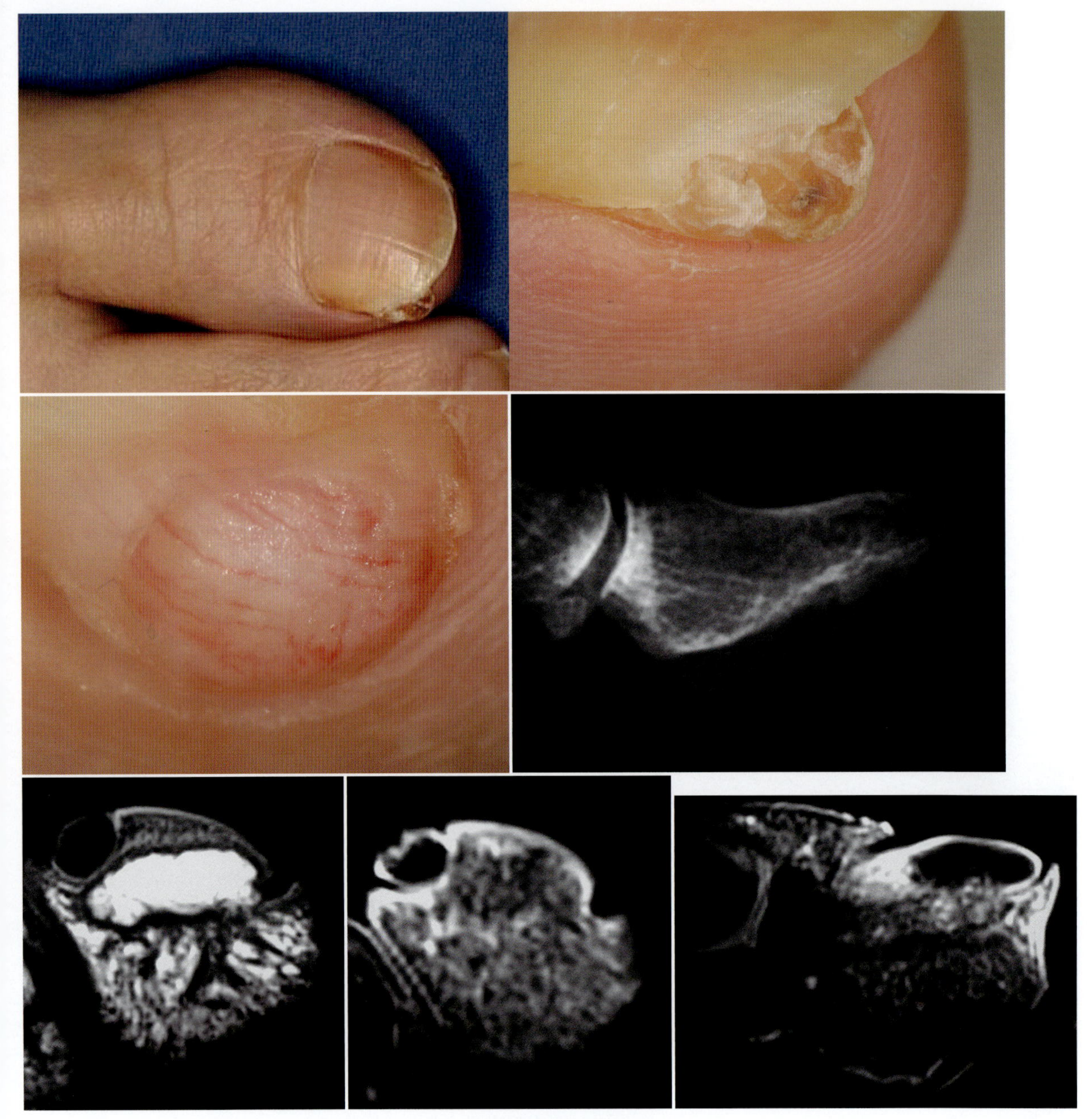

図 12　後天性指趾線維角化症

a：臨床像．母趾外側に爪甲下に白色に透見される帯状結節あり．遠位部表面は過角化している．
b：ダーモスコピー像．白色均一領域に線状血管がみられる．
c：X 線像．骨に異常所見はない．
d：MRI（T1 強調画像）．冠状断にて爪甲直下に低信号域を認める．
e：MRI（T2 強調画像）．冠状断にて爪甲直下に低信号域を認める．
f：MRI（造影後 T1 強調画像）．矢状断．造影にて内部は淡い網状の造影効果を認める．

a		
b		c
d	e	f

化によりある程度の評価が可能である．単純 X 線検査，超音波検査にて評価が難しい場合，次の選択肢として有用である．

a）後天性指趾線維角化症（acquired digital fibrokeratoma）（図 12）

指趾に好発し，爪囲あるいは爪甲下にもみられる弾性硬結節である．通常は皮膚常色であり，表面に過角化を伴うことがある．ダーモスコピーで

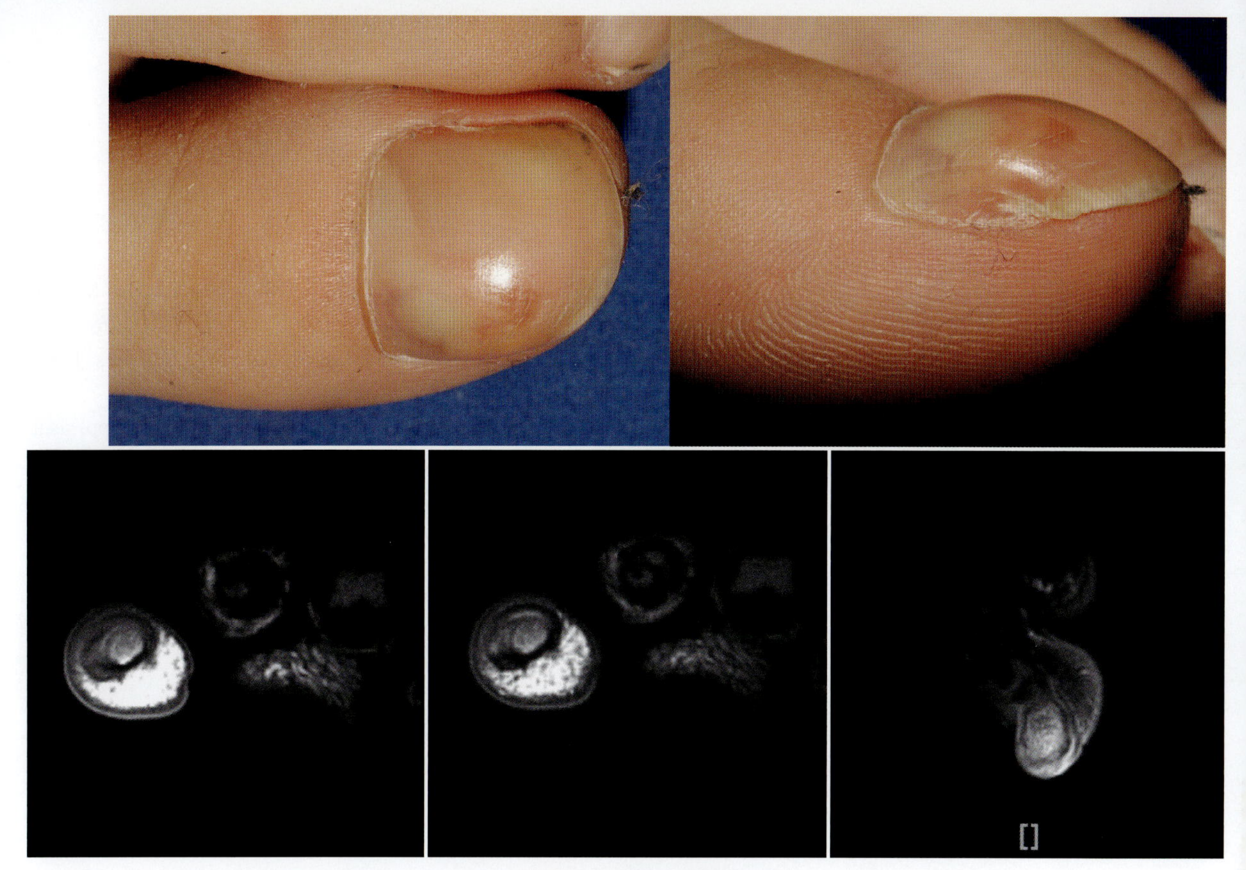

a
b|c|d

図 13　爪下外骨腫

a：臨床像．爪下に白色に透見される有痛性結節があり，爪甲を下から圧排している．
b：MRI（T1 強調画像）冠状断．末節骨から連続して突出する等信号〜軽度高信号を示す結節あり．
c：MRI（T2 強調画像）冠状断．末節骨から連続して突出する高信号結節あり．
d：MRI（造影後 T1 強調画像）矢状断．内部均一な造影効果を示す．

は白色均一領域に線状血管がみられ，病理組織学でみられる豊富な小血管を示している．爪甲下に生じた場合，MRI にて T1 強調画像，T2 強調画像とも内部に比較的均一な低信号を示す．ガドリニウム造影にて内部の淡い造影効果がわずかにみられることがある．

b）爪下外骨腫（subungual exostosis）（図 13）

MRI は，グロムス腫瘍あるいは骨軟骨腫などの骨軟部腫瘍と鑑別するために有用である．症例は爪甲下に白色に透見される結節があり，爪甲を押し上げるように圧排・変形していることから，グロムス腫瘍，骨軟骨腫なども鑑別するために MRI を施行した．MRI にて T1 強調画像では等信号〜軽度高信号，T2 強調画像で高信号を示し，造影後 T1 強調画像では均一な造影効果を示しており，爪下外骨腫と診断した．

IV　おわりに

爪部病変の画像検査は，ダーモスコピーによる爪甲の色素性・非色素性病変の評価が最も有用であり，爪甲下占拠性病変に対しては超音波と MRI が質的診断も含めて有用である[9]．ダーモスコピーや超音波検査など，診療にあたっている医師が外来時に簡便にできるものから検査していくことで，臨床症状と関連して診断することができる．適応に合わせて上手に検査していくことが重要である．

最後に画像提供を快諾していただいた東京女子医科大学東医療センター　田中　勝教授に感謝の意を表します．

（小林　憲）

文 献

1) 小林　憲：画像検査．皮膚臨床．55：1564-1575, 2013.
2) Murata Y, Kumano K：Dots and lines：a dermoscopic sign of regression of longitudinal meanonychia in children. Cutis. 90：293-296, 301, 2012.
3) 小林　憲，田中　勝：ダーモスコピーは色素性病変以外の爪部病変の診断に役立ちますか？　皮膚臨床．53：1597-1604，2011.
4) 小林　憲：爪甲色素線条．MB Derma. 208：71-76, 2013.
5) Bon-Mardion M, Poulalhon N, Balme B, et al：Ungual seborrheic keratosis. J Eur Acad Dermatol Venereol. 24：1102-1104, 2010.
6) 井上喬之，小林　憲，石崎純子ほか：右母指に生じた ungual seborrheic keratosis あるいは初期の onychomatoricoma の 1 例．皮膚病診療．33：269-272，2011.
7) Tosti A, Schneider SL, Ramirez-Quizon MN, et al：Clinical, dermoscopic, and pathologic features of onychopapilloma：A review of 47 cases. J Am Acad Dermatol. 74(3)：521-526, 2016.
8) Baran R, Kechijian P：Hutchinson's a reappraisal. J Am Acad Darmatol. 34：87-90, 1996.
9) Baek HJ, Lee SJ, Choo HJ, et al：Subungual tumors：Clinicopathologic correlation with US and MR imaging findings. Radiographics. 30：1621-1631, 2010.

I章 押さえておきたい爪の基本

【必要な検査・撮るべき画像】

10 爪疾患の写真記録について
―解説と注意点―

I はじめに(皮疹の写真撮影の意義)

今更ながらの感があるかもしれないが，始めに皮膚症状の写真記録の意義をもう一度検討しておく．症状を記録していつでも参照できるようにしておくことが，皮膚科診療の客観性を担保し，診療の質的向上の促進にどれほど貢献するかは計り知れない．それは診療を担当する医師側に資するばかりでなく，患者サイドにもメリットがある．

臨床医には診療行為を行った際に，症状，実施した検査，治療などの記録が法的に義務付けられているが，それは診療録の記載という形で規定されている．現状の把握は問診，視診，打聴診，血液検査，種々の画像検査などで行われるが，皮膚科診療の場合は，これらに加え皮疹の写真記録という手段が可能である．診療録記載についていえば，どれほど精細に皮疹を記載しようとしても，記載は用語を用いての文字記載であるため，用語に変換する際の担当医の皮疹読影というプロセスを経ていて，客観性はそれだけ値引きされることになる．写真という記録手段に主観の介入が全くないとはいえないが，それでも実際に chronological に記録した写真を並べてみると，専門医といえども診療録記載だけでは経過判断に曖昧さが残り，写真記録には敵わないと痛感させられることが多い．これは患者サイドでも同様で，いくら自身の症状であっても，自分で写真撮影でもしていない限り，数か月前の状態を正確に想起するのは至難であることから，現況との対比のため過去の臨床像を提示すると，ほとんどの患者は納得する．

皮疹を撮影記録することは診療を精緻にするばかりでなく別の効能もあり，爪白癬のように疼痛などの自覚症状の少ない疾患では，過去の皮疹を患者にときどき供覧することで，患者の診療，通院に対するモチベーションを高める効果が顕著である．また，慢性経過を辿り，長い期間経過観察しなければならない状態を有する患者で，治療による経過の評価が担当医と微妙に齟齬を生じたりする場合には，経過を経時的に示すことで患者との信頼性を醸成する効能もある．

ここで，経過を追った写真を患者本人に示すことで，治療継続のモチベーションの向上に繋がった実例を２つ供覧する．

１例目は 79 歳，男性で，治療開始時，左母趾の爪白癬が誘因となり爪下血腫が併存していた．図 1-a は初診時の状態で，主訴は母趾爪甲の色調変化だったが，鏡検で真菌を検出し，誘因となった爪白癬を治癒させないと同様のことを繰り返しやすい点を説明し，エフィナコナゾール液の外用を開始してもらった．図 1-b は８週後で近位部から正常爪甲が伸展している．さらに図 1-c に初診から半年を経た時期の状態で，先端部に爪白癬の変化が残るが，爪甲のほとんどは本来の色調を恢復した．

２例目は 57 歳，男性で，１年前から変化がみられたが他指の変化はごく軽度で，右拇指爪の変化が顕著であった．当初からドボベット® ゲルを投与して経過観察した．図 2-a は初診時の状態，右拇指爪甲に点状凹窩が多発し，鱗屑も多い．図 2-b はそれから２か月後の状況で，本人が改善していないと訴えるとおり，縦溝が著明となり，点状凹窩，鱗屑も軽快していない．そこで外用薬をタ

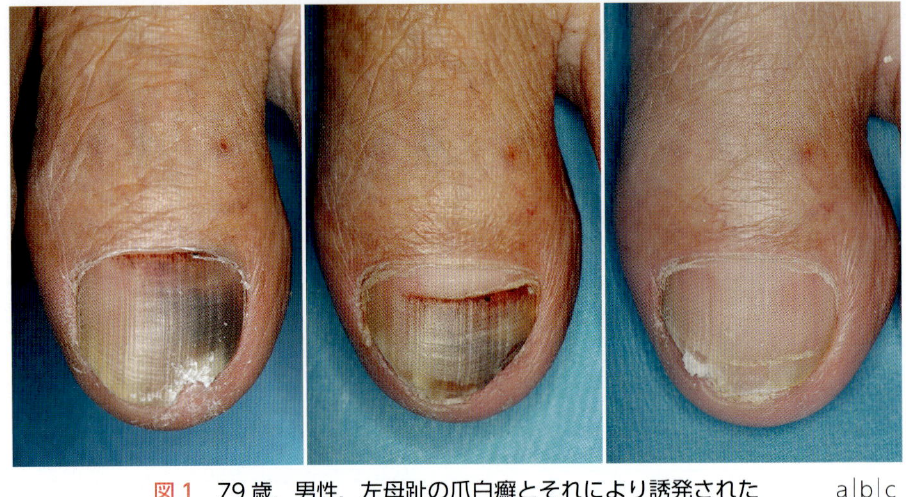

図 1　79 歳，男性．左母趾の爪白癬とそれにより誘発された爪下血腫(すべて撮影倍率は×1/1.5)　a|b|c
a：初診．エフィナコナゾール液外用治療開始時
b：8 週後．爪根部に正常爪甲が出現
c：初診から半年経過，正常爪甲が伸展

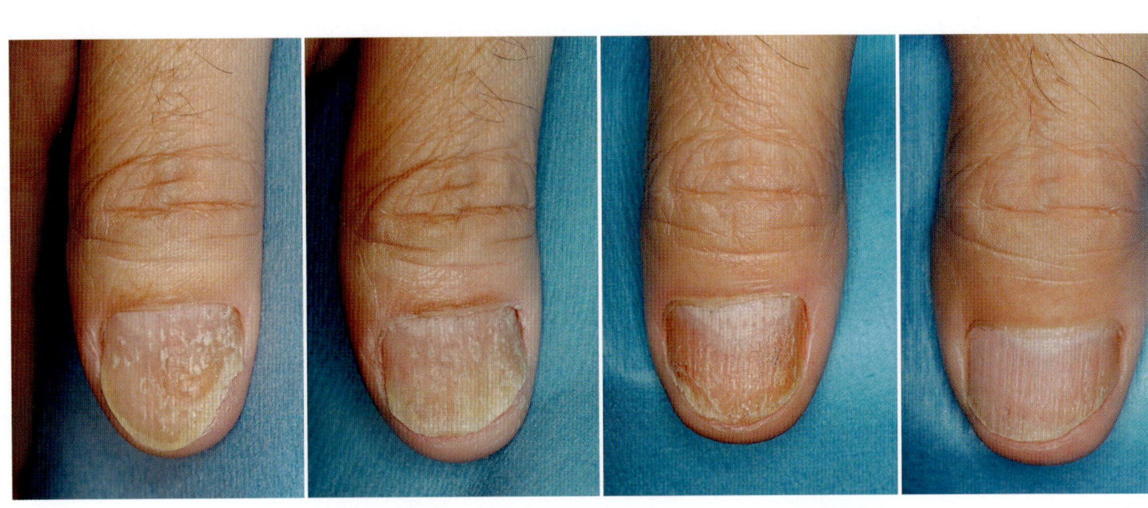

図 2　57 歳，男性．右拇指爪(すべて×1/1.5 で撮影)　a|b|c|d
a：点状凹窩，鱗屑が多発
b：ドボベット® ゲル外用開始 2 か月．あまり効果が上がっていない．
c：タクロリムス軟膏外用 7 か月の所見．爪甲は菲薄化，点状凹窩も減少していない．
d：再変更 4 か月後．縦溝は残るが点状凹窩は改善

クロリムス軟膏に変更，処方した．次の図 2-c は変更後 7 か月後の所見，爪甲はそれまでに比べ，爪甲は菲薄化し縦溝は明瞭化，鱗屑こそ減少しているが，爪半月の部分でも点状凹窩が確認できる．しかし，患者本人は従来投与された薬剤中ではタクロリムスが最も効果があり，このまま継続したいと訴えた．この時点から 4 か月後に，これら一連の経過写真を示しながら当方の解釈を説明してドボベット® ゲルに戻して経過を追ってもらった．図 2-d は再変更から 4 か月の状況で，縦溝は持続しているが点状凹窩は明瞭に減少，炎症所見が改善し爪甲は本来のピンクの色調を快復している．このような紆余曲折を経る症例では，最終的にドボベット® ゲルに再変更した後に症状の改善がみられたとはいっても，当初は同一の薬剤でも奏効しなかった時期が物語るように，直線的な症状改善をもたらしておらず，当初の病勢の強さなど薬剤効果判定には慎重でなくてはならない

点を含め，写真記録がなければ，客観的な経過判断，薬剤に対する評価も正確には困難である．

皮疹の写真撮影は大学などの研究教育機関病院や国公立病院，民間でも複数の医師を擁する病院でのみ必要な手段ではなく，むしろ医師一人で診療を継続していかなければならない診療所でも，診療行為の一翼を構成する必須の手段であるはずだが，現状では診療所を開設してしばらく経つと，写真記録をしなくなってしまう診療所担当医が多いのは残念である．

皮膚科医であれば，例外なく多数の爪白癬の症例を診療していると思われる．内服治療，外用治療ともに各薬剤の効能は感覚的には掌握されているはずである．もし日常の診療で皮疹の写真撮影をあまりしていないなら，とりあえず爪白癬にターゲットを絞って，2か月程度の間隔をおいて，なるべく多数の症例を写真記録してみることをお薦めする．半年～1年くらい続けてみて，各症例を時系列で並べてみると，写真を撮影しないで進めてきたそれまでの診療では曖昧にしかとらえられなかった状態の変化が俄かに詳細に判断できることに愕然とすると思われる．

II　爪の変化を含む皮疹の撮影にあたって留意すべき諸注意

経過判断の基準となるだけの適切な臨床写真を撮影するということは，実はそれほど簡単ではない．皮膚症状をメモ代わりにスマートフォン感覚でスナップ撮影し，事足れりとする皮膚科医が極めて多いが，それは大きな勘違いである．囲碁のレベルアップをはかるために定石の習得が必要なように，スナップ写真とは本質的に異なる皮疹記録写真では，始めに必要なルールの習得が必要である．当稿では，学会発表や雑誌投稿にも十分なレベルの写真撮影にはどんな配慮，注意が必要かを記述する．

1．機材の選択

指趾の爪部1か所をクローズアップして撮影するとなれば，一般の皮疹撮影にも増して撮影機材の選択には留意せねばならない．

現在では臨床写真撮影に銀塩フィルムを用いている施設はまずないであろうから，デジタルカメラでの撮影を前提として話を進める．デジタルカメラといっても，撮影範囲を正確に決定するための機構であるファインダーの形式から，一眼レフ，ミラーレス一眼，コンパクトカメラという3つのタイプがある．携帯電話，スマートフォンに付属する撮影機能が著しく進化した結果，コンパクトデジタルカメラの需要が減り，新製品開発は頭打ちになっているほかに，「I．皮疹の写真撮影の意義」の項で述べたような画質の写真撮影には一眼レフ，ミラーレス一眼が必要で，そこから機材を選択すべきである．

一眼レフでは，レンズから入った画像を可動ミラーで反射させ，ファインダースクリーンに結像した像をファインダーで光学的に見るのに対し，ミラーレス一眼ではミラーを省いて撮像素子に結像したデジタル画像を電子ファインダーか液晶画面で見る，という差異がある．ミラーレス一眼では一眼レフのミラーボックスが不要になった分，一眼レフ形式では限界があった小型化が一層進展した．2形式でのファインダーの見え方は微妙な差があるが，あまりこだわる必要はない．

皮疹の撮影のように接写を主体とする撮影にはマクロレンズが必要である(ニコンでは伝統的にマイクロレンズと呼称している)．一般の写真撮影レンズでは最も近接しても撮影倍率は数分の一程度が限度だが，マクロレンズなら現在ではほとんどの製品で等倍までの撮影が可能である．それと並んでマクロレンズが必要なもう1つの理由が，撮影倍率が距離調節リングに表示されている点である．皮疹撮影，また特に経時的に経過観察を行うための撮影には，撮影倍率を一定にして同条件で撮影するのが重要なので，次項で詳説する．

2．撮影倍率と撮像素子の大きさの問題

撮影倍率は被写体をどの程度の大きさとして写しとめるかということであるから，撮影範囲とフィルム，撮像素子との比率としてとらえられ

る．フィルム時代では，ライカ版の画面サイズと同じ 24×36 mm の撮影範囲を写しとめるものが 1/1＝等倍であった．実際に 24×36 mm の画面のカラースライドが得られたため撮影倍率は感覚的にわかりやすかったが，デジタルカメラでは種々の大きさの撮像素子が使われる結果，話はややこしくなった．

撮影倍率の問題をきちんと認識していると，皮膚腫瘍の摘除の際，術前に大きさの計測を失念したとしても，術前写真が撮影され，撮影倍率がわかってさえいれば，カラースライドとはフィルム原版そのものであるため，原版に写された腫瘍の大きさを実測し，それに撮影倍率の逆数を掛ければ，正確に大きさがわかるということもあった．

一眼レフ，ミラーレス一眼で用いられる撮像素子の大きさはフルサイズ，APS(advanced photo system)，フォーサーズなどがあり，例えば等倍といっても撮影範囲はカメラによって異なってくる．デジタル一眼レフが製品化され始めた初期段階では，大きいサイズの撮像素子は製作が困難で極めて高額であり，多くのメーカーがフィルム時代の標準サイズであるライカ版より一回り小型の APS サイズの撮像素子を採用したが，近年はほとんどのデジタルカメラ・メーカーでライカ版サイズの撮像素子を内蔵した製品をフルサイズ・デジタルカメラとして製品ラインナップに加えている．

フィルム時代の最後期に APS という規格の小さなカセットに入ったフィルムを用いるカメラ群があったのを覚えておられる方も多いと思う．APS は米コダック，富士フイルム，キヤノンなど有力なフィルム，カメラメーカー数社が結束して規格を制定した新写真システムであった．APS では 3 つの画面サイズが使用でき，ライカ版と同様な 3：2 の縦横比率の画面は APS-C と呼称されていたが，デジタルカメラの撮像素子はこの仕様が基本となっている．APS-C サイズは 23.6×15.8 mm が基準とはなっていても，実際のサイズは僅少差ながらメーカーによってまちまちである．例えばキヤノンの APS-C 機では 22.3×14.9 mm と多少小振りである．次いでデジタル時代に入ってから，パナソニックとオリンパスが共同で規格設定した 4/3 フォーサーズ・サイズがあり，おおむねライカ版フルサイズの半分の大きさとなっている．

フルサイズ，APS サイズ，フォーサーズの撮像素子のサイズ差はレンズ焦点距離にも影響してくる．接写のために必要なマクロレンズは一般に単焦点だから，同一メーカーであっても異なる撮像素子で別々のマクロレンズがそれぞれ準備されている．一例としてソニーのマクロレンズのラインナップをみてみると，事情がよくわかる．ソニーの一眼レフはカメラ製造から撤退したミノルタの規格を全面的に継承することで始まったため，レンズマウントは α マウントであったが，フルサイズ・ミラーレス一眼のシステム構築に際して新たに E マウントを採用した．その結果，ソニーのマクロレンズは α マウントでフルサイズ用とし 50 mm F 2.8 マクロ，100 mm F 2.8 マクロ，α マウントで APS-C 用として DT 30 mm F 2.8 マクロ，ミラーレス機 E マウント，フルサイズ用として FE 50 mm F 2.8 マクロ，E マウント，APS-C 用として E 30 mm F 3.5 マクロの実に 5 本が用意されているので，使用中のデジタルカメラの撮像素子の大きさ，レンズマウントをよく調べて適合するレンズを選択しなければならない．

α マウント，フルサイズ用に焦点距離が 2 種のレンズが準備されていて，ほかのカメラメーカー，レンズメーカーもおおむね類似した状況にある．爪疾患撮影用としては 100 mm のような長焦点が使いやすい．長焦点レンズのほうが working distance＝レンズ先端から被写体までの距離が長く取れ，特に手指 1 指の爪のクローズアップの際は明らかに使い勝手がよい．一方で半身の概観を撮影する際などは，長焦点ではかなり離れなければならず，後述するリングストロボでは光量が少ないので，カメラの ISO 感度変更を要する．

カメラ本体とレンズ双方で APS サイズ，さらにフォーサーズの製品はフルサイズ機に比して一回り小型である．3者の画質には厳密にいえば差異があるが，この数年間の画素数の増大競争の結果として，デジタル一眼やミラーレス一眼では2,000万画素超が当たり前になり，差異があるといってもA4程度のプリントサイズでは並べて比較しても実際には差異を確認できない．

このように実際上，3種の大きさの撮像素子を採用したデジタルカメラが存在するので，最大撮影倍率が等倍の撮影といっても，どの撮像素子を用いたのかによって撮影できる範囲が異なってしまう．そのため皮疹の経過を追うべく撮影倍率を一定として経時的に撮影する際は同じデジタルカメラか，少なくとも同一の大きさの撮像素子を有するカメラを用意しておかなければならない．大学病院の皮膚科教室などで，複数のデジタルカメラを備え並列使用している場合，殊にこの点に留意する必要がある．

撮影倍率の問題を長々と検討してきたが，デジタルカメラではフィルム原版のような原版実体が存在しないので，実際の画面内に倍率が何倍と表示するよりは，距離スケールを写し込んで1 cmとか10 cmとか表示するほうが妥当であろう．

しかし，撮影倍率の問題を認識し，注意を向けるべきだと説いてきたのは，個疹の性状を表出するのが目的なのか，それとも個疹の集簇離散など配列にウェイトがかかるのかなど，症例の皮疹の特質をとらえるのに，どのくらいの大きさで表現するかということが皮疹撮影の際の本質的な問題に関わるからである．炎症性疾患であれ，腫瘍性疾患であれ，疾患の時間的経過を厳密にたどり，写真記録という方法で記録し科学的に吟味するためには，この点に常に注意を払う姿勢が必須であり，この姿勢の有無で写真記録が科学的であるか，非科学的かの分かれ道になるといったら言い過ぎであろうか．

新たに撮影機材の購入を検討している施設があるなら，以上述べてきた諸事情を勘案し，現時点ではフルサイズの撮像素子のカメラを選ぶのをお薦めする．フルサイズ機が出現した当時のようにカメラだけでも百万円を優に超えた時代とは異なり，普及価格のフルサイズ・デジタル機なら十万を割り込む製品が十分入手できるようになったこと，大きく重かった機材もかなり小型化が進んだこと，皮疹撮影のレベル向上と深く関与する撮影倍率を理解しやすいなどの理由からである．

撮像素子の大きさは，カメラの使用説明書またはPR用パンフレットには必ず記載されているため，それを参照すればよいが，フルサイズ・デジタルカメラについては具体的な機種名をここでまとめてリストアップしておく．一眼レフではニコンD850，D780，D610などニコンがFXフォーマット撮像素子と表示している機種群，キヤノンではイオス5D Mark Ⅳ，5Ds，6D Mark Ⅱ，ミラーレス一眼フルサイズ機ではソニーなら*α*7 Ⅲ，*α*7S Ⅱ，ニコンではZ6，キヤノンのイオスRなど．ここにリストアップした機種は新品で入手可能な現行機種だが，既に製造が中止された先行機種も市場に残っていて，しかもかなり値引きされているため狙い目である．機能的には先行タイプでも皮疹撮影用としては十二分な機能を有し，全く問題ない．

これ以上の大きさの撮像素子を採用した，いわゆる中版デジタルカメラも市販されているが，価格も本体だけで数十万円以上となり大型であり，これらを皮疹撮影に用いる皮膚科医はいないと思うので，現実的にはフルサイズ・デジタルカメラが最大の撮像素子仕様機となる．

もう1つ，リングストロボも必須である．技術革新の結果，ISO感度を高く設定して撮影しても画質に問題がなくなり，ストロボなしでもマクロ撮影が可能となってきたが，光源の位置，状態，色温度を一定条件にするのが困難であるため，リングストロボ使用での撮影が無難である．カメラメーカーの純正製品が用意されているが，アクセサリー・メーカーの製品もある．

3. 充たすべき条件

爪の疾患の撮影の場合，まず考えておくべき問題は，病変の性格により1か所の爪の所見の写真で事足りるのか，複数の指趾の爪の所見を提示したほうがよいのか，という点である．腫瘍性の変化の場合には単発することが多いため，患部の爪の写真１枚で済むが，炎症性の爪の疾患や，先天的要因が関与する疾患では，複数の指趾に変化が出現するため，複数の患指趾が写り込んだ写真を考えなければならない．その際，すべての病変を写す必要は必ずしもなく，典型的変化と指趾によるバラツキがあるかどうかが示されていればよい．

指趾すべての爪甲に変化がみられる場合でも，漫然と手足の写真を示したのではインパクトの弱い印象しか得られず，左右対称であれば，より変化の顕著な側の写真で代行し，キャプションで左右対称性であると説明するほうがよい．

4. 撮影時の実践的注意

先の項で撮影倍率の問題を詳しく論じたのは，この問題を意識することで皮疹撮影の留意点を意識する契機となるからである．撮影時，まずカメラのピント調節のオートフォーカス機能をオフとし，マニュアルに切り替える．何故オートフォーカス機能を用いて撮影してはいけないのかといえば，それではいつまで経っても，皮膚科の臨床写真撮影上の意識が，メモ代わりの単なるスナップ写真の延長線上を超えないからである．皮疹の記録としての臨床写真は科学写真の一部であり，当然払うべき種々の注意点があり漸次それらにも触れていくが，それらはオートフォーカス撮影とは相容れない点が多い．

マクロレンズを使用し，オートフォーカスからマニュアルフォーカスに切り換えるとなると，距離リングを回して撮影倍率を選択しなければならないが，撮影倍率をどの程度に設定すべきかがわからずに迷うと思われる．しかし，とりあえずの倍率を設定し，そのまま距離リングが動かないようしっかり指で保持しながら，ファインダーを覗きつつカメラ自体を近寄らせたり離れたりしてフォーカスを合わせてみる．フォーカスを合わせるために，つい距離リングを回したくなるが，その気持ちを抑えてカメラの被写体に対する距離を変化させることでフォーカスを合わせるのが大切である．すると，多くはもう少し拡大したいとか，もう少し広い範囲にしたいとかいう場合が多いため，そこでまず撮影倍率を改変して同じ操作を繰り返す．重ねていうが，まず倍率を決定して距離リングを回し，設定してからリングを回さずカメラを動かしてフォーカスを合わせるのである．

大原も同様の方法[1)]を述べて「プロっぽい仕事」と表現しているが，こういう撮影法を提案すると，多忙な診察の間にそんな悠長なことができるものかとの反論も多く出るであろう．しかし，ともかく，こういう方式を繰り返して実施していると，撮影した皮疹の性状から，どの程度の撮影倍率が適切かの勘が醸成されてくる．やってみるとわかって頂けると思うが，写真の撮り方に配慮し，実際に臨床写真のレベルアップが達成されてくると，同時に皮疹の観察が緻密になり，臨床力がアップしてくる．始めは面倒に感じても，撮影倍率に注意して撮影するという習慣がついてくると，目的とする皮疹を有する下肢などの背景に周囲のベッドや足台など夾雑物が入った写真を撮影して平気でいるような無神経さが次第に影を潜めてきて，経過観察を必要とする症例の経時的対比も厳密な同条件での撮影が可能となって，臨床写真の質は確実にアップする．

ここで少し脇道に逸れるが，例えば多形滲出性紅斑などの写真撮影の場合を考えてみよう．その症例の特徴を１枚の写真で表現することにする．この１枚のみで表現するという条件が決定的であって，こういう条件を与えられれば，これぞ典型的という皮疹を全身から探すプロセスから入るであろう．ところが，大学病院や大病院の皮膚科での皮疹の撮影を見ていると，これとはまさに逆の状況で，皮疹観察もしないうちに機関銃のごとくやたらに多数枚の写真を撮る情景のほうが一般的である．デジタルカメラの時代になって，後から容易に消去できるため，こういう状況はさらに著しくなった．ところがこういう撮り方をした写真を後で再生してみると，帯に短し襷に長しという写真ばかりで，撮影された写真は多数あっても，本当にその症例の特質を表現している写真は1枚もないということになりかねない．もし症例報告するとなっても臨床像は1，2枚しか提示できないため，不十分ながらその中から妥協を重ねて選択することになる．

臨床写真のレベルアップの達成が臨床診断能力の質的向上に繋がるというのはまさにこういうことであって，筆者は都立病院時代から研修医に対して，発疹を解釈する能力の向上をはかりたければ，2点に留意することが重要といってきた．第一に発疹の状況を現症として可能な限り詳細に用語でカルテに記載すること，つまり皮疹を用語という言葉に置き換える作業であり，第二に殊に汎発する皮疹の症例で1枚の写真で表現するにはどうしたらよいか考えること．どちらも精緻な皮疹観察がされないとできない作業だからである．

5. 爪疾患の記録のための撮影倍率と撮影時に必要な配慮

爪疾患の場合，そもそも爪甲の大きさに個体差，年齢差，部位差があっても，爪というものが手足末端の20か所しかないうえに，おのずから大きさの範囲は限定されているので，一般の皮疹撮影の場合とは多少事情が異なる．同一の個体であっても，最も小さい小指の爪と，最も大きい母趾の爪甲とでは数倍以上の開きがある．

そういう条件を勘案しつつ，成人の爪疾患の症例で一つの目安を提示してみたい．ただし，煩雑さを避けるため，ここでいう撮影倍率はフルサイズでの場合であり，APS-Cならそれに1/1.6を，フォーサーズならそれに1/2を掛けた倍率で撮影すれば，フルサイズと同様の撮影範囲を撮影できる．

1か所の爪の全体像を表現するのに，後爪郭，側爪郭を含めた爪甲を撮影するとすれば，成人の母趾ではその倍率は1/1.5（図3），手の示指から小指なら1/1程度が適切である．図4に成人男性の環指の等倍撮影例を掲げる．なお，普通の撮影，殊にストロボを用いると，ときに爪甲表面が反射して爪甲の描写にムラを生ずることがある．こう

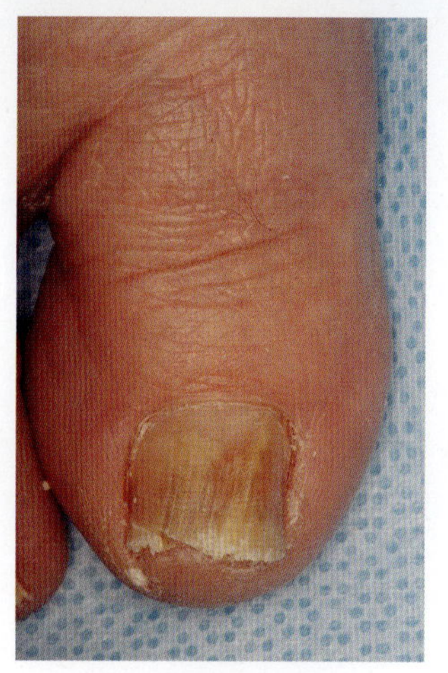

図3　75歳，女性．
右母趾爪白癬
×1/1.5で撮影

いう場合，図5に示すように偏光フィルターを用いるとテカリが除去され，さらにこの掲載写真の倍率では判然としないかもしれないが，原画では後爪郭の爪上皮に接する部位で毛細血管ループの状況が明確に表現されていることがわかる．爪下グロムス腫瘍では腫瘍の位置にもよるが，偏光フィルターの使用は術前に有用な場合がある．Dermoscopyの機器には偏光フィルターが内蔵されているから，この目的に使用できる．図6に示すのは，臨床写真に限らず，写真撮影に習熟していない撮影者の陥りやすい傾向だが，目的物に意識を集中するあまり，爪甲の位置が写真中央に配置されて指尖の先に空間が空いた写真になっている．これと同じで，数人の人物の半身の集合像を撮影すると，顔に意識が集中して画面の真ん中に顔面が配置され，天空が空いて間の抜けた写真になる．

複数の爪なら撮影倍数を落としていくが，手指全指を表現したい場合は図7のように示指から小指のPIP，DIPを屈曲させて並列させ，それに拇指爪甲を中指に接する形で添え，なるべく5指爪甲を平面に近く並べる形にする．この形の手本を皮膚科医が示してもすぐ要求通りの形が実現できる患者は少ない．緊張するあまり，指に力が入ってしまう場合が多いからである．成人では倍率1/2でぴったり収まるはずである．手指を伸展させ

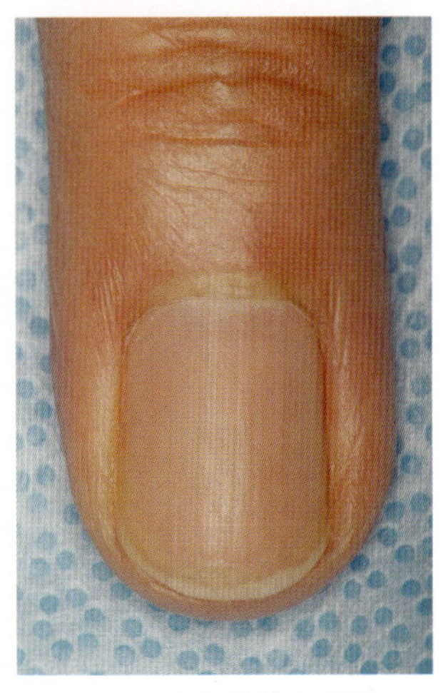

図 4　成人男性左環指
等倍撮影，リングストロボ使用

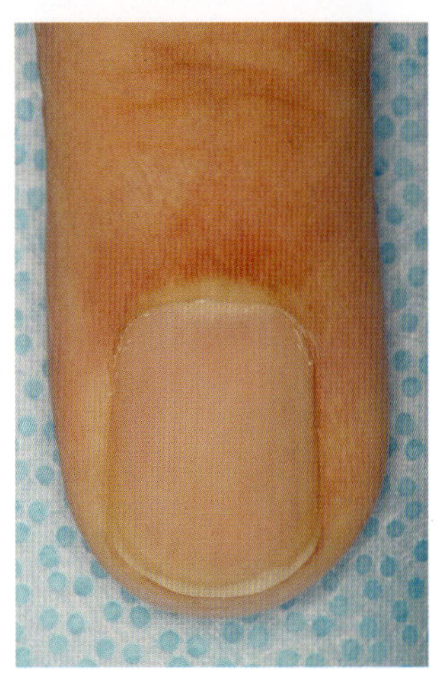

図 5　同，左環指
リングストロボ，偏光フィルター使用

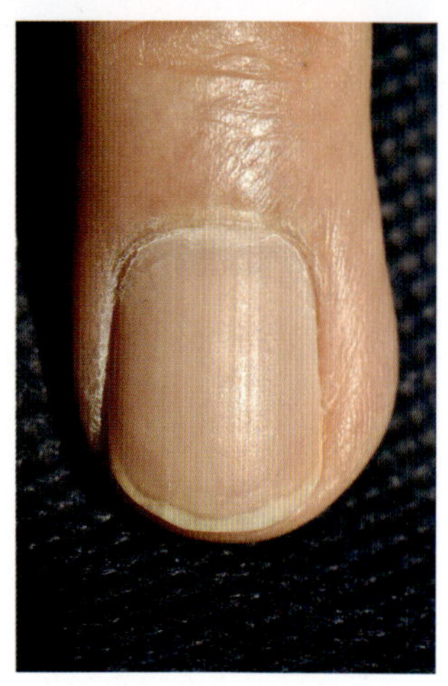

図 6　同，左環指
1 灯ストロボ，指尖の先の空間が空いている．立体感はあるが影が見苦しい．

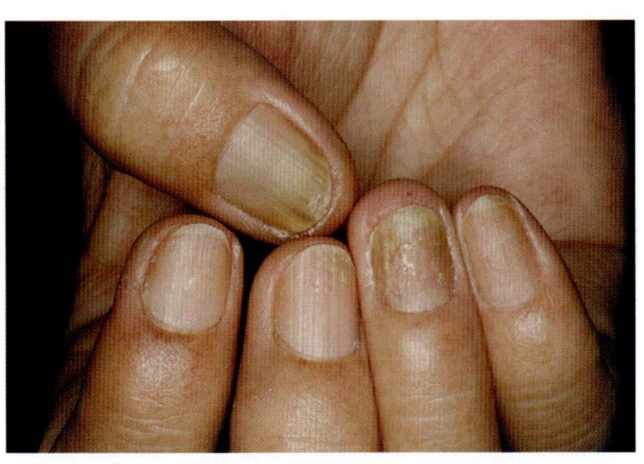

図 7　右手，爪囲湿疹に続発する爪の変化
拇指から小指の爪まで表出，×1/2 で撮影

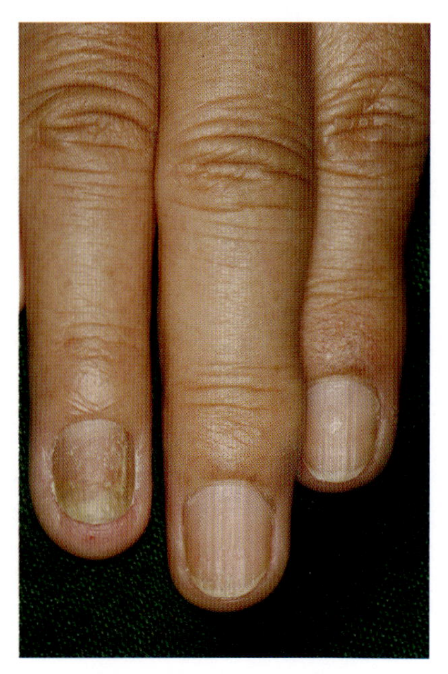

図 8　図 7 と同一の変化
指を伸展したままだと×1/2 では 3 指の爪しか入らない．

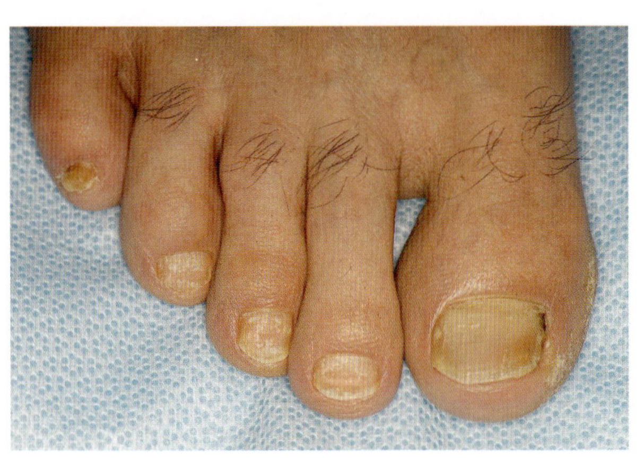

図 9　64 歳，男性．爪白癬を有する右足趾の所見
×1/3 で撮影

たままで撮影すると，図 8 のように 1/2 では 3 本の指がやっとで，5 本の指を収めるには 1/3 以下に倍率を落とさねばならない．当然，爪以外の指背側が多く写り込み，爪の変化は縮小されてしまう．足趾の場合では関節を屈曲させるのは不可であるためそのまま撮影するが，爪白癬などで全趾を表したい場合，女性では 1/2.5，男性では 1/3（図 9）が目安になる．

III 爪疾患の写真撮影についての関連文献

爪疾患の写真記録にテーマを絞って検討した文献は本書初版までなかったと思われるが，皮疹の撮影記録についてのノウハウや注意事項についてまとめられた文献は従来も散発的に発表されていたし[1)2)]，デジタルカメラ活用に主点をおいたモノグラフ[3)]や口腔領域での写真撮影についての教本[4)]も参考になる．殊に「新 口腔内写真の撮り方」と題する口腔写真の教本は対象分野を異にしていても，臨床写真の本質を完全に理解して記載されており，施設に新人の歯科医師や歯科衛生士が入ると，最初の要求は「一定の規格以上の全顎の口腔写真を3分以内で撮影する」との記載や，オートフォーカス機能を用いないで撮影すること，撮影倍率の問題など，当稿の初版以来の主張と共通していて感動を覚えた．

大原の「臨床写真の撮り方」と題してまとめられた総説[1)]は皮疹撮影に際して必要な注意点をほぼ網羅しており，皮疹撮影を始める前に必ず目を通しておくべき文献だが，この中に数か所，爪の状態，疾患を撮影する際の留意点が述べられている．

内外の爪疾患の代表的教本[5)6)]にも，爪の写真撮影についての記述に特に頁を割くものはほとんどなかったが，最近やっと参照に値する教本が現れた．Baranらの教本では第4版[6)]において，Chapter 3，Imaging the Nail Unitで写真撮影の意義が記載され，2019年の第5版[7)]ではPart Ⅱ，Imaging the Nail Unitにおいて，ダーモスコピー，エコー検査，MRI検査，生体顕微鏡検査と並びChapter 3としてNail Photographyが堂々8ページにわたって独立した章立てで登場した．爪部の写真撮影の意義，撮影機材の選択，ストロボ，撮影方法，注意点などについて微に入り細を穿って詳述されている．

（安木良博）

文献

1）大原國章：臨床写真の撮り方．J Visual Dermatol．6：792-801，2007．
2）大西誉光：術中の記録．pp. 46-51，皮膚外科学，東京：学研メディカル秀潤社，2010．
3）中村健一：臨床医のためのデジカメ活用マニュアル，東京：中山書店，2003．
4）熊谷　崇，熊谷ふじ子，鈴木昇一：新 口腔内写真の撮り方，第2版，東京：医歯薬出版，2012．
5）東　禹彦：爪 基礎から臨床まで，改訂第2版，東京：金原出版，2016．
6）Baran R, de Berker D, Holzberg M, et al ed：pp. 101-102, Baran and Dawber's Diseases of the Nails and their Management, 4th ed, Wiley-Blackwell, 2012.
7）Baran R, de Berker D, Holzberg M, et al ed：pp. 105-112, Baran and Dawber's Diseases of the Nails and their Management, 5th ed, Wiley-Blackwell, 2019.

Ⅱ章

診療の実際
—処置のコツとテクニック—

Ⅱ章 診療の実際―処置のコツとテクニック―

11 爪疾患の外用療法

診療・処置のワンポイント

- 爪疾患の外用療法は爪白癬を除くと，積極的に取り組む領域ではないとの認識が支配的である．しかし薬剤選択が適切なら，炎症性爪疾患でもかなり改善がみられる例もある．

Ⅰ はじめに

爪組織のほか毛包脂腺系，エクリン汗器官などが皮膚付属器として認識されているが，爪組織以外の皮膚付属器に特有の疾患に対しては専有的な効能を有する外用薬が開発されている．例えば脱毛症に対する外用薬，制汗作用を有する外用薬などが従来から開発され，臨床応用されてきた．殊に痤瘡については近年，外用薬の開発，実用化が相次ぎ，皮膚科医の痤瘡に対する治療手段が多様化した．

ところが爪疾患の領域においては，爪疾患を対象として開発された爪組織専用の外用薬は存在しない状況が長らく続いていた．やっと2014年９月に薬価収載されたエフィナコナゾール10％液剤（クレナフィン® 爪外用液10％），2016年春に認可されたルリコナゾール５％液剤（ルコナック® 爪外用液５％）が爪白癬用外用薬として登場し，これらが抗真菌薬ばかりでなく，爪疾患に対して専有的に開発された初めての薬剤としての地位を占めることとなった．この状況は本書の初版発行の際，本稿で既に指摘していたが，それから５年を経て今回，本書第２版発行の時点でも爪疾患専用に開発された薬剤はそれ以外登場していない（爪白癬に対する外用薬としては，海外では５％アモロルフィンと８％シクロピロクスがネイルラッカーの剤型で供給されていたが，顕著な臨床的効能は認められないとする評価が優勢で，結局，本邦への導入には至らなかった）．

爪疾患に対する外用薬剤の開発が停滞しているのは当然理由がある．その理由は以下に述べるが，皮膚疾患に対する外用療法に比して，爪疾患の外用治療には限界があるのが最大の理由である[1]．しかし爪疾患に対して外用療法を実施してみると，確かに無力感に苛まれる場面が多いのは間違いないにせよ，爪白癬以外でも外用療法が奏効する症例は確かにあるので，ここに実例を供覧しながらこの問題を検討する．

現状として抗真菌剤以外には爪疾患専用の外用薬剤リストが存在しない状況をカバーするため，必要に応じて種々の皮膚疾患用製剤を応用していかなければならない．

Ⅱ 皮膚外用薬の原理と爪疾患の外用療法の問題点[2]

我々の身体内部からみて，皮膚は外的環境に対峙するフロンティアであり，不用意に微生物や有害物質が侵入しないようにバリア機能を備えている．したがって，健常皮膚では薬剤を外用しても経皮的に浸透し難い性状が保持されているはずだが，びらんや潰瘍面では表皮の持つバリア機能が失われているので，薬剤浸透は亢進する．皮膚疾患の当該部位ではびらん，潰瘍がない場合でもバリア機能が減弱しているので，健常皮膚よりは薬剤吸収が増大しており，皮膚病変部で外用薬が奏効する可能性が期待できる．

これらの問題は狭心症に対する硝酸薬，降圧剤としてのβ遮断薬など，最近増加している内科疾患に対するテープ剤型やパッチ剤，従来から多数の製品が開発されてきた消炎鎮痛薬としてのパップ剤，テープ，軟膏，クリーム，ゲル，ローションなどを考えてみると，皮膚疾患用の外用薬とはニュアンスが異なる点に気付くと思う．皮膚疾患用の外用薬は病変当該部そのものに用い，整形外科疾患用の外用薬は筋肉痛，関節痛などの近傍に塗布，貼付するのに対し，循環器疾患に対する外用薬は，徐放性である面と，経皮吸収により肝での代謝を受けず標的組織に達するのが目的であるため，心臓付近に限定して貼付する必要はなく，仮に貼付予定部にかぶれなど皮膚病変がある場合はそこを避けて貼付するのが常識である．

ともかく，薬剤投与にあたり全身投与の場合なら当然考慮してかからなければならない諸臓器，殊に肝に対する障害の問題から解放され，目的とする部位に比較的高濃度の薬剤を直接作用させることが可能になるからである．一次刺激性接触皮膚炎を誘発せず，感作を惹起しない程度で，十分な効能を発揮する主剤の至適濃度が決定され，臨床的に供される外用薬が創製されてきた．

皮膚疾患用の外用薬は大きな発展を遂げてきたが，翻って爪疾患専用の外用薬の開発が滞っているのは，局所投与で有意な薬効を示す薬剤が開発できないからであり，その主因は堅固な爪甲の存在である．爪甲はもとより，代謝を営む生存細胞から構成されるのではなく，生物学的には死滅したハードケラチンからなっている．治療は生存細胞からなる爪母，爪床に薬剤を作用させて症状の改善をはかることを考えるが，爪床は爪甲によりプロテクトされ，爪母も後爪郭の深部で爪甲近位端の奥に存在し，両者とも容易には薬剤を奏効させ難い条件下にある．それが明らかになると，一口に爪部の疾患といっても爪母，爪床の疾患を外用薬で治療するのは困難が伴い，外用療法の奏効する対象は爪囲の疾患に限られることがわかる．

しかし，爪疾患専用薬剤の嚆矢である爪白癬外用薬の開発により，以下の事実も明らかになった．エフィナコナゾール10%含有爪外用液は，初の爪白癬の外用薬としての地位を確立した要因が，主剤のトリアゾール系薬剤の抗菌活性が強力であるという点以上に従来の薬剤に比してケラチン親和性が低く，爪甲の浸透性に優れ，爪甲深部から爪床で高い抗菌活性を示すためと説明されている．実際，海外で用いられてきたネイルラッカータイプに比して，主剤の爪甲透過が時間的にも早く，累積透過量も有意に優れている成績が示されている[3]．こういう奏効機序は従来は注目されておらず，緻密な爪甲に阻まれて爪甲深部，爪床，爪母への薬剤移行が思惑通りいかないのが爪疾患に対する薬剤開発を阻害しているとすれば，今後，抗真菌薬以外の分野でも爪甲透過性の問題は薬剤開発の重要なヒントとなり得る．

III 皮膚疾患用薬剤の応用

今回，爪真菌症の治療は本書別稿(II章12，pp. 108～114)で詳述されるので，抗爪白癬外用薬の各論的意義には本稿ではこれ以上触れず，前述したように皮膚疾患用薬剤で爪疾患に応用できる可能性のある薬剤を検討する．

1. 角質軟化薬

これに属するのはサリチル酸含有製剤，尿素含有製剤などがある．サリチル酸は角質軟化，溶解作用があり5%，10%含有のワセリン基剤で外用製剤として供給されている．踵の角化には入浴後の塗擦でも効果があるが，爪甲に作用させるためには10%サリチル酸ワセリンを爪甲に塗布し，ラップなどを用いてODT(密封療法)とする．入浴後に使用し，毎日薬剤を塗布し直してもよいが，数日間連続して実施すると爪甲の軟化が得られる．同様の目的で，サリチル酸を50%含有する硬膏であるスピール膏も，目的とする爪甲の大き

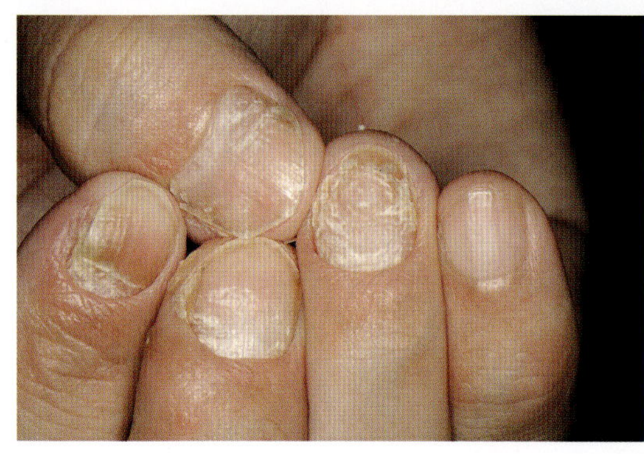
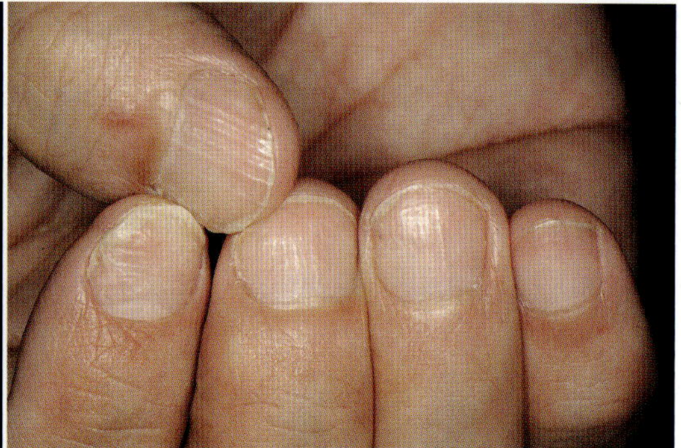

図1　34歳，男性．右手　a|b
a：両手に変化があるが，全指ではない．爪甲の dystrophic な所見と爪囲の皮膚炎に注意
b：ステロイド外用後4か月の状態

さに切って貼付し，さらに絆創膏などでズレないようにしっかり固定すれば，鶏眼などの足蹠角層に用いる際と同様，爪甲の浸軟，軟化が得られる．

しかし，外科的抜爪によらず薬剤による爪甲除去を目的とする際などは，尿素含有製剤を用いるのがよい．ただし，クリーム，ローション，ソフト軟膏の基剤で外用薬として製品化されているのは10%，20%製剤であり，それらはODTとして使用しても所期の目的を達しないので，40%尿素含有製剤を院内調剤して用いる．入浴後，目的の爪甲からはみ出さないように塗布し，ラップなどで覆い，粘着テープで固定して数日間継続し，受診してもらいラップを除去し軟化した爪甲を除去する方法である[4]．

2. ステロイド外用薬

実際の症例を図1に供覧する．34歳，男性で，もともとアトピー性皮膚炎の素因があり，手湿疹の一部として爪囲にも湿疹性変化を生じ，それが持続するうち，爪甲に dystrophic な変化が波及した症例である．図1-a に示すように右拇指から環指まで後爪郭，側爪郭の潮紅，腫脹，鱗屑などの皮膚炎があり，爪上皮が消失している．この例に対してステロイド外用薬，この場合はアンテベート®・ローションを投与して4か月後の所見を図1-b に示す．示指を除き爪上皮が回復し，爪郭の所見も改善，爪甲にはまだ凹凸不整がみられるがかなりの改善が得られた．

爪囲はともかく，爪甲に異常を認める例に対し積極的に治療を展開する皮膚科医が少ないのが現状とはいえ，かなりの治療効果を挙げる症例もあるので簡単に諦めたりせず，粘り強く治療を継続するよう勧める．

しかし，同様な病態であっても，側爪郭の改善はみられても，後爪郭の腫脹や爪上皮の再生が順調でなく，結果的に爪上皮と爪甲との間隙が閉鎖，密着に至らない例では爪甲の表面の粗糙さが改善しない．これに関しては薬剤の問題ではなく，病態が出現するのに日常の生活習慣の関与が大きく，治療開始後のネイルケア，スキンケアの実行の程度に依存する．

ステロイド主剤について適応となるのは the strongest のクラスであるクロベタゾールプロピオン酸エステルであり，それ以下のクラスのステロイド外用薬は爪疾患用としては出番が少ない．

3. タクロリムス製剤

前項「2. ステロイド外用薬」で挙げた症状や爪部の扁平苔癬など，炎症性病変に対しステロイド外用では十分な効果が挙がらない場合でも，タクロリムス製剤が有効である症例もある[5]．ステロイド外用薬は爪専用薬こそないものの，剤型が豊富で選択が可能であるが，タクロリムスは成人用として0.1%軟膏しか剤型がなく，主剤の浸透に問題を残す．単純塗布では十分な効果が得られずODTを用いるが，ローション，液剤があれば，より治療効果が上がるかもしれない．

しかし，ともかくステロイド外用で所期の治療効果が得られない場合，試してみる価値は十分あると考えられ，念頭に置いてほしい薬剤である．

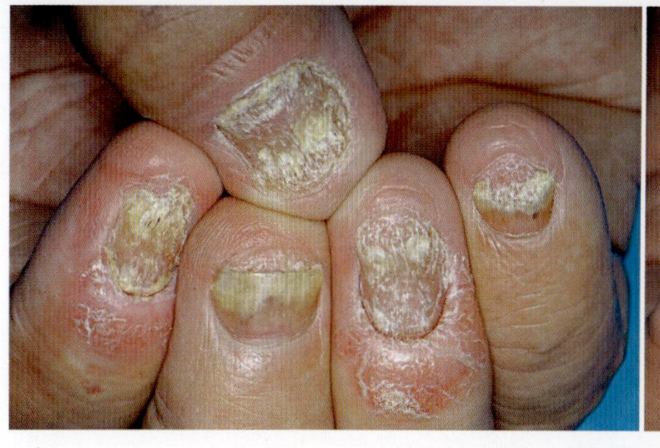
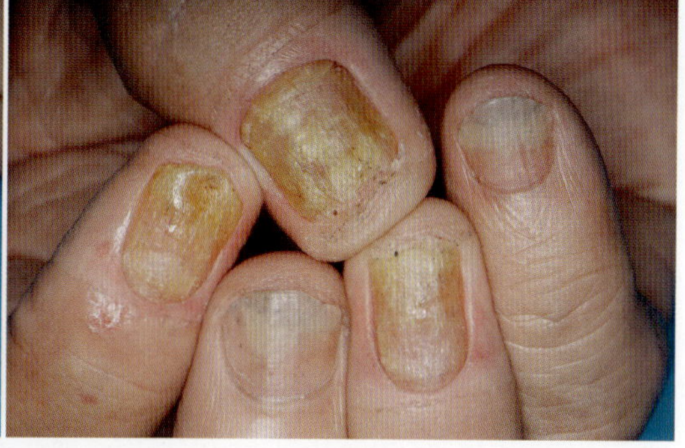

a|b **図 2　59 歳，男性．右手**
a：両手，両足に変化がある．右手では拇指，示指，環指の変化が顕著で，健常な爪甲は消失している．この時点からタクロリムス外用薬を投与
b：タクロリムス外用後，約 1 年の所見．健常とは言い難いが 3 指で爪甲が再生している．後爪郭の紅斑，鱗屑は略治

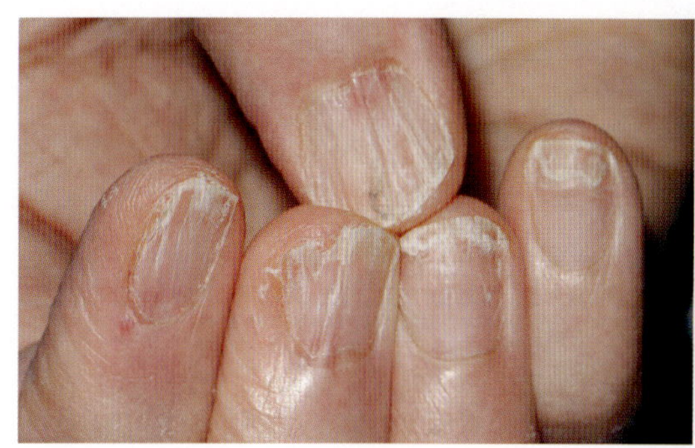
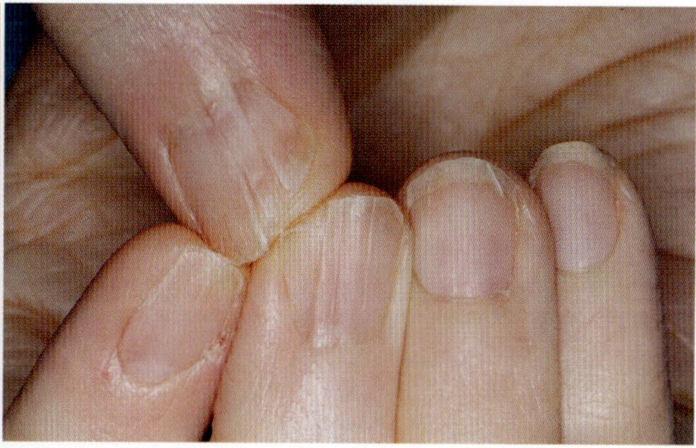

a|b **図 3　29 歳，女性**
a：Stevens-Johnson syndrome の後遺症の右手指爪の変化
b：主としてタクロリムス軟膏外用継続による 1 年後の所見

ここに図 2 として供覧する症例は十分な効果を示したとは言い難く，またかなり長期にわたる外用で漸次効果を示している例だが，難治な炎症性の爪甲疾患では短期に結論を出さず長期的展望も必要という意味もある．59 歳，男性で，爪部，爪囲以外には乾癬病変はない．アロポー稽留性肢端皮膚炎も考えたが，足趾の生検で海綿状膿疱がみられなかった点，爪囲の変化が後爪郭が主体で指趾尖，掌側にみられない点，膿疱がほとんど出現しない点などから爪部限局の乾癬と診断した．他医でのステロイド外用，および当科においても当初，the strongest のステロイド外用薬で症状の変化がなかった．次いで，タクロリムス製剤に切り替え経過観察したが，後爪郭の変化は小康を示したもの，爪部の変化はすぐには改善しなかった．後述するドボベット® ゲルが処方可能となってからドボベット® ゲルを投与し，半年間経過をみたが，それまでと較べて顕著な変化は現れず，また患者本人が今まで外用した薬剤のなかでタクロリムス製剤が一番奏効しており，このまま継続したいという意向があり，結局元に戻して現在まで 3 年間経過観察している．図 2-b に示すように爪甲に炎症が残存する徴候があるが，右拇指，示指，環指では図 2-a ではほとんど形成されていなかった爪甲が不完全とはいえ，再生している．

次に高度な SJS（Stevens-Johnson syndrome）で爪の症状が残り，当院に依頼された症例の経過を供覧する．SJS については他院での治療が成功したが，眼症状，脱毛，爪部，爪囲などの症状が遷延した．眼症状，脱毛に対しては相応の対処がなされたが，指趾の爪には特に対処がなされず，放置されていた．患者の希望により発症後半年を経た時点の 2017 年 8 月，当院に依頼された（図 3-a）．指趾全爪について爪甲の縦溝，裂隙，層板状剝離などの変化が認められた．タクロリムス軟膏を中心とした外用療法を開始したところ，2〜3か月で手指爪には改善が現れ始めた．翌年夏，後述するドボベット® ゲルが処方できるようになった以降はこの薬剤も用いてみたが，タクロリムス外用以上の改善効果はみられなかった．右拇指，中指では後爪郭，爪母に炎症が遷延した結果，翼状片を形成した(図 3-b)．

急性期には全身的薬物療法が行われていたわけだから，SJS/TEN(toxic epidermal necrolysis)で爪の脱落をみた場合には，速やかに爪部への外用薬使用を開始したほうがよい．

4. 抗菌物質含有製剤

化膿性爪囲炎や陥入爪での肉芽表面のびらんなどはありふれた状態で，扱う臨床科は多岐にわたり，日常臨床でそういう状態を如何に短期間で略治させるかという問題は切実である．ところがそういう場合，皮膚科医を含めて画一的にゲンタマイシン硫酸塩軟膏やゲーベン® クリーム貼付が採用されるケースが極めて多い．しかし，仮に別の選択肢を取ることでずっと短期間での治癒が望めるなら検討する余地があるであろう．

まずゲンタマイシン硫酸塩軟膏については，その選択理由としてこれでなくてはならないという積極的理由より，使い慣れているからとか，特に他剤を思い付かないという消極的理由が多いのではなかろうか．しかも当薬は主剤，基剤ともに問題がある．これらの疾患では起炎菌は大半が黄色ブドウ球菌であろう．殊に本邦では黄色ブドウ球菌はMSSAでも70%程度がゲンタマイシン硫酸塩に対し耐性を獲得しているとされ，選択理由の一つはこれで崩れる．次に基剤について検討すれば，ワセリンは局所での刺激感こそ少ないものの油性軟膏基剤では病変部はいつまでも湿潤していて短期間では乾燥に至らない．創傷治癒の基本はwet healingであるとはいっても滲出液が多い状態は望ましくなく，局所が乾燥して細菌にとっての生育条件が変化すれば細菌は漸次消退する．さらに無意味に連用すれば感作の問題も浮上する可能性がある．感作は決して稀ではなく，殊にゲンタマイシン硫酸塩は多数の臨床科で頻用されており，この問題はもっと注視されるべきである．ごく最近にも，相次いでゲンタマイシンによる感作例を2例経験した．2例とも湿潤した皮膚炎に対して使用したゲンタマイシン硫酸塩加ベタメサゾン吉草酸エステル軟膏が原因薬で，パッチテストではゲンタマイシン硫酸塩が陽性，ベタメサゾン吉草酸エステル単独含有軟膏ではas isで陰性であった．

次いでゲーベン® クリームについては，問題は主剤のスルファジアジン銀ではなく，基剤にある．一般的に外用薬の基剤別の適応をみると，教本ではびらん，潰瘍，膿疱などの湿潤性皮疹には乳剤性軟膏基剤は不適応としているものが多い[6)7)]．特に問題となるのはO/Wタイプの乳剤性軟膏基剤であり，このタイプは湿潤面に用いると，一旦薬剤が滲出液を吸湿した後，水分とともに界面活性剤，防腐剤などの添加物をも皮膚に再移送するとされ，却って増悪する場合がある．

西岡の外用薬についての著書では，クリーム基剤のステロイド外用薬の適応については，近年開発されたクリーム基剤では改善が進んで急性湿潤性病巣にも適応可と記載されている[8)]．FAPGクリームなどは便宜的にはクリーム基剤の項に整理されても，古典的な乳剤性軟膏とはかなり様相を異にし，プロピレングリコールと脂肪族高級アルコールからなり，界面活性剤を含まない[6)]．デルモベート® クリームやクリーム基剤の抗真菌薬に採用されていて，間擦部や趾間などの湿潤性皮疹にも適応可である．例えばデルモベート® クリームをO/Wタイプのステロイド外用薬と単純塗布して比較すると，塗擦した際の感触は異なるのがわかる．そこでゲーベン® クリームの基剤組成を調べてみるとプロピレングリコール，セタノール，ミリスチン酸イソプロピルなどから構成され，水の連続相の中の油性成分を界面活性剤で分散相としたO/Wの乳剤性軟膏とは異なる新タイプのクリーム基剤であることがわかるが，表皮が

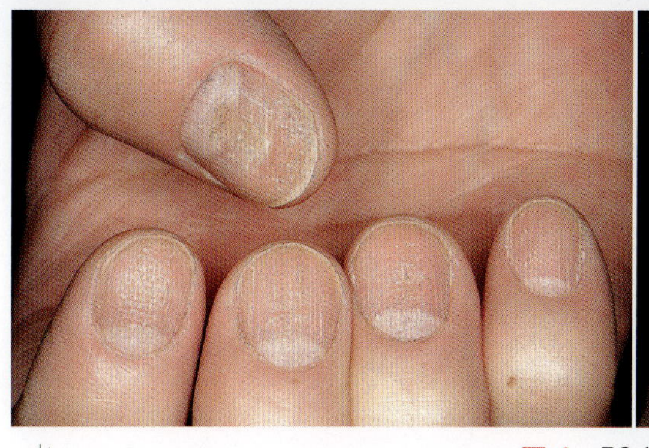
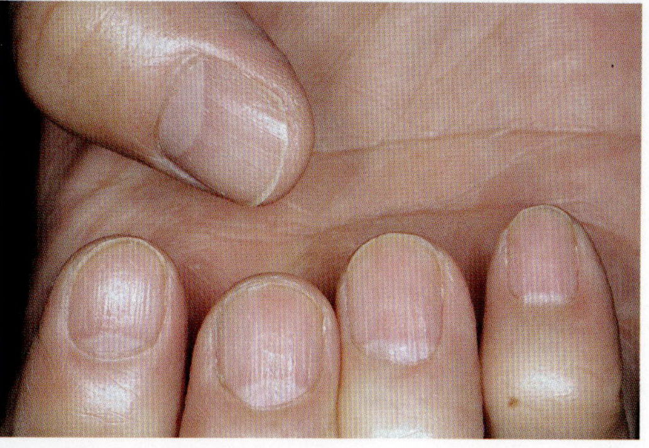

a|b **図4 52歳，男性**

a：両手全指爪甲の細かい縦溝，横溝を混ずる部位もあり，爪甲は粗糙，ステロイド外用に反応しない．

b：高濃度活性型タカルシトール含有ローション外用，1年後．縦溝はまだ残るが，爪甲表面の光沢はかなり回復

欠損するびらん，潰瘍で滲出液が極めて多い状態でもこの基剤で対応できるのか検討を要する．褥瘡や下肢潰瘍などの使用例の実際を多くみてくると，感染を伴った潰瘍面では膿性滲出液を混じてドロドロの状態を呈して，皮疹改善に繋がらないケースが多く，この基剤採用のメリットが発揮されていないと感ずる．現今，多くの臨床科で頻用されているが，基剤の再検討が必要ではないだろうか．

本書初版の当稿では，二次感染を伴うびらん，皮膚潰瘍では，テラジア・パスタを推奨した．しかし，この薬剤は2018年に製造が中止され，2019年3月に所収薬価も削除された．優れた薬効を有し，薬価も極めて安価なこうした薬剤が消えていくのは残念である．しかも製造中止の事由が臨床上の問題があったからではなく，薬価の安さに起因して中国で製造されていた主剤の供給が途絶えたためとあっては，臨床家としては納得できない．

この薬剤が優れた薬効を示したのは，もっぱら水溶性軟膏基剤であるマクロゴールの優越性に帰着する．外用薬において，いかに基剤の影響が大きいかを再認識すべきである．現今，水溶性軟膏基剤に分類されるマクロゴールを基剤とする外用薬は多くなく，皮膚潰瘍，びらんに対して適応される外用薬にはブクラデシンナトリウム(アクトシン® 軟膏)，ブロメライン(ブロメライン® 軟膏)，マクロゴールと白色ワセリンの双方を含有するアルクロキサ(アルキサ® 軟膏)があるが，これら3剤の夫々の薬剤の目的，意図は異なっており，それらをよく理解して選択することが必要である．

5. 活性型 VD_3 製剤，VD_3＋ステロイド製剤

中等症以上の乾癬では爪甲のpittingを始め，爪甲の変化を伴う患者にしばしば遭遇する．こういう状態にステロイド外用薬や活性型 VD_3 外用製剤を投与して経過観察した経験を有する皮膚科医は多いと思うが，概して否定的な結果に終わる例が多い．ところが近年の生物学的製剤の投与により難治性の爪変化が改善する症例がみられるようになった．

しかし奏効する頻度は低くとも，諦めずに炎症性の爪疾患にステロイド，プロトピック® と並び試みる価値は十分ある．図4に供覧する症例は初診時43歳の男性で，何ら格別の誘因なく，手指の爪甲の光沢，平滑性が消失し，漸次粗糙の程度が増悪したため受診した．職業は落語家で，家事も含め水仕事は多くない．左右の全手指の爪に限局し，経過を通して足趾爪甲には変化はみられなかった．他部位の乾癬，扁平苔癬の皮疹は認めず，爪囲の皮膚炎もない．真菌鏡検は爪甲，爪囲について何回か実施したが陰性であった．

この例に対してvery strong，the strongestクラスのステロイド外用薬，プロトピック® 製剤を用いたが，ほとんど状況の改善がないまま2〜3年

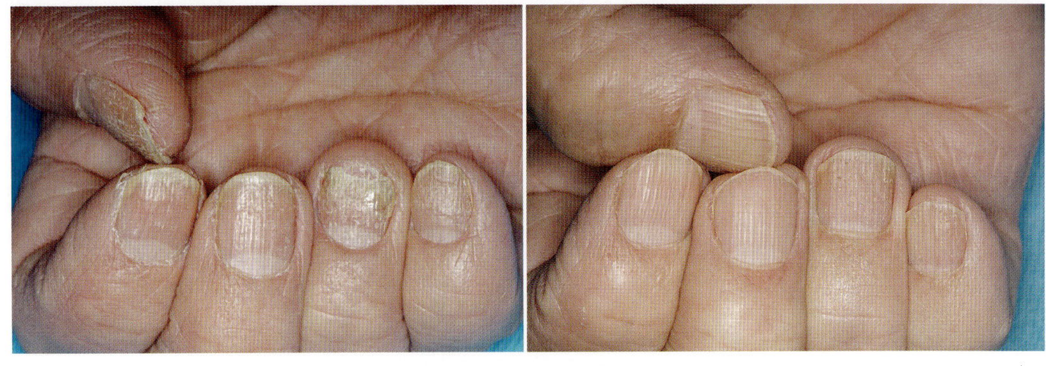

図 5　72 歳，女性　a|b

a：乾癬患者の右手指爪の所見，右環指爪の変化が高度で爪甲剥離もある.
b：ドボベット® ゲル外用半年後の状態，右環指爪には軽度の点状凹窩が残るが，顕著な改善が得られた.

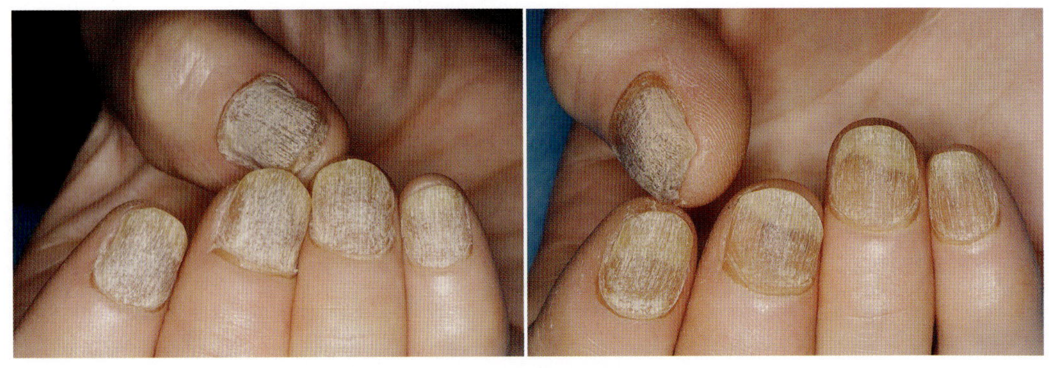

図 6　53 歳，女性　a|b

a：Twenty nail dystrophy，指趾爪甲に肥厚，高度に粗糙な爪甲表面を呈する.
b：ドボベット® ゲル外用 8 か月後の状態，改善傾向はあるが，不十分

以上経過した．52 歳時の所見を図 4-a に示す．ここでそれまでの外用薬に替えてタカルシトール水和物含有製剤のうち高濃度活性型 VD_3 製剤のローションを処方した．使用開始 3 か月頃から表面の粗糙感が改善してきた感触が得られた．図 4-b はほぼ 1 年後の所見で，爪甲にまだ細かい縦溝は残るが，ある程度光沢が回復してきた．

さらに VD_3 にステロイドを添加したカルシポトリオール水和物・ベタメサゾンジプロピオン酸エステル（ドボベット®）が開発されているが，軟膏に加えゲル製剤が 2018 年 6 月から発売された．適応外ながら十数例の炎症性爪疾患に塗布してもらい経過観察しているが，活性型 VD_3 単独含有製剤に比して，有効率がより高い感触を得ている．その症例の中から 72 歳，女性の経過を供覧する（図 5）．四肢伸側に中等度の乾癬があり，経過途中から手指爪の点状凹窩が目立ち始めた．前医では複数の外用薬を処方され，試用したが全く奏効しなかったという．右手環指の症状が高度で爪甲剥離も併存していた（図 5-a）．そこで 2019 年 1 月より，爪に対してドボベット® ゲルの塗布を開始してもらったところ，漸次改善がみられた．およそ半年後の所見を図 5-b に供覧するが，環指爪甲表面にはまだ点状凹窩がまだ残っているが軽快しており，他指爪では点状凹窩は消退した．

しかし症例が蓄積してくると，十分な効果を示さない疾患も当然あることが明らかになった．そのうちの 1 例として，図 6 に示す症例は 2019 年 10 月に初診した 53 歳，女性である．両手指の爪甲が肥厚し，縦溝，横溝があり爪表面の粗糙さが際立つ（図 6-a）．足趾爪にも同様な変化を認め，これらの変化は数年前から出始め，漸次顕著となった．Twenty nail dystrophy と診断したが，誘因となった疾患の判断がつかないまま，対症療

法としてドボベット®ゲルの塗布を開始した．図6-bは2020年6月の状態で，爪甲の表面の状況は多少の改善を示すものの効果は不十分である．なお図6-aに比して図6-bのほうが爪甲剝離が目立つ所見となっているが，初診の際に爪甲剝離がなかったというより，外用により爪甲の透見性が増した結果，目立つようになったと解釈した．その後も治療継続中である．

以上，5つの外用製剤についてそれぞれの問題点を挙げて検討したが，いずれにしても保険適用外が多いので，外用薬の現状と担当医の考え方を説明して患者の同意を取り付けておくことが必須である．

（安木良博）

文献

1）東　禹彦：爪疾患に対する外用療法．MB Derma. 184：27-33，2011.
2）安木良博：軟膏療法のポイントと外用剤の問題点．都薬雑誌．22(2)：11-19，2000.
3）竹中　基：従来の外用抗真菌薬と爪白癬専用抗真菌薬はどこが違うのか．pp. 242-247，爪白癬治療薬編，東京：メディカルレビュー社，2016.
4）堀口祐治：内服できない際の爪白癬の治療法．MB Derma. 128：9-12，2007.
5）東　禹彦：私信
6）高野正彦：軟膏基剤の適応．pp. 293-295，今日の皮膚外用剤，東京：南山堂，1981.
7）阿曽三樹：外用剤に関する一般的事項．pp. 3-7，皮膚疾患の外用療法，東京：新興医学出版社，1988.
8）西岡　清：外用薬の種類と使い方．pp. 7-37，皮膚外用薬の選び方と使い方，改訂第3版，東京：南江堂，1999.

Ⅱ章 診療の実際―処置のコツとテクニック―

12 爪真菌症の治療

診療・処置のワンポイント

- 抗真菌薬による治療に先立って真菌検査による菌の確認と，健康な爪の伸展が期待できるかの判断を行う．治療は長期にわたるためモチベーションを維持する工夫が必要である．

Ⅰ 定 義

爪真菌症は，爪甲，爪床，またはその両方に真菌が感染して生じる感染症である．爪囲に真菌感染が生じ二次的に爪甲に変形をきたしたものや，既存の爪疾患に二次的に真菌感染が生じた例を含めることがある．爪白癬は爪真菌症のうち白癬菌（皮膚糸状菌）が原因菌であるものを指す．しかし，原因菌の確定には培養が必要であること，爪真菌症の大多数が爪白癬であることが知られているため，両者は明瞭に区別されずに治療が開始される例がほとんどである．

Ⅱ 病型分類

英国で用いられている病型分類[1]が国際的によく使われ，本邦のガイドライン[2]もおおむねそれが踏襲されている．白癬菌以外の原因菌によることが判明すると，爪の症状にかかわらず菌名を付けた診断名が優先されることが多い．以下，各々の病型を略述する．

1. 遠位側縁爪甲下真菌症（distal and lateral subungual onychomycosis；DLSO）（図 1）

爪周囲の白癬病巣から菌が連続的に爪甲に進展し，爪の遊離端や側爪郭から混濁が生じる．硬い背爪は当初は侵されず，白濁部でも爪に光沢がある．症例数は最も多い．

2. 表在性白色爪真菌症（superficial white onychomycosis；SWO）（図 2）

爪背（爪甲表面）から菌が直接感染して生じる白濁で，白濁部の爪は粗糙になる．手足に拘縮があり，握り込むなどの影響で爪が十分乾燥しない状態にあると，そこへ菌が侵入する．近年，高齢者施設で施設内の集団感染が疑われた事例が報告されている[3]．この病型は白癬菌以外の菌でも起こり，色調も white に限らないことから単に superficial onycomycosis（SO）とする記載[1]がみられる．

3. 近位爪甲下爪真菌症（proximal subungual onychomycosis；PSO）（図 3）

菌が爪甲の近位部（爪母側）の爪甲下に感染し，

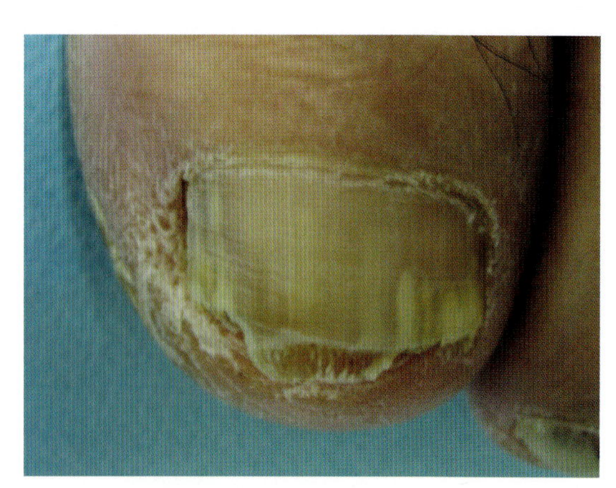

図 1　遠位側縁爪甲下真菌症（distal and lateral subungual onychomycosis；DLSO）

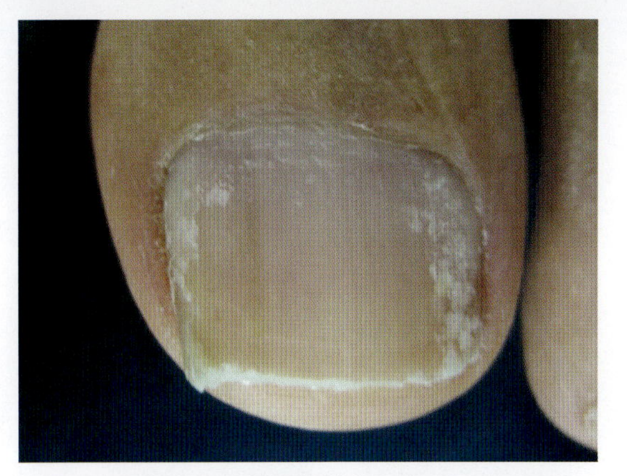

図 2　表在性白色爪真菌症(superficial white onychomycosis；SWO)

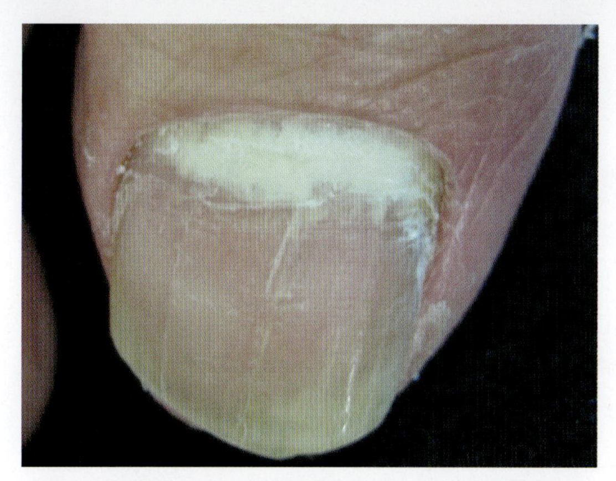

図 3　近位爪甲下爪真菌症(proximal subungual onychomycosis；PSO)

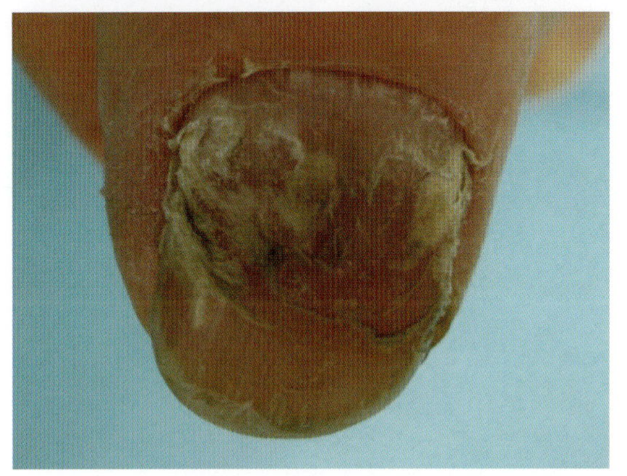

図 4　Endonyx onychomycosis(EO)
爪のほぼ全層が侵されるが肥厚はなく，表面から層状に剝離している．この例では *T. rubrum* が分離された．

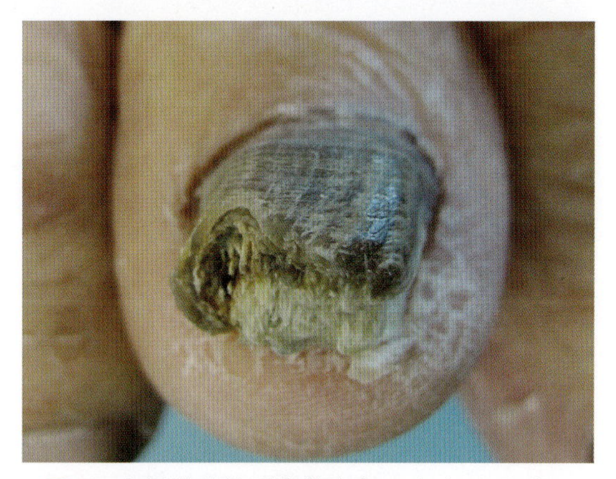

図 5　全異栄養性爪真菌症(total dystrophic onychomycosis；TDO)
病変部を削ることでほぼ爪甲は崩壊した状態になる．

徐々に遠位に白濁が進展する比較的稀な病型である．白濁部でも当初，背爪は侵されないため，光沢がある．

4. Endonyx onychomycosis(EO)(図 4)

爪のほぼ全層が侵されるが，爪甲の肥厚がみられないことが多い．菌種では毛内性寄生菌で生じうるとされ[1]，本邦では *Trichophyton tonsurans*, *T. rubrum*, *T. violaceum* による爪白癬にこのような病型を示すものがあると予想される．全層性爪真菌症と訳される[2)4)]．

5. 全異栄養性爪真菌症(total dystrophic onychomycosis；TDO)(図 5)

以上で述べてきた病型の最終形態で，爪甲全層に感染が至り，爪甲が崩壊したものである．TDO に分類される爪の多くは，爪切りの際に崩壊した，あるいは変形部分を削ったなどの人為的な修飾の結果とされる[5)]．

6. その他

以上の複数の型が 1 つの爪に混在することがあり，mixed pattern と呼ばれる．また線状，楔状，帯状に白濁部が爪甲内に入り込んだ DLSO のなかには病変内に菌の塊が形成される dermatophytoma[6)7)] を伴うものがある(図 6)．Dermatophytoma は治療の効果が十分でないことがあり，これまで内服治療に抵抗した爪白癬のなかには dermatophytoma が含まれていたとの報告がある[6)7)]．

7. カンジダ性爪真菌症(candidial onychomycosis)

Candida 属真菌による爪病変であり，カンジダ性爪囲炎に伴って生じる二次的な変化であるカン

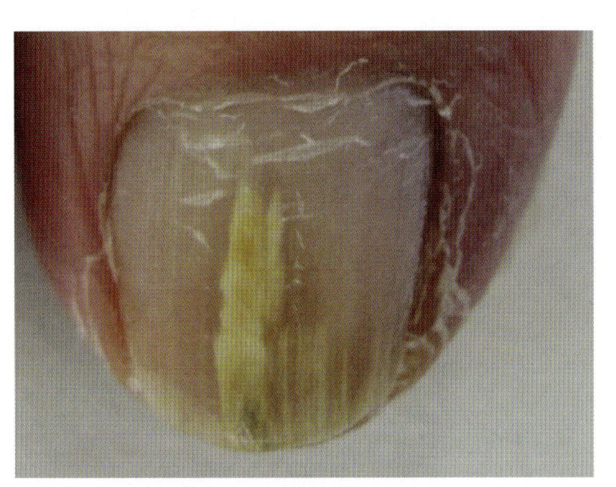

図6　Dermatophytoma
DLSO にみえるが爪甲内に菌塊を認めた（図10参照）.

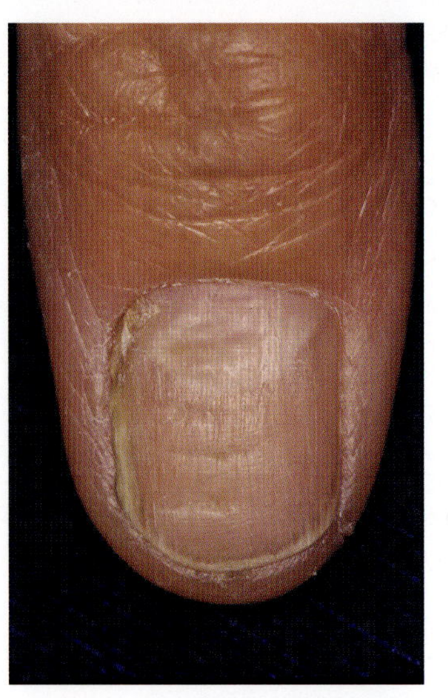

図7　カンジダ性爪囲爪炎
カンジダ性爪囲炎に続発して爪に横溝がみられる．KOH検鏡で酵母と少量の菌糸が認められた．
（北村清隆博士例）

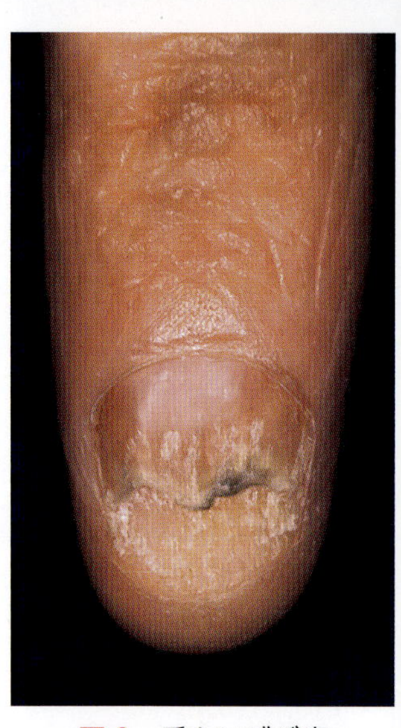

図8　爪カンジダ症
Candida 属真菌による爪実質の感染．KOH 検鏡で爪内に菌糸が認められた．
（北村清隆博士例）

ジダ性爪囲爪炎（図7）と，爪実質への寄生で生じる爪カンジダ症に分けられる（図8）．前者は水仕事や調理などに携わる中年の女性の手爪に好発し，横溝や，後爪郭の腫脹した部分に酵母状の菌要素を認める．後者も手指に好発するが爪囲炎は明らかでなく，爪は混濁し，波打つように変形し，爪甲剝離をきたす．爪の肥厚は軽度である．寄生形態は菌糸状で KOH 直接検鏡では白癬菌との鑑別は困難である[8]．膠原病や移植のレシピエントなど免疫不全を基礎に発症する．

Ⅲ　爪真菌症の診断法

爪の変色や変形をきたす疾患には爪真菌症のほか，掌蹠膿疱症，尋常性乾癬，扁平苔癬，厚硬爪甲，爪下腫瘍など多くが知られている．これらは臨床的に類似しており，また爪真菌症との合併もあることから，確定診断には真菌検査が必要である．真菌検査は KOH 直接検鏡と真菌培養が主であるが，いずれも検体の質が結果を左右する．DLSO や TDO では病巣でも爪床に近い，また健常部に近い部分が検査に適する．硬い部分を除き，変性した柔らかい部分を選び，さらに細切，粉砕したものを用いる．SWO では白濁した爪の表面をメスの刃などで薄く削る．直接検鏡は十分に溶解しないと偽陰性になることが多く，これを回避する工夫としてエッペンドルフチューブ内で KOH 溶液に数時間浸漬して十分溶解したものを検鏡する[9]ことがすすめられる．またSWOでは菌糸より胞子連鎖（図9）が特徴的に観察され，dermatophytoma では多量の菌要素の集塊が観察される（図10）．

真菌培養が実施される件数は近年減少しているが，厳密には白癬菌群の感染のみが爪白癬であり，他の菌によるものは爪真菌症であっても爪白癬ではないため，菌種の確認はなお意義が大きい．培養により原因菌種が確定すれば菌名が病名に反映される．

菌種によってある程度は臨床的な特徴がある（表1）[10]．特に爪囲炎の存在，周囲の白癬様の病巣がないこと，手爪のみの病変は白癬菌以外の菌の関与を示すものである．カンジダ性爪囲爪炎は水使いの多い女性の手爪に好発し，しばしば爪囲炎を伴う．*Aspergillus* 属による爪病変は強い痛みを伴う手爪の単発性の病変を示すことが多く，瘭疽に似た臨床像を示す．*Acremonium* 属では足爪に単発し，縦方向に帯状の混濁を示すことが多

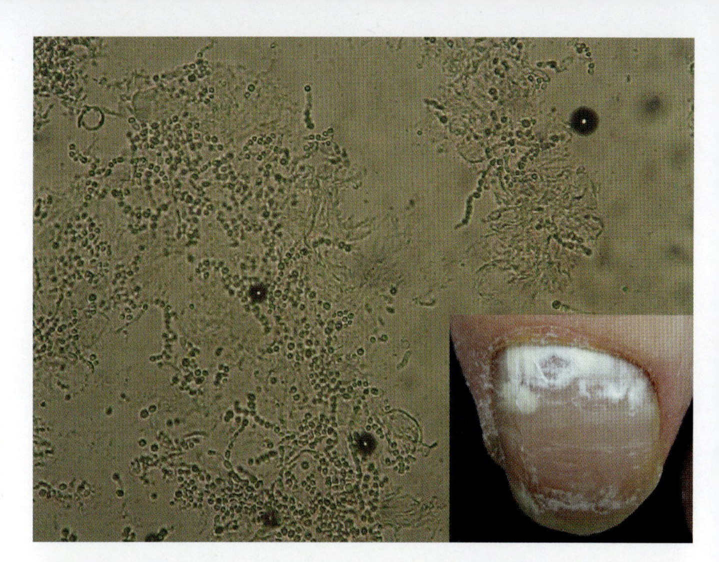

図 9
表在性白色爪真菌症の KOH 検鏡所見
表面をメスで削ぎ取って検鏡したところ，胞子（分節分生子）の連鎖が認められた．

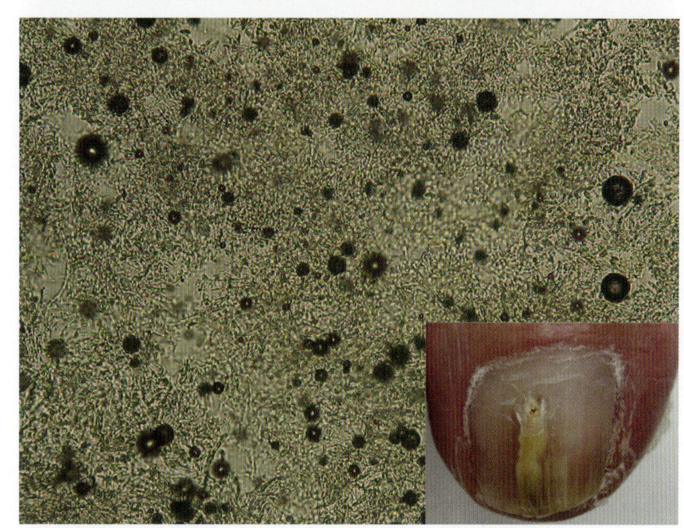

図 10
Dermatophytoma の KOH 検鏡所見
図 6 の爪甲の白濁部を開窓し，変性した爪を掻き出して検鏡したところ，菌塊が認められた．

表 1　菌種別の爪真菌症

原因菌種	主な病型，臨床像	爪囲炎	好発部位	備　考
Acremonium 属	DLSO，deep SWO 爪の中心に縦に白色線状，白帯	なし	趾爪	KOH 法で菌糸と胞子連鎖
Aspergillus 属	PSO，DLSO，deep SWO ときに爪表面が粗糙に	あり（強い）	趾爪 手指の外傷	KOH 法で頂嚢をみる例も
Fusarium 属	PSO，DLSO，deep SWO 黄白色	あり～なし	特に 1 趾爪 女性	KOH 法で太い菌糸と胞子
Scopulariopsis 属	DLSO，PSO 黄色調，爪全体に拡がる	あり～なし	特に 1 趾爪	爪白癬との合併あり KOH 法で胞子連鎖
Scytalidium 属	DLSO 黄色～褐色	なし	足	東南アジアに多い 足白癬様皮疹を合併
Candida 属	カンジダ性爪囲炎：横溝，凹凸不整 爪カンジダ症：角質増殖，崩壊，色素沈着	あり なし～あり	手指　女性 手指　女性	KOH 法で酵母状菌要素の集塊 KOH 法で菌糸
白癬菌群	DLSO，SWO，PSO，TDO （Dermatophytoma：楔状の混濁，白～黄褐色	なし なし	足 足	 KOH 法で胞子の集塊）

DLSO：distal and lateral subungual onychomycosis，SWO：superficial white onychomycosis，
PSO：proximal subungual onychomycosis，TDO：total dystrophic onychomycosis

（文献 10 より引用，筆者作成）

い．その他，*Fusarium* 属，*Scopulariopsis* 属真菌による爪真菌症が知られ，これを合わせると爪真菌症全体の1.45～17.6％を占めると報告され[11]，本邦でも低くない頻度で発生しているとされる[4]．真菌培養はクロラムフェニコール添加サブロー(クロマイサブロー)培地またはマイコセル® 培地(クロマイサブロー培地に抗菌剤シクロヘキシミドを添加したもの)の斜面または平板を用いる．マイコセル® 培地は白癬やカンジダ症に頻用されるが，*Aspergillus* 属，*Fusarium* 属などの発育を抑制する．

Ⅳ 治　療

治療に先立って真菌検査を行い，診断を確定することが繰り返し強調されている[4]．爪白癬はADLの障害としては手指の作業，足では歩行，起立の障害，運動の障害を起こし，また爪囲炎や二次感染から，ときに生命の危機に見舞われる可能性があること，またQOLが低下すること，さらに感染症としてみると，爪は菌のリザーバーとして自分自身あるいは他人への感染の起点になり得ること[4]より，積極的に治療を行いたい．

1．爪白癬

爪白癬治療は，経口抗真菌薬の3剤と外用薬2剤が保険適用を有する．2019年に策定された皮膚真菌症診療ガイドライン[2]で推奨度をみると，内服3剤がいずれもA(強く使用を勧める)となった．外用2剤は経口抗真菌薬に比べ完全治癒率が低いため，いずれもB(使用を勧める)とされた[2]．両者の使い分けでは，外用薬は内服ができない場合には有用であるが，重症例に対する有用性はまだ確認されていない．一方，外用薬は全身的な副作用がないのでSWOや軽症～中等症のDLSO[2]，あるいは楔型の混濁を示している型では効果が期待でき，dermatophytomaに対するエフィナコナゾールの効果も報告されている[12]．ガイドライン上では中等症以上のDLSO，PSOやTDOで，特に肥厚が強い例では経口抗真菌薬での治療が望ましい[2]とされている．難治化の要因として重症例，爪に合併疾患がある場合，爪母や爪床への永続的損傷を伴う外傷や年齢が挙げられている[4,13]．重症化の目安として，2 mmを超える爪の肥厚，爪母に至る病変，爪の表面積の50％を超えるもの，両足から手にも病変が及ぶ例が挙げられる．合併疾患では糖尿病が治癒の遅延，高い再発率にかかわり，菌種では白癬菌によらない爪真菌症が挙げられている[4,13]．白癬菌によらない爪真菌症の治療については後に述べる．

a)内服療法

(1)テルビナフィン125 mg/日を連日6か月内服する．定期的に血液検査を行う．併用注意薬としてシクロスポリン，シメチジンなどがある．

(2)イトラコナゾール400 mg/日，3サイクルのパルス療法(1週間投与後3週間休薬)が行われる．多くの併用禁忌薬，併用注意薬があるので注意する．後発品の品質は必ずしも先発品と同等とはいえない[2]ことが知られている．

(3)ホスラブコナゾール100 mg/日を12週間連日内服する．血液検査は義務付けられてはいないが，肝機能障害を生じることがあるので肝機能検査を行う[2]．

b)外用療法

(1)エフィナコナゾール爪外用液1日

(2)ルリコナゾール爪外用液1日

ともに，直接検鏡または真菌培養などにより爪白癬と確定診断された患者に保険適用を有する．1日1回罹患した爪に塗布し，周辺の皮膚に付着した薬剤は拭き取る．効果は緩やかで，通常，長期間の外用を要する．

c)その他の治療法

難治性の爪真菌症に対し，外用薬の効果を高める補助療法として，尿素軟膏密封療法による爪甲除去，外科的抜爪術が行われることがある[2]．保険適用外ではあるが，Nd:YAGレーザーや光線療法を用いた治療の報告がある[14]．抜爪術は爪甲に変形を残すことがあるため注意を要する．Dermatophytomaでは内服または外用療法と同時に，白濁部を機械的に切削，開窓[7]し，空洞内の変性した爪と菌の塊をできるだけ除去する．外部からはDLSOやTDOの病巣内にdermatophytomaが形成されているか判定しにくいため，治癒が遅いと感じられた際は治療を兼ねて病爪の切削，開窓を試みる．

2. カンジダ性爪囲爪炎・爪カンジダ症

爪周囲の清潔と乾燥を心がけ，湿潤環境を改善する．カンジダ性爪囲爪炎では抗*Candida*作用のある外用剤を爪甲，爪囲に外用する．カンジダ性爪囲炎の改善に伴って爪病変も漸次改善する．改善が乏しく，再発する場合はイトラコナゾール100 mg/日を連日内服する[15]．テルビナフィンの内服も保険適用であるが，イトラコナゾールのほうが有用性が高い[2]．イトラコナゾールのパルス療法，爪白癬用の外用液は爪中濃度や抗菌スペクトラムから有用性が期待されるものの保険適用にはなっていない．

3. 非白癬性非カンジダ性爪真菌症 (non-dermatophytic, non-candidial onychomycosis, ND onychomycosis)

*Aspergillus*属や*Acremonium*属によるものは治療を兼ねて一部でも爪甲を除去すると，これを契機に改善に向かい，多くは外用抗真菌剤のみで治癒する．*Scopulariopsis*属による爪真菌症はITCZやTBF内服の効果が期待できる．一方，*Fusarium*属，*Scedosporium*属による爪真菌症は難治であり，イトラコナゾール，テルビナフィン，フルコナゾールの内服に反応しない例が多く，抜爪術やボリコナゾールの経口投与が行われることがある．保険適用ではないが，抗菌活性からは爪白癬用外用剤による効果がある程度期待できる．

V 診療全体を通じて

治療開始2～3か月経過しても少しも良好な爪の再生が認められない際は，真菌症としての診断が間違っていないか，先に述べた難治化や重症化の要因[4,13]がないかを確認する．もとより爪が伸展しない限り改善は望めないので，その爪が伸びているかの見立ては治療継続にあたって重要である．

爪真菌症の治療期間は内服で3～6か月，外用では1年と長期間にわたる．患者のモチベーションの維持も皮膚科医の責務の1つであろう．まず治療開始に先立って，各治療法のメリット・リスクをよく説明し，今後の予測とゴールの共有を行っておく．治療が開始されれば改善の状況の客観化(写真撮影や計測など)を行い，難治の爪の早期発見と積極的な病変部の切削など併用治療の提案を行うことでモチベーションの維持をはかる．治療終了後も再燃，再発の際には早期の追加治療が必要であることもあらかじめ説明しておく必要がある．

(望月　隆)

文献

1) Hay RJ, Ashbee HR：Onychomycosis caused by dermatophytes. Griffiths C, et al. eds. p.32, pp.47-49, Rook's Textbook of Dermatology, 9th ed. West Sussex, UK：Wiley-Blackwell, 2016.
2) 望月　隆，坪井良治，五十棲　健ほか：日本皮膚科学会皮膚真菌症診療ガイドライン2019．日皮会誌．129：2639-2673，2019.
3) Watanabe S, Anzawa K, Mochizuki T：High prevalence of superficial white onychomycosis by *Trichophyton interdigitale* in a Japanese nursing home with a geriatric hospital. Mycoses. 60：634-637, 2017.
4) 原田敬之：爪白癬．Med Mycol J．52：77-95, 2011.
5) 東　禹彦：爪部の感染症．pp.126-148，爪 基礎から臨床まで，改訂第2版，東京：金原出版，2016.
6) Roberts DT, Evans EVG：Subungual dermatophytoma complicated dermatophyte onychomycosis. Br J Dermatol. 138：189-190, 1998.
7) Bennett D, Rubin AI：Dermatophytoma：a clinicopathologic entity important for dermatologists and dermatopathologists to identify. Int J Dermatol. 52：1285-1287, 2013.
8) 渡辺晋一：カンジダ症．玉置邦彦総編集．pp.236-257，最新皮膚科学大系14 細菌・真菌性疾患，東京：中山書店，2003.
9) Ishida H, Noriki S：Novel detection technique of dermatophytes：Tube method. J Dermatol. 46：e445-e446, 2019.
10) 望月　隆：白癬以外の爪真菌症 とくに爪カンジダ症との鑑別．常深祐一郎，宮地良樹編．pp.114-121，ファーマナビゲーター 爪白癬治療薬編，東京：メディカルレビュー社，2016.
11) Tosti A, Piraccini BM, Lorenzi S：Onychomycosis caused by nondermatophytic molds：clinical features and response to treatment of 59 cases. J Am Acad Dermatol. 42：217-224, 2000.
12) Wang C, Cantrell W, Canavan T, et al：Successful treatment of dermatophytomas in 19 patients using efinaconazole 10% solution. Skin Appendage Disord. 5：304-308, 2019.
13) Lipner SR, Scher RK：Onychomycosis treatment and prevention of recurrence. J Am Acad Dermatol. 80：853-867, 2019.
14) 木村有太子，須賀　康：わが国における爪白癬のレーザー治療．Med Mycol J. 59：J45-J49, 2018.
15) 東　禹彦：爪カンジダ症とカンジダ性爪周囲炎．古江増隆，望月　隆編．pp.156-158，皮膚科臨床アセット 4 皮膚真菌症を究める，東京：中山書店，2011.

13 爪部外傷の対処および手術による再建

診療・処置のワンポイント

- 爪は爪母から出て，爪床とともに末梢へ伸長する．したがって，爪母が残っていれば爪床のみを再建すればよく，爪母がなければ爪母自体の移植が必要となる．

Ⅰ はじめに

手足の爪損傷は日常診療で多く遭遇する疾患である．手足指は高度な人間生活では欠くことのできない部位であるため，その不都合は日常生活に多大な制限や支障をもたらす．ここでは爪の外傷による損傷で，日常診療で多く経験するものについて述べる．

Ⅱ 爪の解剖と爪が生える仕組み

爪自体が伸長しているのではない．爪は後爪郭に隠れて末節骨骨膜上にある爪母から爪床とともに生まれ，爪床の上に乗ってベルトコンベアーのように指先へと伸長する(図1)．爪床は重層扁平上皮であるが，爪母から押し出される新しい爪床によって指先に移動して，やがて指尖部で自然に消失する(vanishing point)．通常の末梢へ伸びる厚い爪の大部分は爪母から作られるが，爪母が欠損した場合は，先へは伸びない薄い膜のような爪が爪床から産生される．

Ⅲ 外来でできる処置

1. 爪下血腫

爪下血腫は激しい痛みを伴い，放置すると爪の変形を起こすことがある．したがって，早期に血腫の除去を行う必要があるが，まずは末節に骨折がないかをX線で確認しなければならない．骨折が確認されれば整復固定が必要となるが，骨折を伴う場合は後述する爪根脱臼を伴うことが多く，仮に骨折があったとしても転位のない線状骨折であることが多い．

血腫を除去するには，爪に穴を開けるのがよい．抜爪は爪の変形をきたすので行わない．細い事務用クリップの先端を熱して血腫の上の爪甲に当てて穴を開ければ血腫は容易に排出され，その瞬間に疼痛は消失する[1]．

2. 爪根脱臼

爪根脱臼の多くは末節骨の掌側転位骨折を伴い，爪根が後爪郭の上に被さるように脱臼する．

このような場合は，爪床損傷部を細い吸収性縫合糸でできる限り丁寧に縫合してから，爪根を後爪郭下に戻して整復し，爪甲と後爪郭との間に水平マットレス縫合をかけて(Schiller法，図2)，小さく丸めたガーゼなどで枕縫合を行う[2)~4)]．この操作により転位していた末節骨骨折は自動的に整復される(図3)．指尖から18 G針のような鋼線で簡易的に骨折を固定してもよいし，シーネなどの外固定でもよい．

3. 小範囲の爪床欠損

指尖部の擦過傷などに伴って範囲の小さな爪床

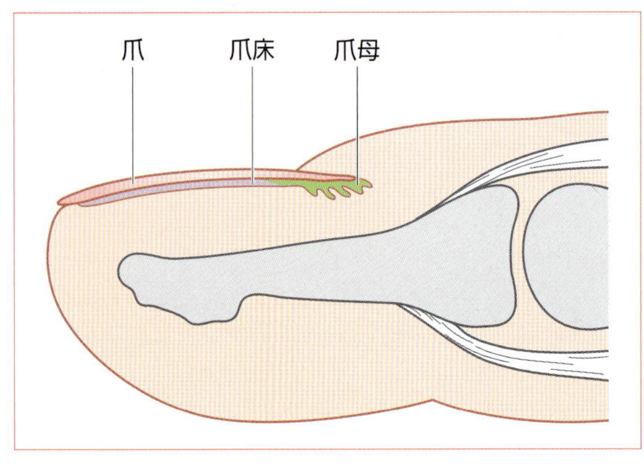

図 1　爪の解剖と名称

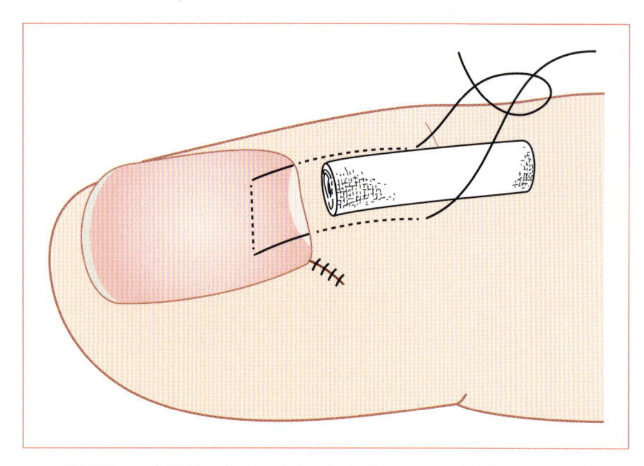

図 2　爪根脱臼に対する Schiller 法のシェーマ

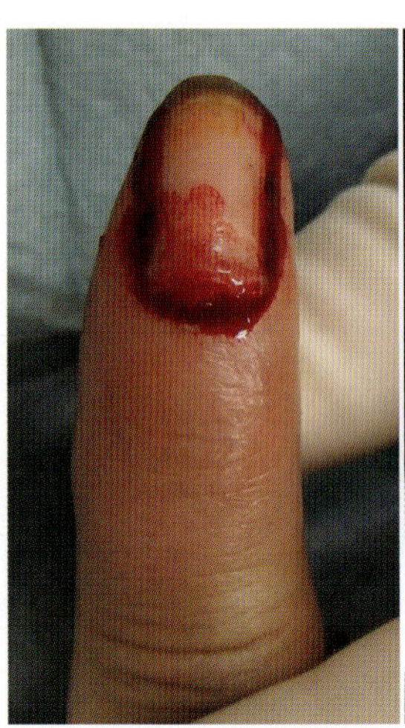
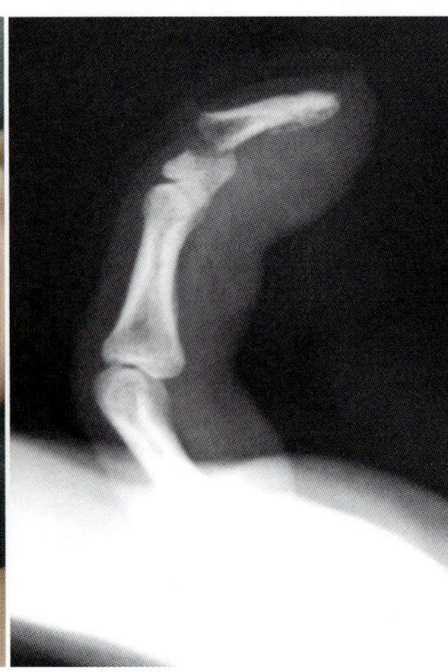
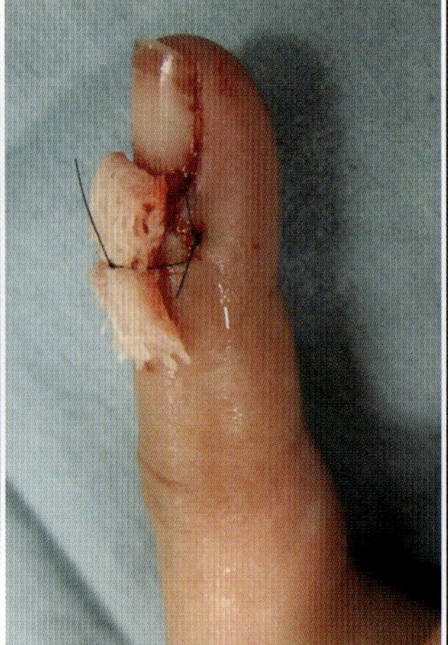
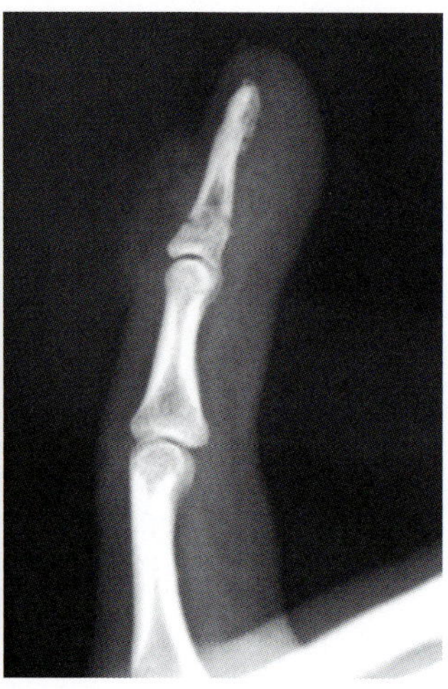

図 3　爪根脱臼例　a|b|c|d

a：受傷時
b：末節骨の骨折を伴う.
c：Schiller 法による脱臼の整復後
d：爪が整復されれば自然に末節骨も整復される. この後は指尖から鋼線で骨を固定してもよいし, シーネなどの外固定を行ってもよい.

欠損をみる場合は, 爪欠損部に人工真皮を貼付するだけで爪は再生されることが多い[5]. 特に, 周囲に正常な爪床が残存している状態での小さな爪床欠損には有用である. 爪床欠損部を覆うように人工真皮を貼付して, 1 週間後に保護シリコン膜を除去する. 爪の成長とともに爪床も再生し, 移動してきた新しい爪床によって創は閉鎖する. それに伴い爪も新生爪に置き換わる(図 4).

Ⅳ　手　術

1. 爪床移植

爪床欠損が爪幅の半分以上あったり, 周囲に健全な爪床がないような部分の欠損の場合は人工真皮による再生だけでは不十分なことが多い. そのような場合は, 母趾からの爪床の分層(中間層)植皮が有用である[6)〜8)].

爪床採取にあたっては, 母趾中央の爪だけを短冊状に剝離翻転する. 爪床の中央部から必要な量の爪床を採取するが, 必ず周囲に健全な爪床が残るように爪中央から採取することと, 厚めの分層(中間層)で採取することである. 爪床の下には薄く脂肪層があり, その下にはさらに骨膜がある. この骨膜まで傷つけなければ爪床は再生するので, 逆に薄くなり過ぎないように注意する. 採取後は爪を戻してテーピングで固定する. 傷ついた爪床が露出していなければ強い痛みは出ないの

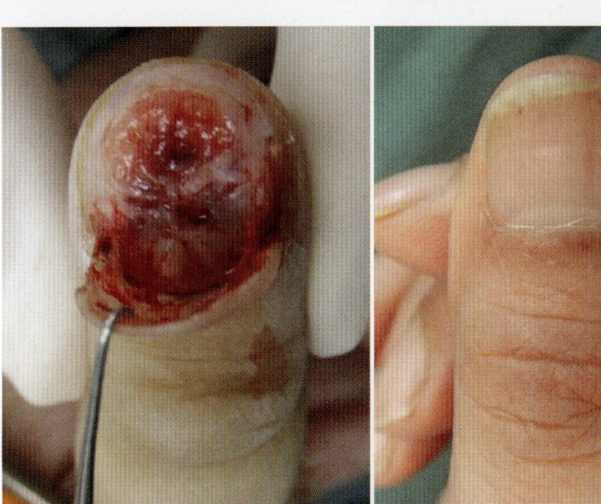

a|b

図 4
爪床の小範囲欠損例
a：周囲に健常な爪床の残存を確認できる．この後，人工真皮を貼付した．
b：変形なく再生した爪の状態

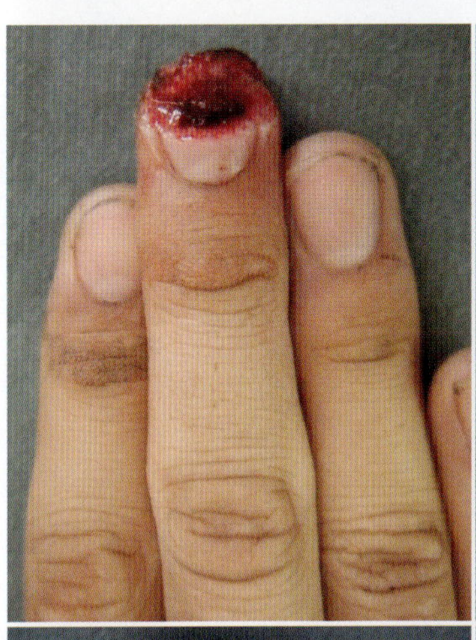
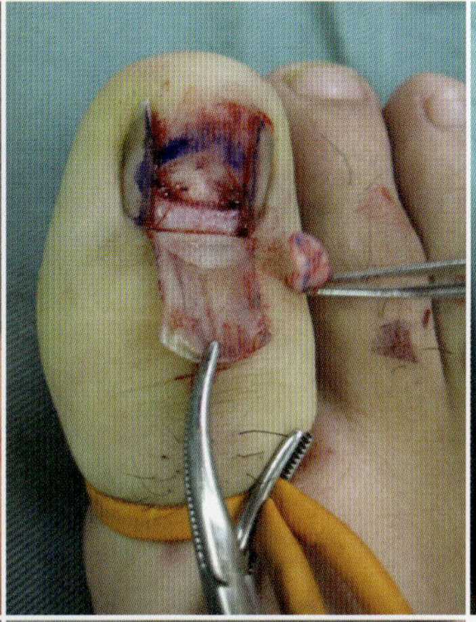
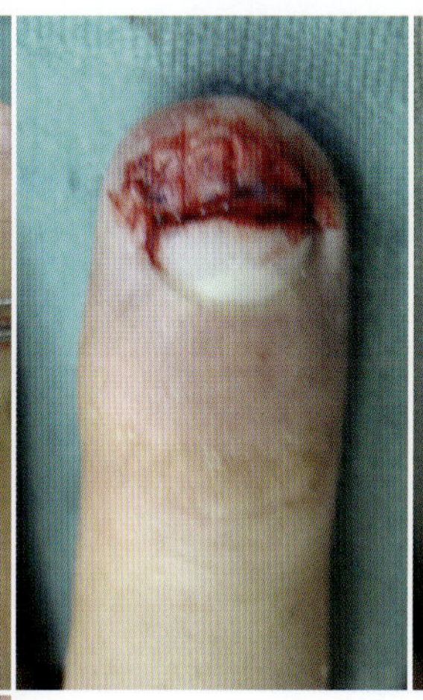
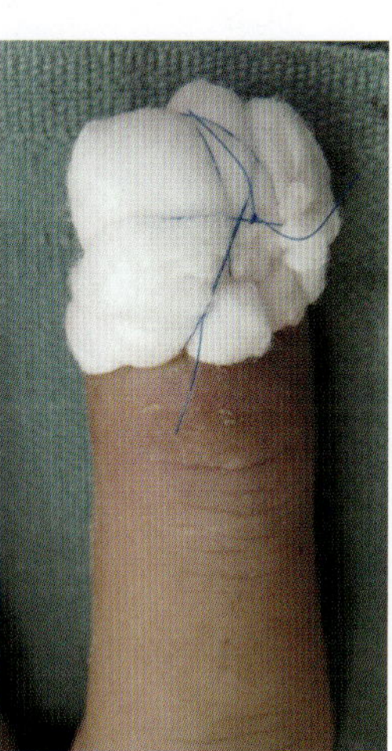
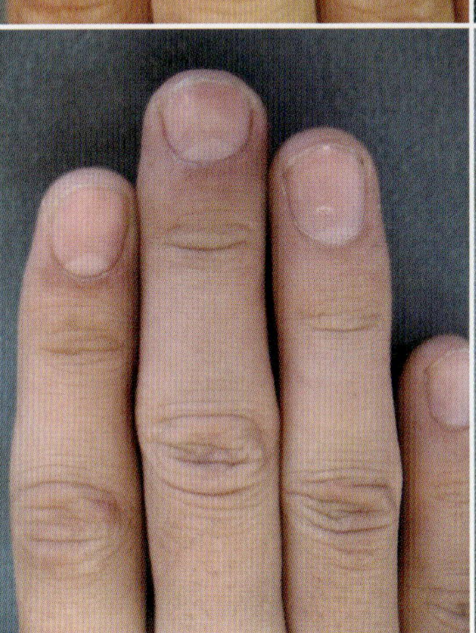
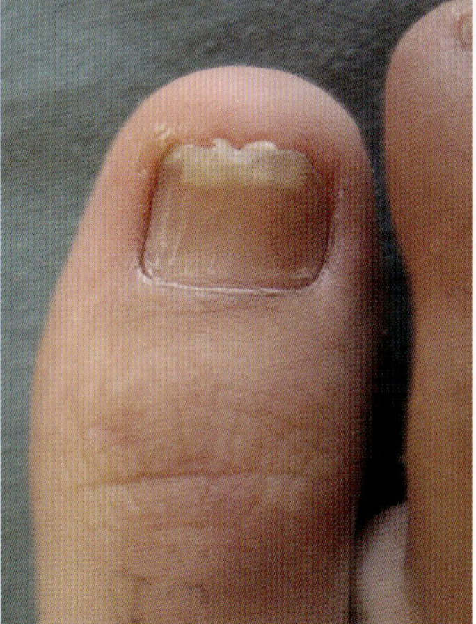

a|b|c|d
e|f

図 5
爪床レベルでの切断例
a：爪床の欠損がある．
b：母趾の爪を短冊状に切って翻転し爪床を露出させる．爪床中央から中間層の爪床を採取する．爪は戻してテーピング固定する．
c：採取した趾の爪床を指の爪床欠損部に植皮して吸収性の縫合糸で固定する．
d：綿球によるタイオーバー圧迫固定を行う．
e：再建した指の爪の状態
f：再生した趾の爪の状態

（文献 7 より引用）

で，爪を戻して保護すれば問題ない．

採取した爪床はその方向は関係なく移植でき，植皮の要領で縫合固定すればよいが，縫合糸は細い吸収性の糸を用いる．乾綿球でタイオーバー圧迫固定を行う（図 5-a～d）．移植された爪床は一旦生着するが，爪の成長とともに痂皮化して剥がれ落ちる．採取部も移植床も爪が完全に生え変わるには約 6 か月を要する（図 5-e，f）．

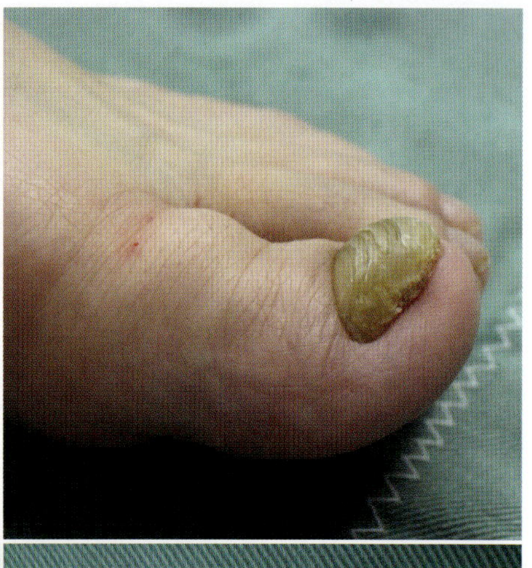

a
b c d

図 6
肥厚した爪変形症例
a：度重なる外傷により肥厚変形した趾爪
b：後爪郭を翻転して爪母を露出させてから骨膜までを含めて爪母を完全に切除する.
c：後爪郭を戻して縫合する.
d：爪床から再生した薄い爪

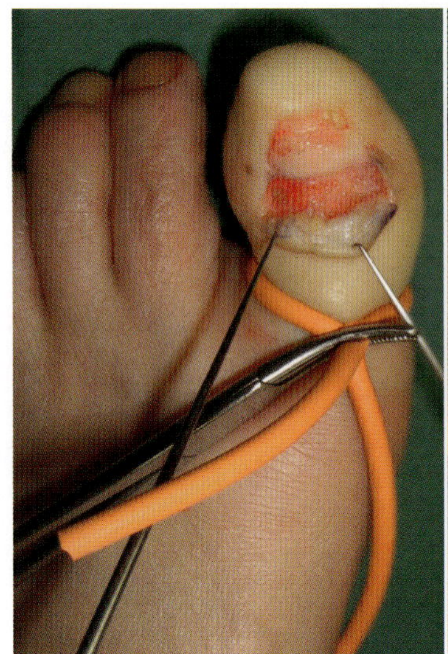

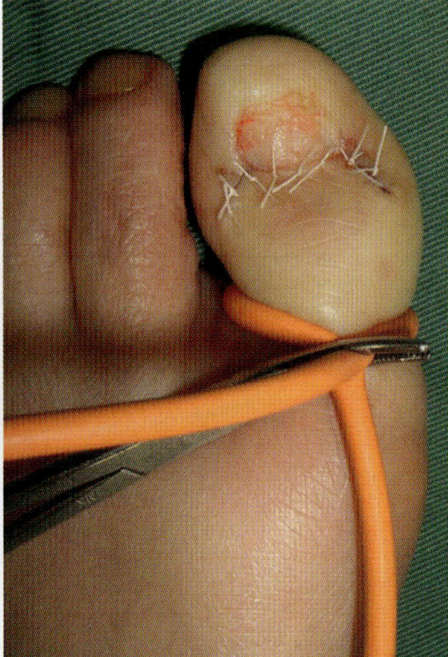

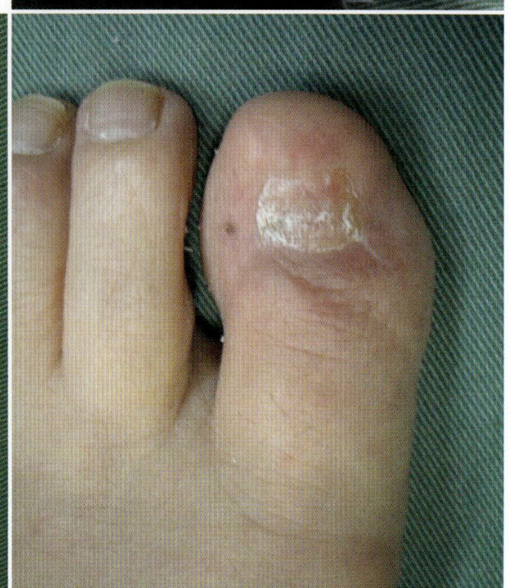

2. 肥厚した変形爪の処置

巻き爪や陥入爪だけでなく，足趾爪に繰り返し圧迫や軽微な外傷が継続して加わると，爪の異常な肥厚が起こることがある（図 6-a）．肥厚した爪は靴に当たったり周囲の皮膚に食い込んだりして疼痛の原因となる．このような場合には抜爪をしただけでは問題の解決にならない．前述したように伸びる爪の大部分は爪母から出るが，伸びない膜のように薄い爪は爪床から出てくる．整容的にはこの薄い爪で十分であり，皮膚に食い込むこともなく日常生活の支障も少ない．

手技としては，まず，肥厚した爪は抜爪して，後爪郭を切開して翻転し爪母を完全に露出させる．爪母に当たる部分の骨膜を含めて完全に切除する（図 6-b）．後爪郭を戻して縫合して創を閉鎖する（図 6-c）．爪母を切除すれば厚い爪は再生されず，爪床からの薄い爪だけが再生されるが末梢へ伸びることはなく，痛みのない整容的に優れた足趾の爪となる（図 6-d）．

3. 爪床部での指尖部切断に対する graft-on flap 法

爪床部での切断では，まずは血管吻合できるかどうかが検討されねばならない[9]．血管吻合には末梢過ぎるなどの理由で再接着が選択できない場合（図 7-a）は，血管吻合を用いない再接着を行う．それは，指尖掌側は局所皮弁で再建して，その背側に切断指から採取した骨付き爪床を植皮するという方法であり[10]，graft-on flap と呼ばれている[11)〜15]．指尖掌側は血行の良好な皮弁（V-Y 前進皮弁，指動脈皮弁，逆行性指動脈皮弁など）で再建する（図 7-b）．皮弁背側に植皮する爪床は救急の場では切断指から採取した骨付き爪床である

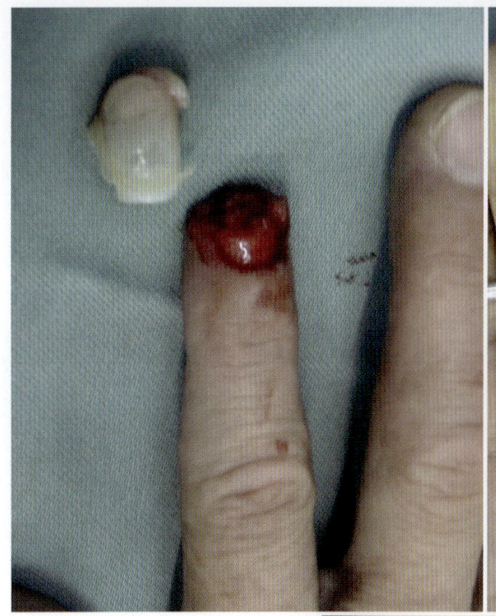
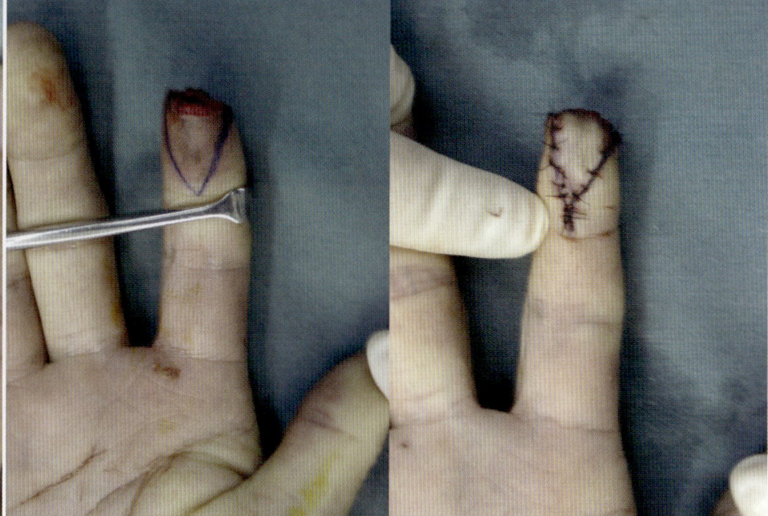
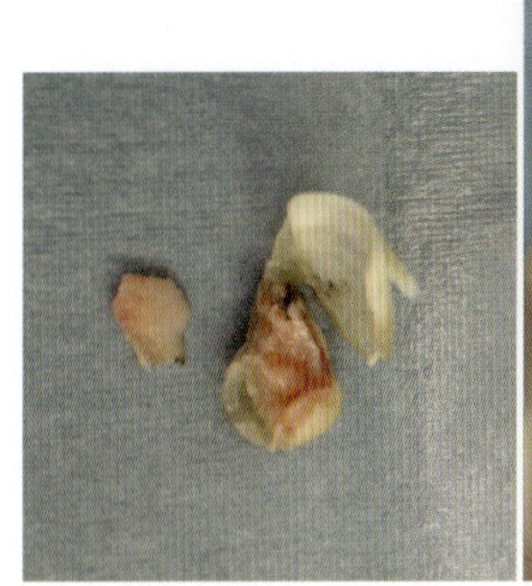
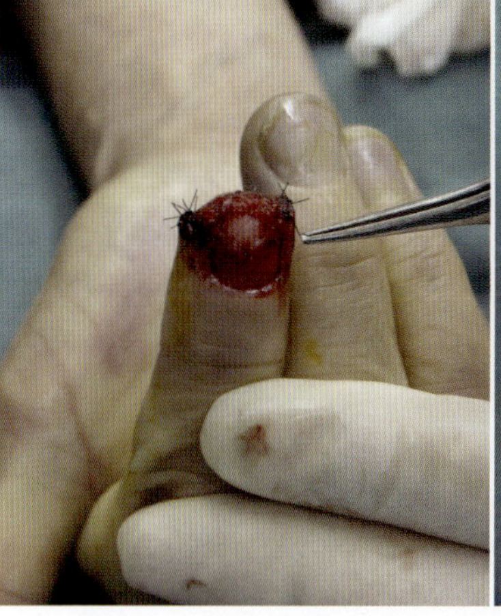
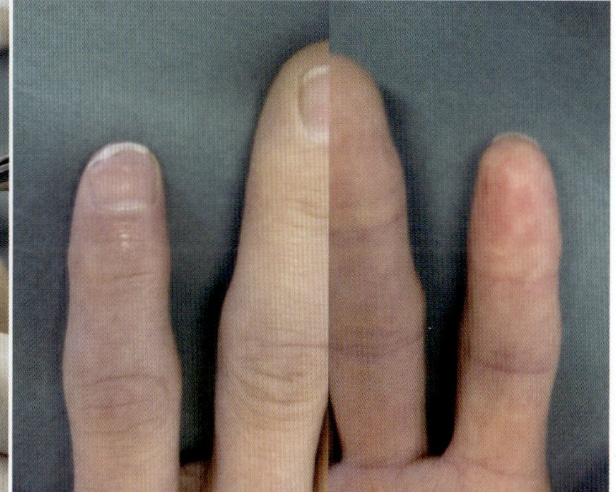

a	b
c d	e

図 7　爪床部での指尖部切断例

a：指尖の皮膚とともに爪床が切断されている．
b：指尖掌側の皮膚は V-Y 前進皮弁で再建した．
c：切断された指を爪，爪床(骨付き)，掌側皮膚に分割する．
d：爪床を皮弁背側に移植した．この症例では骨欠損はわずかであったので移植しなかった．
e：再生された爪と掌側皮弁の状態

(図 7-c，d)が，陳旧例に対しては母趾からの爪床分層植皮を行えばよい．血行のよい部分への植皮であるので，単なる composite graft とは異なり生着率は高く，爪母は温存されているので，爪は良好に再生される(図 7-e)．

4. 爪母を含む切断で再接着不能例の爪再建

爪母が失われている症例(図 8-a)での爪再建は爪母を含めた血管柄付き爪皮弁を足趾から採取して手指に血管吻合により移行することとなる．いわゆる wrap-around flap による部分足趾移植である[16)17)]．骨の一部を付け，爪母を完全に含めた爪皮弁を足趾動脈と皮静脈・趾神経で挙上・採取(図 8-b)して指へ移行し，指動脈・皮静脈と吻合して，趾神経と指神経を縫合する(図 8-c)．血行のトラブルがなければ皮弁は完全に生着し，爪は良好に再生を繰り返す(図 8-d)．趾の爪はなくなるが，底面の荷重部には傷がないので歩行などには影響しない(図 8-e)．

 まとめ

爪損傷の再建にあたっては，爪床や爪母の機能を十分に理解して，どの部分を再建すれば最小限の犠牲で効果的に再建できるかを検討したうえで治療法の選択を行うべきである．ここでは爪部切

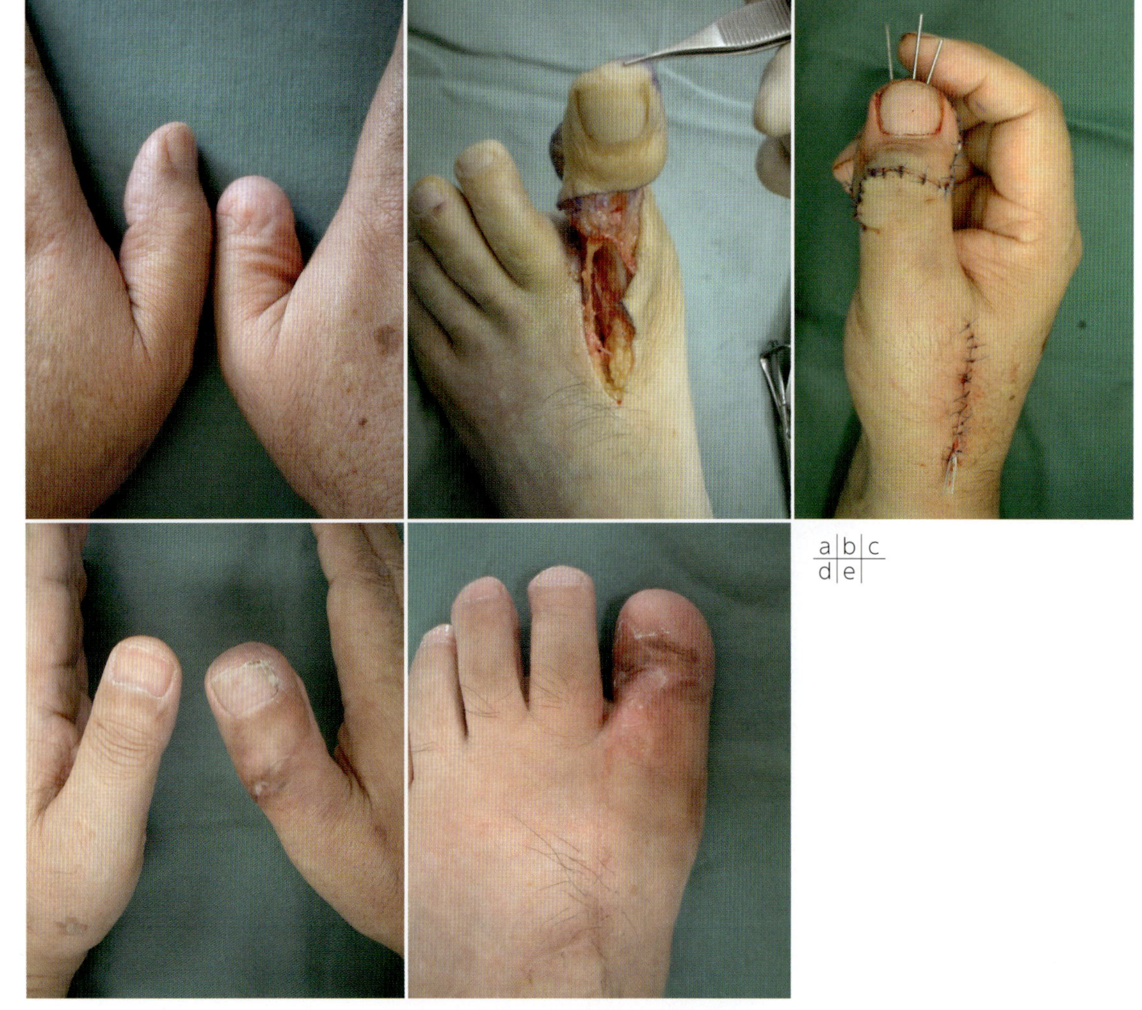

図 8　足からの爪皮弁による再建例

a：右母指は爪基部で切断され断端形成されている.
b：母趾から血管柄付き爪皮弁を挙上した.
c：血管吻合により爪皮弁を指に移行した.
d：再建された指の爪の状態
e：採取部の最終的な状態

（文献 17 より引用）

断例を中心に爪の再建法について症例を呈示して解説した.

（平瀬雄一）

文　献

1）児島忠雄，方　晃賢：指尖部損傷．MB Orthop. 23：1-12，1990.
2）平瀬雄一，山口利仁：1．指尖・爪部損傷後の処置．形成外科．428：S297-S299，1999.
3）平瀬雄一：指尖部損傷―爪甲剝離を含む．臨整外．44：779-782，2009.
4）Schiller C：Nail replacement in finger tip injuries. Plast Reconstr Surg. 19：521-530, 1957.
5）漆原克之，森口隆彦，光嶋　勲ほか：人工真皮移植による爪床・爪母欠損の治療．形成外科．41：1047-1051，1998.
6）Shepard GH：Treatment of nail bed avulsions with split-thickness nail bed grafts. J Hand Surg. 8：49-54, 1983.
7）平瀬雄一：第 10 章　爪再建　1．爪床分層移植術．pp. 214-216，やさしい皮弁，東京：克誠堂出版，2009.
8）平瀬雄一：14．爪再建：爪床移植．平瀬雄一ほか

編. Orthoplastic Surgery—四肢再建手術の実際—, 東京：克誠堂出版, 2013.
9) Hirase Y : Salvage of fingertip amputated at nail level : Surgical principles and treatments. Ann Plast Surg. 38 : 151-157, 1997.
10) 松井瑞子, 若松信吾, 前田華郎ほか：指知覚皮弁と爪移植による指尖部切断の再建. 日手会誌. 12 : 597-600, 1995.
11) 平瀬雄一：指尖欠損と爪変形の再建　Graft on flap 法による指尖部再建. 形成外科. 50(7) : 743-748, 2007.
12) 平瀬雄一：指尖部損傷に対する graft-on flap 法の概念と実際. 関節外科. 28(3) : 37-41, 2009.
13) 平瀬雄一, 児島忠雄, 福本恵三ほか：新しい再接着—指尖部切断に対する graft on flap 法の実際—. 日手会誌. 20(5) : 501-504, 2003.
14) 平瀬雄一：第 8 章 指尖部再建　2. Graft-on flap method by oblique triangular flap. pp. 160-164, やさしい皮弁, 東京：克誠堂出版, 2009.
15) 平瀬雄一：第 10 章 爪再建　2. 爪床分層移植術＋指動脈皮弁(Graft-on flap method). pp. 217-219, やさしい皮弁, 東京：克誠堂出版, 2009.
16) Hirase Y, Kojima T, Matsui M : Aesthetic fingertip reconstruction with free vascularized nail graft-A review of 60 flaps of partial toe transfers. Plast Reconstr Surg. 99 : 774-784, 1997.
17) 平瀬雄一：第 10 章 爪再建　3. 母指末節部切断：Wrap-around flap. pp. 220-222, やさしい皮弁, 東京：克誠堂出版, 2009.

Ⅱ章 診療の実際―処置のコツとテクニック―

14 爪の切り方を含めたネイル・ケアの実際

診療・処置のワンポイント

- 爪を切る目的は疾患により様々であるが，どこを切るか，どこまで切るかについての指標はない．また，爪切りに関するEBMは極めて少ないのが現状である．

Ⅰ はじめに

人間の爪は20枚存在する．そのうちの半分は手指に，もう半分は足趾に存在する．同じ爪でも手指と足趾では大いにその環境が異なることから，ネイル・ケアについても同じでよいとは限らない．本稿では，手指と足趾に分けたうえで，正常な爪および病的な爪に対するネイル・ケアを考えていきたい．

Ⅱ ネイル・ケアの目的と道具

本書の趣旨からすると，ここでいうネイル・ケアは，サロンのように正常な爪をさらに美しくする目的ではなく，トラブルになった爪，あるいはなりそうな爪をレスキューするためと定義する．

図1は筆者がスイスでフットケアの研修を行ったとき，現地で使用されていたネイル・ケア用の器具である．日常診療で我々がここまで用意したうえで爪の処置をしているかというと，爪をみてから必要なものを選んで出してくるというレベルであり，欧米と比較するとまだまだ大きな隔たりがあるといえる．図2-aは実際にスイスで行われるケアの設備であるが，これも図2-bのように少ない予算で工夫しながらネイル・ケアをしている筆者からすればうらやましい限りである．

そこで，我々が日常診療において必要とするネイル・ケア用の器具を挙げてみると，アドソン鑷子，先の細いニッパー（陥入している爪を切る），

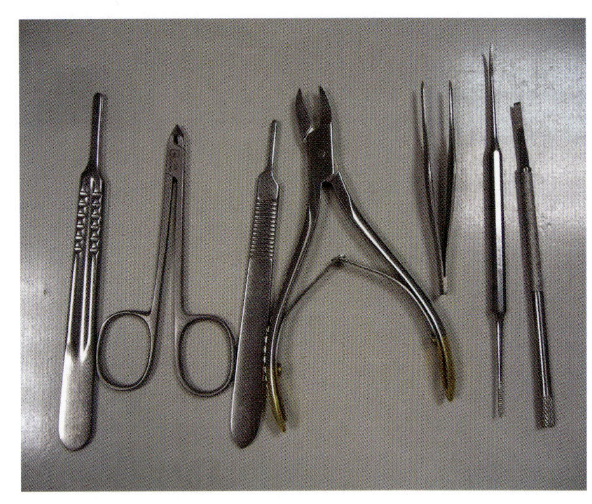

図1　スイスのポドロギー*が使用するネイル・ケアの器具

*ポドロギーとは：スイスには胼胝や鶏眼の処置，陥入爪の処置などフットケアを専門にするポドロギーという職業がある．ポドロギー養成の専門学校で学び，国家試験に合格すれば免許をもらえるという仕組みで，自分で足の手入れができない高齢者や障害をもつ患者，あるいは下肢切断後の患者などのケアを行う．美容院などと同様，どこの町にも１軒くらいこういった施設が存在する．

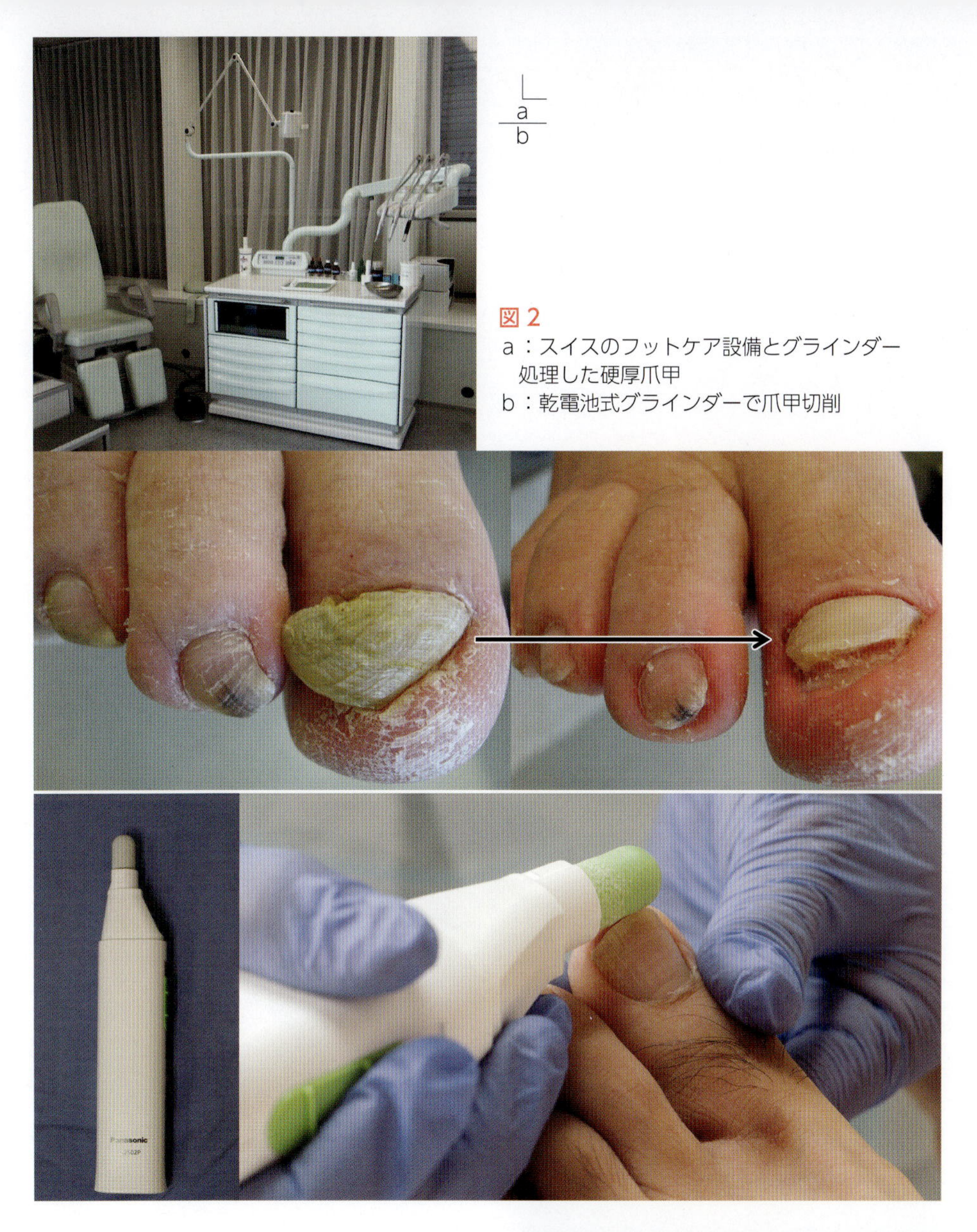

a
b

図 2
a：スイスのフットケア設備とグラインダー処理した硬厚爪甲
b：乾電池式グラインダーで爪甲切削

刃の厚いニッパー(硬厚爪甲を切る)，金属もしくはガラス，セラミックのヤスリ(ファイルともいう)，グラインダー程度があれば何とかしのげるのではないかと考える．図 3 にそれらを示す．

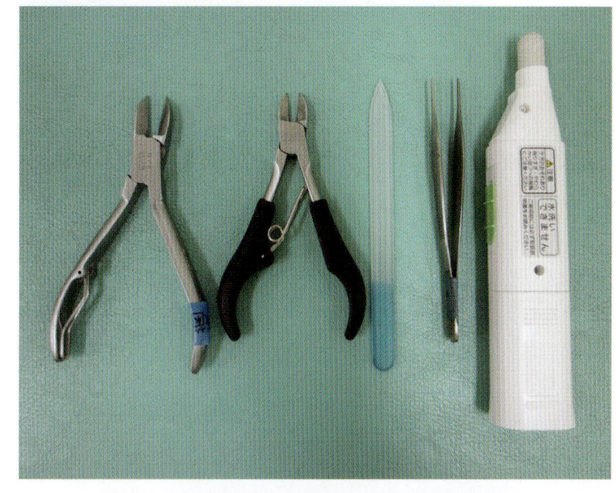

図 3　日常診療で必要とされる最低限のネイル・ケア用器具

III　手指の爪

手指の爪は，形状も足趾とは異なり，大きさも違う．足趾に比較するとトラブルになることは少ない．それは，手指の爪には基本的に大きな力が働くことがあまりないことに起因する．しかし，常に外気に曝されているという点では，周囲の温度変化の影響を受ける可能性はある．ただ，それ

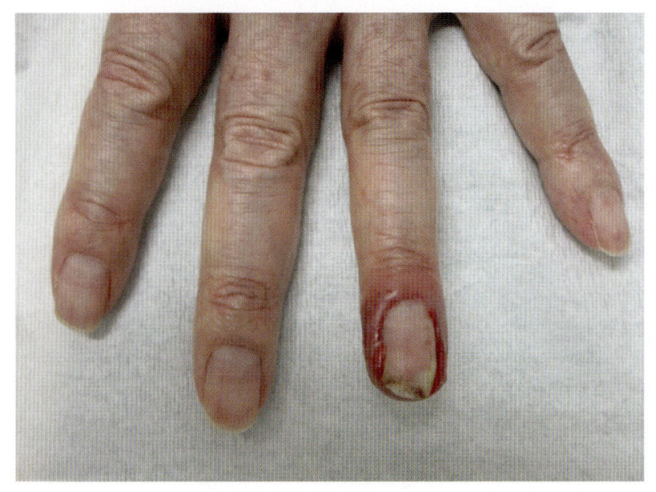

図 4　パニツムマブ投与中にみられた左 4 指の爪囲炎および肉芽

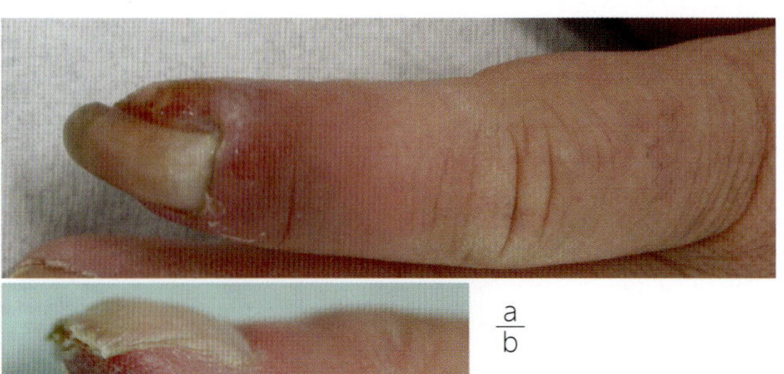

図 5　「やせ」がみられる手指

が爪の変化を誘発することはあまりない．

手指の爪に生じやすい病変は，炎症（乾癬，掌蹠膿疱症，扁平苔癬など），感染（瘭疽や爪白癬など），爪囲炎（分子標的薬によるものも含む），結合組織病（全身性エリテマトーデス，皮膚筋炎や強皮症など）における陥入爪や爪上皮の変化，腫瘍，血流障害による短縮などが挙げられるが，ネイル・ケアという観点からすると，特別に必要とされる手技はない．すなわち，病的爪に対するネイル・キュアが求められるので，それについて述べてみたいと思う．

Ⅳ　ケアおよびキュアを必要とする爪疾患

1. 爪囲炎および肉芽

分子標的薬の開発により，爪囲炎とそれに続発する肉芽を診察する機会が増えてきた．爪囲炎は投与後数か月を経過して出現することが多いとされている[1]．軽症例ではストロングクラス以上のステロイド外用薬やアダパレンの併用[2]，あるいはテーピングなどを併用することが推奨されている．肉芽に対して液体窒素，亀裂にはステロイドテープ，重症例には爪の外科治療を行わざるを得ないこともある[3]が，投薬を続ける以上はこういったことも生じるため，できるなら変薬，あるいは休薬や減量を検討することも重要である．図 4 はパニツムマブ投与中にみられた左 4 指の爪囲炎および肉芽である．

2. 結合組織病に伴う血流障害に起因する手指先端の萎縮を誘因とした爪のトラブル

結合組織病（我が国では膠原病というほうがとおりはよいが）では，手指末端の血流障害を伴うことがあるが，これらには大きく 3 つの機序があると考えられる．1 つはレイノー現象であり，急激な温度変化が血管の攣縮を起こした結果，一時的な虚血を生じ，再灌流の際にキサンチン-ヒポキサンチン系により産生された活性酸素が血管にダメージを与えるという可能性が想定される[4]．いま 1 つは結合組織病，特に SLE などでみられる微小な血管炎によるもの．さらに，強皮症では膠原線維の増生により血管が圧排されて血流が低下するといった機序も考えられる．

さて，これらのいずれにおいてもみられる現象としては手指末端から始まる「やせ」が挙げられる．図 5-a では，比較的側面にその症状がみられ，側方への爪の陥入およびそれに伴う爪囲炎を認める．一方の図 5-b では，指腹の「やせ」がみられ，末端側から萎縮したために爪甲が彎曲している．その結果，先端部からの爪甲剝離の状態になり，しばしば痛みを伴う．つまり，結合組織病では陥入爪を呈することもあれば爪甲剝離になることもある．よって，テーピングを施行する際に，側爪郭部を外側に引っ張ることもあれば，「肉と爪が剝がれているから痛いんです，だからテーピングでひっつけましょう」ということもある．し

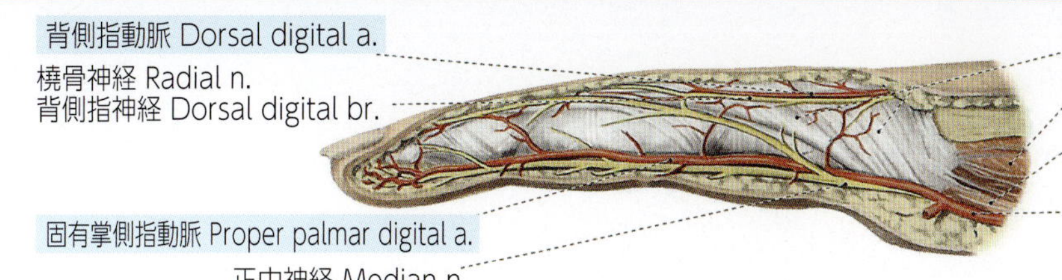

図6　第3指の動脈と神経(右：橈側面)
静脈は除いてある.
(Petra Köpf-Maier 編集，井上貴央日本語版編集：ヴォルフ　カラー人体解剖学図譜，p.107，西村書店，2011 より転載)

かし，内側方向にテーピングすると爪が神経を圧迫して痛みを訴えることがある．また，爪囲炎ではびらんを呈することも多く，この場合は神経が露出しているために痛みを生じるわけであり，これに対する処置として上皮化させることにより神経を覆うことが要求される．軟膏の外用ではしばしば浸軟するために治癒遷延をきたすことが多いが，筆者はヒドロコルチゾンとオキシテトラサイクリン塩酸塩含有軟膏(テラ・コートリル® 軟膏)を用いて治療している．

3. バージャー病，透析シャントのスティール現象などの血流障害に伴う爪の変化

手指の血流は図6に示すように，2本の指動脈(背側指動脈および固有掌側指動脈)が左右に分布している．図でも固有掌側指動脈のほうが太いことがわかるとは思うが，実際のドプラ聴診器ではこれらが合流する指尖まで聴取することができる．しかし，前述した結合組織病やレイノー症状を示す疾患などでも，途中で聴取不能になったり，重症例では総掌側指動脈からの分岐部あたりまで聴こえない例がある．ましてや，バージャー病(図7)，透析シャントのスティール現象になれば，さらに血流は乏しくなるために，指尖からの短縮がみられる．したがって，爪は短くかつ先端が彎曲した状態になり，爪が切りにくかったり，爪甲と爪床が剝離して痛みを生じる原因となる．対処法は前項と同様の処置となる．

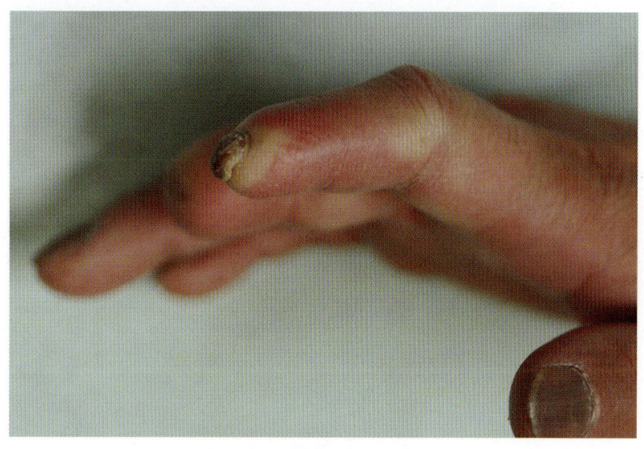

図7　バージャー病により短縮した指尖

V　足趾の爪

足趾の爪は手指の爪と異なり，歩行の影響を考慮する必要がある．また，靴という密封された空間に存在していることから，歩行に際して靴と接触することや高温多湿の環境下に置かれていることが特徴的である．

足趾の爪に生じやすい疾患は，手指のものに加えて，感染症(爪白癬，green nail などの細菌感染症，稀ではあるが疥癬など)が生じやすいこと，巻き爪や陥入爪などが圧倒的に多いこと，先天的に爪が薄いために変形しやすく陥入爪などになりやすいこと，血流障害かどうかははっきりしないが爪が短縮しているケースなどが，日常よく遭遇するトラブルかと思われる．

1. 巻き爪，陥入爪

巻き爪は比較的日常よくみられる疾患である．痛みを伴うこともあれば，そうでないこともある．巻き方が高度であれば，はさみ爪あるいはマカロニ爪といわれることもある．陥入爪は爪棘が刺さるために炎症を伴っていることがほとんどであり，この部分を処置しないとなかなか完治には至らない．図8は陥入爪にみられた爪棘である．このケースでは，アドソン鑷子で陥入部を浮かせ

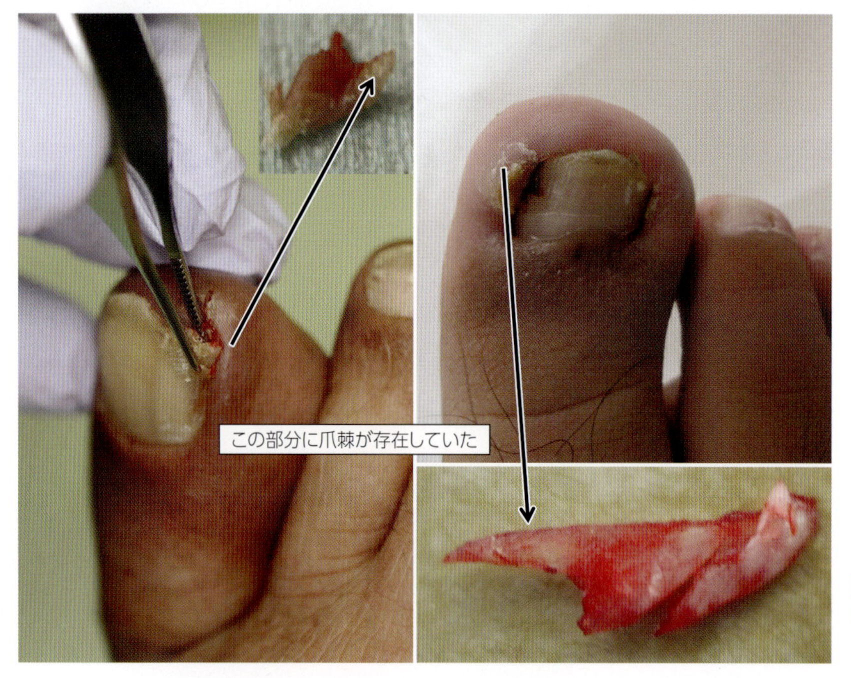

図8
陥入爪にみられた爪棘

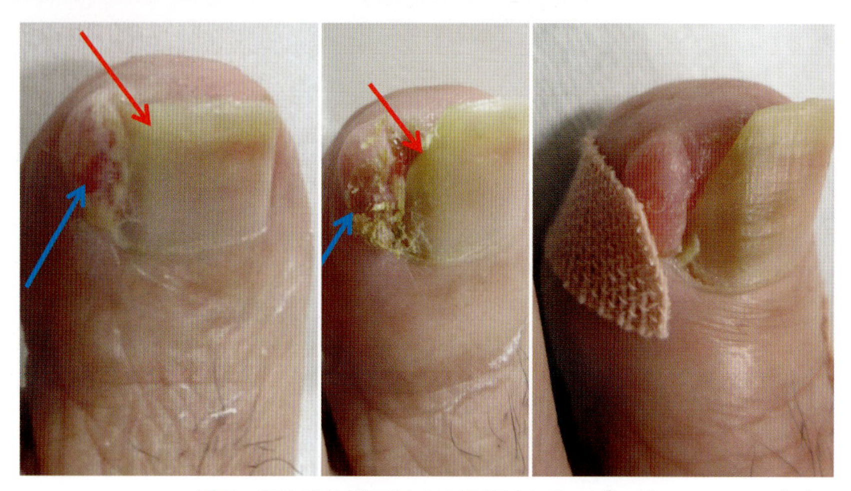

図9　軽症陥入爪に対する爪切りとテーピング　a|b|c
a：陥入部の爪切り．テラ・コートリル® 軟膏外用
b：1 週間後
c：2 週間後にスパイラルテープに変更

て先端が細いニッパーで斜めにカットして爪棘を取り出した．

巻き爪や陥入爪の治療は非常に多くの種類があり，それぞれの重症度や設備に合わせて選択することになる．これらについては，別稿で詳細に解説されているのでここでは割愛する．

エキスパートオピニオンレベルではあるが，先ほどの上皮化と同様，肉芽に対してもヒドロコルチゾンとオキシテトラサイクリン塩酸塩含有軟膏（テラ・コートリル® 軟膏）を頻用しており，ストロングクラス以上のステロイド外用薬よりも効果が高い印象を持っている．足趾の軽症陥入爪例では，図9のようにまず肉芽を乾燥させてからテーピングに持ち込むのも一法かと考える．

2．爪下膿瘍

爪甲剝離は比較的よくみられる現象であるが，その原因は多岐にわたる．「Ⅲ．手指の爪」の項で概説した血流障害によるもの以外に，教書にはマ

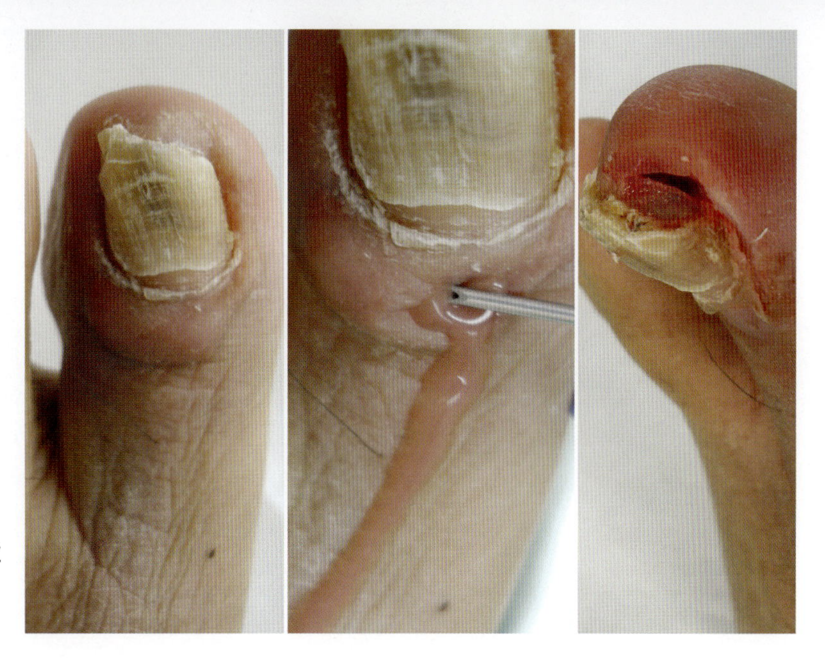

図 10
爪床下部軟部組織の細菌感染による爪甲剝離

ニキュアやペディキュア，洗剤，アルカリ，薬剤，光線，甲状腺疾患，アジソン病，貧血，カンジダ症，乾癬，梅毒等々が記されている．しかし，臨床上見落としてはならないのは爪下膿瘍である．爪先端部，特に一見陥入爪のように「先生，角が痛いんです」という訴えで爪甲剝離をみた場合，アドソン鑷子(無鈎)などで爪甲の下を探ってみることが大切である．図 10 は一見，爪白癬として患者に外用薬を処方して帰宅させてしまいそうであるが，よく観察すると爪甲の肥厚と爪甲剝離，また後爪郭部の弛緩したような腫脹と IP 関節から末梢の発赤に気づく．触診で膿の貯留を疑い，18 G 針で穿刺したところ血性膿が排出された．また，剝離部分を探るとちょうど疼痛を訴える部位にアドソン鑷子が刺さったので爪切りを行ったところ，爪床のさらに深部にポケットを認めた．広範に膿が貯留して自壊し，爪甲下に広がって爪甲剝離を起こしたのではないかと考えた．この後の処置であるが，ポケットに対して生食に浸した極細のタンポンガーゼを挿入した．このときに筆者は，ゾンデはガーゼの目地に食い込み，うまく挿入できないのでアドソン鑷子(無鈎)により充填している．言うまでもないことだが，こういったケースで外用薬を使うことは禁忌であると考える．膿が貯留しているということはドレナージが必要なわけであり，外用薬で蓋をするなど誰が考えてもおかしな処置であると気がつくはずである．皮膚科医は安易に外用薬を使いたがる傾向にあるが，このような場合に習慣的に何も考えずに抗菌作用のある外用薬を使っていないか，今一度確認するべきであろう．

3. 爪甲剝離は虚血のサイン

ネイル・ケアと直接的な関係はないが，爪下膿瘍と同様な部位に生じやすいのが虚血による爪甲剝離である．PAD(末梢動脈疾患)では，一般的に心臓から遠い部位を初発として血流不足で潰瘍を生じてくる．その 1 つの現れとして，爪床と爪甲が剝がれてしまうのではないかと筆者は考えているが，足趾に関してはそのような文献をみつけることができず，手指における報告のみであった[5]．図 11 は爪甲剝離を伴い，痛みを訴えていた部位の爪切りを行ったところ出現した皮膚潰瘍である．この後，血行動態を検査したところ，図に示すような重度の動脈閉塞病変が発見された．爪床と爪甲の間を探って，爪を切って直接爪甲の下を観察することは，ときに重要であることを忘れないようにしたい．

4. 反復性不完全爪甲脱落症

図 12-a は成長途中に何らかの影響で爪甲剝離を起こし，次に新生してくる爪と段差を生じたも

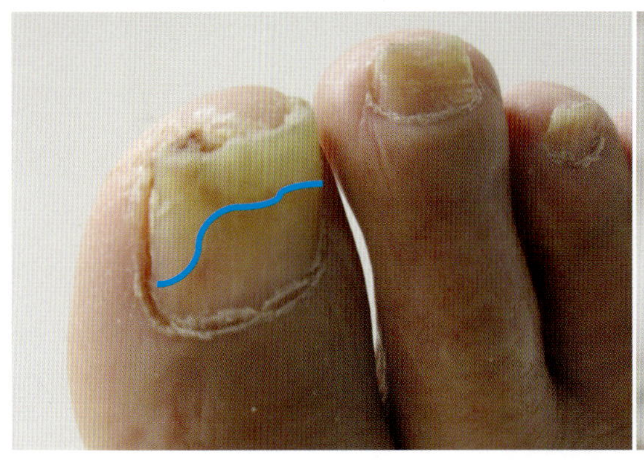

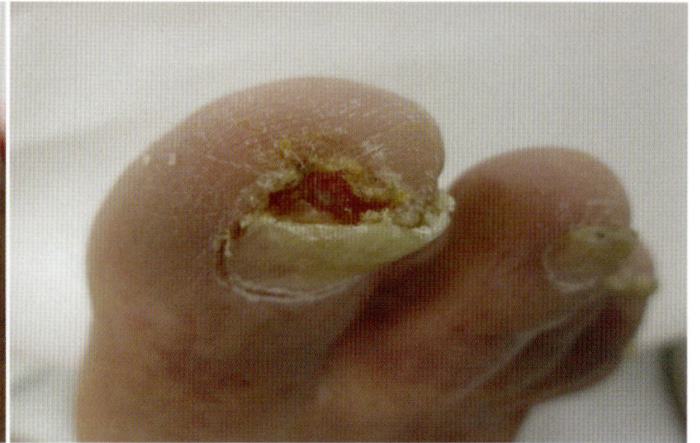

図 11
爪甲剥離は虚血のサイン

のである．また，図 12-b はこれを何度も繰り返した爪である．このような爪では，よく爪が伸びないという訴えを聞くが，爪甲と爪床の間に汚れや垢が溜まりやすいので，末端側の爪は切ってしまうほうがよいと筆者は考える．ただ，これについても文献は少なく[6]，切ったほうがよいというエビデンスはない．足趾に生じた場合は，爪甲の動きを少なくするためにテーピングで固定するとよい場合もある．

5. ネイルアートによるトラブル

近年，ネイルアートが流行しており，これについてのトラブルもときどき遭遇する．手指のみならず足趾にもアートを施す例もあるが，爪を切る

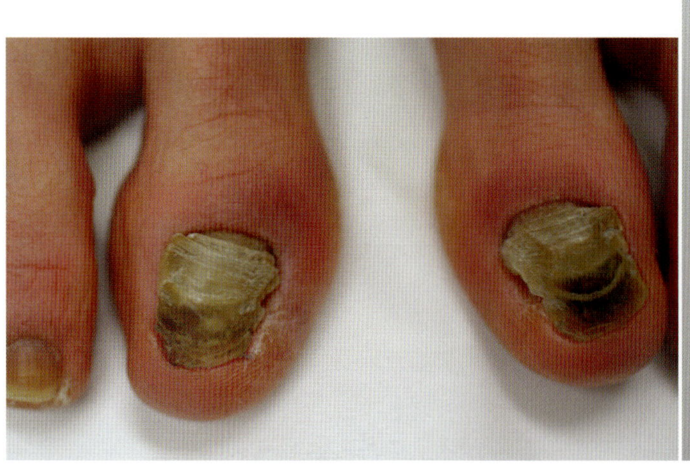

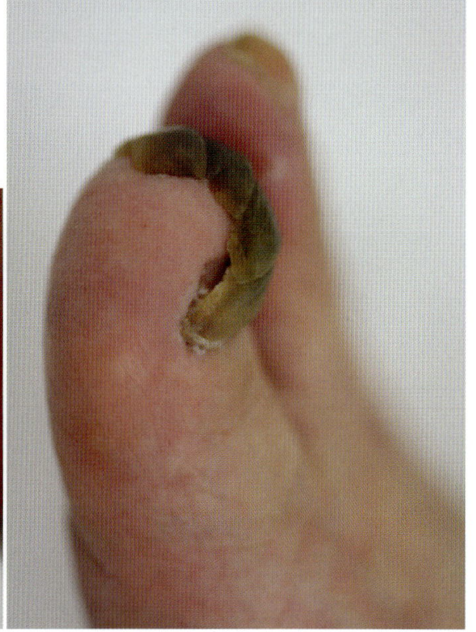

図 12 反復性不完全爪甲脱落症 a|b

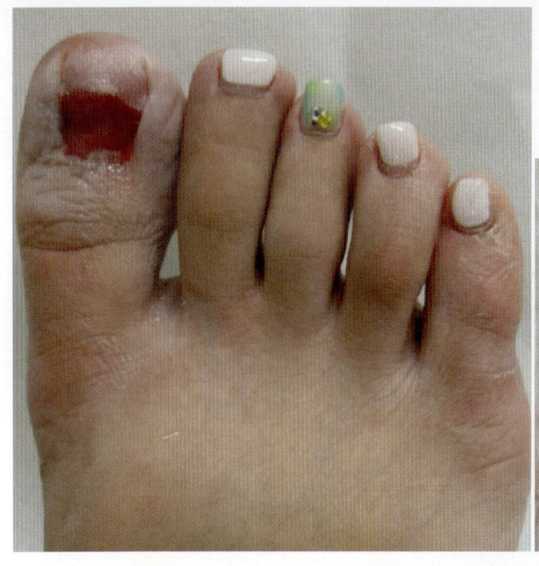

図 13　ネイルアートが外れて，救急外来で抜爪された例

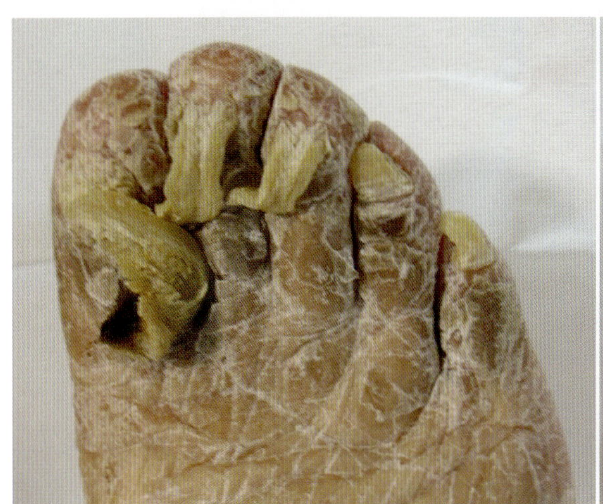
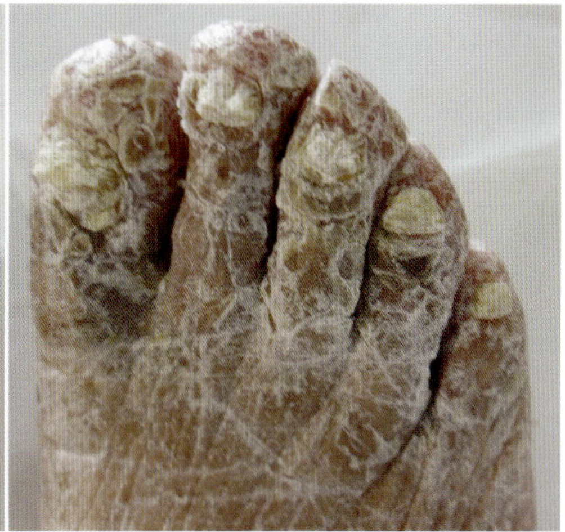

図 14　高齢者のネイルケア

のがもったいないという理由で，外力により剝離を起こすことが手指に比較すると多い印象がある．図 13 は右母趾爪を何かにひっかけて外れたケースであるが，救急外来を受診してその場で抜爪されている．これは適切な処置と考えられる．

6. 高齢者の爪切り

超高齢化社会，独居老人の増加など，これからの我が国は大きな問題を抱えている．厚生労働省は在宅支援に力を入れる方針であるが，図 14 のような自力で爪切りをできないケースが増えることは間違いない．このような爪切りを我々皮膚科医が往診で行う可能性もあるが，多くの場合は看護師などが担当することになろう．その際に，爪切りの指導は重要になる．この例では，ニッパーで出血しないレベルまで爪切りを行い，乾電池式のグラインダーで仕上げた．

7. 外反母趾による外側への爪甲の伸長（爪甲鉤彎症など）

外反母趾では，図 15 のように第 2 趾に外側へ伸長した爪が食い込んで皮膚潰瘍を形成することがある．もちろん，食い込んだ爪はカットする必要があるが，外反母趾が治癒しない限り永久にこの現象は繰り返される．そこで図 15-c のように矯正装具を装着することで悪化を防ぎ，かつ爪甲による圧迫から保護することが望ましい．

（中西健史）

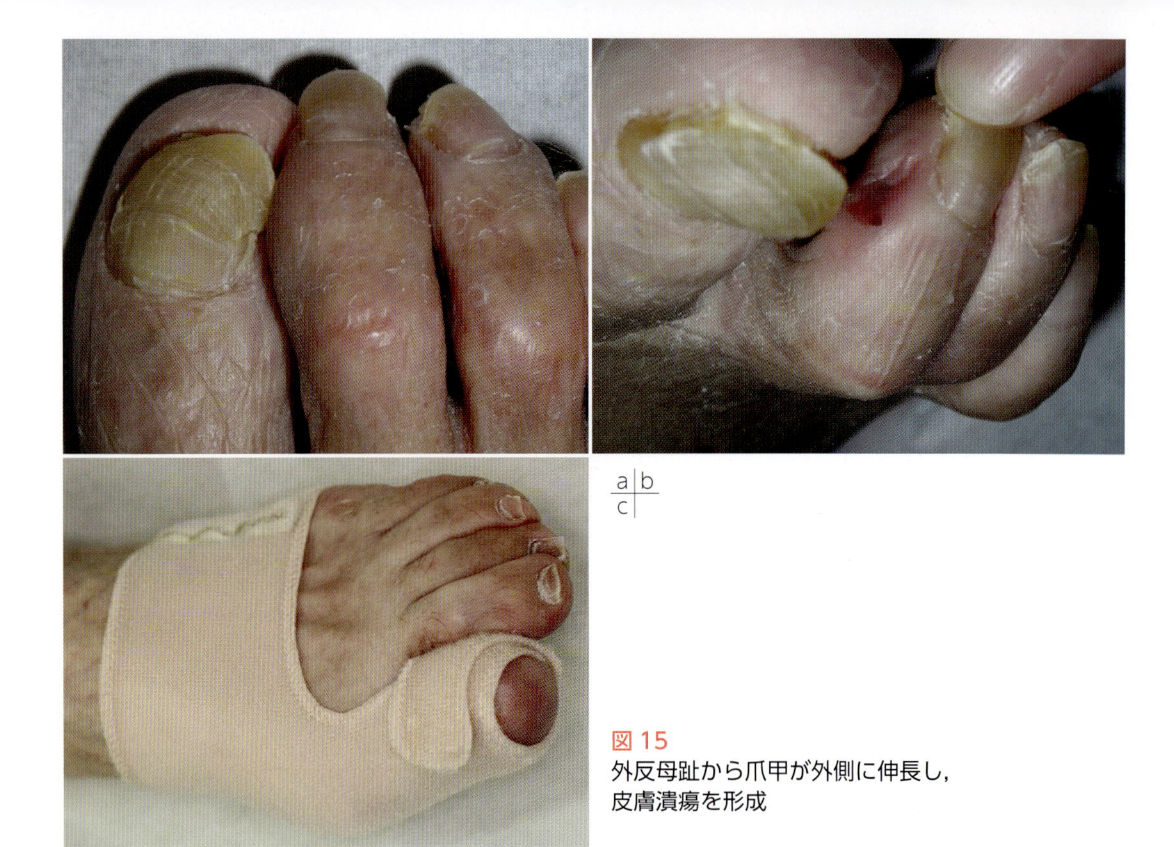

図 15
外反母趾から爪甲が外側に伸長し，皮膚潰瘍を形成

文 献

1) 中原剛士：上皮成長因子受容体(Epidermal Growth Factor Receptor：EGFR)阻害薬による皮膚障害―臨床症状，治療・対策，病態・発症機序について―．西日皮膚．77(3)：203-209，2015.
2) Hachisuka J, Yunotani S, Shidahara S, et al：Effect of adapalene on cetuximab-induced painful periungual inflammation. J Am Acad Dermatol. 64：e20-21, 2011.
3) Kiyohara Y, Yamazaki N, Kishi A：Erlotinib-related skin toxicities：Treatment strategies in patients with metastatic non-small cell lung cancer. J Am Acad Dermatol. 69(3)：463-472, 2013.
4) Nordstroäm G, Seeman T, Hasselgren PO：Beneficial effect of allopurinol in liver ischemia. Surgery. 97(6)：679-684, 1985.
5) Cabanillas M, Monteagudo B, Suarez-Amor O, et al：Ischemic onycholysis of the hands. Cutis. 87(6)：287-288, 2011.
6) Gotani H, Teraura H, Enomoto M, et al：二重爪の再建．Osaka City Med J. 46(1)：31-35, 2000.

Ⅱ章 診療の実際―処置のコツとテクニック―

15 薬剤による爪障害/爪囲炎と対処法（抗腫瘍薬を中心に）

診療・処置のワンポイント

- 薬剤による爪障害の予防のためには，爪を保護する日常生活指導が重要.
- 投薬中止後に正常爪が再生する場合が多いが，投与を反復する抗腫瘍薬では障害が高度になりやすい.
- 爪囲炎には局所管理のほか，感染により全身治療を要することもある.

Ⅰ はじめに

薬剤による爪の変化は，一時的な変化であることが多いが，不可逆的な変化をもたらす薬剤もある．投与を反復する抗腫瘍薬では爪の変化は長期かつ高度になりやすいが，爪の障害が原因で，腫瘍の治療が制限されることは最少限に抑えたい．そのために，爪の診療にあたる皮膚科医が，薬剤によって生じる爪の変化や，爪の再生に至る経過，それを正しく導く予防と治療を理解することは有益である．基本的な爪の解剖と機能を整理しておくことがポイントになる．

Ⅱ 爪の障害部位による変化

薬剤によって爪に現れる症状は，色調，爪の性質，血流による変化，形状の変化，爪甲伸長速度の変化などがある．障害される爪の部位に対応してそれぞれの症状が現れる（表 1）．

爪甲が，爪母で形成され指趾の近位側から遠位に向かって順次伸長し遠位端まで達する期間は，手指で 40 日，足趾で 80 日とされる．爪母のほとんどは近位爪郭で覆われており，爪母での変化が爪甲上に明らかになるのは，薬剤が投与されてから数日ないし数週間を要する．爪床や爪郭の変化は出現時期が様々である．

1. 爪母の障害

爪母が障害されると，爪甲の厚さや形状，爪質の変化をきたす．さらに，爪母に存在する色素細胞が障害されると，爪甲は黒色や白色に色調が変化する．

a) 性状の変化[1)]

Beau 線（ボー線）は爪甲を横断する白色の陥凹のことで，指趾のほぼすべてに同時に爪甲基部から同じ位置に出現する（図 1-a）．爪母の角化が一時的に途絶すると，爪甲の伸長とともに爪甲を横断する線状の陥凹を生じる．抗腫瘍薬各種，DDS，フッ素，ヒ素，β遮断薬，ペニシラミン，ソラレン，レチノイド，スルホンアミド，テトラサイクリン，カルバマゼピンなどが原因となる．

表 1　障害部位別の爪甲変化

障害部位	症　状
爪　母	Beau 線，爪甲脱落症，爪甲菲薄化，Mee's 線，黒色爪
爪　床	爪甲剝離症，光線性爪甲剝離症，出血性爪甲剝離症，Muehrcke's 線，色素沈着
近位爪郭	爪囲炎，化膿性肉芽腫
血　管	出血，虚血

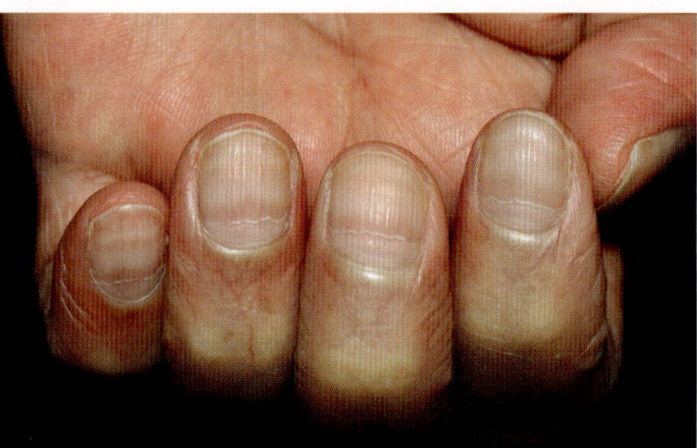

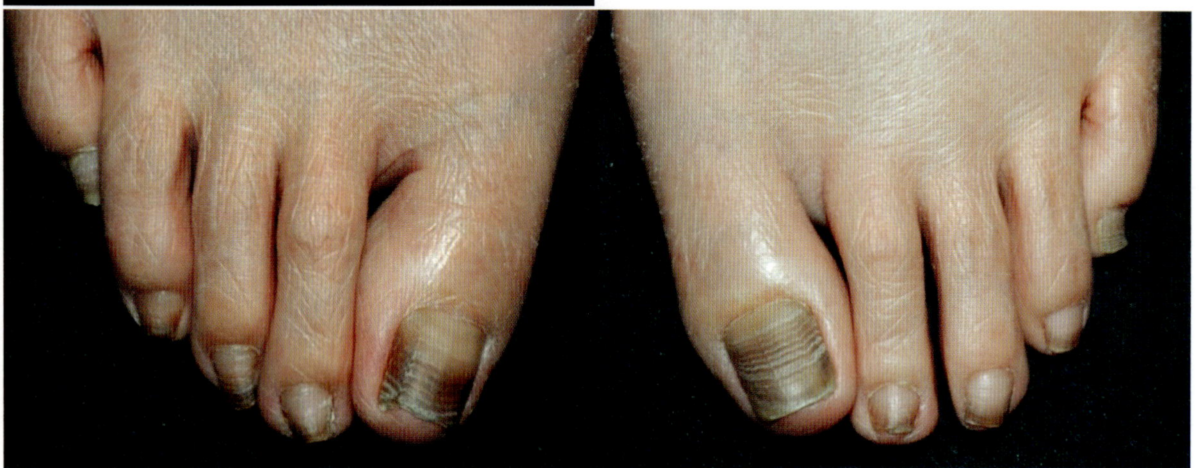

a | b

図 1
Beau 線
a：全指の同位置に現れる白色の横溝
b：複数の Beau 線（ドセタキセル反復投与例．爪下出血を合併）

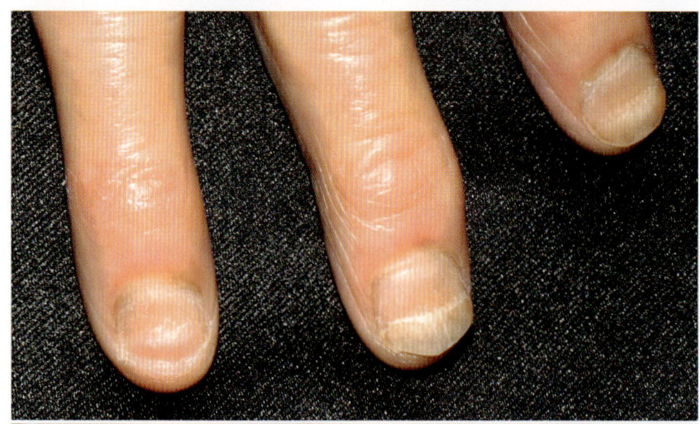

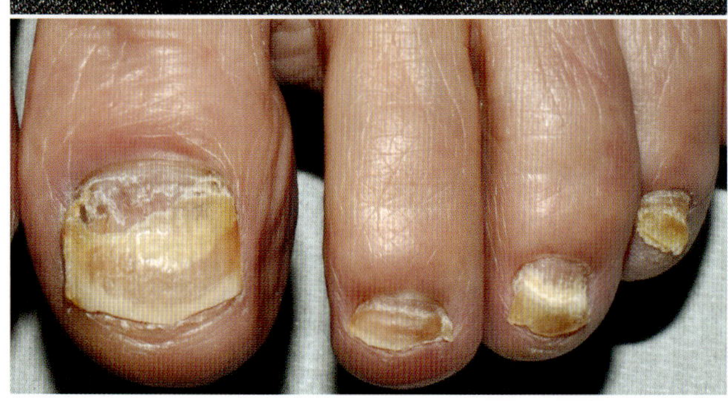

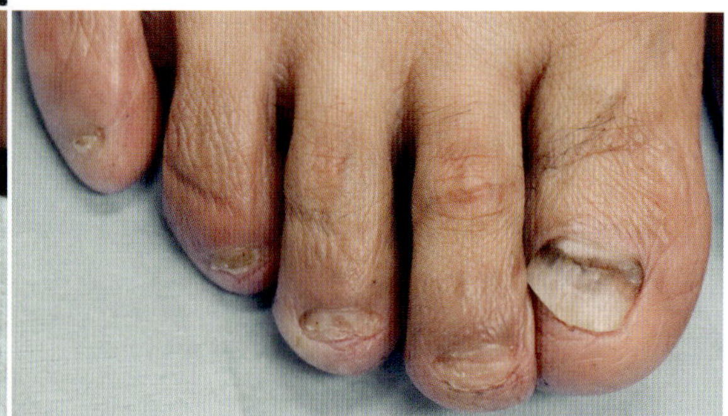

図 2　爪甲脱落症（onychomadesis）
a：爪甲脱落症の臨床像
b：爪白癬を合併
c：母趾は爪甲が残存するが，母趾以外では完全に脱落

a | b c

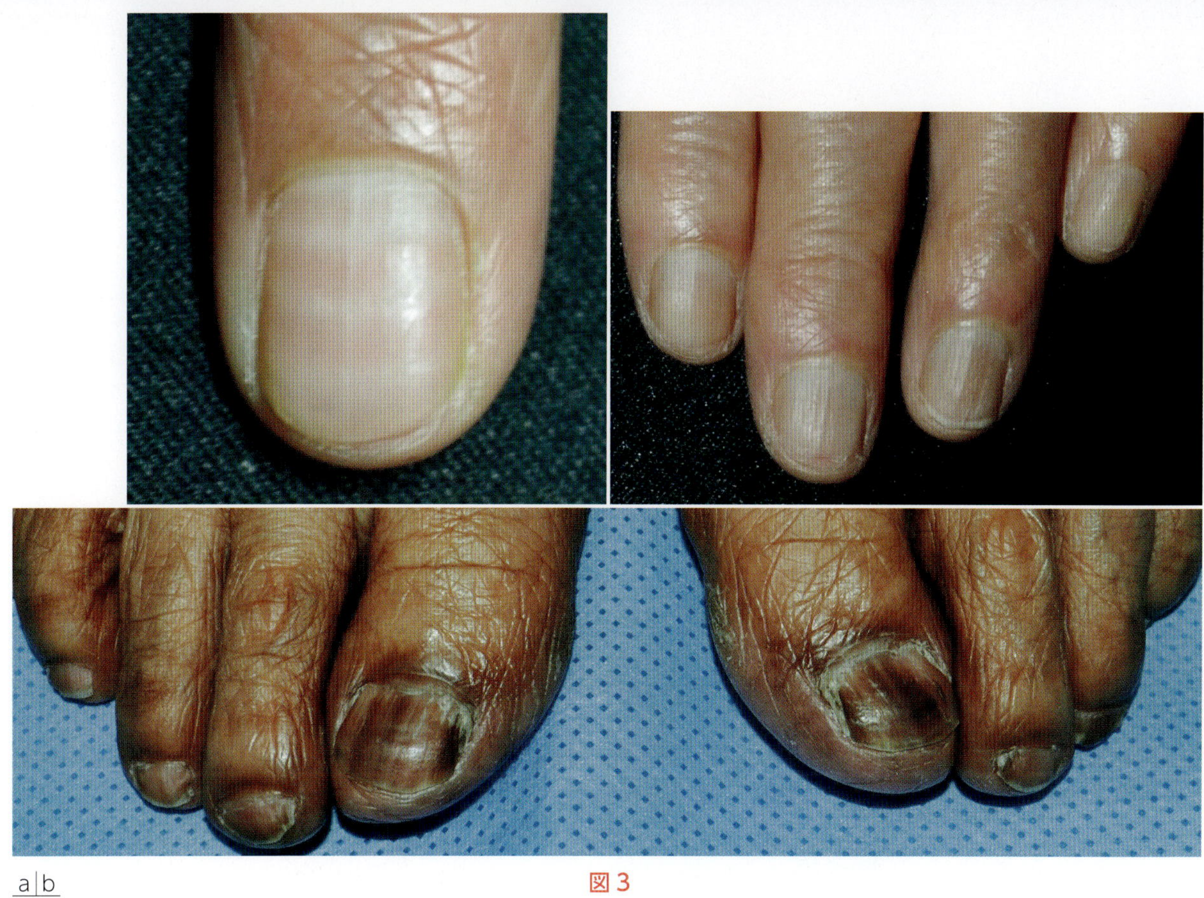

a|b
c

図3
a：Mee's 線，b：爪甲縦溝，c：黒色爪(melanonychia)

特に繰り返し投与される化学療法薬では，複数のBeau線が現れる(図1-b)．Beau線は可逆性変化であり，数か月の経過で自然消褪するため，積極的な治療介入の必要はない．

爪甲脱落症は，Beau線による爪甲の断絶が深くなり，既存の爪甲が爪床から押し上げられ2段に重なって，厚い爪甲が不完全に脱落する変形を指す(図2-a)．抗けいれん薬の頻度が高いが，ほかにも，抗腫瘍薬各種，金製剤，ヒ素，リチウム，経口避妊薬，レチノイド，スルホンアミド，テトラサイクリン，セファロスポリン，キナクリンなどが原因となる．押し上げられた爪甲が近位爪郭を損傷しないように，粗糙な部分をなめらかに整え，オイルや保湿剤などで爪表面を保護し，二次感染を予防する(図2-b，c)．

b)色調の変化

白色の変化には，爪母の角化異常により生じるMee's線(ミーズ線)がある．爪母遠位での角化障害が起こり，爪甲の伸長とともに遠位に移動し，1ないし数条の白色線条を呈する(図3-a)．爪甲が伸長しても遠位に移動せず，圧迫すると白色線条が消えるMuehrcke's線(ミュルケ線)はみかけの白色線条で原因はわかっていない．縦走する白色変化である爪甲縦溝もときにみられる(図3-b)．

黒色調の変化は，薬剤によるメラノサイトの活性化や紫外線の影響で生じる．薬剤投与から3〜8週程度で出現し，薬剤中止後は6週程度で正常色の爪が新生する．黒色変化が爪甲全体に及ぶもの，縦または横の線条を呈するものがある(図3-c)．タキサン系薬剤に多い爪下出血が爪母の遠位付近で生じると，爪甲の伸長とともに爪甲深層に出血が取り込まれ，爪甲の様々な範囲で斑状または線状の黒色調の変化を呈する．外見の問題ならばネイルラッカーの使用は有効で，遮光の指導も合わせて行う．ヒドロキシウレア，メトトレキサート，ブレオマイシン，シクロフォスファミド，

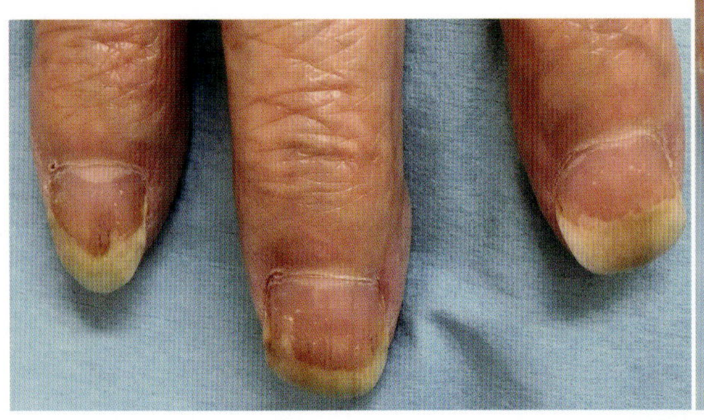
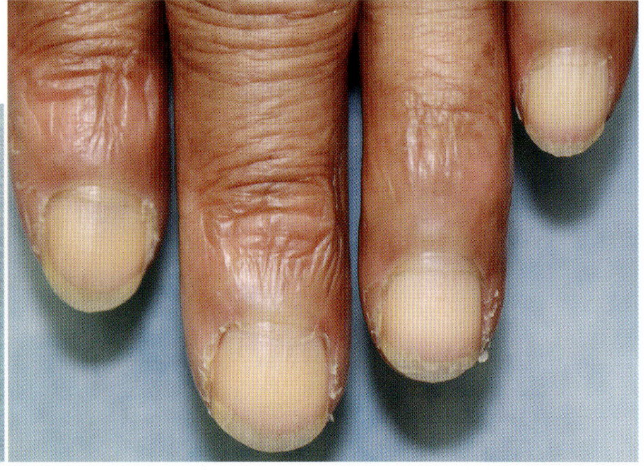

図4　爪甲剥離症(onycholysis)　a|b

a：爪甲剥離症の臨床像
b：菲薄化した爪甲．爪下出血も混在

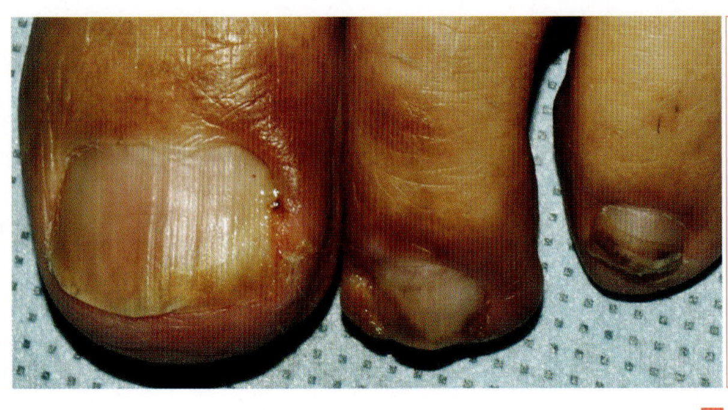
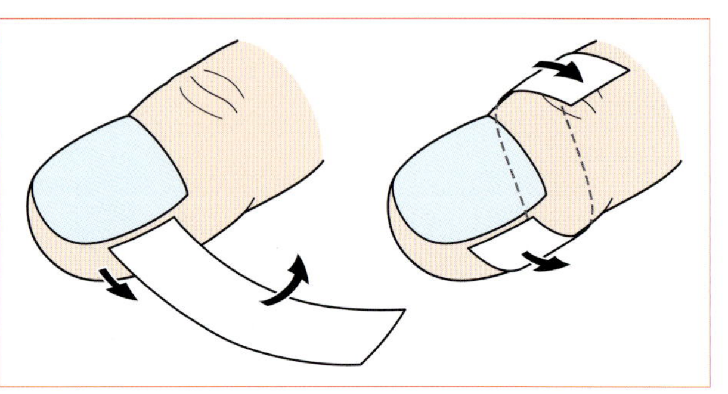

図5　a|b

a：爪囲炎
b：爪のテーピング法．爪から周囲皮膚への刺激，加圧を予防するため，側爪郭を斜め下方向に伸縮テープで引いて固定する．

フルオロウラシルなどが原因となり得る．

出血によるものは褐色調を示し，スニチニブやタキサン系薬剤に多く現れる．ミノサイクリンによる青灰色は，100 g以上の投与で3〜15％に生じ，金製剤による黄色は薬剤自体の色調により生じる．

色調の変化はいずれも薬剤の中止によりほとんどが正常な色調に戻るので，長期に経過観察が必要であることを十分に説明する．

2. 爪床の障害

爪床の障害では爪甲剥離や爪下出血を生じる．爪甲剥離症は爪甲の遠位端から近位に向かって爪床から剥離し，剥離していない部分とは明瞭に境界される(図4-a)．薬剤による爪甲剥離症のほとんどは，複数の指趾の同位置に生じる．原因薬剤はタキサン系，テトラサイクリン，シクロフォスファミド，ドキソルビシン，カペシタビン，エトポシド，レチノイド，バルプロ酸が挙げられる．カプトプリル，クロルプロマジン，サイアザイド，テトラサイクリンなどは，紫外線による光線性爪甲剥離症を生じるため，服薬中から遮光を指導する．外傷の既往やカンジダ症，甲状腺機能異常を鑑別する必要がある．

爪甲の菲薄化，脆弱化，爪甲下出血，萎縮など爪の性質形態の変化が混在することは少なくない(図4-b)．

3. 近位爪郭・爪上皮の障害

爪甲の基部で爪甲を被覆する近位爪郭と爪上皮が障害される急性爪囲炎や爪周囲の化膿性肉芽腫をきたす(図5-a)．典型的な症状は，拇指，母趾

表 2　有害事象共通用語規準(CTCAE)ver. 5.0　爪障害

CTCAE v5.0 Term	CTCAE v5.0 Term 日本語	Grade 1	Grade 2	Grade 3	Grade 4	Grade 5	定義
Nail infection	爪感染	限局性，局所的治療を要する	内服治療を要する(例：抗菌薬/抗真菌薬/抗ウイルス薬)	抗菌薬/抗真菌薬/抗ウイルス薬の静脈内投与による治療を要する：侵襲的治療を要する	—	—	爪の感染
Nail change	爪の変化	あり	—	—	—	—	爪の変化
Nail discoloration	爪変色	症状がない：臨床所見または検査所見のみ	—	—	—	—	爪の変色
Nail loss	爪脱落	症状のない爪の剥離または爪の脱落	爪の剥離または爪の脱落による症状：身の回りの日常生活動作の制限	—	—	—	爪のすべてまたは一部の脱落
Nail ridging	爪線状隆起	症状がない：臨床所見または検査所見のみ	—	—	—	—	垂直方向または水平方向の爪の隆起

に好発し，薬剤投与から数週間ないし数か月経過してから出現する．爪囲の紅斑から，腫脹と発赤の増強とともに疼痛により日常活動が制限され，爪囲の化膿性肉芽腫を形成する．細菌や真菌による感染を併発し，投薬が必要になる場合もある．重症度に応じて，外用やテーピングによる保存的治療(図 5-b)，感染の制御，過剰肉芽の処理，ときには爪甲の部分除去などを考慮する．化膿性肉芽腫にはポビドンヨードやβ遮断薬の外用が有効との報告[2]がある．

爪囲炎は QOL を低下させるが，抗腫瘍薬の継続のために予防や治療に皮膚科医が果たす役割は大きい．

III　抗腫瘍薬による爪障害

抗腫瘍薬の爪障害は発生頻度が高く，脆弱化，変形，色調などが合併して，同時に複数の指趾に生じる．原疾患の悪性腫瘍治療に関連した爪の症状は有害事象共通用語規準(CTCAE)により評価する(表 2)．抗体医薬をはじめとする創薬研究はいまだ加速を続けており，上市される新規薬剤について情報の更新を心がける．

1. 殺細胞性抗腫瘍薬

抗腫瘍薬ではタキサン系薬剤，アントラサイクリン系，シクロフォスファミドの色調変化が 50% 以上に生じ，抗腫瘍薬の投与回数が増えるに従って爪変化の頻度も高まる[3]．

タキサン系薬剤による爪病変は，爪下出血，爪甲剥離症，黒色爪，Beau 線が多く，発生率は，パクリタキセルで 44%，ドセタキセルで 35%，ナブパクリタキセルで 19% というメタアナリシス[4]が存在する．

2. 分子標的薬

a) EGFR 阻害薬

ヒト上皮成長因子受容体(human EGFR：HER)は，膜貫通受容体型タンパク質であり，細胞内のシグナル伝達系を介して腫瘍増殖，浸潤，転移に関与する．HER ファミリーには，HER1 から 4 まであり，HER1 を通常，EGFR と呼ぶ．EGFR 阻害薬は大きく 2 つに分けられ，膜表面の受容体とリガンドの結合を阻害する抗 EGFR 抗体と，もう 1 つは，細胞質内に存在する ATP 活性化ドメインに結合し ATP と競合し自己リン酸化を選択的に阻害する，EGFR チロシンキナーゼ阻害薬である．EGFR は非小細胞肺癌，大腸癌，膵臓癌などで過剰発現するほか，正常表皮基底細胞の分化とアポトーシスを阻害し，爪囲皮膚の菲薄化と爪甲の刺激により爪囲炎をきたす．EGFR 阻害薬全体で 17.2% に何らかの爪の変化があり[5]，セツキシマブ 14.9%，エルロチニブ 16.3%，パニツムマブ

表 3　EGFR 阻害薬の爪障害の評価スケール

爪の有害事象	Grade 1	Grade 2	Grade 3	Grade 4
爪　甲	疼痛のない爪甲剝離症または隆起	軽度から中等度の疼痛を伴う爪甲剝離症：IADL を妨げる爪甲の変化	ADL を妨げる爪甲の変化	—
爪　郭	甘皮の破壊，欠損または爪郭部の紅斑	紅斑/圧痛/疼痛，化膿性肉芽腫，痂皮，IADL を妨げる爪郭部の変化	爪周囲膿瘍または ADL を妨げる爪郭の変化	—
指　先	疼痛のない皮膚乾燥 and/or 紅斑	軽度から中等度の疼痛を伴う皮膚乾燥 and/or 紅斑，または指先の亀裂または IADL を妨げる指先の変化	ADL を妨げる指先の変化	—

ADL：Activity of Daily Living，日常生活動作（着替え，食事，移動，トイレ，入浴・整容）
IADL：Instrumental ADL，手段的日常生活動作（買い物，清掃，金銭管理，料理，交通機関による移動）
（文献 6 より筆者改変）

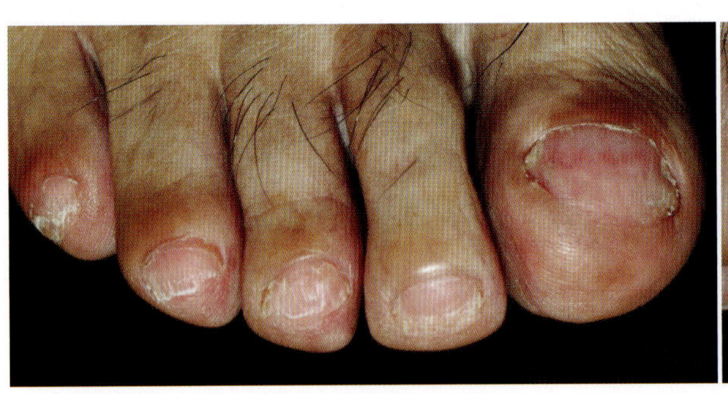

a．VEGF 阻害薬投与例

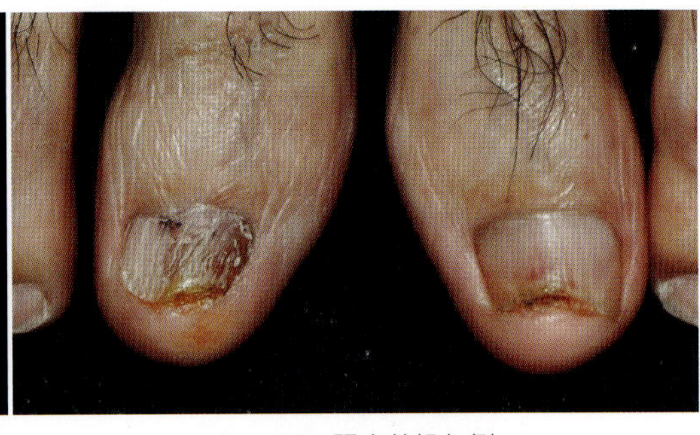

b．BTK 阻害薬投与例

図 6　脆弱爪

表 4　薬剤による爪障害の生活指導

- 清潔を保つ
- 水仕事を避ける
- 綿手袋，ゴムやプラスチック手袋重ねつけ
- 冷却
- 外傷・摩擦を避ける（きつい靴，爪先で物を開けるなど）
- 爪を適切な長さに整える
- 爪囲，爪床の保湿
- 感染創には抗菌薬外用，内服

25.6％と高頻度である．EGFR 阻害薬による爪障害は，最小限の日常生活動作（ADL），手段的日常生活動作（IADL）を評価基準にした重症度分類[6]（表 3）が，前述の CTCAE よりも患者の主観的な症状に介入できるので使いやすい．

薬剤の種類には，抗 EGFR 抗体薬セツキシマブ（アービタックス®），パニツムマブ（ベクティビックス®），ネシツムマブ（ポートラーザ®），抗 EGFR type 2（HER2）抗体薬トラスツズマブ（ハーセプチン®），ペルツズマブ（パージェタ®），EGFR チロシンキナーゼ阻害薬は，ゲフィチニブ（イレッサ®），エルロチニブ（タルセバ®），アファチニブ（ジオトリフ®），オシメルチニブ（タグリッソ®），ダコミチニブ（ビジンプロ®），ラパチニブ（タイケルブ®）がある．

b）EGFR 阻害薬以外の分子標的薬（図 6）

MEK 阻害薬トラメチニブ（メキニスト®），ビニメチニブ（メクトビ®），mTOR 阻害薬シロリムス（ラパリムス®），エベロリムス（アフィニトール®，サーティカン®），テムシロリムス（トーリセル®）などは，爪甲剝離症や爪菲薄化，伸長速度の遅延を生じるが，EGFR 阻害薬に比べて軽症のことが多く，頻度も低い[7]．

VEGF 阻害薬ベバシズマブ（アバスチン®），ラムシルマブ（サイラムザ®），マルチキナーゼ阻害薬スニチニブ（スーテント®），ソラフェニブ（ネクサバール®），レンバチニブ（レンビマ®）では，爪下線状出血斑がみられる．

ブルトン型チロシンキナーゼ（BTK）阻害薬イブルチニブ（イムブルビカ®）は 23～67％に爪甲の脆弱化をきたし[8]，FGFR 阻害薬ペミガチニブは投与患者の 35％以上の例で爪甲剝離症，爪甲脱落，爪床感染症などを生じる[9]．新規分子標的薬

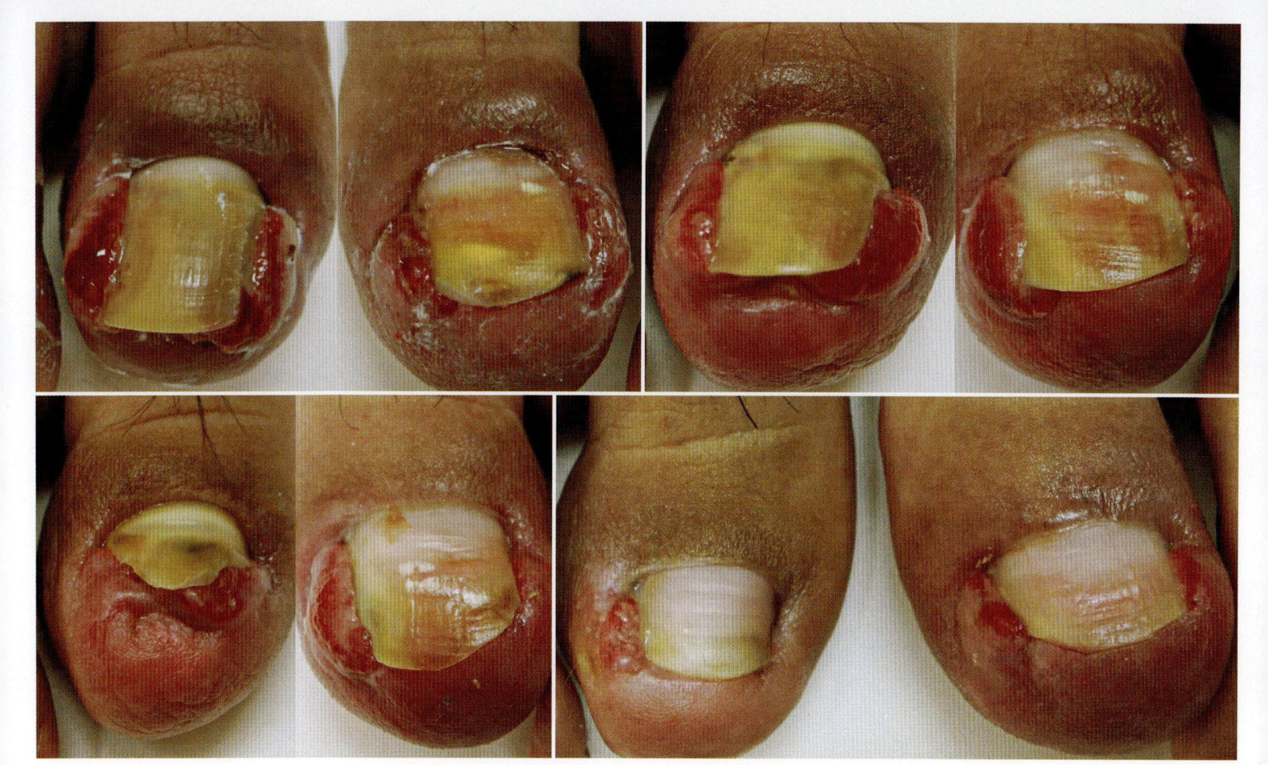

a | b
c | d

図7 パニツムマブによる爪囲炎の治療介入例
a：初回．抗菌薬静脈内投与，抗菌薬外用
b：2か月後．抗菌薬内服，ステロイド外用，テーピング，肉芽組織に対して凍結療法
c：4か月後．抗菌薬内服中止，テーピング，ステロイド外用，凍結療法
d：9か月後．発赤が改善し肉芽縮小

においても爪を含む皮膚障害の観察，治療を習熟した介入が求められる．

3. 発症予防のための生活指導(表4)

薬剤による爪の病変に対しては，治療開始前からセルフケアを指導する．最も重要なことは清潔を保つこと，保湿を行うことだが，そのほか，爪の遠位側方をカーブさせずに四角くカットする，深爪にしない，きつい靴や爪先で固い物を開けるなどの動作を避けて摩擦や外傷による悪化を予防すること．遮光も強調する．爪囲炎は患者のQOLを大きく損なう症状であり，原因薬が投与されている期間は慎重に経過観察を行う．

4. 爪囲炎の治療

爪囲炎が発症したら，爪切りは爪やすりを使用し，テーピングで除圧する．泡石鹸での清浄化，very strong～strongestクラスのステロイド外用を行う．二次感染をきたしている場合は，抗菌薬の外用や内服，さらには静脈内投与を検討する．原因菌は *Staphylococcus aureus* が最多の25％程度に検出され，その他，*Candida albicans* や *Pseudomonas aeruginosa* が報告されている[10]．重度の化膿性肉芽腫形成がある場合は液体窒素凍結療法や，外科的処置が奏効する．治療の実際を図7に示す．

（岡田悦子）

文献

1) Braswell MA, Daniel CR 3rd, Brodell RT：Beau lines, onychomadesis, and retronychia：A unifying hypothesis. J Am Acad Dermatol. 73：849-855, 2015.
2) Ferreira MN, Ramseier JY, Leventhal JS：Dermatologic conditions in women receiving systemic cancer therapy. Int J Womens Dermatol. 5：285-307, 2019.
3) Zawar V, Bondarde S, Pawar M：Nail changes due to chemotherapy：a prospective observa-

tional study of 129 patients. J Eur Acad Dermatol Venereol. 33(7) : 1398-1404, 2019.
4) Capriotti K, Capriotti JA, Lessin S, et al : The risk of nail changes with taxane chemotherapy : a systematic review of the literature and meta-analysis. Br J Dermatol. 173(3) : 842-845, 2015.
5) Garden BC, Wu S, Lacouture ME : The risk of nail changes with epidermal growth factor receptor inhibitors : a systematic review of the literature and meta-analysis. J Am Acad Dermatol. 67(3) : 400-408, 2012.
6) Lacouture ME, Maitland ML, Segaert S, et al : A proposed EGFR inhibitor dermatologic adverse event-specific grading scale from the MASCC skin toxicity study group. Support Care Cancer. 18(4) : 509-522, 2010.
7) Lacouture M, Sibaud V : Toxic Side Effects of Targeted Therapies and Immunotherapies Affecting the Skin, Oral Mucosa, Hair, and Nails. Am J Clin Dermatol. 19 : 31-39, 2018.
8) Bitar C, Farooqui MZH, Valdez J, et al : Hair and nail changes during long-term therapy with ibrutinib for chronic lymphocytic leukemia. JAMA Dermatol. 152(6) : 698-701, 2016.
9) Betrian S, Gomez-Roca C, Vigarios E, et al : Severe onycholysis and eyelash trichomegaly following use of new selective pan-FGFR inhibitors. JAMA Dermatol. 153(7) : 723-725, 2017.
10) Eames T, Grabein B, Kroth J, et al : Microbiological analysis of epidermal growth factor receptor inhibitor therapy-associated paronychia. J Eur Acad Dermatol Venereol. 24(8) : 958-560, 2010.

Ⅱ章 診療の実際—処置のコツとテクニック—

16 爪甲剝離症と爪甲層状分裂症などの後天性爪甲異常の病態と対応

診療・処置のワンポイント

- まず真菌感染症を除外し，次いで背景となる全身疾患や皮膚疾患について検索する．これらを除外できたら局所における悪化因子を極力除去し，治療と並行してネイルケア指導を行う．

Ⅰ 爪甲剝離症

1. 病　態

爪甲剝離症とは爪甲が爪床から離れる状態を表す総称で，通常は爪の先端から近位側に向かって進行する．爪甲が剝離した部分は乾燥により黄白色に濁って変色する．進行は爪甲の半分程度で止まることが多いが，基部に及ぶこともある．しかし爪甲は基部ではしっかりと固定されているため，爪甲が脱落することはない．この点は手足口

表１　爪甲剝離症の原因

・特発性
・全身疾患
膠原病(SLE，DLE，SSc など)，黄色爪症候群，甲状腺機能亢進症，内分泌疾患，妊娠，梅毒，鉄欠乏性貧血，肺癌，ペラグラ，サルコイドーシス，アミロイドーシス
・先天性または遺伝性
遺伝性爪甲剝離症，先天性爪甲硬厚症
・皮膚疾患
乾癬，反応性関節炎，各種水疱症，扁平苔癬，円形脱毛症，多中心性細網組織球症 アトピー性皮膚炎，接触皮膚炎(偶発性，職業性)，菌状息肉症，光線性類細網症 多汗症，爪床の腫瘍
・薬　剤
薬剤性爪甲剝離症：ブレオマイシン，ドセタキセル，パクリタキセル，ドキソルビシン，フルオロウラシル，レチノイド，ラパマイシン，リツキサンほか 光線性爪甲剝離症：クロールプロマジン，クロラムフェニコール，アロプリノール，テトラサイクリン，ソラレン，アミノレブリン酸，サイアザイド，フルオロキノロン，グリセオフルビン，キニーネほか
・局所的原因
外傷：偶発性，職業性，自傷症，異物，爪下血腫 感染：真菌，細菌，ウイルス(疣贅，単純ヘルペス，帯状疱疹) 化学物質：アルカリ，洗剤，次亜塩素酸ナトリウム，塗料剝離剤，砂糖水，ガソリン，有機溶媒，エポキシ樹脂，メタアクリル酸メチル，コールドパーマ液 化粧品：ホルムアルデヒド，人工爪，脱毛剤，除光液，ジェルネイル 物理的：熱傷(偶発性，職業性)，電子レンジ

（文献３を改変）

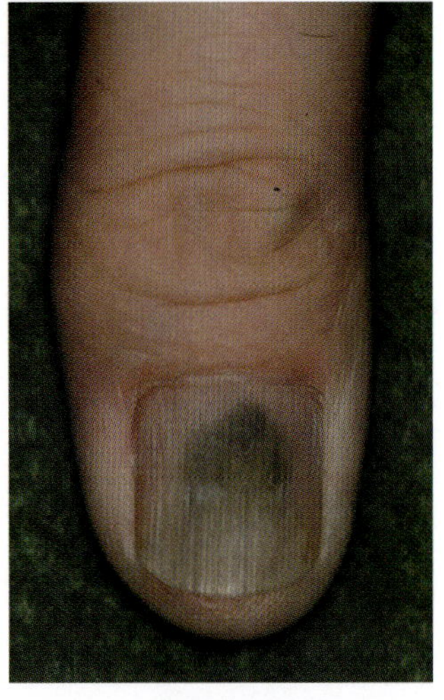

図1　緑色爪を合併した爪甲剝離症

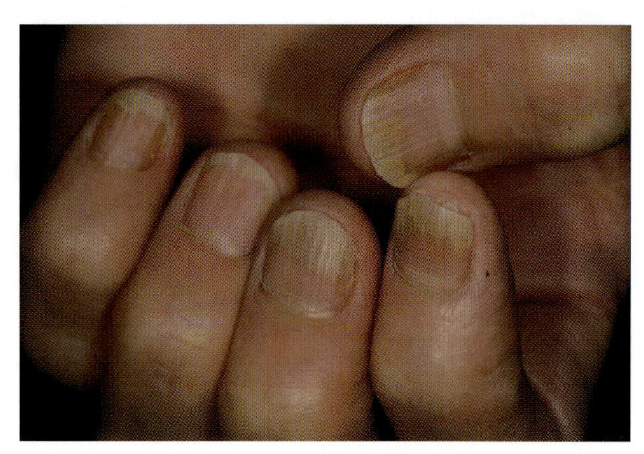

図2　乾癬に伴う爪甲剝離症

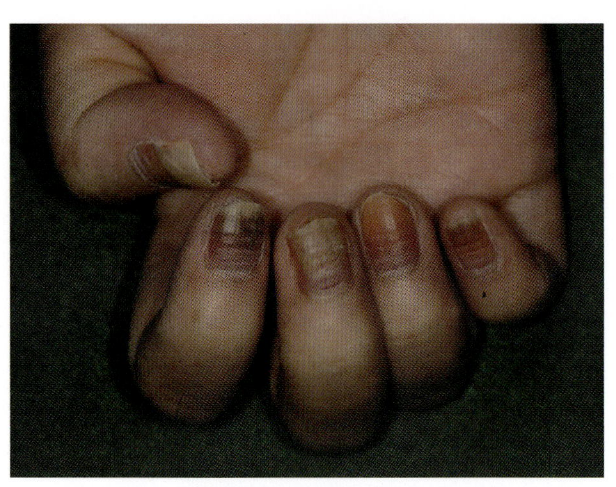

図3　薬剤性爪甲剝離症（ドセタキセル）

病などでみられる爪母細胞の障害による爪甲脱落症（onychomadesis）とは本質的に病態が異なる[1)2)]．通常は爪甲と爪床の接着はかなり強固で，それを阻害して剝離をきたすためには，爪甲と爪床の接着力を弱める質的変化あるいは強い外力が働く必要がある．正常な爪甲を剝離させる強い外力が作用すると，外傷性爪甲剝離となる．それ以外の多くの場合では，爪床の病的状態のため接着力よりも剝離に働く力が勝り爪甲剝離が生じる．爪甲剝離は症候性の爪甲変化であり，その原因は多彩である（表1）[3)4)]．最も多いのはカンジダ菌によるもので，次いで白癬菌などほかの真菌類，細菌感染（図1），ウイルス感染である．次いで湿疹・皮膚炎，乾癬（図2）などの炎症性皮膚疾患，水分や異物の爪下への侵入が挙げられる．局所の要因では多汗症，手袋装着，水仕事，水泳などによる浸軟が誘因となる．エポキシ樹脂，メタアクリル酸メチル，コールドパーマ液，ジェルネイルなどによる接触皮膚炎が誘因となる職業性や，最近では爪の美容に原因があるものも多い[4)]．全身疾患では甲状腺機能亢進症，鉄欠乏性貧血，黄色爪症候群，膠原病，アミロイドーシス，サルコイドーシスなど多岐にわたる疾患でみられる．薬剤が原因の爪甲剝離症も多く，最近では使用頻度の高いドセタキセルなどの抗がん剤（図3）やキノロン系薬剤によるものが多くみられる．日光が関与する光線性爪甲剝離症（photo-onycholysis）はテトラサイクリンやソラレンによるものが有名である．

鑑別疾患は，まず爪カンジダ症と爪白癬が重要である．爪床に原因がある白い爪には，爪床全体が白濁する Terry's nail[5)]，爪床の近位半分が白くなり，末梢側が赤くなる half and half nail[6)]，爪半月と同じ曲率半径で爪床に弓状の白い帯ができる Muehrcke's nail[7)]がある．いずれも爪床結合織の増殖と部分的な浮腫による変化と考えられており，肝硬変，ループス腎炎，ネフローゼ症候群，低アルブミン血症で生じる．

2. 対　応

本症の治癒が遷延する理由に，剝離した爪甲下に水分や角質に付着した起炎物質（汗，異物，細

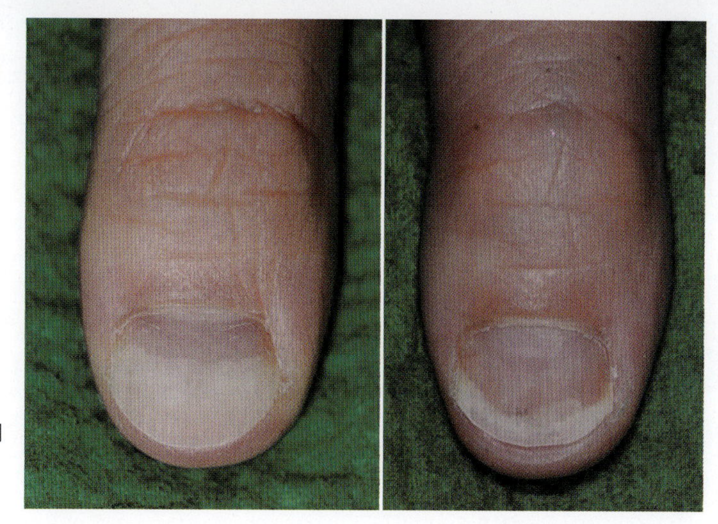

図 4
特発性爪甲剥離症
a：治療前
b：爪甲切除とステロイドローション外用による治療開始 2 か月後

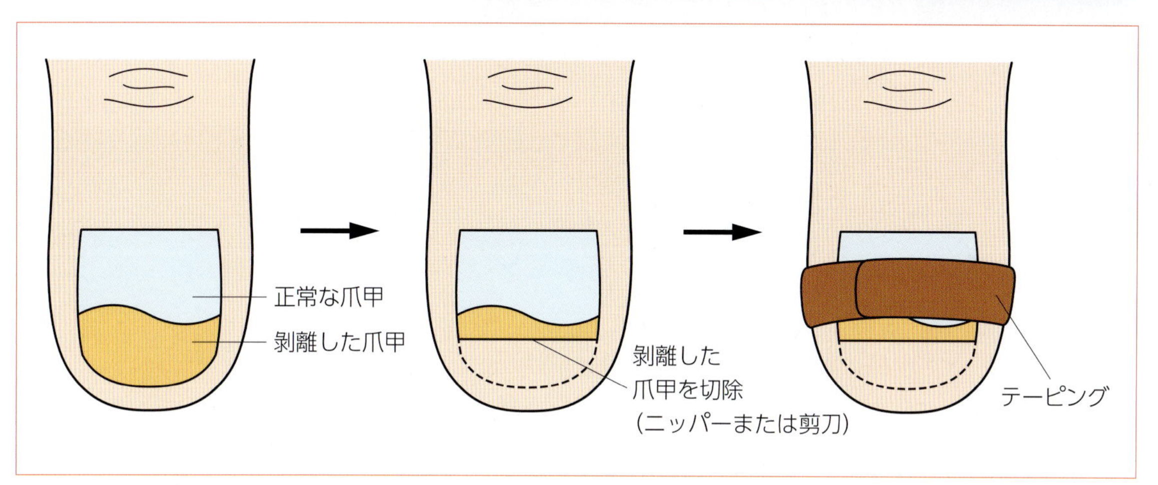

図 5　爪甲剥離症の治療

菌，真菌など)が貯留することが挙げられる．原因が明らかな場合はその除去により回復が期待される．特発性や原因除去が困難な場合は，爪甲の剥離した部分を極力除去する[4)]．患者の抵抗感が強い場合は爪甲の剥離部分の除去範囲を 1/2～2/3 程度に留めて切除し，ステロイドまたは活性型ビタミン D_3製剤の軟膏や液剤を塗って爪甲の遠位端に合わせて横方向に指を 1 周させるようにテーピングをし，爪甲を下床に押しつける力を発生させ，爪甲下のスペースをなくす(図 4，5)．テープは通気性のよい紙テープを使用し，皮膚が浸軟しないように，濡れたら早めに交換する．ライフスタイルに合わせて，テーピングは夜だけにするなど，テープを剥がしている時間を設けると皮膚の浸軟による治癒の遅れを回避できる．水泳や水仕事など爪甲下に水が溜まりやすい状況にある場合は，白色ワセリンを爪甲下に塗り込めて爪甲下の防水をはかる．

II　爪甲層状分裂症(onychoshisis, onychoschizia, lamellar splitting)

1. 病　態

爪甲層状分裂症は爪甲が遊離縁近くで薄く層状に剥離する状態をいう．先端部分における水分含有量の低下に基づき，爪甲角化細胞の接着障害により生じるとされる．しかし単なる乾燥や脱脂だけでは再現できず，乾燥と浸軟の繰り返しが必要と考えられている[1)]．爪甲層状分裂症の原因としては Simmonds 症候群，SLE，各種ビタミン欠乏症，真性多血症，神経疾患，慢性肝障害，粘液水

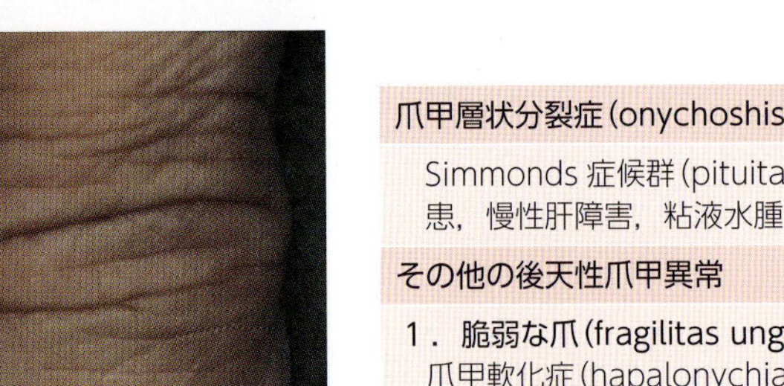

図6　SLEにみられた爪甲層状分裂症

表2　後天性爪甲異常の原因

爪甲層状分裂症(onychoshisis，onychoschizia，lamellar splitting)
Simmonds 症候群(pituitary cachexia)，SLE，各種ビタミン欠乏症，真性多血症，神経疾患，慢性肝障害，粘液水腫
その他の後天性爪甲異常
1．脆弱な爪(fragilitas unguium，brittle nail) 爪甲軟化症(hapalonychia)：多汗症，除光液，アルカリ性物質曝露，EGFR 阻害薬 爪甲縦裂症(onychorrhexis)：有機溶媒，甲状腺機能低下症，Simmonds 症候群，卵巣機能障害，糖尿病，ビタミン B 欠乏症，扁平苔癬，毛孔性角化症，乾癬，Darier 病，魚鱗癬 2．爪甲異栄養症(onychodystrophy) 爪甲点状陥凹(pitting)：円形脱毛症，乾癬，Reiter 症候群，色素失調症 爪甲萎縮(onychoatrophy)：抜爪後，先天性表皮水疱症，尋常性天疱瘡，水疱性類天疱瘡，扁平苔癬，稽留性肢端皮膚炎，末梢動脈閉塞性疾患，強皮症，爪咬症 翼状片形成(pterygium unguis)：扁平苔癬，DLE，外傷 粗糙な爪(trachyonychia，rough nail)：twenty nail dystrophy，円形脱毛症，乾癬，扁平苔癬

（文献8より抜粋）

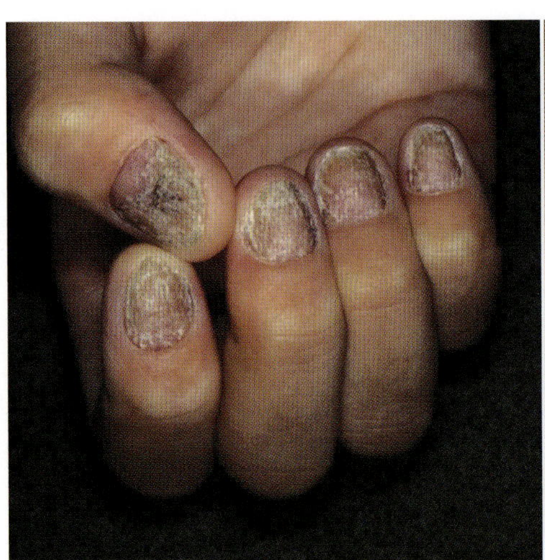

a．12歳時

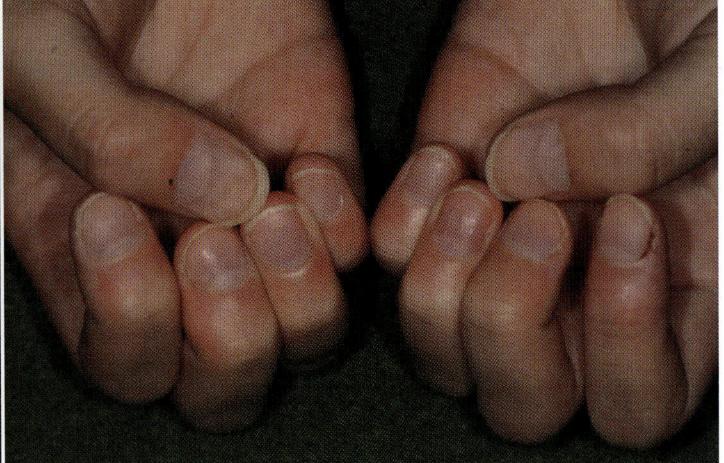

b．18歳時

図7　Twenty nail dystrophy

腫などが知られているが，いずれも疾患特異性はない(図6)．その他，局所の要因では除光液，有機溶媒，アルカリ性溶液の影響などで生じる[1)4)]．なお，爪の扁平苔癬などの爪母の障害でも爪甲の層状剥離がみられるが，病態が異なるので葉状異栄養症(lamellar dystrophy)と表現するのが妥当とされる[1)]．

2. 対　応

誘因を避け，爪を短く切り，保温により末梢循環障害を改善する．有効な薬剤はなく，尿素系保湿剤やオイルにより爪甲の保湿をはかることにより軽快することが多い．除光液を使わないネイルエナメルの重ね塗りも推奨される[1)4)]．

III　その他の後天性爪甲異常

1. 病　態

後天性に爪甲異常をきたす疾患は多く，感染症，腫瘍，炎症など局所の要因によるものと，内臓疾患・全身疾患に基づくものを除外すると，原因不明なものが多い(表2)[8)]．このうち，広義の爪甲異栄養症(onychodystrophy)の範疇に入る病態として爪甲点状陥凹(pitting)，爪甲萎縮(onychoatrophy)，翼状片形成(pterygium unguis)，粗糙な爪(trachyonychia, rough nail)がある．点状陥凹は円形脱毛症と乾癬のほか，Reiter症候群，色素失調症でもみられるが，多くは特発性である．爪甲萎縮は先天性表皮水疱症など各種の水疱症，全身性アミロイドーシス，扁平苔癬，稽留性肢端皮膚炎，末梢動脈閉塞性疾患，全身性強皮症，外傷，爪咬症など多彩な要因により生じる．翼状片を形成する場合は扁平苔癬が最も疑われる．粗糙な爪は円形脱毛症，乾癬，扁平苔癬など皮膚疾患に伴うことが多い．Twenty nail dystrophy(of childhood)は小児に多く，成人にもみられる原因不明の爪炎であり，生検像は湿疹性変化を示し，数年以内に自然軽快することが多い(図7)．爪甲異栄養症には原因不明のものが多く，特に成人特発性のものはいろいろな名称で呼ばれている．実際の診療の現場ではしばしば爪白癬と誤診され(一説では50%)[9]，漫然と長期に抗真菌剤の内服をされている症例も少なくない．

2. 対　応

原因の除去が可能な場合はこれに努めるが，原因不明のものが多い．脆弱な爪の治療にはビオチンの内服が有効とする報告もあるが，効果のほどは不明である[10]．ステロイド軟膏や活性型ビタミン D_3 軟膏が有効な例もあるが，保険適用はなく，明確なエビデンスもない．

（衛藤　光）

文　献

1) 西山茂夫：総論(6)爪疾患の診断学．pp. 55-56, 77-83, 120, 爪疾患カラーアトラス，東京：南江堂，1993.
2) Clementz GC, Mancini AJ：Nail matrix arrest following Hand-Foot-Mouth A report of five children. Pediatr Dermatol. 17：7-11, 2000.
3) Baran R, Dawber R, Haneke E, et al：Nail plate and soft tissue abnormalities. Baran R, et al eds, pp. 63-66, A Text Atlas of Nail Disorders. Techniques in investigation and diagnosis, 3rd ed, London：Martin Duniz Ltd, 2003.
4) 東　禹彦：pp. 61-67, 97, 爪 基礎から臨床まで，東京：金原出版，2004.
5) Terry R：White nails in hepatic cirrhosis. Lancet. 266(6815)：757-759, 1954.
6) Lindsey PG：The half and half nail. Arch Intern Med. 119：583-587, 1967.
7) Muehrcke RC：The finger-nails in chronic hypoalbuminemia. A new physical sign. Br Med J. 1：1327-1328, 1956.
8) 衛藤　光：皮膚科セミナリウム第83回爪のみかた．皮膚疾患・全身性疾患と爪．日皮会誌．122：599-605，2012.
9) Allevato MA：Diseases mimicking onychomycosis. Clin Dermatol. 28：164-177, 2010.
10) Scheinfeld N, Dahdah MJ, Scher R：Vitamins and minerals：theirrole in nail health and disease. J Drugs Dermatol. 6：782-787, 2007.

Ⅱ章

診療の実際―処置のコツとテクニック―

【陥入爪の治療方針に関する debate】

17 症例により外科的操作が必要と考える立場から

診療・処置のワンポイント

- 肉芽の増生の程度，爪甲の彎曲の程度をまず評価する．
- 上記の程度が軽い症例では保存的治療を勧める．
- 巻き爪矯正を中心とする保存的治療で再発を繰り返している症例や，肉芽の増生が高度な例など保存的治療を行う際にも麻酔を必要とするような症例では，外科的治療を勧める．

Ⅰ 陥入爪，過彎曲爪とは？

はじめに，これから述べる陥入爪，過彎曲爪の定義について説明する．陥入爪(ingrown nail, ingrown toenail, onychocryptosis)とは，爪甲辺縁が爪周囲の皮膚に食い込んで，これを損傷し，痛み，発赤，腫脹，感染などの臨床症状をきたしたものを指す(図 1)．すなわち，爪甲と爪周囲組織との相対的な関係の悪化で，炎症症状を中心とする自覚症状を惹起した状態である．これに対して，過彎曲爪(incurvated nail)は，爪甲の横方向の彎曲が増加したものであり，皮膚の損傷の有無や自覚症状とは関係のなく，爪の形態を示す用語である．彎曲の高度なものはpincer nail，trumpet nail などと呼ばれ，爪床を巻き込みながら彎曲するが，意外にも皮膚の損傷や自覚症状を伴わないことが多い(図 2)．巻き爪という用語は元来，過彎曲爪を指すものであるが，陥入爪や過彎曲爪の保存的治療として，いわゆる巻き爪矯正という言葉が一般に広く普及してきており，両者に対して同様の“巻き爪”治療が行われている．このため，患者や医療者のいう巻き爪は陥入爪，過彎曲爪の両者またはどちらかであり，多くは区別されていない．

陥入爪の症状は過彎曲爪がなくても，深爪などを原因として生じうる(図 3)．このとき，彎曲の程度が軽いものでは，爪棘の切除など皮膚を強く圧迫する部位を除去するだけで治癒する(図 4)．若年者の陥入爪ではこのタイプが多い．したがって，どのような保存的治療でも外科的治療でも治

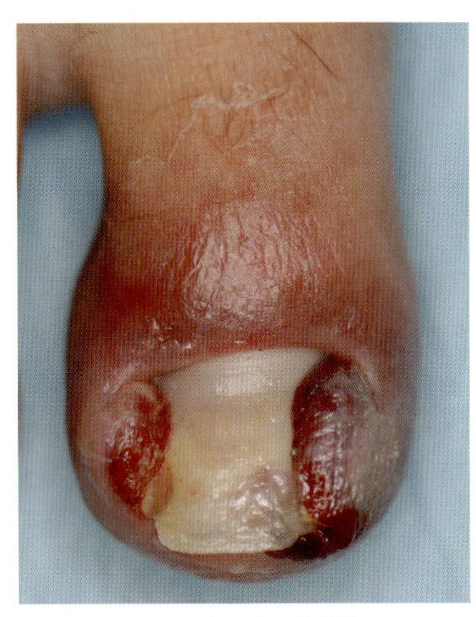

図 1　陥入爪の臨床像
爪甲辺縁が爪周囲の皮膚に食い込んで，自覚症状としての疼痛のみならず，発赤，腫脹，肉芽の増生を伴っている．

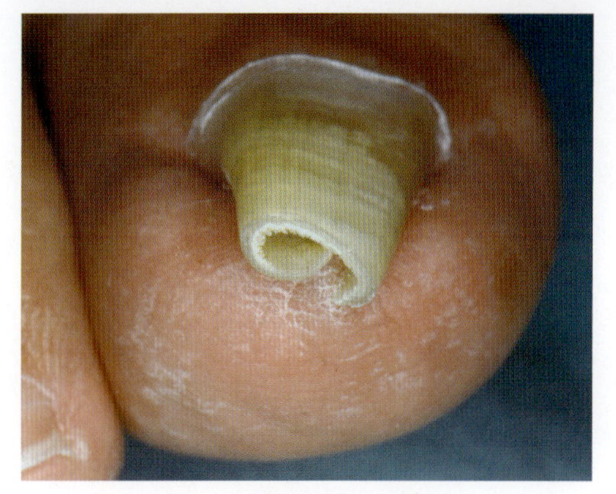

図 2　過彎曲爪の臨床像
Pincer nail と呼ばれる彎曲の高度な過彎曲爪．遊離縁では「の」の字を描くように変形しているが，炎症症状は認めない．

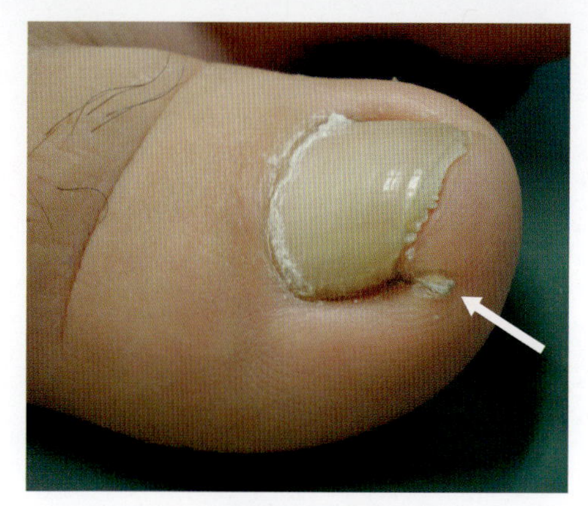

図 3　深爪による陥入爪
切り残しにより形成された爪棘が皮膚を突き破って趾の先端付近から露出している（矢印）．

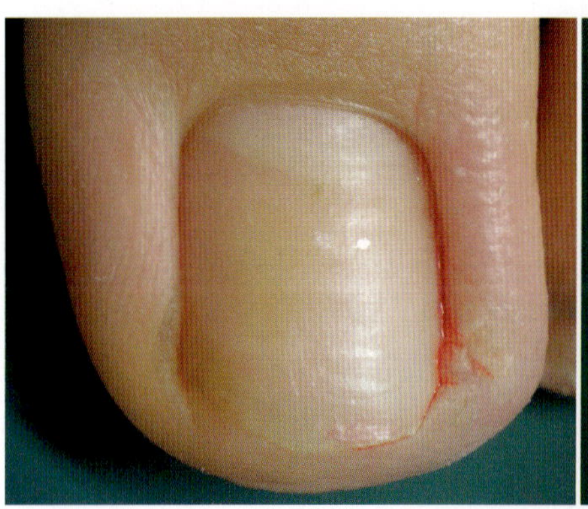

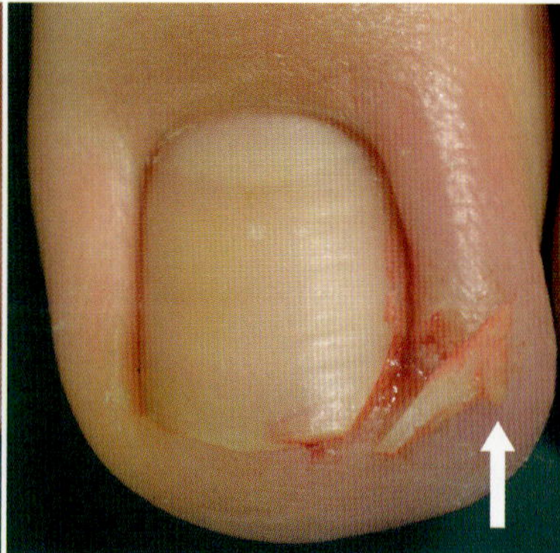

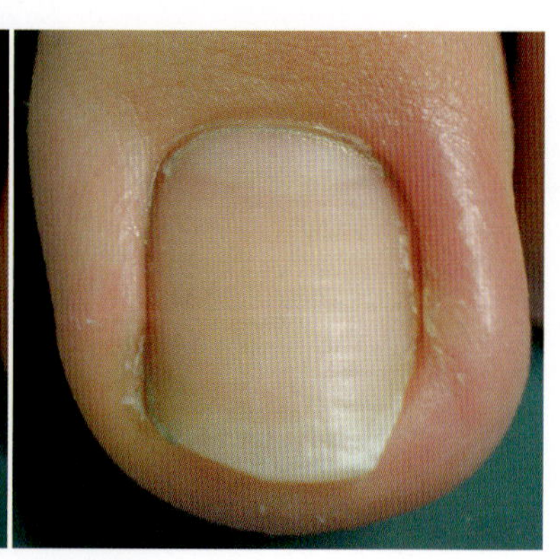

a|b|c

図 4　若年者に多い深爪を原因とする陥入爪に対する爪棘切除
a：治療前．左第 1 趾爪甲外側縁の遊離縁付近に軽度の肉芽形成を伴う発赤，腫脹がある．陥入部位は爪甲の角を自分で斜めに切り込んでいる．
b：爪棘切除．陥入部位を斜めに爪甲辺縁まで切除すると，患者自身の不適切な爪切りにより，爪甲辺縁が棘状に切り残されていたことがわかる（矢印）．
c：爪棘切除後 2 週．疼痛・肉芽ともに消失し，軽度の発赤が残るのみである．

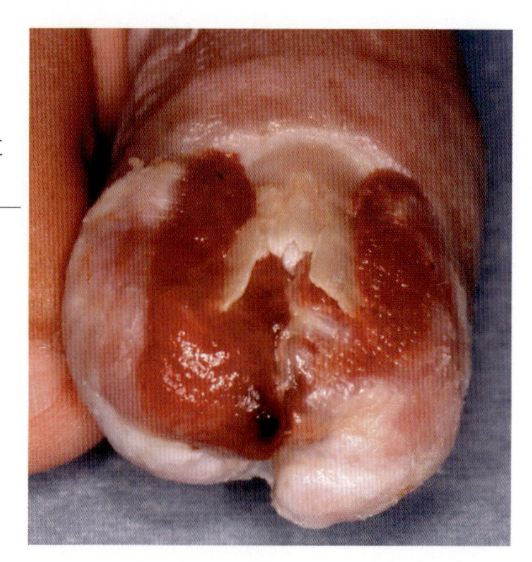

図 5
肉芽形成と軟部組織の腫大が高度な陥入爪
長期間経過し，保存的治療を実施しがたい状況に陥った陥入爪．両側の肉芽が趾尖で相接している．

癒しやすい．しかし，長期間経過したものでは肉芽形成が進行し，爪郭の高度の浮腫，線維化を伴って保存的治療を実施しがたい状況に陥る（図5）．また，爪甲の横方向の彎曲の程度が強い例では，巻き爪矯正を含めた各種の保存的治療で一旦軽快しても，治療を中止すればほとんどが再発する．

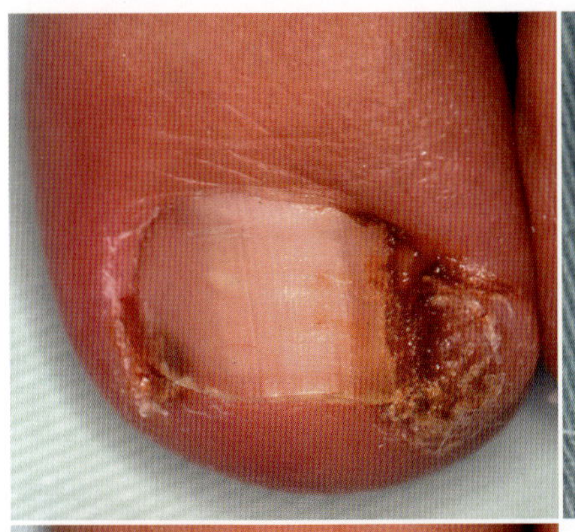
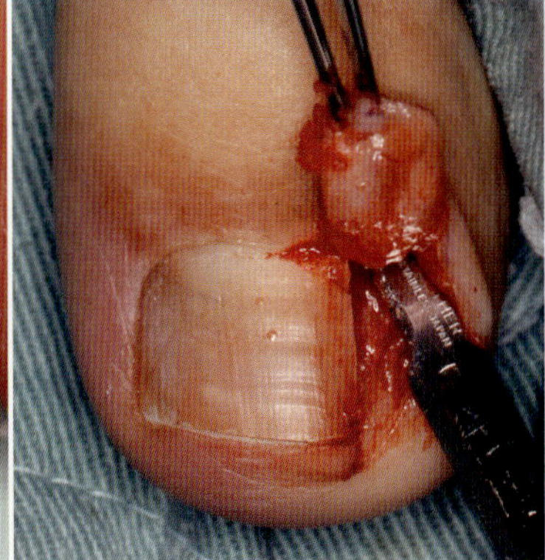
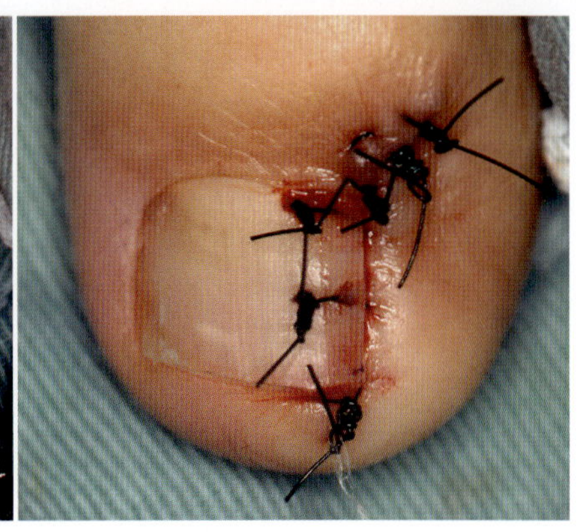
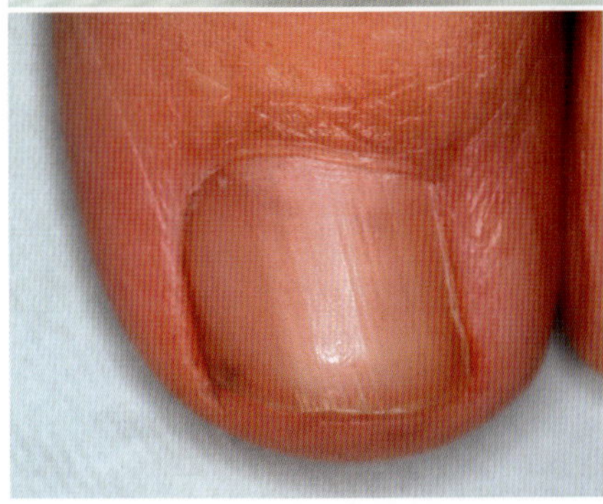

a|b|c
d|

図 6
爪郭爪母切除術(labiomatricectomy)による陥入爪の治療
a：治療前
b：保存的治療後，残存する第 1 趾外側の病変部を一塊に切除
c：手術終了時
d：術後 1 年 1 か月

II 治療法の変遷—保存的治療法の増加により，外科的治療は減少—

陥入爪の根治的治療として，かつては爪母，爪床の側縁部を外科的に切除する方法が世界的に広く実施されていた(図 6)．本邦で陥入爪の外科的治療として一般化した鬼塚法や児島 II 法もその代表である[1)2)]．その後，海外で足療法士たちの間で行われていたフェノール法を本邦で実践した Kimata ら[3)]が，その優れた治療成績を英文誌に発表すると，本邦のみならず海外でも形成外科，皮膚科領域を中心に，フェノール法は医師の間にも急速に普及した．このため，次第に皮膚の切開や切除を伴う陥入爪手術は影を潜めるようになり，爪母側縁を化学的に焼灼する，侵襲の少ない外科的治療であるフェノール法に取って代わられた(図 7)．鬼塚法などの爪甲側縁部の組織を一塊に切除する楔状切除術は，熟練した術者が行えば，再発率が低く簡便な治療法である．しかし，術後の疼痛が強いことや再発率が術者の技量に依存する点などが，欠点であった．フェノール法は，爪甲側縁の部分抜爪という外科的手技を含むが，皮膚の切除や切開を必ずしも要さない．また，フェノールの持つ神経遮断作用から術後の疼痛が極めて少ない．メスを用いた切開や，その後の縫合という外科的手技への精通も必要ない．それにもかかわらず，治療成績は楔状切除術より優れていたことが世界的に普及を広めた要因である．一方，手技そのものが簡便なフェノール法は，熟練した術者のいない医療機関にまで拡がったことで，術者が重要な注意事項を遵守しなかったことによるトラブル，特に予定よりも広範囲の爪母が焼灼され，爪甲の萎縮や矮小化を招くという事例が指摘されるようになった．

フェノール法がスタンダードな外科的治療法として定着したころ，国内外で開発された巻き爪矯正具が注目を集めるようになり，古くから行われていた保存的治療と組み合わせることにより，様々な状態の陥入爪，過彎曲爪に対して実に多種類の保存的治療が実施されるようになった．

保存的治療では，爪甲辺縁の皮膚への食い込みを一時的に緩和する方法が採られる．具体的な方法としては，爪棘切除[4)]，ガター法[5)6)]，テーピング法[7)]，人工爪法[8)]，コットンパッキング[9)]などが

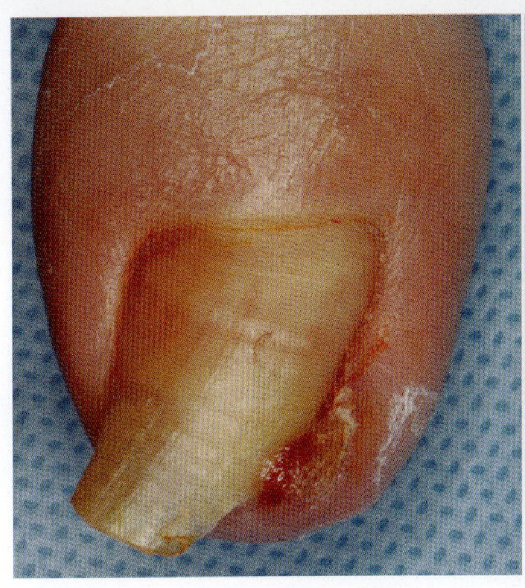
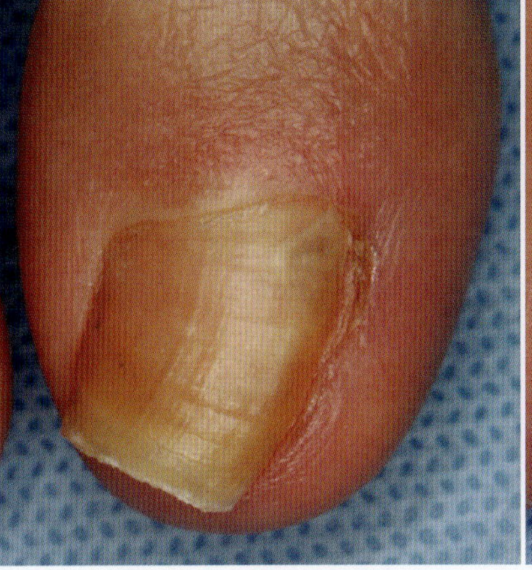
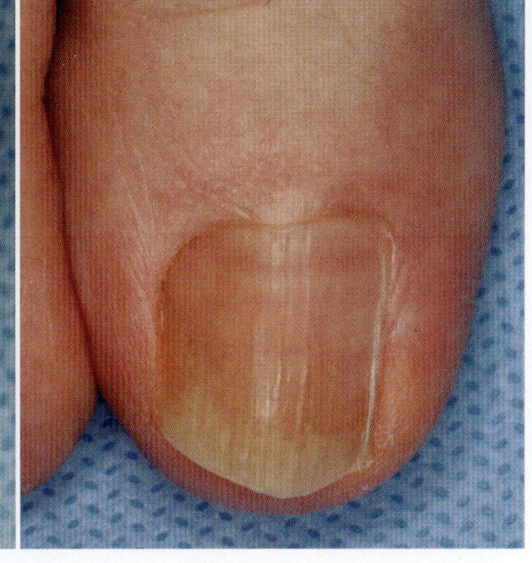

a|b|c

図7　フェノール法による陥入爪の治療

a：右第１趾の過彎曲爪と爪甲先端の外側への偏位を伴う陥入爪
b：内側にフェノール法を実施後６週
c：フェノール法術後３年６か月．爪甲の過彎曲と外側への偏位はいずれも改善．上からみた爪甲の幅は術前と大差ない．

従来から行われてきた．近年では，主に国内外の企業が製造・販売している爪矯正具が急速に普及し，現在も次々と新たな矯正具が考案されている．これらの方法のいずれか単独，または複数の方法を組み合わせて実施することで，爪甲自体の彎曲が強くない陥入爪は完治する．若年者の陥入爪のように不適切な爪切りや足に合わない靴，運動などが原因となるものが代表的である．しかし，爪甲の彎曲が強い例では，爪切りや靴による圧迫などを契機に再発しやすい．このような例や，陥入爪症状を伴わない過彎曲爪の形態異常そのものに対しては巻き爪矯正が行われる．巻き爪矯正法には3TO(VHO)，コレクティオ，インベントのように爪甲側縁に引っ掛けたワイヤーを牽引する方法，BSスパンゲやペディグラスのように爪甲表面に貼り付けた樹脂プレートの復元力で矯正する方法，形状記憶合金からなるワイヤー・プレート・クリップなどの復元力を利用する方法など様々なものがあり，企業の宣伝力，販売力にも後押しされ，急速に普及してきた[10)〜15)]．

これに対して，外科的治療は医師が自ら実施しなければならないことや，他の皮膚科・形成外科領域の手術と異なり，フェノール法の普及により画一的で容易な手技となり，術者の関心が薄れてきた．爪手術用の器具は一度購入すれば買い換えはほとんど必要ないため，矯正具と異なり，企業からの後押しもほとんどない．手術法はほぼ完成の領域で新しい話題が少ないため，学会や講演会でのテーマにもなりにくい．巻き爪矯正法は医療業界以外からも広く宣伝されており，これらのなかで外科的治療に否定的な者も少なくない．このようなことから，本邦においては術者の心理として積極的に手術することを避けるようになってきている．しかし，海外においては初期のステージの陥入爪には保存的治療，進行したステージには外科的治療が必要とされ，なかでもフェノール法は最も有効で安全な方法として今日でも評価されている[16)]．

現在，本邦では極めて状態が悪いものをすぐに治したいという患者以外には保存的治療が行われることが多い．巻き爪矯正で再発を繰り返し，治療期間の長さや経済的負担からの解放を願って外科的治療を希望するようになった患者には，フェノール法を中心とした外科的治療が選択されている．

Ⅲ　過彎曲がなく，肉芽形成の軽微な軽症例はどんな治療でも完治する

若年者の深爪による陥入爪に代表される横方向の彎曲増加が軽微な陥入爪(adolescent type[17)])は，上手に爪棘を切除し，マクロゴール軟膏などの吸水性の強い基剤からなる外用薬を塗布させ，

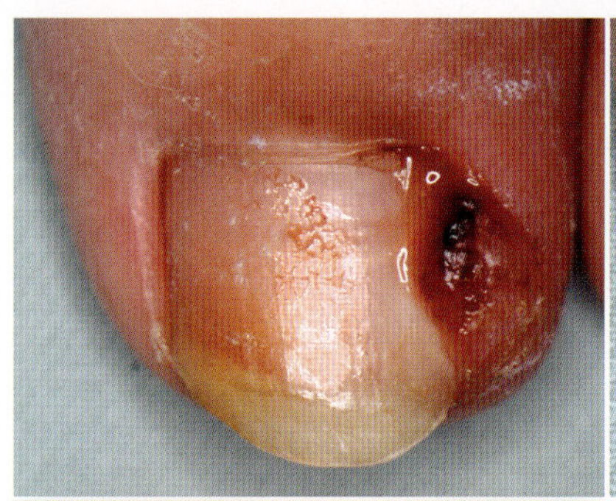
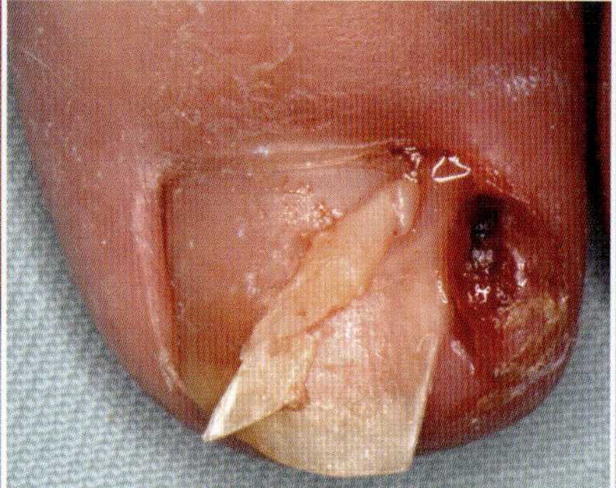
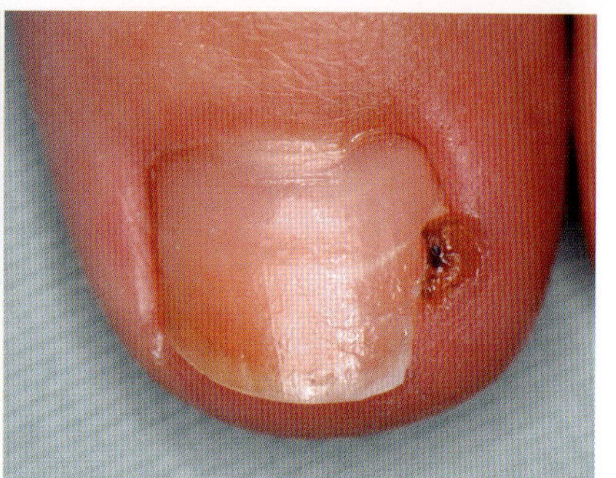
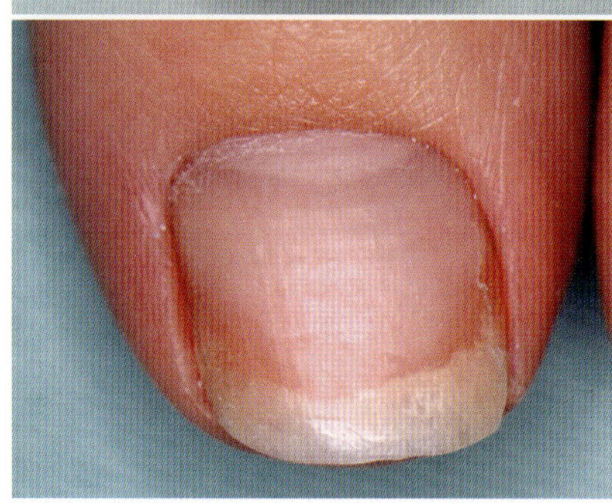

図 8
陥入爪の保存的治療
a：左第 1 趾の陥入爪による肉芽形成
b：食い込んでいる爪甲外側縁の肉芽に接する部分を無麻酔で斜めに切除
c：爪甲部分切除後 2 週．マクロゴール軟膏の外用により，肉芽も著明に縮小
d：爪甲部分切除後 4 か月．再発はない．

肉芽の縮小と感染制御をはかれば，多くは完治する（図 8）．これは診療中にその場ですぐに実施でき，時間もかからず簡便な方法であるが，陥入爪の治療を行う多くの医療者から，より悪化させる方法として批判されている．患者自身がこの方法で，より深爪の状態にして受診する場合が多いこと（図 4）と，爪甲辺縁が短くなり，巻き爪矯正などの保存的治療を実施しにくい形態になることも印象を悪くする 1 つの要因であろう．しかし，最大の要因は陥入部位で爪棘を切除する際，より近位部に新たな爪棘を発生させることなく，辺縁をスムーズに切除することが難しいからであると思われる．うまく切れなければ患者自身が切ったのと同じ結果になり，確かに状態をより悪化させるであろう．無麻酔で爪溝内のみえない位置に存在する爪の辺縁をスムーズに切除するには，眼科用剪刀のような繊細な器具と，刃先が爪の側縁を越えるまで剪刀の先を完全には閉じない繊細な指の感覚が必要である．細い剪刀は硬い爪甲を切除するには向かないように思われるが，肉芽で浸軟した爪甲は柔らかいため，すぐに器具を痛めるようなことにはなりにくい．爪切り専用に設計された剪刀は頑丈で幅が広いため，肉芽を圧排しながらでないと使用できず，無麻酔では疼痛が強く実施しがたい．

若年者に多いこのタイプの陥入爪は，適切な処置がなされれば一過性の病態であり，当然，巻き爪矯正を含む種々の保存的治療で治癒し，深爪や着用する靴に注意すれば再発しにくいわけである．

IV 保存的治療は継続を必要とするもの，外科的治療は再発を抑制するもの

陥入爪・過彎曲爪の要因は表 1 に掲げたように多様であるが，両者で共通するものも多い．若年者に多い深爪や靴などの外力によるものなど，爪甲の彎曲が軽度で要因を排除できる陥入爪は，前項で述べたように，どのような治療をしても上手に行えば治癒するのであまり問題とならない．しかし，彎曲の強いものでは再発が問題となる．爪には元来，伸ばしていけば先端が次第に巻いてくる性質があることは，異様に長く伸ばしている人の爪から容易に想像できる．過彎曲爪には先天的要因が関与していると考えられるものが多く，第 1 趾以外の足趾や手指の爪の彎曲も強い傾向がみられる（図 9）．したがって，原因の除去が容易な深爪に起因するような陥入爪以外では，巻き爪矯正で長期間かけて爪甲の平坦化と爪囲炎の治癒が得られても，矯正具を除去すると比較的短期間で

表1　陥入爪・過彎曲爪の主な要因

陥入爪の要因	過彎曲爪の要因
●靴による圧迫(先細の靴，窮屈な靴) ●深爪(多くは棘状の切り残し) ●運動 ●多汗 ●外傷 ●肥満 ●薬剤(レチノイド，ステロイド，EGFR 阻害薬など) ●母趾の外反変形 ●爪床に対して幅が広すぎる爪(broad nail plates) ●大きな側爪郭 ●過彎曲爪 ●肥厚爪 ●菲薄爪 ●遺伝的要因	●外力(合わない靴) ●長すぎる爪 ●深爪 ●母趾の外反変形 ●末節骨底の肥大 ●趾腹からの圧力の喪失(長期臥床など) ●薬剤(βブロッカー) ●爪甲下の腫瘍や囊腫 ●遺伝的要因

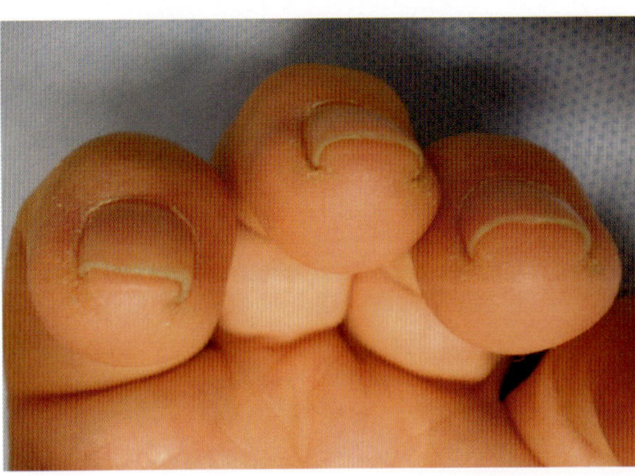
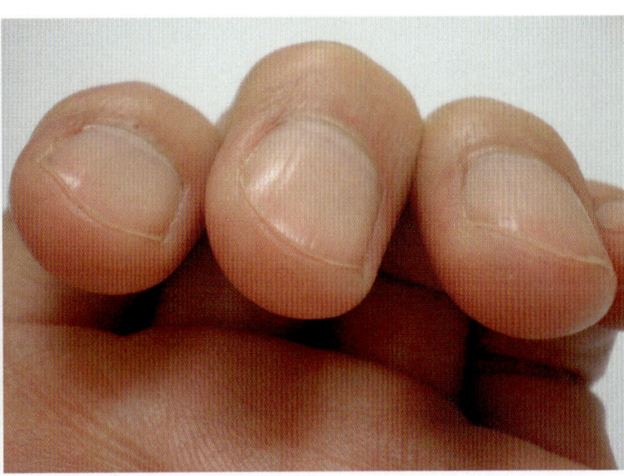

a|b

図9　過彎曲爪患者にみられる手の爪の彎曲増加
a：足趾の陥入爪症状をきたして受診した患者の手指の爪甲．爪甲側縁付近の彎曲増加がみられる．
b：健常人の手指の爪

巻き爪の状態は必ず再発する[18](**図10**)．したがって，美容院や理髪店で定期的に毛髪をカットしてもらうのと同様に，多くの例では定期的ないしは継続的な治療が必要となる．

これに対して，外科的治療の代表であるフェノール法や楔状切除術などの爪甲短縮術(爪甲の幅を狭くする手術)は，彎曲の最も強い爪甲側縁部を廃絶する手技であるため，手技的な問題などで廃絶に失敗しない限り再発は稀である．本邦では欧米と事情が異なり，フェノール法などの外科的治療を禁忌として批判する声が少なくないが，外科的治療にも精通している施設では保存的治療とともに行われているようである．

外科的治療に否定的な人の論拠に次のようなものがある．すなわち，爪甲は爪床からの圧を受けるためにアーチ型をしていて，この下からの圧によって広がっている．爪甲の幅を狭くすることによって，爪甲にかかる単位面積あたりの圧が大きくなるので，爪は強度を高めるために彎曲を増すようになる．その結果，陥入爪症状をきたしやすくするというものである[15]．しかし，爪甲が巻いてくるメカニズムはいまだに明らかではなく，このような説は推論を根拠としている．現実的にはフェノール法などの爪甲の幅を狭くする手術を実施した後に再発することは極めて稀であり，Kimataらの報告でも1%程度である[3]．逆に爪甲の彎曲が増している例に巻き爪矯正を行った場合，矯正後に治療を終了すると再発は必至である．爪甲の彎曲が増加している陥入爪においても，大部分の症例では爪甲の側縁付近のみが強く

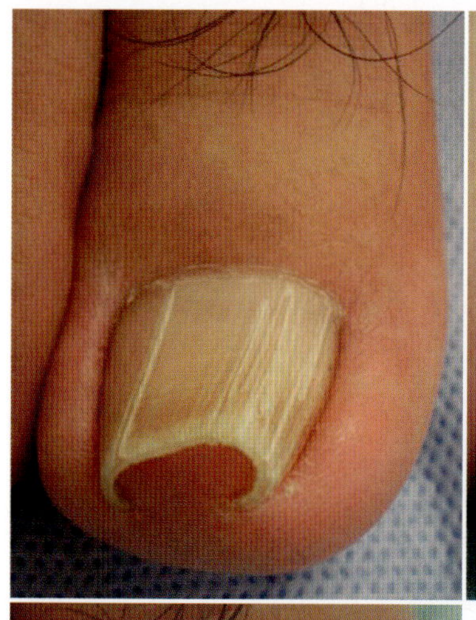
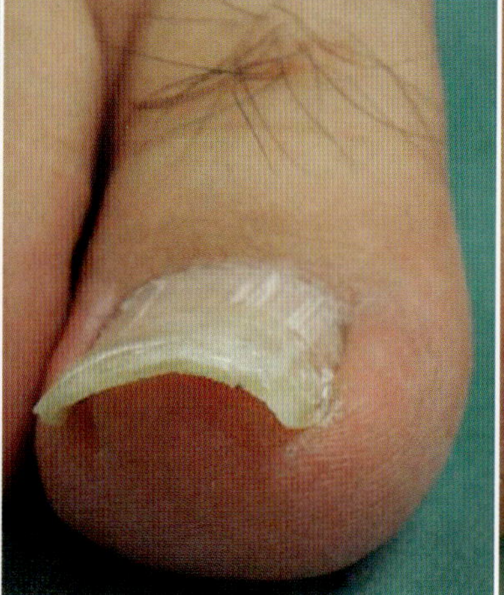
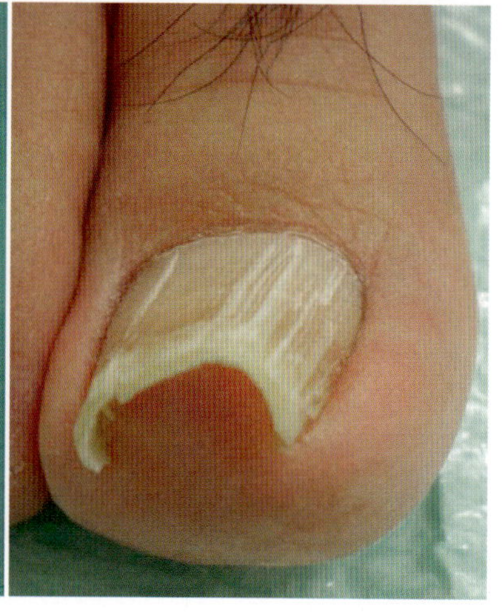
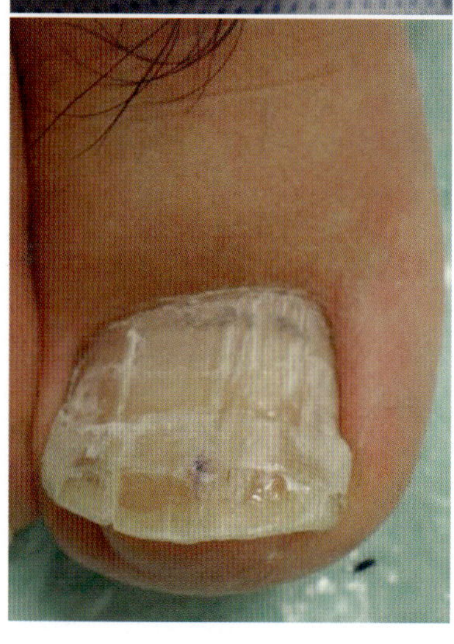

図 10
巻き爪矯正の経過
a：治療前の過彎曲爪
b：BS スパンゲ，形状記憶合金ワイヤーにより，過彎曲を矯正
c：治療中止後 4 か月でほぼ元の形状に戻っている．
d：再治療中（BS スパンゲ）

巻いているため，その部分を形成する爪母を廃絶することにより完治に至るのである．巻き爪矯正は爪の彎曲する要因を取り除いているわけではないので，治療を中止すれば爪の形態は元に戻る．爪が全体的に巻いている過彎曲爪においても，爪甲の幅を狭くすると同じ曲率半径で巻いていても爪甲は平坦化したようにみえ，爪床を巻き込むこともなくなる．高度の過彎曲爪，すなわち pincer nail は治療の有無にかかわらず，ある程度まで進行する病態であるため，爪甲の幅を狭くしても，彎曲は進行しうる．しかし，幅の狭くなった爪甲が，術前と同様の彎曲を呈するには非常に小さい曲率半径で曲がる必要があり，通常，そこまで曲がらず，術前ほどには爪床を巻き込まない．

フェノール法に否定的な論者が挙げるもう 1 つの理由は，爪甲の幅が狭くなり，美容的に問題があるという点である．しかし，フェノール法で廃絶する爪甲側縁部は術前から爪郭内に埋もれ込んでみえていない部分である．したがって，適切な幅で廃絶すれば，手術前後でみえている爪の幅に大きな違いはなく，患者が気にすることはない（図 7）．

フェノール法に対する懸念は陥入爪の再発ではなく，不適切な手技によって爪甲側縁部以外が廃絶されることが稀にある点であろう．注意深く実施すれば，保存的治療と異なり，肉芽も同時に除去できる根治性の高い方法である．術後の疼痛も軽微であり，局所麻酔薬の注射のみが患者への唯一の苦痛といえる．したがって，彎曲が強い症例に麻酔を要する処置が必要になった際には，あえて麻酔をしたうえで保存的治療を行うよりも，根治性の高いフェノール法を行ったほうがよい．手

表 2　巻き爪矯正の特徴

メリット	デメリット
①多くは医師でなくても実施できる ②麻酔不用 ③重大な副作用・合併症がない ④料金設定が自由(自由診療) ⑤再発するたびに繰り返すことが可能 ⑥患者自身が矯正具を購入し，自分で実施できるものが増加している	①巻き爪では治療を継続しないと短期間で再発する(維持療法が必要) ②治療材料が高額なものが多い ③高額な講習の受講や高額な器具の購入が必要なものがある ④保険適用はなく，医療機関で実施する場合には，患者負担額が比較的大きい ⑤肉芽・炎症症状の速やかな解消は困難 ⑥矯正力が強いと爪甲が割れることがある

術を希望しない患者には保存的治療を行うことになるが，巻き爪矯正など，ある程度高額な治療を過彎曲爪に実施する際には，トラブルを避けるために再発の可能性や長期間の治療になることをあらかじめ説明しておくべきである[18]．

V　将来の方向性は？

日頃からあまり煩雑な検査や治療を行うことに慣れていない皮膚科医にとって，近年，陥入爪・過彎曲爪の治療を積極的に行ってくれる医療機関が増えていることは大変喜ばしいことである．これは巻き爪矯正具が次々と開発され，簡便で入手しやすいものが増えてきたためである．表 2 に外科的治療と比較した際の巻き爪矯正の特徴を示した．矯正具にある程度の費用がかかり，装着にやや手間もかかるので自費診療で行う必要があり，医療機関においては，どちらかというとクリニックを中心に拡がっている．しかし，前述したように巻き爪矯正を中心とする保存的治療は，深爪が原因の単純な陥入爪以外では高率に再発するものである．再発を防ぐためには矯正が完了した後も，これを維持するための矯正具の装着を延々と続ける必要がある．クリニックでは慢性疾患と考えて実際に長期間継続することが有利であるかもしれないが，急性期病院などでは外来患者数を削減したいため，1 回の手術で治せる疾患を長期間，保存的治療でみていくことは必ずしも喜ばしいことではない．

巻き爪矯正具は当初，高額な料金を支払って代理店主催の講習会を受けないと販売してもらえないものや，医療機関以外では入手できないものが主体であった．現在は医療機関のほか，ネイルサロン，フットケアサロンなどで広く実施されており，巻き爪矯正ののぼり旗まで市販されている．また，巻き爪矯正センターなる医療機関のような名称をした施設も登場しており，理学療法士，柔道整復師，鍼灸師など医師以外の種々の医療従事者が経営に携わっている．巻き爪矯正には健康保険を使用できないため，患者にとって矯正後もこれらの施設で維持療法を継続したり，再発するたびに治療を再開したりすることは大きな負担となる．幸いにも，最近ではインターネット通信販売の著しい伸びに伴い，安全性の高い一般医療器具としての巻き爪矯正具を含めた実に多種類の巻き爪治療用グッズを，患者自身が直接ネット通販サイトで購入することができるようになった．これらのなかには医療機関が自費診療で実施している巻き爪矯正具とほぼ同等のものも含まれており，家庭において自分自身で，巻き爪の保存的治療を初期から維持療法まで安い費用で実施することが可能になってきている(図 11，12)．過彎曲爪に対する巻き爪矯正を含む保存的治療は，やめれば必ず再発するため，現実的には患者と医療者との根比べである．したがって，根治性の見込めない彎曲した爪に医療機関で保存的治療を行うのは初期の数か月～1 年程度がよいのではないかと思われる．長期にわたる時間と多額の費用をかけて改善した爪の形態が，治療中止により元に戻るのは見るに忍びない．矯正が完了したならば，維持療法を家庭で患者自身に行ってもらう時代がきているのではないかと考える．再発を抑制する手段としてのフェノール法などの外科的治療は，麻酔が必要なため，医療機関において医師しか実施できない治療として生き残るものと思われる．保存的

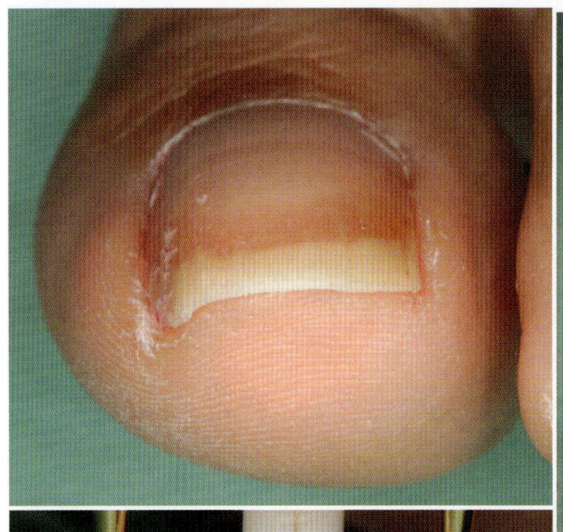

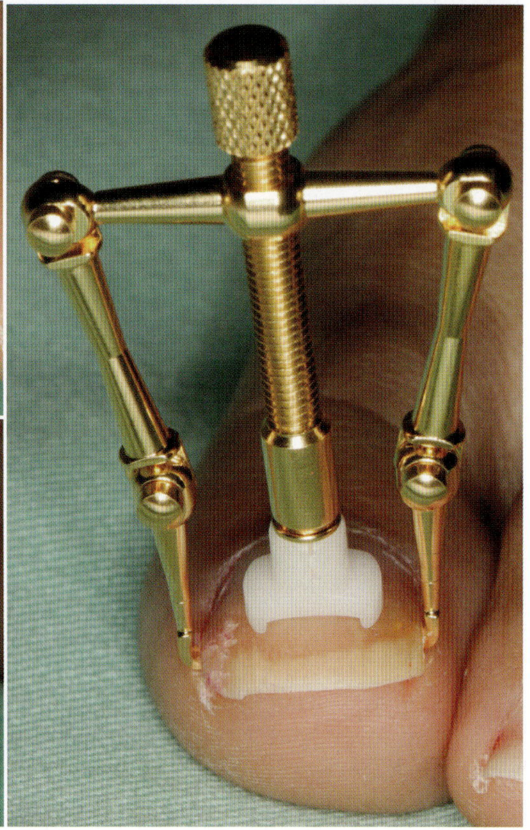

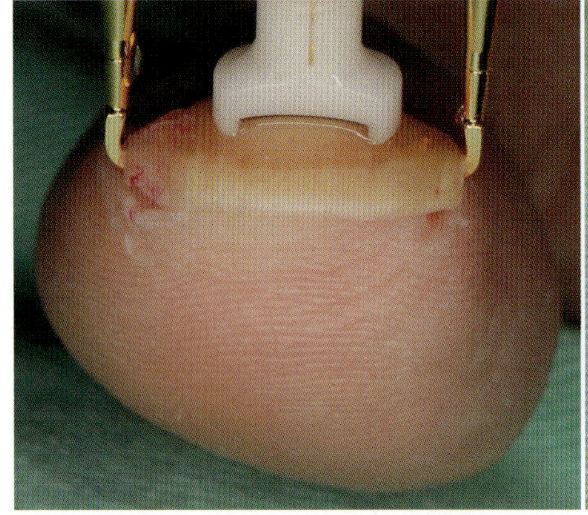

図11　ネット通販で入手できる巻き爪矯正具(巻き爪ロボ)

a：治療前．左第1趾内側の陥入爪
b：矯正具を装着したところ
c：装着したまま温浴20分で陥入部位が挙上されたところ

a | b
c |

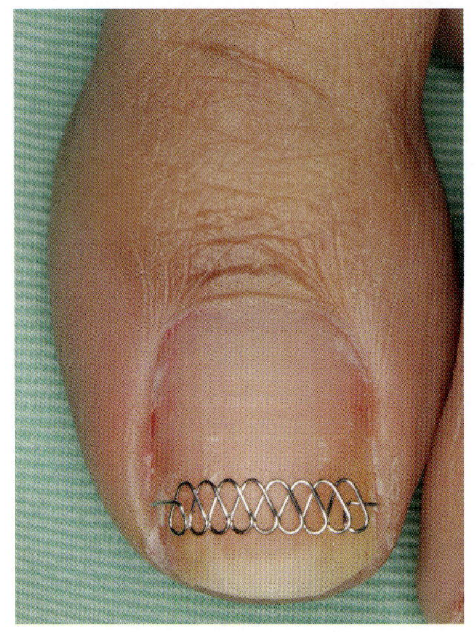

図12　ネット通販で入手できる巻き爪矯正具(巻き爪ブロック)

特殊バネの復元力で巻き爪を矯正する．巻き爪ロボで短時間のうちに矯正した爪甲を維持する目的にも使用される．

治療が家庭で容易に行えるようになると，外科的治療の対象は肉芽の増生が顕著で家庭では処置できないような症例や，再発を繰り返すことに辟易した症例などになるであろう．

（田村敦志）

文献

1）鬼塚卓弥：Ingrown nail 爪刺(陥入爪)について．形成外科．10：97-105，1967．
2）児島忠雄：陥入爪の形成．日医師会誌．98：15，1987．
3）Kimata Y, Uetake M, Tsukada S, et al：Follow-up study of patients treated for ingrown nails with the nail matrix phenolization method. Plast Reconstr Surg. 95：719-724, 1995.
4）田村敦志：フェノール法や爪棘切除に対する誤解．皮膚病診療．30：583-585，2008．

5) Wallace WA, Milne DD, Andrew T：Gutter treatment for ingrowing toenails. Br Med J. 21：168-171, 1979.
6) 新井裕子，新井健男，中嶋　弘：外来診療における陥入爪の保存的治療法 人工爪用アクリル樹脂を用いたガター法とアクリル人工爪法．皮膚病診療．21：1159-1166，1999.
7) Nishioka K, Katayama I, Kobayashi Y, et al：Taping for embedded toenails. Br J Dermatol. 113：246-247, 1985.
8) Arai H, Arai T, Nakajima H, et al：Formable acrylic treatment for ingrowing nail with gutter splint and sculptured nail. Int J Dermatol. 43：759-765, 2004.
9) Ilfeld FW：Ingrown toenail treated with cotton collodion insert. Foot Ankle. 11：312-313, 1991.
10) Ishibashi M, Tabata N, Suetake T, et al：A simple method to treat an ingrowing toenail with a shape-memory alloy device. J Dermatolog Treat. 19：291-292, 2008.
11) Park SW, Park JH, Lee JH, et al：Treatment of ingrown nail with a special device composed of shape-memory alloy. J Dermatol. 41：292-295, 2014.
12) Moriue T, Yoneda K, Moriue J, et al：A simple therapeutic strategy with super elastic wire for ingrown toenails. Dermatol Surg. 34：1729-1732, 2008.
13) Harrer J, Schöffl V, Hohenberger W, et al：Treatment of ingrown toenails using a new conservative method：a prospective study comparing brace treatment with Emmert's procedure. J Am Podiatr Med Assoc. 95：542-549, 2005.
14) Norbert S：VHO 式爪矯正シュパンゲによる保存的治療．MB Derma. 87：15-23, 2004.
15) 菅谷文人，梶川明義，相原正記ほか：巻き爪の発生メカニズムに則した治療方針とは．聖マリアンナ医大誌．42：53-60，2014.
16) Thakur V, Vinay K, Haneke E：Onychocryptosis—decrypting the controversies. Int J Dermatol. 59：656-669, 2020.
17) Haneke E：Controversies in the treatment of ingrown nails. Dermatol Res Pract. 2012：783924, 2012.
18) 上出康二：陥入爪・巻き爪治療．MB Derma. 197：57-64，2012.

Ⅱ章 診療の実際―処置のコツとテクニック―

18

【陥入爪の治療方針に関する debate】

陥入爪の保存的治療：いかなる場合も保存的治療法のみで，外科的処置は不適と考える立場から

診療・処置のワンポイント

- 肉芽組織のある陥入爪にはアクリル固定ガター法が最適である．アンカーテーピングは肉芽組織にも有効である．この2つの方法の単独/併用でいかなる陥入爪も治療可能である．

I はじめに

陥入爪は，あらゆる年齢層にみられる，疼痛，不快感，活動制限をきたす日常的な爪疾患である．主な原因は誤った爪切りで，合わない履物や運動，老化などの各種要因が加わり病態は複雑である．疼痛除去目的の安易な爪切り，抜爪などの不適切な治療により慢性化かつ重症化をきたし，さらに侵襲的治療による変形や後遺症などもみられる．いかなる場合か，としては，陥入爪の肉芽組織や肥大などの重症度に加えて，年齢層とその特徴，発症部位(どの指趾・爪郭)，巻き爪や爪真菌症，糖尿病などの基礎疾患，化学療法剤，生物学的製剤の関与などがある．なかでも，爪の切り方と形状は重症度や治療期間に影響し，最も重要である．また，靴，履物，運動や労働，老化，活動性の過不足，荷重など環境要因が関与する生活習慣病でもある．陥入爪の治療の極意は，その状態に応じて各種治療法を柔軟に応用しつつ，生活習慣の改善をはかることである．

II 陥入爪とは

爪甲先端や側縁が爪郭を損傷し，疼痛，炎症，感染，化膿，肉芽組織形成，爪郭肥大などを起こしたものを総称する．巻き爪があると陥入爪を生じやすく，また，陥入爪があると巻き爪を生じやすいが，巻き爪は陥入爪とは異なる疾患概念であり，混同してはならない[6]．

新井ヒフ科クリニックの陥入爪の統計(4,615病巣，1979～2012年12月)では，主に足趾(92.3%)に生じ，その大多数(95.3%)が外力を受ける母趾に多く，その他の足趾(4.7%)にも生じた．また，少ないが手指(7.6%)にも生じた．爪郭別では，大多数(96.2%)が側爪郭に生じ，遠位爪郭(前方・埋没型)陥入爪(2.1%)，retronychia(レトロニキア，後方・近位爪郭陥入爪)1.8%だった．特に，活動性の高い10～20歳代の若者に多いが，爪が薄く折れやすい，靴を履かない乳児や幼・小児から高齢者まで広い年齢層にみられる[3)4)]．

症状は，疼痛や運動制限，不快感を生じ，足趾，手指の爪郭の発赤，腫脹，膿汁，肉芽組織形成，爪郭肥大，爪郭の角化および指趾の肥大などを呈する．病型の分類にはHeifetzによる病理学的分類(1937年)[9)]がある．陥入爪第1期：爪郭の疼痛と発赤，軽度腫脹，第2期：膿汁，滲出液排泄が加わり，第3期：肉芽組織形成，慢性炎症反応，爪郭の肥大・角化である．発赤，腫脹その他の症状は，病期を経るにつれて増悪する[9)]．どの病期でもアンカーテーピングとガター法による治療が有効である[1)～7)]．

1. 陥入爪の主な原因と発症機序

陥入爪の主な原因は誤った爪の切り方，深爪や

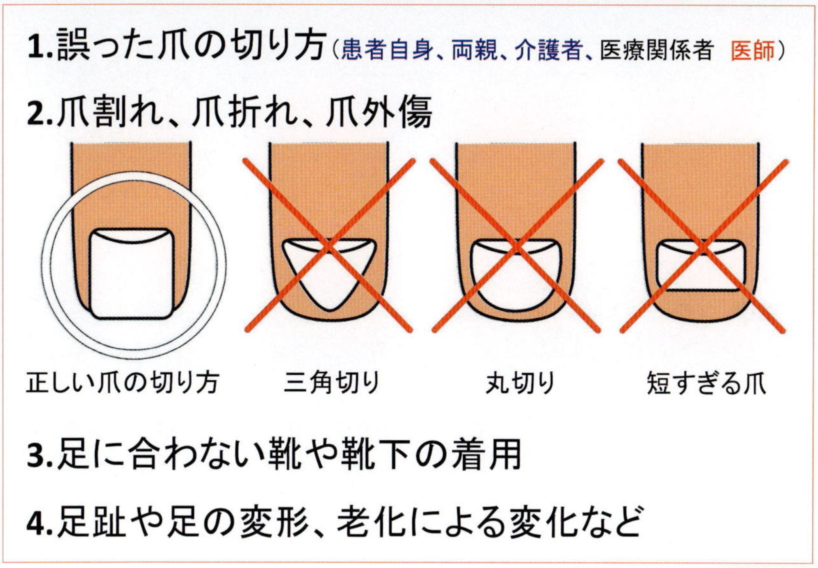

1.誤った爪の切り方（患者自身、両親、介護者、医療関係者　医師）

2.爪割れ、爪折れ、爪外傷

正しい爪の切り方　三角切り　丸切り　短すぎる爪

3.足に合わない靴や靴下の着用

4.足趾や足の変形、老化による変化など

図 1　陥入爪の主な原因

（文献 2 より引用）

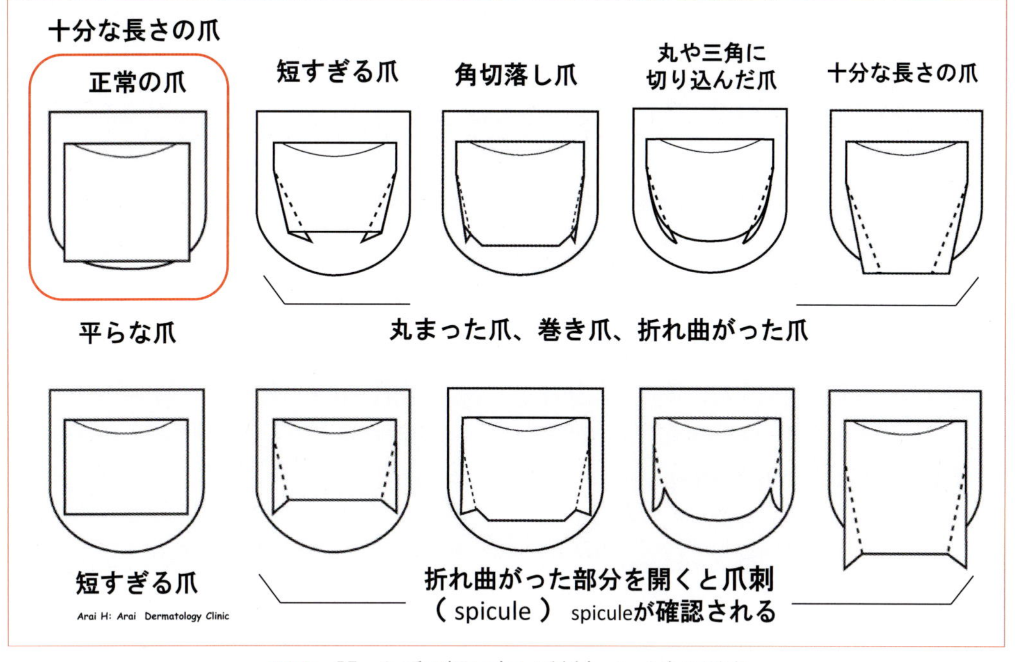

図 2　誤った爪の切り方と爪刺（spicule）の形成

（文献 2 より引用/改変）

爪折れ，爪噛み，爪の小外傷で，それに履物，種々の要因が影響する[1)〜8)]．不適切な爪切りは患者・保護者・介護者や，また医師によるものも多い（図 1，2）．硬いケラチン質からなる正常な大きさの爪甲は，歩行時の床反力から，爪甲下の組織を保護する（図 2，3）．爪甲欠損が生じると，床反力により，周囲軟部組織は隆起し，爪の角や爪刺が容易に皮膚を損傷し陥入爪を生じる（図 3）[10)〜12)]．また，爪甲は指趾の丸みに沿う自然の曲線を有し，ときに過彎曲爪・巻き爪・折れ曲がり爪などを伴う．短すぎる爪，爪の角切り，丸切り，深い斜め切り，V カットなどの誤った爪切りは，隠れた爪刺や凶器となる爪の辺縁を残す（図 2）[2)〜4)]．一方，鉛直センサーであるメカノレセプターは，

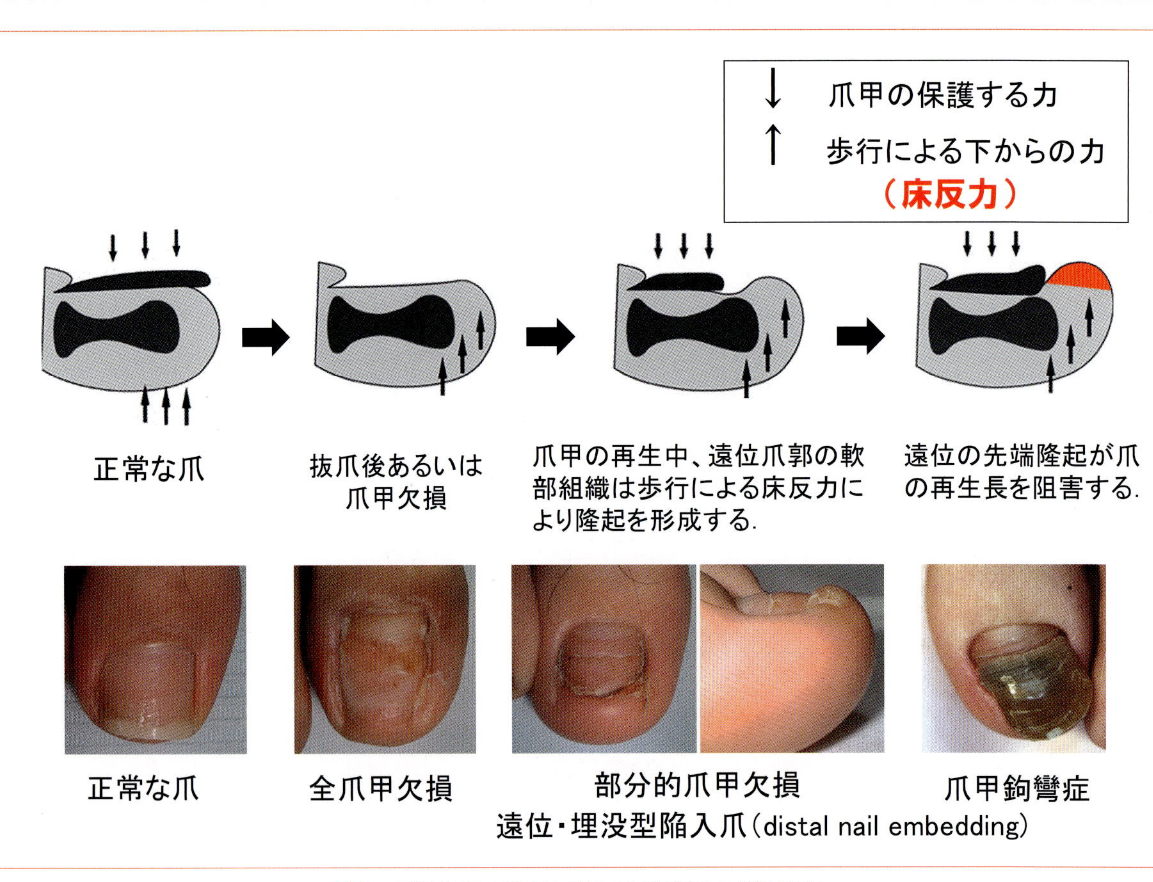

図 3　指趾先端の隆起と陥入爪/鉤彎爪の発生機序
（上図：文献 10〜12 より改変，下図：文献 7 より引用）

母趾腹に多数集中して存在し[13]，爪の欠損を感知すると，突き刺さるのを防ぐため，踏み込む力を制御する．その結果，床反力が減ずるので爪甲は彎曲度を増し，さらに狭い靴など横からの圧力が加われば巻き爪になりやすい．巻き爪があると陥入爪になりやすく，爪の彎曲度が強いと，さらに爪刺を残しやすい(図 2)[2)〜4)]．通常，爪は爪母から再生するが，誤った爪切りや外傷による爪甲欠損部では，爪床からも爪が再生し，爪の辺縁から爪刺や鋸歯状の爪側縁となり，爪郭を損傷する異物となる[3)4)6)]．さらに，湿潤する炎症や肉芽組織の下では，滲出液に浸されて爪甲は浸軟し，脆弱になり折れやすく，爪縁は不整になる．

二次的原因は，合わない履物(小さい靴，大きすぎる靴，ハイヒール，きつい靴下など)による足の上方や側方からの接触や圧迫である．その他の要因は，巻き爪，過彎曲爪，爪や周囲組織の形態的な素因，外反母趾，足・足趾の変形，足のバランス異常，老化による形態・歩行の変化，運動過不足，肥満，多汗，糖尿病など，全身疾患，爪真菌症，化学療法剤，生物学的製剤などの薬剤の関与，爪甲下新生物などである．また，スポーツなどの運動および体育の授業，課外活動，労働などの影響も関与する．このような場合にもきっかけは誤った爪切り(爪折れ)であることが多い．

2. 陥入爪の治療

陥入爪の治療の原則は，異物(凶器)となる爪甲先端，辺縁，爪刺などを回避し，爪郭を保護し，爪を正常な再生に導くことにある．ガター法は，突き刺さる爪の辺縁をチューブで囲み[1)〜7)14)]，またアンカーテーピングは，爪刺や爪辺縁から爪郭を引き離して保護することにより，疼痛・炎症・肉芽組織を軽減し，爪の再生長を助け治癒に導く[2)〜7)]．ガター法は最も迅速な除痛効果をもたらす．すべての病期，ほとんどの症例は，肉芽組織や腫脹・肥大が激しくても，アクリル固定ガター

表1　各種保存的治療法の適応と必要条件

各種保存的治療法	適応と必要条件
アンカーテーピング法	軽～重症，すべての陥入爪．小児，手指，母趾以外の足趾など． 短い爪，肉芽組織，爪郭肥大，ガター法の準備，併用，再発予防，化学・生物製剤関与症例
アクリル固定ガター法	肉芽組織，感染，炎症を伴う症例．適度な爪の長さ・形が必要．化学・生物製剤関与症例．乳幼児には薦めない．
アクリル固定ガター法＋アンカーテーピング法	肉芽組織・爪郭肥大・腫脹，感染など軽度～重症まで
アクリル人工爪法	爪甲欠損の症例，多くは肉芽組織消褪後，テーピングとの併用可能
ガター法＋人工爪	肉芽組織があり，爪甲欠損の大きいもの
パッキング法(ソフラチュール®，コットンなど)	応急処置，テーピングと併用
40％尿素軟膏 ODT	巻き爪を伴う症例に爪アイロンや爪甲彎曲度改善装置と併用．炎症のないとき，就寝時に行う．
爪彎曲度改善装置(B/S Spange®，超弾性ワイヤ，形状記憶合金クリップその他)	巻き爪，過彎曲爪を伴う症例に各種テーピング法と併用 炎症消失後，引き続き巻き爪を改善
爪アイロン，炭酸ガスレーザー	突き刺さる爪刺を持ち上げて矯正，爪の彎曲を改善．ガター法，人工爪法やテーピング法と併用

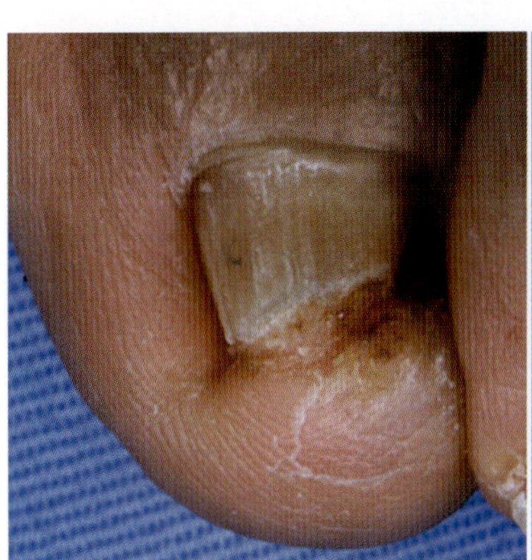
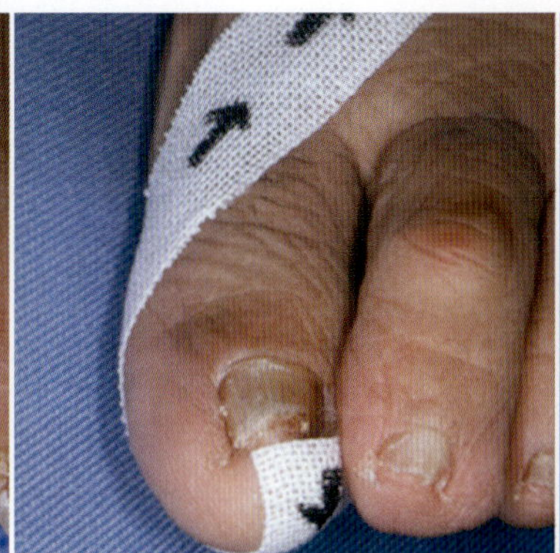
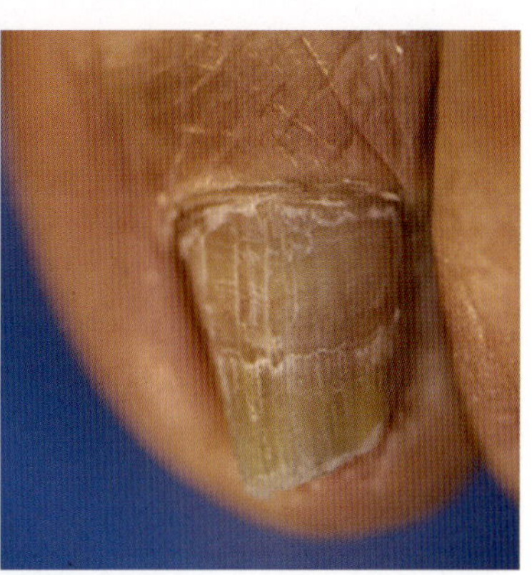

a|b|c

図4　治療のため短く切られた巻き爪を伴う陥入爪(77歳，女性)
テーピング，のちにB/S Spange® を予定
a：治療前．短い巻き爪・肉芽組織・趾端の隆起
b：遠位爪郭にテーピング
c：3か月後．この後プラスチックネイルブレイスで彎曲を改善予定

法とアンカーテーピング法の単独/併用により，異物反応が消失し，簡単，確実に治療可能である[1)～7)]．また，ガター法[1)～7)14)]やアクリル人工爪[1)～7)]およびその併用[2)～7)]は爪甲欠損部を補う．その他，パッキング法[15)]などや爪のアイロン[6)16)]，抗生剤の内服・外用，ステロイド局注，Mohs' paste[18)]，40％尿素軟膏 ODT[6)]，爪彎曲度改善装置・各種ブレースなど[6)19)～21)]を適宜応用する．さらに，足の清潔維持，正しい爪の切り方[22)]，履物の選択，再発予防についてなどの患者教育は治療の一環として必須である．

Ⅲ　各種保存的治療法(表1)

1. アンカーテーピング法

陥入爪のテーピング法(図4)は西岡ら[23)]により報告され，さらに，アンカーテーピング法(新井ら)[2)～7)]として改良された(図5～11，17，19)．患者に方法を指導し，患者自身が施行する．症状により一日中，日中，夜間など，適宜テーピングの時間や頻度に応用を加える．

a) アンカーテーピングの適応

軽症から重症例，応急処置から根治術としても

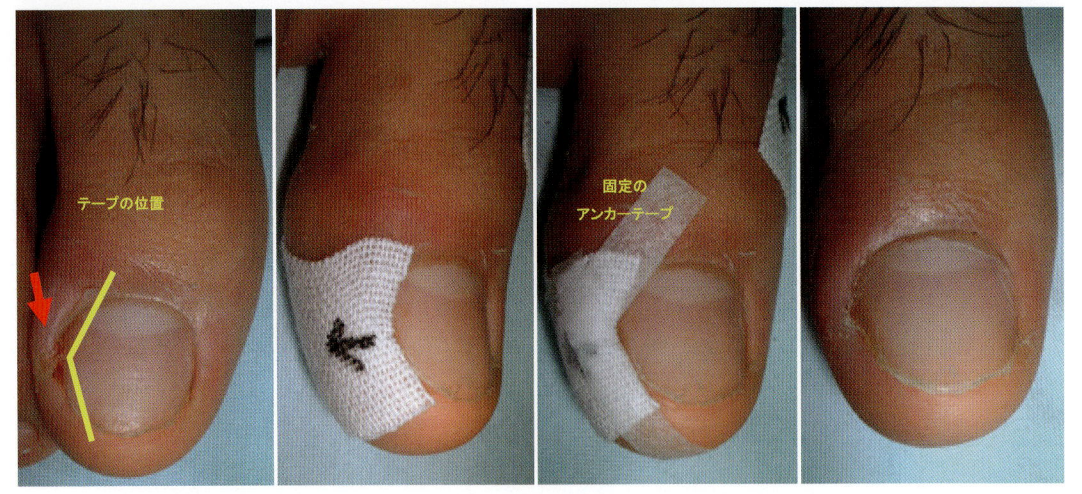

図 5　陥入爪の基本のアンカーテーピング法(固定アンカーテーピング)(20 歳，男性)　a|b|c|d

a：治療前．異物となる爪の角，爪刺，爪側縁が存在する位置を確認・予想する(矢印)．
b：基本テーピング．爪の角を囲むようにテープを貼る．テープを引くとずれるので，爪辺縁から 1〜3 mm の爪の上にテープを貼り，その部分を指で押さえながら，テープを斜め後ろにゆっくり引き，腹側中央まできたら引くのをやめ，背側に戻して置くように貼る．
c：固定のアンカーテーピング．テーピングがずれないように，さらにサージカルテープで皮膚に固定する．テープの辺縁を爪辺縁に接し，形を整える．
d：2 週間後．炎症消失．再発防止のため，治癒後も数か月は日中のみ，このテーピングを薦める．
(文献 7 より引用/改変)

応用する．特に短い爪，手指，母趾以外の足趾，乳幼児・小児例などでは第一選択の治療となる．腫脹が激しいとき，爪が深い斜め切り，丸切りの症例で，ガター法が不可能な場合や，その準備にも効果的である．たとえ肉芽組織，排膿，滲出液があってもアンカーテーピングは可能で，それら炎症の消褪を促す．本法とガター法との併用はさらに効果的である．経験的には，陥入爪の治癒後も，約 6 か月は脆弱な爪甲と爪郭を保護するために，運動や歩行の際には引き続きテーピングを行うのが望ましい．爪外傷後の陥入爪や鉤彎爪の予防にも有効である．化学療法剤，生物学的製剤が関与する場合，治療・予防ともにアンカーテーピングは有効である(図 8)．

b)陥入爪におけるアンカーテーピング法の作用機序

テーピングは凶器となる爪の角や辺縁から，爪郭をテープで引き離す治療法である．さらにテープを二重三重など，多重に貼ることにより牽引力・圧迫力・固定力が増大し，異物である爪刺から爪郭を引き離し，疼痛や炎症の軽減，爪郭の保護の効果を高め，圧迫する力は炎症・腫脹・肉芽組織・爪郭肥大の消褪を促す[2)〜6)]．また，肉芽組織や排膿，滲出液などのある症例でも，病巣の上から被せるように幅広く長めのアンカーテープを土台として貼ることにより，その上にさらにテープを貼ることができ，固定力を増すとともに炎症や肉芽組織の消褪効果を促進する(図 6〜11)[2)〜7)]．

c)アンカーテーピングの留意点

テーピングに際しては，運動制限，血流阻害に留意し，近接 2 関節に貼らないこと，交差・1 周するターニケット効果を予防し，また，シワを作らないことである．適切なテープの選択，貼る部位や時間を調整し，接触皮膚炎を予防し，これらの指導に努める．

d)テーピングの材料と器具

布製弾性テープ：ニチバン医療用弾性テープ(ELASTOPORE®)が優れている．その他，医療用テープ，サージカルテープ(固定用)：ニチバンスキナゲート™テープ，3 M マイクロポア™サージカルテープなどの良質なテープ，はさみ．応急手当としては，とりあえずどんなテープでもかまわない．使用するテープの大きさは，母趾では通

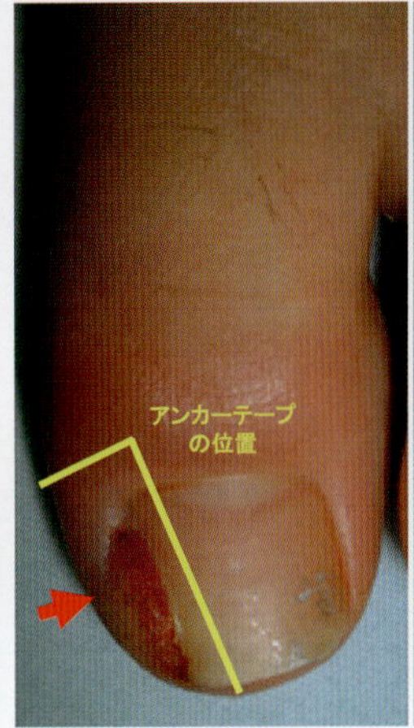

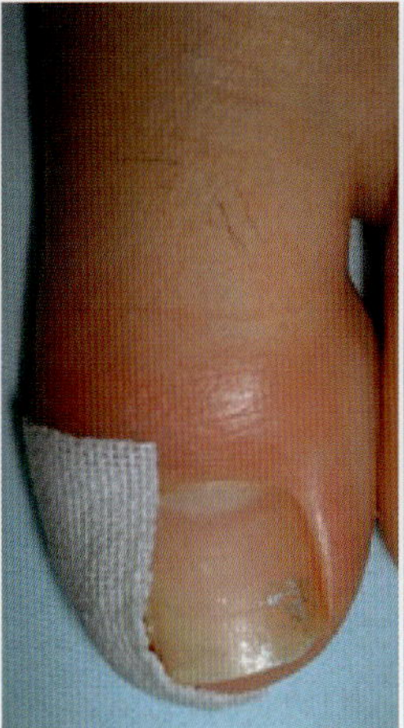
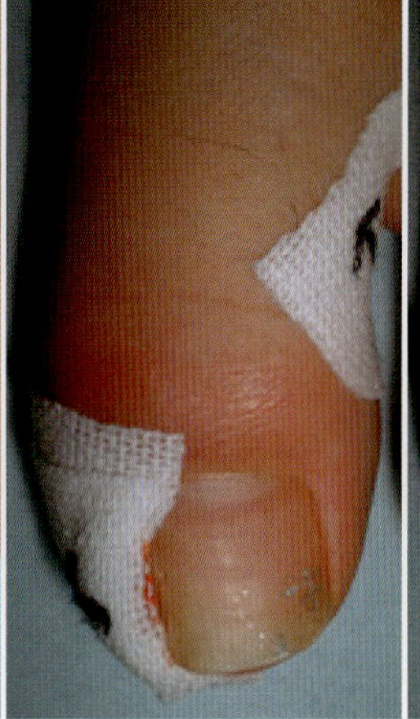
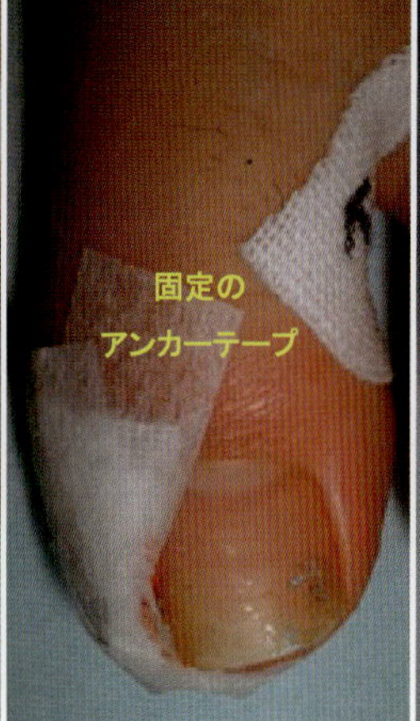

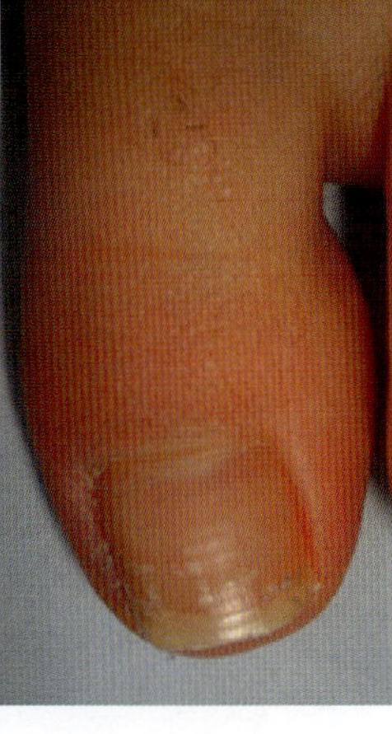

a|b|c|d|e

図6　多重アンカーテーピング法(19歳，女性)

a：治療前．炎症，肉芽組織の下にある爪の角，爪刺，爪側縁の位置を確認，あるいは予想する(矢印)．黄色の線はテープの貼る位置を示す．
b：土台のアンカーテープを縦に貼る．アンカーテープは肉芽組織の2倍の幅で，爪に被せる．爪の部分は浮かせて被せ，皮膚にはテープを置くように貼り，引っ張らない．
c：基本のテーピングを加える．アンカーテープの端，炎症病巣の上に直角にテープを貼り，前述の基本テーピングを行う．爪を囲んで斜め後ろに図のようにゆっくり引く．テープのもう一端は腹側中央まできたら引くのをやめ，背側まで置くように貼る．テープの断端は爪辺縁に接するか，あるいは爪の下にテープを貼るように指または鑷子で整える．
d：固定のアンカーテーピング．さらに，ずれないようにサージカルテープで皮膚に固定する．このとき，固定のテープで押さえながら，かつ爪辺縁と爪郭を引き離すようにしながら貼るとよい．テープが爪甲辺縁を押し込んでいないか確認しながら，形を整える．
e：4週間後．治癒後も再発防止のため，運動や歩行に際して日中のアンカーテーピングを薦める．
(新井裕子ほか：皮膚臨床．52(11)：1604-1613，2010．より引用/改変)

常，幅1～2 cm，長さ約5～8 cm(症例に応じ適宜調整)，両爪郭に貼るときは一方を短くする．母趾以外の足趾，手指，小児，症状など，症例に応じて幅，長さを調整する．

e)基本のアンカーテーピング法(図5)
(固定アンカーテーピング法)

<方　法>

前述した大きさのテープの一端を，異物となる爪の先端，爪刺，爪側縁が存在する位置で，爪角を囲むように，少し爪に被さるように，テープを貼る．ずれないように指で押さえながら，もう一端を爪辺縁から爪郭を引き離すように引きながら，足趾，手指の腹側方向に螺旋状に回し，趾腹の中央からは引かずに再び背側まで置くように貼り，固定する．初めに貼った爪の上に乗っているテープ部分は爪の下にタックするよう押し込み，爪辺縁の皮膚に密着させ，爪辺縁を押し込まない．さらに，5～10 mm幅に切ったサージカルテープ(3 Mマイクロポア™，ニチバンスキナゲート™テープ)をアンカーテープとして，皮膚とテープに貼り，ずれないように固定する(図5)．

2．多重アンカーテーピング法[2)～7)](図6)

この方法が最も薦められるテーピング法であり，主に側爪郭，遠位～側爪郭の陥入爪に用いる．また，軽～重症例，どの指趾・爪郭でも応用可能である．肉芽組織，排膿，滲出液を伴う例，腫脹の激しい症例，爪郭肥大にも有効で，ガター法の準備や併用，および肉芽組織が消失した後の再燃を防ぎ，正常な爪の成長を助け，また予防に役立つ(図6～11)．化学療法剤，生物学的製剤が関与する症例での本症の治療と予防にも有効である(図8)．

<方　法>

まず，土台となるアンカーテープ(10～20 mm×20～50 mm)を，病巣のある爪の先端，角，爪側縁，当該爪郭に平行して，病巣部分や肉芽組織に被せて，爪と皮膚の上に置くように貼る．このとき，後に引くことによるテープのずれる分の

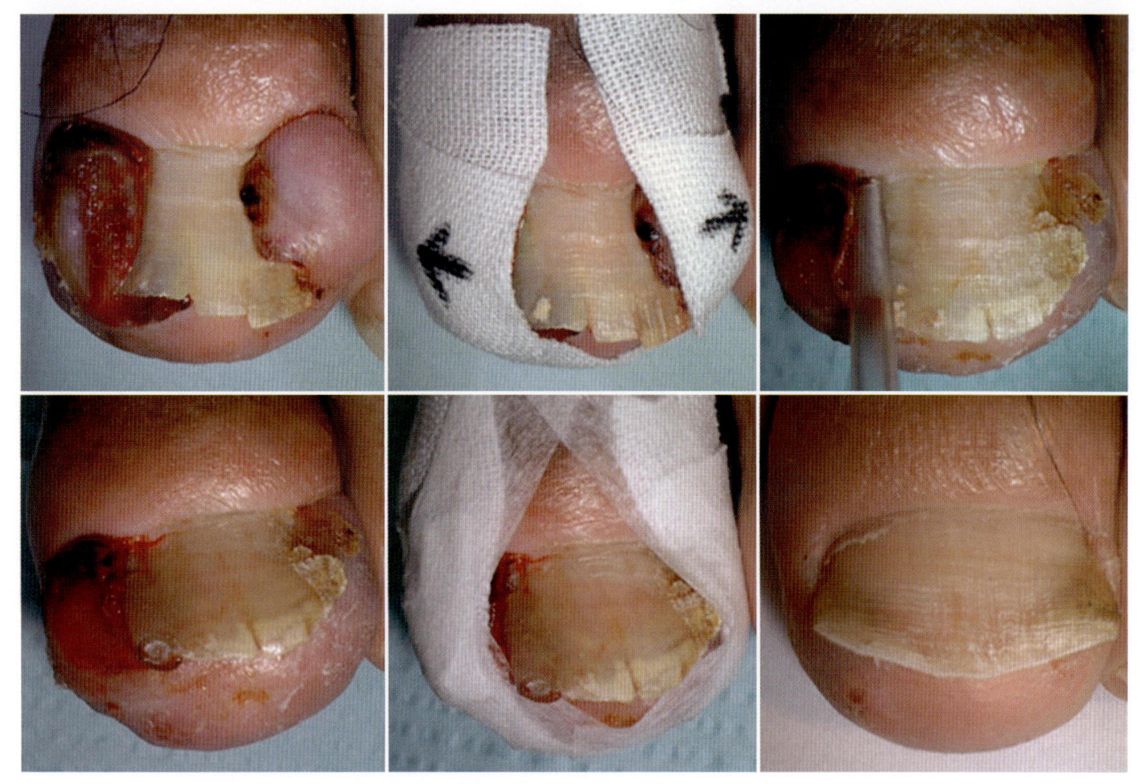

図7　アンカーテーピング法とアクリル固定ガター法の応用(46歳，男性)

a	b	c
d	e	f

a：治療前，巨大な肉芽組織を伴う陥入爪
b：両側にアンカーテーピングを施行．この上にさらに紙テープ固定をする．
c：19日後．ガター法チューブ挿入
d：19日後．アクリル固定ガター法
e：同時に両側にアンカーテーピングを施行．テープ固定
f：42週後

幅を余分に多めに予測して，肉芽組織や炎症の幅のテープを爪の上に置くとよい(図6，7)．次に爪刺が隠れていると思われる部位で，土台であるそのアンカーテープの上に，テープの一端を直角に貼り，貼った部分がずれないように指で押さえながら，前述した牽引・圧迫・固定の基本のアンカーテーピングを行う．実際，テープは少しずれるので，テープの一端は爪辺縁に近い位置にくる．次に，二重に貼ったテープの端を肉芽組織の裏側か爪との間に，指かピンセットで押し込みタックし，爪の辺縁に近づけて貼る．さらにずれないよう，前述したようにサージカルテープで固定する(図5，6)．この方法は埋没型陥入爪やretronychia[27](近位爪郭陥入爪)にも適宜応用でき，有効である(図9，10)．

3．埋没型(遠位)陥入爪とretronychiaのための多重テーピング法(図9，10)

多重アンカーテーピング法の応用である．適応は，遠位・埋没型陥入爪，retronychia，爪甲欠損，短い爪，爪真菌症の病巣除去後，爪床消失症などの症例で，指趾を支持し，指趾遠位端の隆起，陥入爪，鉤彎爪の治療と予防に効果的である．

<方　法>

テープの大きさは幅15〜20 mm×長さ40〜50 mm．まず，テープの一端を遠位爪郭あるいは爪床の皮膚に直角に貼り，腹側に向かって遠位方向に引いて貼る．次に側爪郭では，爪を囲んで斜めに貼り，前述の多重のアンカーテーピングを行い固定する(図10)．Retronychiaではテープの一端を近位爪郭に貼り，垂直近位方向に引き，同様に固定する(図9)．必要なら異物となる近位の爪辺

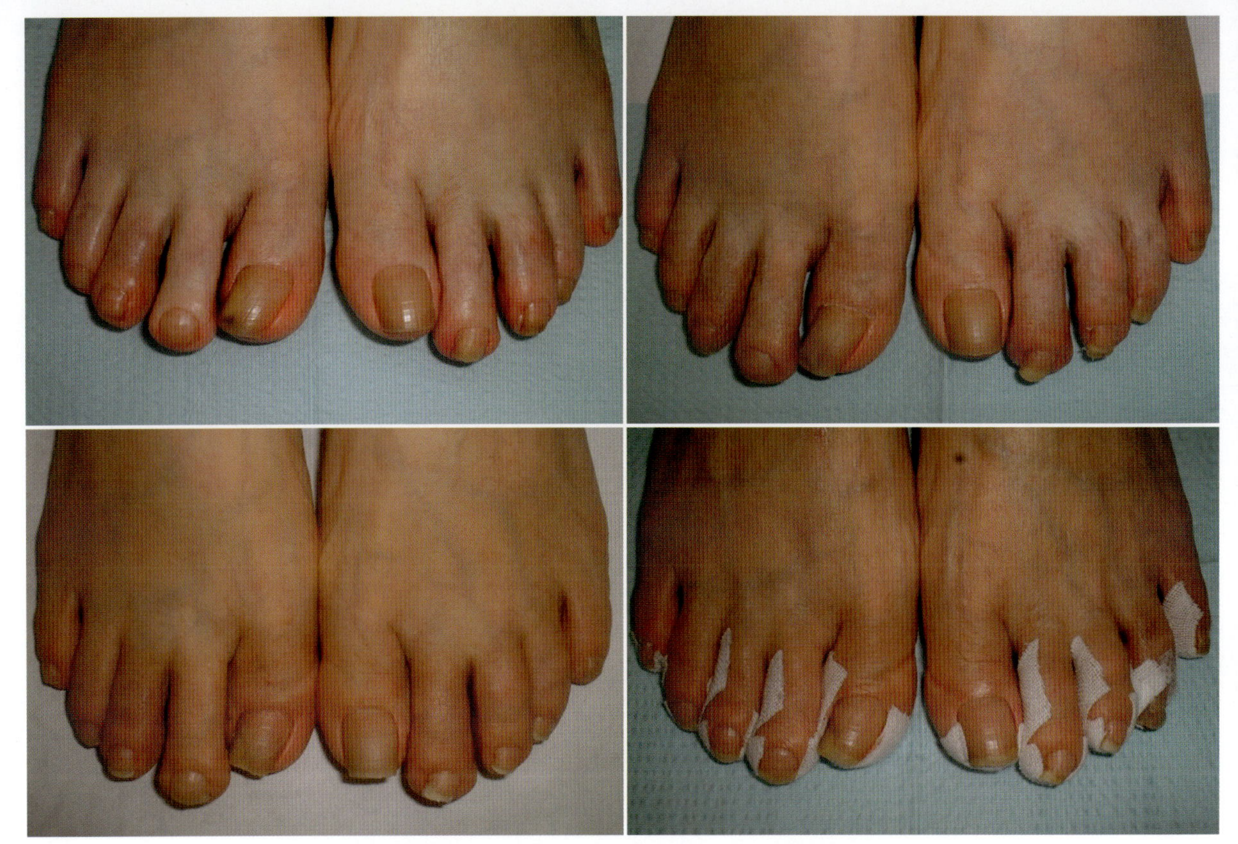

a|b
c|d

図 8　抗がん剤による陥入爪のアンカーテーピング法（71 歳，女性）

a：治療前，この状態に前述のアンカーテーピングを施行
b：アンカーテーピングとアクロマイシン軟膏を外用し，10 日後疼痛，炎症の軽減をみる．
c：8 週間後，炎症の消失
d：24 週間後．予防的テーピング/固定のサージカルテープをアンカーテープとして追加する．
（文献 7 より引用）

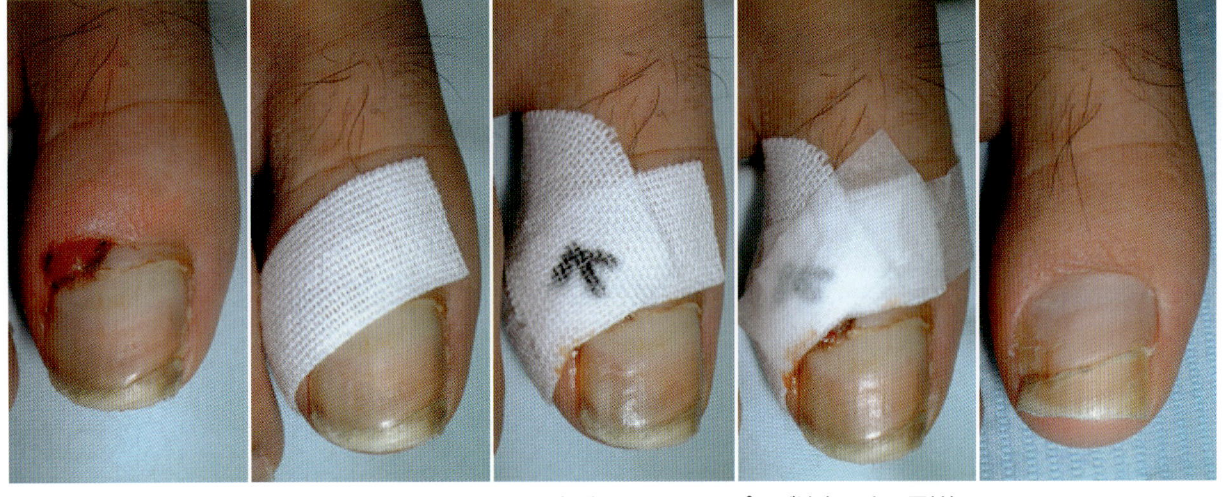

a|b|c|d|e

図 9　Retronychia のための多重アンカーテーピング法（41 歳，男性）

a：治療前
b：アンカーテープを近位爪郭に置くように貼る．
c：基本テーピングを行う．近位方向に引くように貼る．
d：テープ固定
e：6 か月後
（文献 7 より引用）

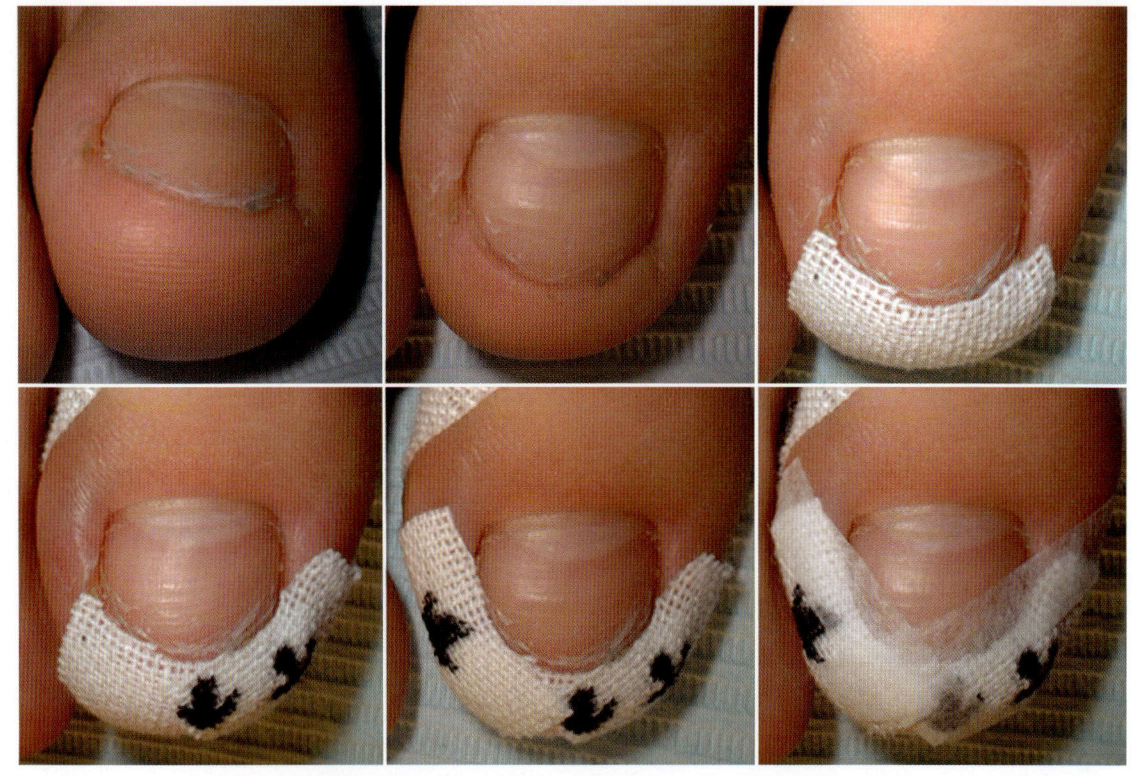

図 10　埋没型・遠位陥入爪のための多重テーピング法（19 歳，男性）

a：治療前/前面　b：治療前
c：垂直に縦に引いてテーピング　d：爪を囲んで側爪郭にテーピング
e：もう片方にもテーピング　f：テープ固定

（文献 7 より引用）

a	b	c
d	e	f

縁や爪母角の部分を除去するのがよい．これらのテープは通常，1〜3 枚を用い，枚数と方向，時間など適宜応用工夫する．前述した土台となるアンカーテープを追加すると，さらに効果を増す（図 6，9）．

4. Window taping 法（新井による改良法）（図 11）

テープに割線を入れた女川式テーピング法は，渡部らにより 2011 年に報告された[24]．筆者らは，テープを短くし円形の窓穴を持つ window taping 法として改良した．テープと穴の大きさ，形状，方向は適宜応用する．テープの基本的な大きさは幅 30 mm×長さ 40 mm で，テープの端から測り側面・上から 1 cm の位置で，直径約 1 cm の円の穴を切り出す（図 11-f）．この形は爪を囲んでどの方向にも伸ばすことが可能である．一般には，窓穴の部分を爪の上に貼り，遠位〜側爪郭の陥入爪には，突き刺さる爪辺縁角を持ち上げて，テープに引っかけ，取り囲んで貼ったテープを近位方向と側方に爪刺・爪辺縁から引き離すように貼る．遠位・埋没型陥入爪，爪甲欠損の場合は，遠位爪郭/爪床をテープの起点として，牽引する方向は遠位・垂直に腹側に向かって貼る．Retronychia では近位爪郭を起点に貼り，近位方向に引くように貼り固定する．テープの大きさや，置く爪郭，引く方向など，いろいろと応用が可能である．アンカーテーピングの土台としても効果的である（図 11）．

5. アクリル固定ガター法とアクリル人工爪法についての準備

a）施術前の麻酔について

陥入爪は侵襲の少ない，遠位翼状ブロック（distal wing block）[25]を薦める（図 12）．

<方　法>

患部近位側で，爪根部，爪母の外側角部（lateral nail matrix horn）・足底固有趾神経・手掌固有指

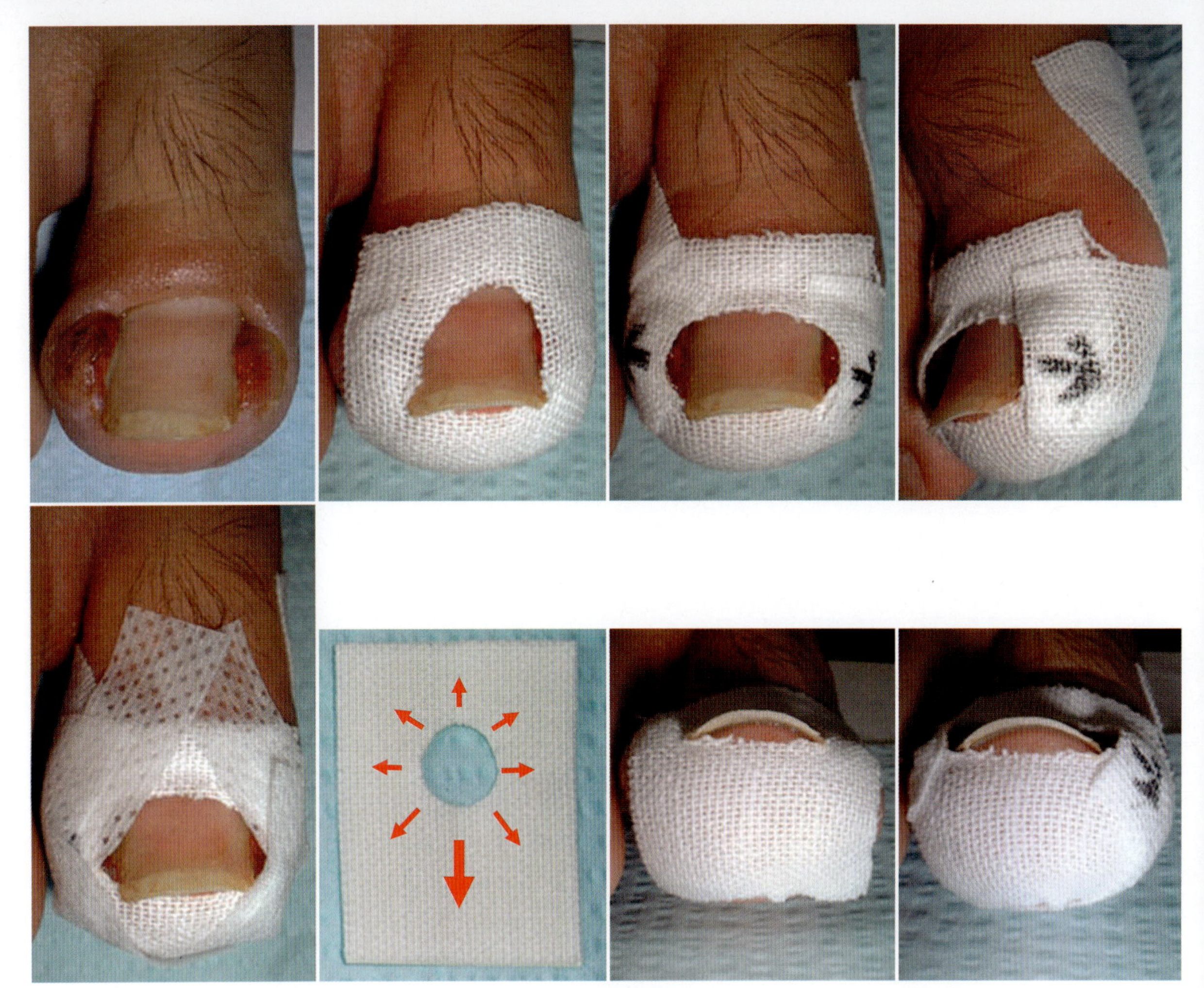

a|b|c|d
e|f|g|h

図 11　Window taping 法（新井による改良法）とアンカーテーピング法の併用（77 歳，男性）

a：治療前
b：Window テーピング．爪を囲んで貼り，爪郭を引き離すように引く．
c：b を土台にしてアンカーテーピングを行う．
d：アンカーテーピングの側面
e：テープ固定
f：Window テープの形状と伸びる方向・引く方向
g：Window テーピングの前面
h：アンカーテーピングの前面

神経の 3 枝の集まる部位（図 12）において，27〜32 ゲージの細い注射針を用い，麻酔剤 0.3〜0.5 mL をゆっくり注入し，連続して，局所浸潤麻酔も行うとよい（1 mL 以内）．麻酔剤としては，2% メピバカイン（カルボカイン®）に炭酸水素ナトリウム（メイロン®）を 30% 添加すると，麻酔剤および炎症病巣の酸性度を減弱し，注射時の疼痛を緩和する[26]．

b）アクリル樹脂とその使用法について

陥入爪に用いるアクリル樹脂は，主にスカルプチュアネイル，ジェルネイルなどの人工爪用で，義歯材料と基本的に同じである．義歯材料でもよいが，無臭のものが使いやすい（Clarite®，O.P.I. 社など）．アクリルパウダー（acrylic ester polymer）とアクリル液（acrylic ester monomer）の両者を混合すると（図 14-c），短時間に常温で重

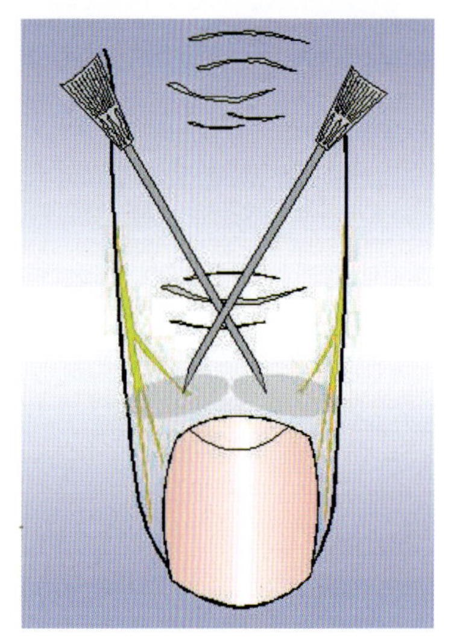

図12　遠位翼状ブロック
(distal wing block)
麻酔注射部位：アンカーテーピング法．足底固有趾神経/手掌固有指神経３本の枝をめがけて刺入
（文献25より転載/一部改変）

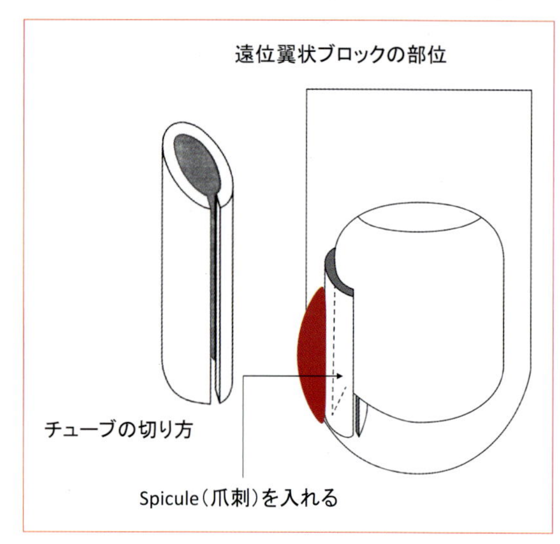

図13　ガター法とプラスチックチューブの切り方
（文献２より転載/一部改変）

合・硬化し，自由に造形でき，ガター法の強固な接着剤として，また爪の欠損部を補う人工爪に極めて適している(図16，17)．使用に際し，マスク，ゴーグルの着用と換気を行い，アクリル液によるアレルギーの予防に留意する[1)〜4)6)]．

必要な材料，器具：小筆，アクリル液とパウダー，プライマー(アクリル糊)，台紙，酒精綿

用　法：筆先をアクリル液に浸し，次にアクリルパウダーに触れるとアクリルボール(アクリル混合体)が得られる(図14-c)．それをガター法の接着や人工爪に用いる．このアクリル樹脂はアセトンにより容易に除去可能である．

6. アクリル固定ガター法(図7，14，15，17，18)

ガター法とは，丸いチューブの縦に溝(Gutter)状に切れ目を入れ爪に縫い付ける副木法の一種で，1979年Wallaceらにより発表された(図13)[14)]．紙テープ，糸，アクリル糊による固定法もある．アクリル固定ガター法(図7，14，15，17，18)はアクリル樹脂により接着・固定力が強固に改良され，有効な治療法である[1)〜7)]．

a)ガター法の作用機序

丸いチューブが食い込む爪刺を包み，速やかに除痛する(図13)．また爪郭を保護し，炎症，肉芽組織を減少する．また，爪の欠損部を補う義爪として働く．

b)適応と条件

急性，慢性，特に肉芽組織を伴う陥入爪．爪側縁が短すぎる際は，約1週間のテーピング施行後，腫脹の軽減と爪の生長を待ち，ガター法施行が可能となる．

<方　法>(図14)

長さ約1.5〜2 cm，直径1.5〜2.5 mmの点滴用チューブなど(塩化ビニール製など)を，先端を斜めに切り，縦に切れ目を入れる(図13)．麻酔下に(図12)，陥入した爪の先端あるいは爪刺をモスキート鉗子で持ち上げて露出，爪床より爪外側縁を剥離する．次に用意したガターチューブを爪側縁に沿わせて挿入，爪の上の部分のチューブを開き，前述のアクリル樹脂を塗りこみ，さらにチューブを閉じて爪甲上にも塗り，接着固定し，約10分後，重合・硬化を待って，プラスチック用ニッパーで切り整える．医療用アロンアルファ®(アクリル糊)，サージカルテープ，糸による固定でもよい．一般に患者の爪は短く，陥入している爪甲先端部，あるいは爪刺が爪甲を支える重要な部分となるので決して切り落とさずに，これらを含んだままチューブに入れることが重要なポイン

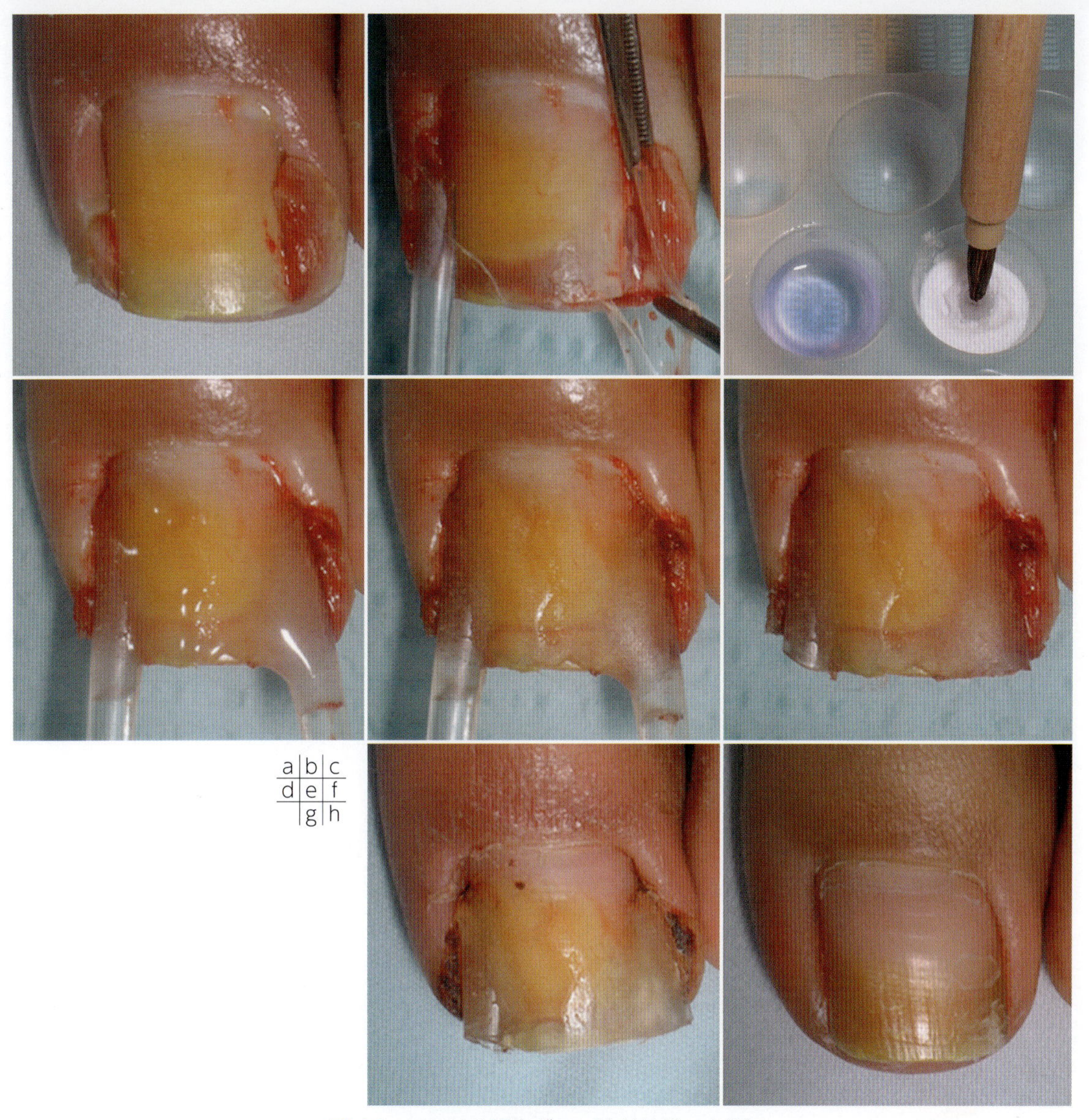

図 14　アクリル固定ガター法（17 歳，女性）
a：治療前
b：チューブの挿入と鋸歯状の爪辺縁
c：アクリルボール作成
d：アクリル固定
e：重合・硬化
f：長さを整える．
g：1 週間後
h：2 か月後
（新井裕子ほか：皮膚臨床．52(11)：1604-1613，2010．より一部引用）

トである（図 7，13～15，17，18）．多くの症例で 24 時間以内に疼痛は軽減し，適宜鎮痛剤，抗生剤を処方する．チューブ装着による不快感はない．軽度のものは数日，中等度の肉芽組織はガター法のみで 1～数週で消失する．重症例ではテーピングの併用がより効果的である．ガターは炎症が消褪するまで（約 2 週間～3 か月）置き，テーピングに変更可能．脱落しそうな場合は，アクリル樹脂や医療用アロンアルファ® などで補強する．ガターが外れた場合でも麻酔は不要で，速

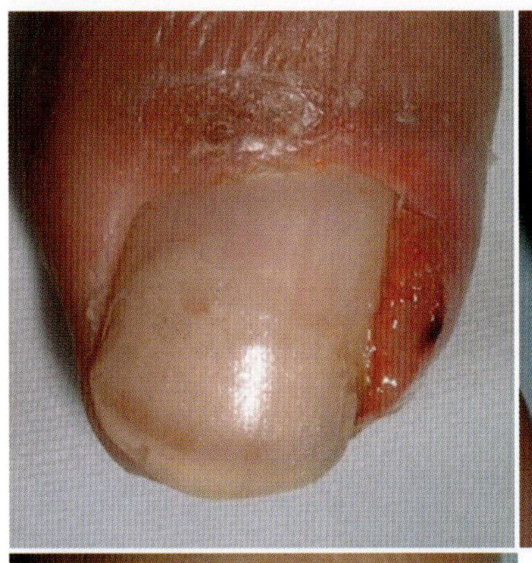
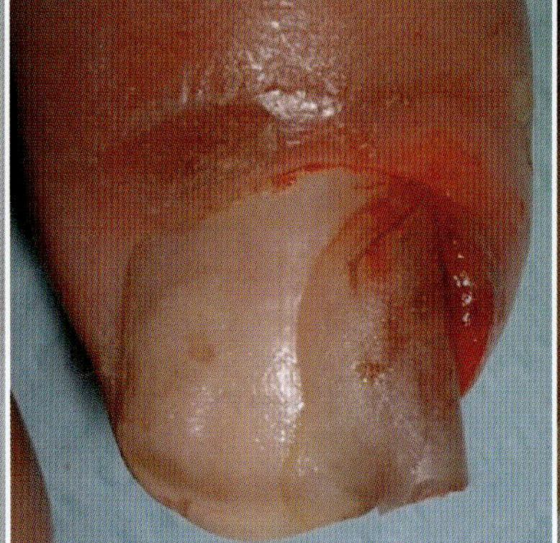
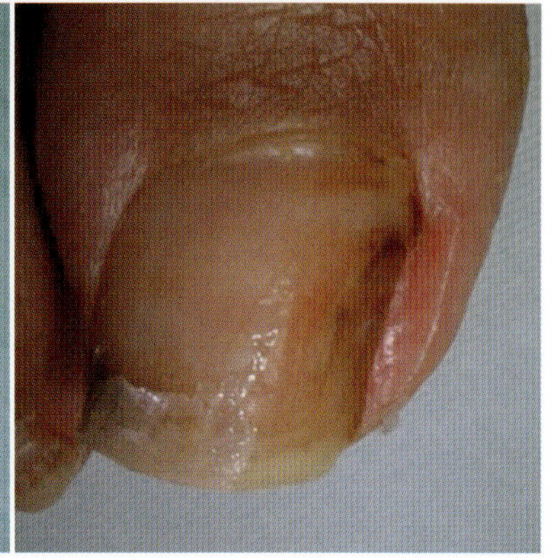
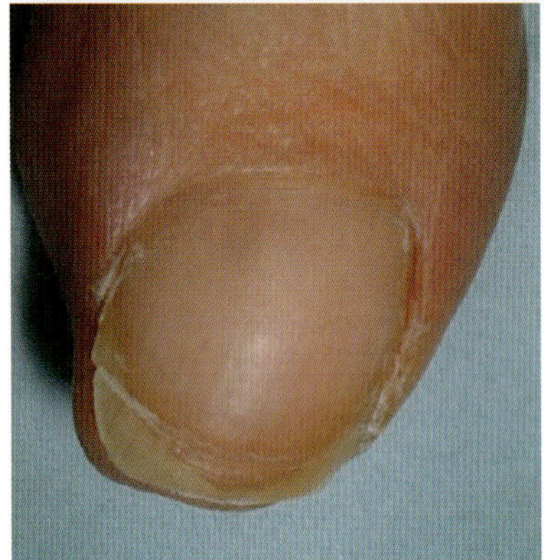

a | b | c
d

図 15
アクリル固定ガター法．抗がん剤（イレッサ®）による陥入爪（56 歳，女性）
a：治療前
b：アクリル固定ガター法
c：5 週間後
d：1 年 3 か月後

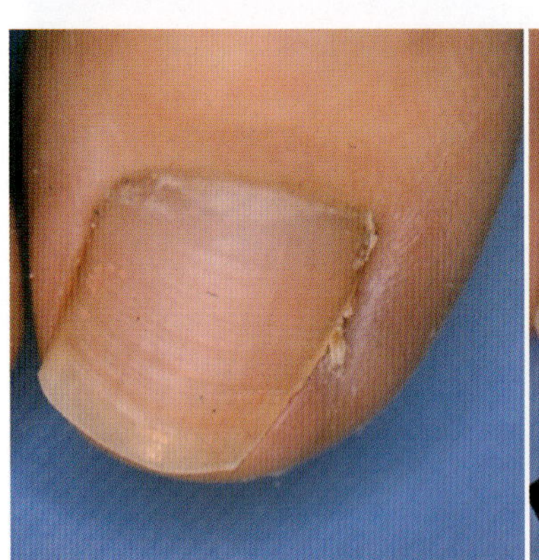
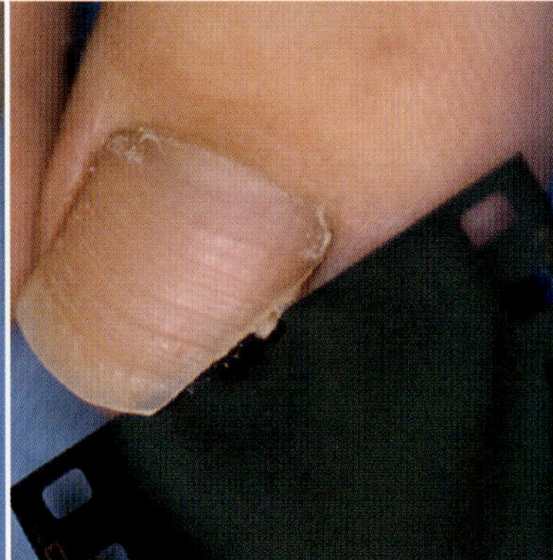
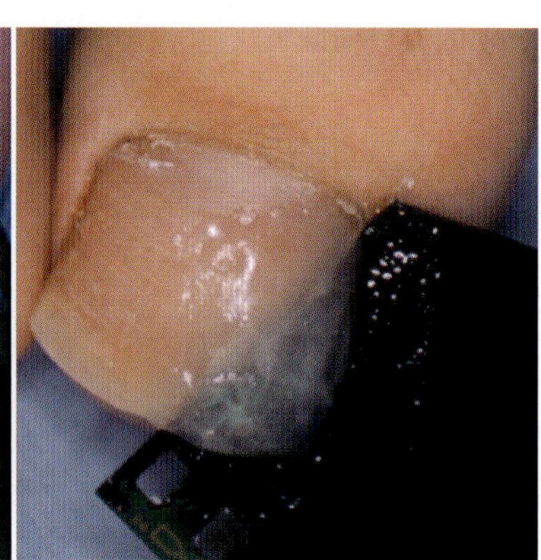
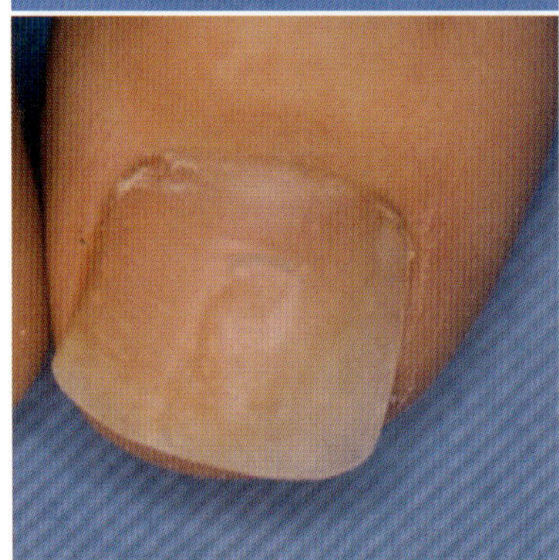

a | b | c
d

図 16
アクリル人工爪法（sculptured nail）（27 歳，女性）
a：テーピング後．治療前
b：プラスチックフィルムの台紙を挿入
c：アクリル樹脂にて爪を製作
d：重合硬化の後，ヤスリで形を整える．
（文献 2 より引用）

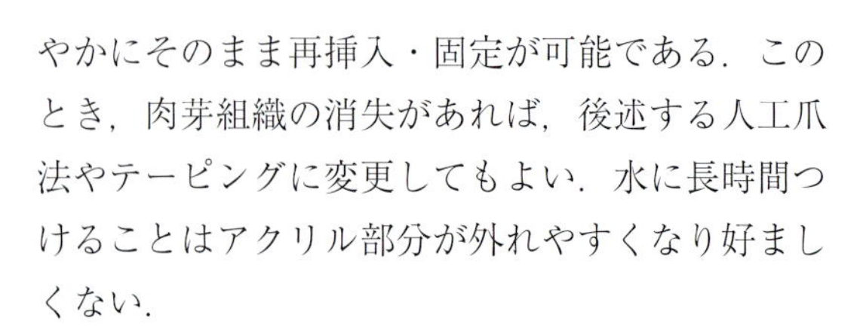
やかにそのまま再挿入・固定が可能である．このとき，肉芽組織の消失があれば，後述する人工爪法やテーピングに変更してもよい．水に長時間つけることはアクリル部分が外れやすくなり好ましくない．

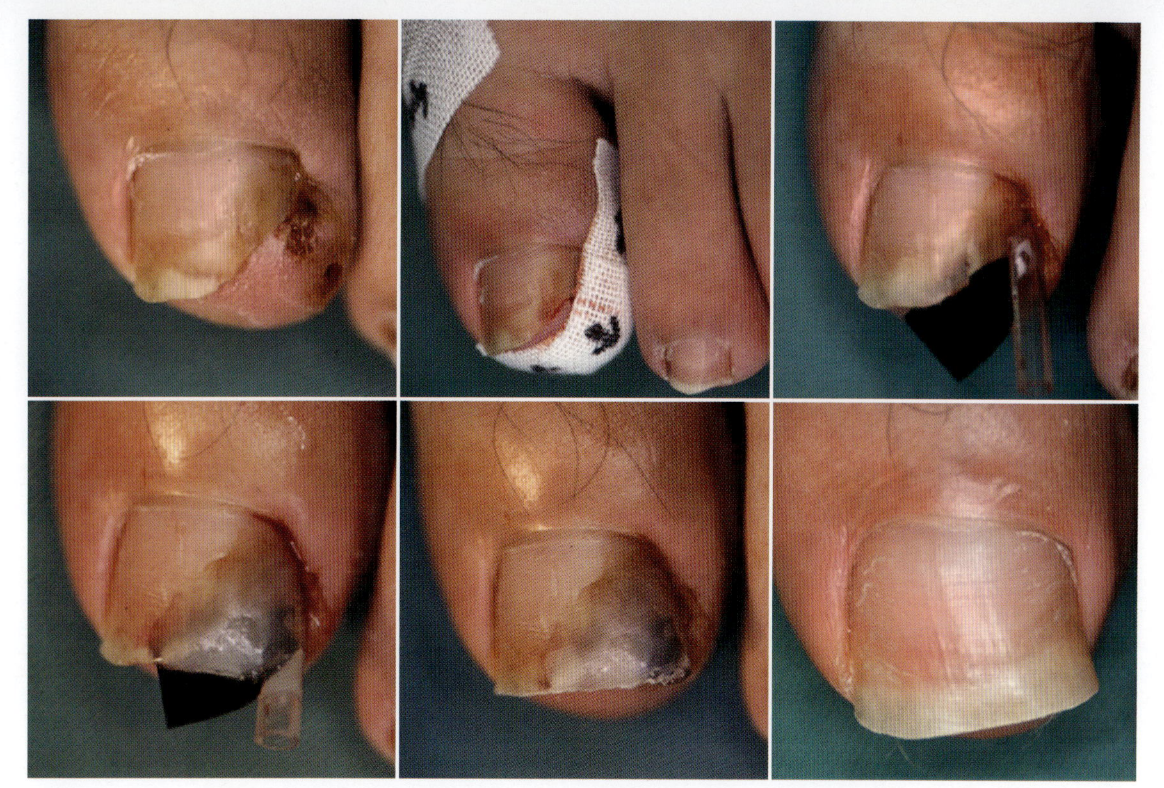

a|b|c
d|e|f

図17 アンカーテーピング，アクリル固定ガター法と人工爪法の併用(35歳，男性)
a：治療前　b：アンカーテーピング法
c：1週間後．チューブと台紙挿入　d：アクリル樹脂充填・重合
e：形を整える．　f：5か月後
(文献4より引用)

7. アクリル人工爪法(東)(図16)[1)~6)12)]

アクリル人工爪(東)[12)]の適応は爪甲欠損部を伴う症例で，肉芽組織のガター法やテーピング法の後または同時に，爪甲欠損部に人工爪を製作する．細菌・真菌感染症に留意する．

<方　法>(図16)

1)爪甲欠損部の下に，プラスチックフィルムなどの台紙を置く．
2)爪甲表面の油分を酒精綿で拭き，プライマーを塗る．
3)前述した方法で筆先にアクリルボールを作り，それを台紙と爪の上に置き平らに広げて，爪の形に造形する．
4)約10分後，重合・硬化の後，形を整える．炎症消褪後はテーピングへの変更も可能．

8. ガター法とアクリル人工爪の併用(図17)

爪の欠損部が大きい症例ではガター法とアクリル人工爪を同時に併用するとよい[4)]．感染症や肉芽組織があっても施術可能で，患者のQOLを高める．

<方　法>

通常のガター法の要領でプラスチックチューブを爪の辺縁に沿わせて挿入し，爪の欠損部にはチューブと連続してプラスチックフィルムの台紙を置き，ガターチューブの内外と爪をアクリル樹脂により接着固定すると同時に，爪欠損部に人工の爪を作製する．

9. その他，ガター法やアンカーテーピング法と併用する方法

a)パッキング法[15)]

脱脂綿やソフラチュール®などの一片を，爪の角を持ち上げて挿入し，爪が食い込むのを防ぐ[15)]．軽症例への一時的な応急手当であり，アンカーテーピングとの併用を薦める．

b)爪アイロン(図18-b)[6)16)]

アルコールランプ[16)]や，250℃の簡易滅菌器で

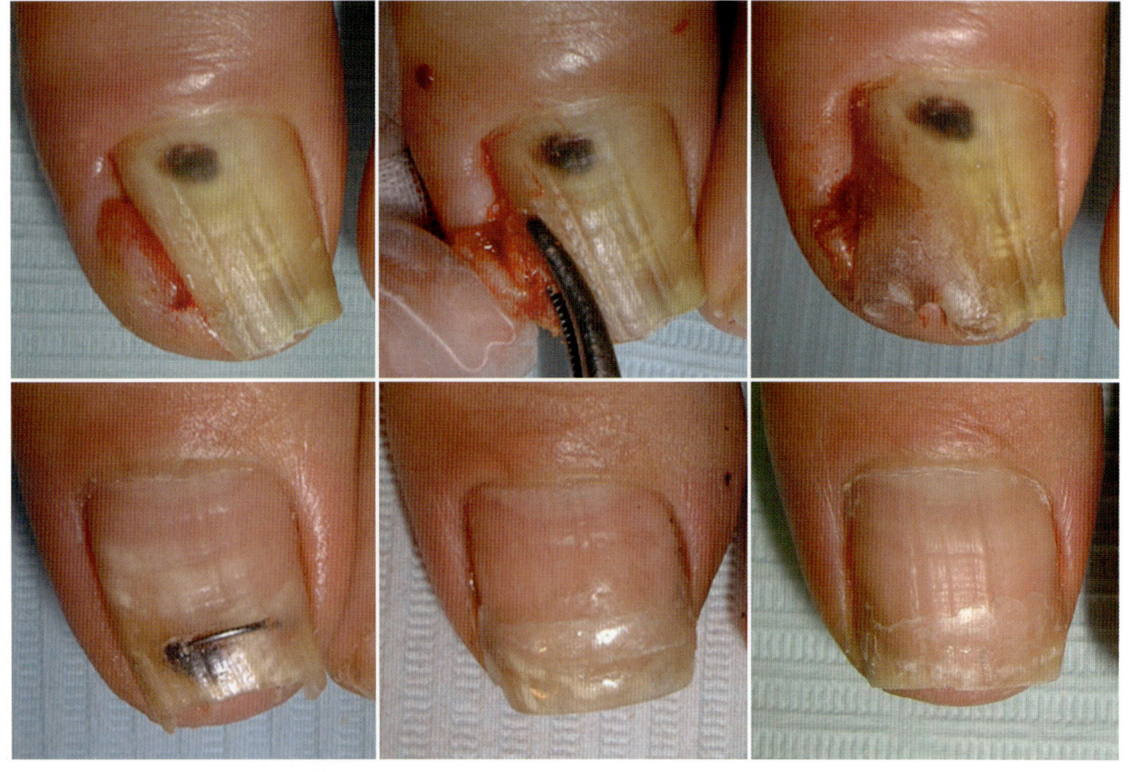

図 18　巻き爪を伴う陥入爪（爪アイロン，アクリル固定ガター法，超弾性ワイヤ，B/S Spange®）（67 歳，女性）

a：治療前　b：爪刺の確認/爪アイロン
c：アクリル固定ガター法　d：5 か月後．超弾性ワイヤ
e：9.5 か月後．B/S Spange®　f：13 か月後

熱したモスキート鉗子[6]を，毛髪用のアイロンの原理を応用して，爪の蛋白質を熱変性させる．鉗子は上の片刃のみ熱し，熱くない方の片刃を爪の下に挿入し，爪の陥入部を掴んで持ち上げ，平坦にし，さらに液体窒素で急速冷却固定する[6]．各種テーピング，ガター法や人工爪法とも併用する．

c）40%尿素軟膏による夜間 ODT 療法[6]

巻き爪の 40%尿素軟膏[6]の夜間 ODT により爪の角質内水分は増加し，爪の軟化・彎曲度の軽減，疼痛は緩和する．爪アイロンや各種爪彎曲度矯正装置の併用を推奨する[6]．

d）巻き爪，爪彎曲度矯正装置（図 18，19）[6,19〜21]

各種装置があり，過彎曲爪や巻き爪を伴う陥入爪の場合，単独で用いると，それ自体が異物になる可能性があるので，必ずテーピングなどと併用して用いる．弾性プラスチック板を用いた B/S Spange®（図 18-e）[20]や形状記憶合金の金属線を用いた超弾性ワイヤ（図 18-d）[19]，形状記憶合金爪クリップ（図 19）[20]などがある．

e）抗生物質

感染を伴う場合には，抗生剤の経口あるいは局所投与を併用する．テーピング法完了後，爪と爪郭の隙間に細い綿棒で抗生物質軟膏を塗ることは可能である．

f）その他の方法

爪刺を挙上する CO_2 レーザーの爪アイロン様使用[17]．肉芽組織にステロイドの局注，外用，電気・レーザーや Mohs' paste[6,18]などの焼灼術がある．

Ⅳ　陥入爪の再発予防と患者教育

陥入爪の炎症が消えた後も，運動や歩行時には脆弱な爪甲と爪郭保護のため，数か月間テーピングの続行を薦める．生活習慣としての，爪の切り方や，靴の選び方は患者の嗜好によることが多く，再発の予防は容易ではない．患者教育は治療

a|b

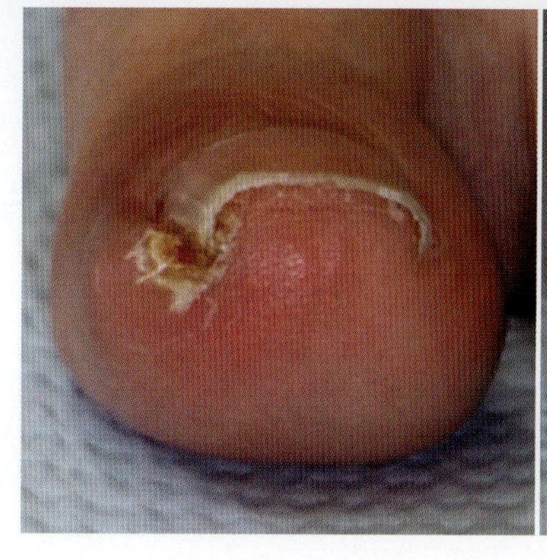
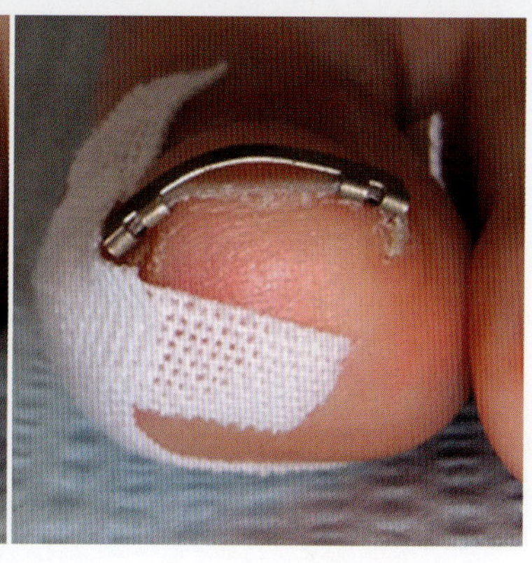

図 19
陥入爪の治療法：形状記憶合金クリップとアンカーテーピングの併用(52 歳，女性)
a：治療前/前面
b：アンカーテーピングを併用
（文献 7 より引用）

の鍵となるもので，正しい爪の切り方[22]，履物，歩行や運動の指導をする．また，陥入爪の原因と発生機序を説明し，病気への関心と理解を高めることが自助努力を増し，治癒に導き再発を防止する．さらに，この痛い爪疾患の予防には，学校保健や保護者の教育，一般の人々にも広く情報を提供し予防することが重要と考える．

V 考 案

実際，治療に難渋する陥入爪症例は，足趾に力が加わる運動・労働，体育授業や課外活動などで，運動・スポーツが強いられる場合に加え，合わない履物の着用が挙げられる．高度肥満や重いものの運搬などの常に強い負荷がかかっている患者に対し，これらの負荷をかけながら治癒に導くのは困難を極める．患趾・局所安静の必要性は，患者や家族のみならず，学校や労働環境での理解と協力を得るのは難しい．このような場合でも，可能な限り増悪要因を除去しながら，まずは保存的治療を試みるべきと考える．強い負荷によりにガター，人工爪の脱落が頻回にある場合にはアンカーテーピング法だけでも対処できる症例が多い．ガター法も炎症が軽減すれば脱落時患者自身が再挿入し，テープで固定する方法も有効である．時間がかかっても，現実にはほとんどの症例は保存的治療で治癒可能である．

手術的治療を選択するに際しては，将来の爪甲変形や，機能異常のリスクを患者によく説明し，医師・患者とも熟考し，納得できる治療であるか責任ある検討をする必要がある．手術的治療をした場合でも，再発や再手術による病態の遷延化も多い．Mitchell ら[28]は，414 人の小児患者に合計 880 の陥入爪手術を行い，そのほぼ半数の患者(48%)に 2 回以上の手術を施行して，その再発率が高いことや，整容的治療結果は両親や患者が手術的治療法を選択するに際し，影響を与えると報告している．

フェノール法など爪母を破壊，除去する手術的療法では，爪甲幅が狭くなり体重を支える機能が低下し爪甲の彎曲が進みやすく，巻き爪や，瘢痕など様々な変形を生じる結果となる．また，側爪郭角層と爪甲側縁の連続性が絶たれるために，爪甲が母趾先端指腹に加わる体重や踏み込む力を支えきれない．長期的予後において，母趾先端は隆起し，脂肪組織も減少し，靴の刺激で疼痛を生じる[5)29)]．機能的，整容的のみならず，慢性的な疼痛や歩行困難から患者の社会性にまで変化をきたすことを忘れてはならない[5)28)]．この点は筆者が手術的療法を薦めない最大の理由である．陥入爪は爪甲辺縁が異物となる機械的・物理的疾患なので，爪母を破壊するような侵襲的治療法は無用であり，むしろ後遺症や医原性疾患に至る可能性のある有害な治療法と考える．

保存的治療法の利点は，爪甲の幅・大きさを温存し，自然治癒を促し，変形を残さず，炎症のない元どおりの状態に戻すことができ，生理的，機能的，整容的にも優れている点である[5)]．ガター法，テーピング法とも手間隙はかからず，誰にでもできる簡便な治療法で，確実な治癒が得られる．安価であり，貧しい国でも有益な方法である[1)~7)]．

VI まとめ

陥入爪の治療に際しては，いかなる場合でも応用できるアンカーテーピング法，アクリル固定ガター法，アクリル人工爪法を中心に保存的療法を紹介した．侵襲的，外科的方法を考慮する前に，第一選択の治療としてのアンカーテーピングやガター法を推奨する．外科的治療法は長期的予後において変形や機能異常をきたし，保存的療法は自然に元に戻る治療で変形や後遺症，合併症を残さないからである．患者や家族だけでなく，一般の人々にも，予防医学としても，この疾患と各種治療法についての情報が広まることを期待する．

（新井裕子，新井健男）

文献

1）新井裕子，新井健男，中嶋　弘：外来診療における陥入爪の保存的治療法—人工爪用アクリル樹脂を用いたガター法とアクリル人工爪法—．皮膚病診療．21：1159-1166，1999．

2）新井裕子，新井健男，中嶋　弘ほか：日常診療に役立つ陥入爪の簡単な治療法—ガター法およびその人工爪用アクリル樹脂による固定法，アクリル人工爪法，テーピング法—．日臨皮会誌．71：30-35，2002．

3）新井裕子，新井健男，中嶋　弘ほか：陥入爪の簡単な保存的治療法—アクリル固定ガター法，人工爪法，テーピングを中心に—．臨皮．57(5)：110-119，2003．

4）Arai H, Arai T, Nakajima H, et al：Formable acrylic treatment for ingrowing nail with gutter splint and sculptured nail. Int J Dermatol. 43：759-765, 2004.

5）新井裕子，新井健男：陥入爪患者には保存的療法をすすめる—侵襲的手術はもう止めよう！—．J Visual Dermatol．7：1052-1054，2008．

6）新井裕子，新井健男，Haneke E：簡単な『陥入爪』と『巻き爪』の治療法—アクリル固定ガター法，アンカーテーピング法，人工爪法，各種ネイルブレイスを中心に—．高知市医師会医誌．16(1)：37-56，2011．

7）新井裕子，新井健男，Haneke E：こんなに素敵なアンカーテーピング療法（陥入爪，爪外傷および各種爪疾患への応用）．日臨皮会誌．29：7-13，2012．

8）Haneke E：Controversies in the treatment of ingrown nails. Dermatol Res Practice. 2012. doi：10.1155/2012/783924.

9）Heifetz CJ：Ingrown toe-nail. Am J Surg. 38：298-315, 1937.

10）Fowler AW：Excision of the germinal matrix：A unified treatment for embedded toe-nail and onychogryphosis. Br J Surg. 45：382-387, 1958.

11）東　禹彦，松村雅示：鉤彎爪の発症機序と原因（付：陥入爪の原因）．皮膚．30：620-625，1988．

12）東　禹彦，久米昭廣，上田清隆：—治療—人工爪による各種爪変形の治療．皮膚．38：296-300，1996．

13）Hervéou C, Messéan L：井原秀俊ほか訳．pp. 2-4，膝・足関節・足部の新しい神経—運動器協調訓練，東京：医歯薬出版，1985．

14）Wallace W, Milne DD, Andrew T：Gutter treatment for ingrowing toenails. Br Med J. 21：168-171, 1979.

15）中島　昭：陥入爪の非観血的療法．皮膚臨床．19：153，1977．

16）成田博実：巻き爪の根治術．臨皮．55(5)：154-159，2001．

17）桑名隆一郎：炭酸ガスレーザーによる陥入爪の新しい治療法．皮膚臨床．52：365-370，2010．

18）高橋美貴，尾形麻衣，漆畑真理ほか：症例当科における Mohs ペーストの使用経験．皮膚臨床．54：287-291，2012．

19）町田英一：重症の巻き爪を治す超弾性ワイヤも登場．pp. 81-83，足の痛みと変形を治す本，東京：マキノ出版，1999．

20）田畑伸子，石橋昌也，末武茂樹ほか：新しい形状記憶合金製矯正器具による陥入爪の治療法．皮膚臨床．50(4)：491-496，2008．

21）Effendy I, Ossawski B, Happle R：Zangennagel Konservative Korrektur durch Aufkleben einer Kunststoffspange. Hautarzt. 44(12)：800-802, 1993.

22）新井裕子：正しい爪の切り方を教えて下さい．宮地良樹編．pp. 120-121，続・患者さんから浴びせられる皮膚疾患 100 の質問，東京：メディカルレビュー社，2013．

23）Nishioka K, Katayama I, Kobayashi Y, et al：Taping for embedded toenails. Br J Dermatol. 113：246-247, 1985.

24) 渡部晶子，長谷川　聡，橋本　彰ほか：新しいテーピングを用いた陥入爪治療．皮膚病診療．33(3)：303-306，2011.
25) Haneke E：Surgical anatomy of the nail apparatus. Dermatol Clin. 24：291-296, 2006.
26) 田邊　洋，米澤郁雄，東久志夫：痛くない局所浸潤麻酔(─重炭酸ナトリウム添加リドカインによる局所注射時の疼痛軽減の試み─)．臨皮．46(5)：128-133，1992.
27) de Berker DA, Richert B, Duhard E, et al：Retronychia：proximal ingrowing of the nail plate. J Am Acad Dermatol. 58：978-983, 2008.
28) Mitchell S, Jackson CR, Wilson-Storey D：Surgical treatment of ingrown toenails in children：what is best practice? Ann R Coll Surg Engl. 93：99-102, 2011.
29) 東　禹彦：陥入爪甲．MB Derma．81：188-194, 2003.

Ⅱ章 診療の実際―処置のコツとテクニック―

19 過彎曲爪(巻き爪)の保存的治療(巻き爪矯正を中心に)

診療・処置のワンポイント

- 陥入爪の高度な例はなんらかの矯正的治療が必要である．従来の方法で困難な例に対し，筆者の治療法が参考となる．

Ⅰ はじめに

初版のカラーアトラス 爪の診療実践ガイド内では，筆者が実際に施行した方法を記載した[1]．本稿では，その後の臨床経験を交えた治療法を記載する．

Ⅱ 陥入爪の保存的治療[2)3)]

1) 陥入部の下に挟みすきまを作る：コットン法[4)]，布テープ，シリコンを潜り込ませるなどの方法でつま先の緩衝をはかる．
2) 側溝部 gutter splint 法[5)6)]．陥入爪の基部を起こしジェルアクリルで矯正する．
3) ワイヤーを用いる[7)8)]：町田式，ドイツ式 VHO 式[9)]，市販の巻き爪矯正器具(巻き爪ワイヤーガード，巻き爪リフト，巻き爪ロボ[10)])，形状記憶合金を使用したもの[11)]，その他がある．爪に小さな穴を開けたり，ワイヤーと爪との接合に粘着剤を利用する．個々の特徴と有用性はあるが矯正力での強弱の差があり，高度の変形例や爪の肥厚例にてこずることが少なくない．

Ⅲ 治療に必要な器具

1) ネイルケアに必要な器具(図 1)：ネイルニッパーは必須であるが，変形爪が厚く大きい場合は骨鉗子(図 1-⑤)が有用である．
2) 爪研磨器具(図 2)：高度の変形爪には電動研磨器具の使用が必須である．筆者が使用しているのはドイツ製専用装置で，照明付き拡大鏡で細部の観察をしながらの治療が必要である．
3) 欠損後の爪の矯正：患者の希望があればできる付け爪技法がある．「NAORUN」という技法で，必要な器具と爪の部分を光で硬化させる装置を使用する(図 3)．

Ⅳ 筆者の治療法の実際

1) 爪の陥入の矯正の見極め：爪の変形期間が長く，肥厚度が高度の場合，従来の方法では矯正困難な例が多い．
2) 炎症がない状態での高度の変形例は保存的治療を第一に検討する．
   ①爪の肥厚度：健常者の爪はほぼ厚さが 1 mm 以内のことが多く，軽微な外力で矯正が可能である．しかし，2 mm 以上の肥厚例や高度の変形爪例は矯正困難である．

図 1

必要な器具

①：やすり（粗削り，仕上げ用）
②：指を離すクッション
③：皮膚保護用テープ：研磨による皮膚損傷を防ぐ．
④：皮膚保護用シール
⑤：骨鉗子
⑥：ニッパー
⑦：鉗子（曲）
⑧：小直鉗子
⑨：スパーテル：大小
⑩：鋭匙
⑪：先端平なスパーテル
⑫：爪の脇，爪基部を剥がす器具
⑬：綿棒
⑭：オプサイト
⑮：爪の下にはわすシート（X 線の切片を利用）

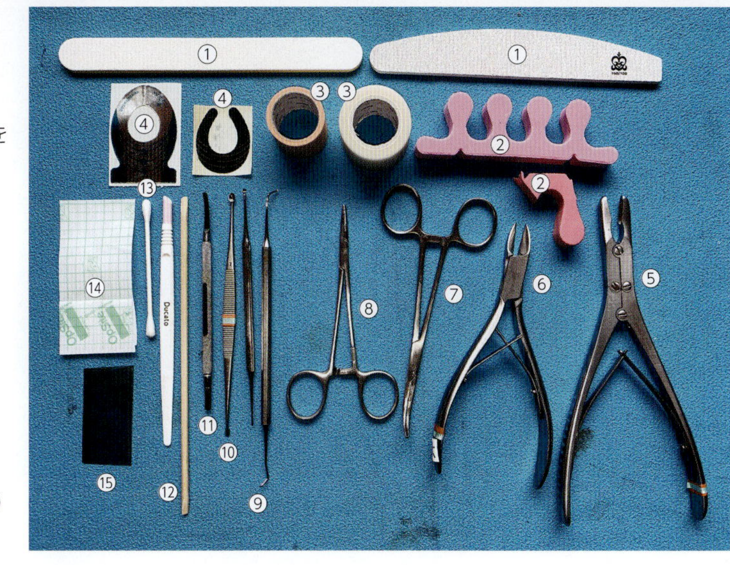

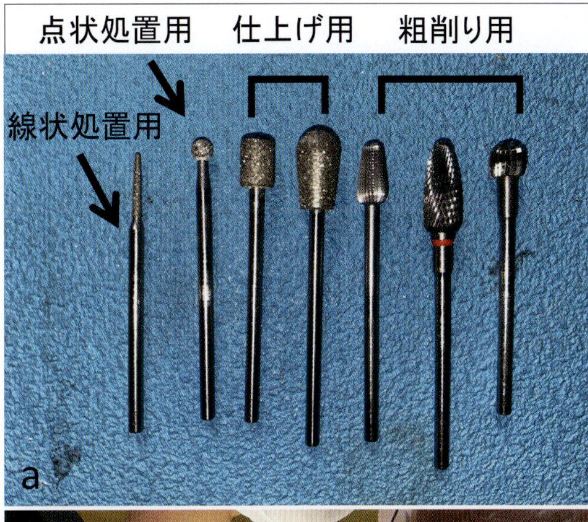

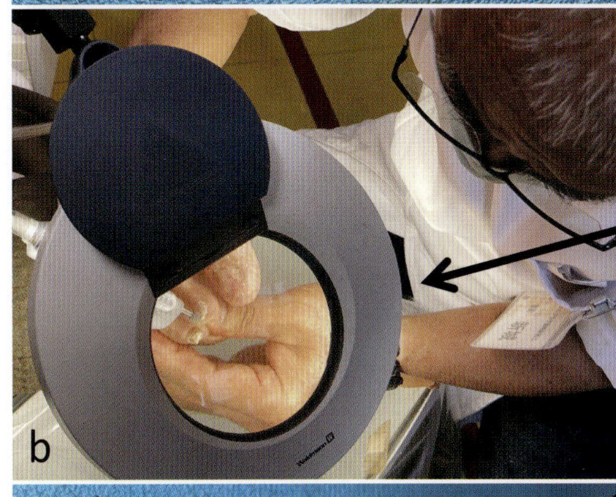

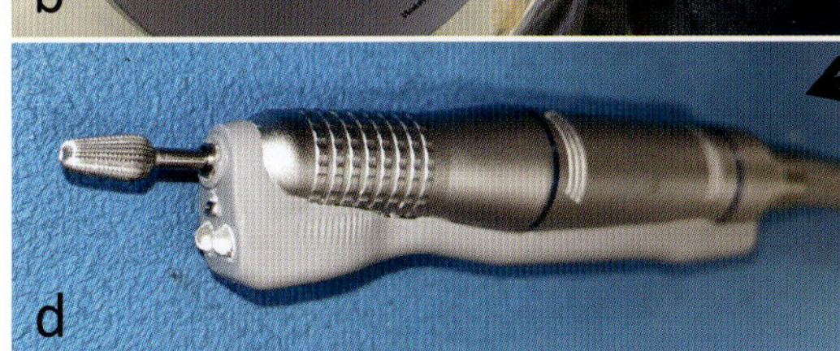

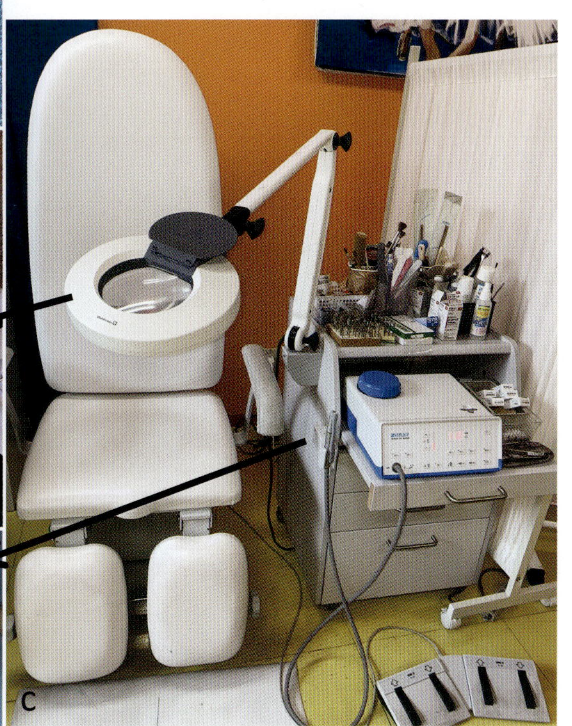

図 2　爪の研磨に必要な器具

a：グラインダーの外観と種類．右 3 本は粗削り用，右から 4，5 番は仕上げ用，右より 6 番目は点状処置用，左端は狭いところや細いところを研磨するのに使用する．
b：細部治療の際，照明付きの拡大鏡が必須である．
c：フットケアの座椅子，拡大鏡付き照明と電動グラインダーを使用する．
d：電動グラインダー：先端部より水が出て，研磨部の冷却を行う．

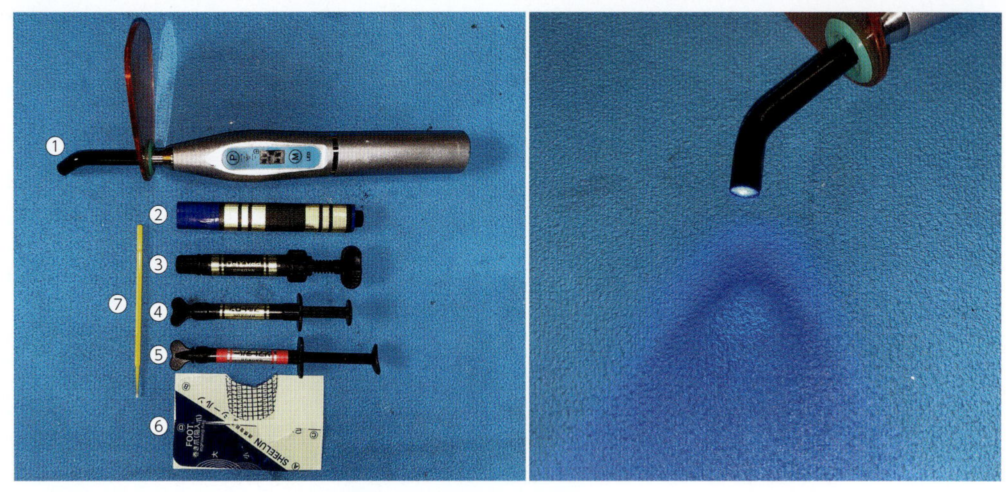

a．光硬化樹脂使用器具　　b．光線照射図

図 3　付け爪に必要な器具

①光線照射器具
②硬化準備液
③硬化剤 A
④硬化剤 B
⑤硬化剤 C
⑥爪型取り透明シート
⑦左黄色の細いスティック：硬化液塗布に使用する．

②研磨法の実際での注意：機器の使用において，健常皮膚の損傷予防対策が重要である．また，深く研磨すると毛細血管や爪床の損傷を招くため注意が必要である．爪のトリミング種々の研磨具が必要で，細部にわたる作業のため，十分な照明と拡大器の使用が必須である．

③欠損後の爪の補填法：患者の希望があればできる付け爪技法がある．「NAORUN」という技法(ナオルン社製，保険適用外)．ガラスフィラー強化型光硬化アクリル樹脂を使用(図 4，5)．

（新城孝道）

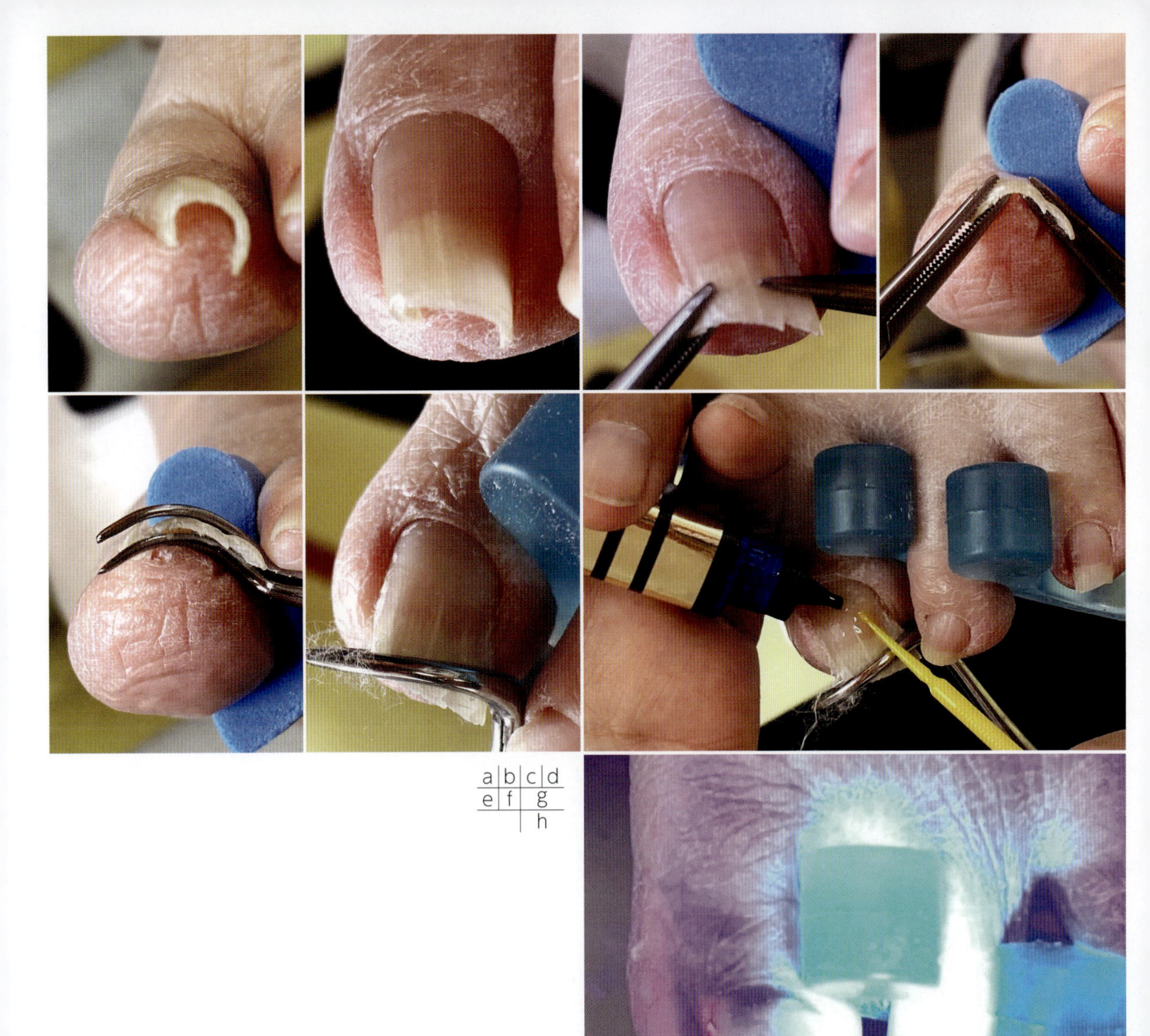

図 4-a〜h　症例 1：中等度の陥入（爪の厚さ 1.2 mm）で爪周囲炎なし．爪の外側部を矯正

a：半円形状の変形と両端の陥入した爪（正面像）
b：同（真上像）．陥入は指の先端より中央部に及ぶ．
c：爪の両サイドを鉗子で挟み，曲面より直線に矯正．5〜10 分程度行う（斜め上よりみる）．
d：同正面像．爪裏の部分のゴミや付着物をスパーテル，爪やすりやグラインダーで除去
e：両端の鉗子を外し，曲面鉗子で緩やかな局面に矯正．5〜10 分程度行う（正面像）．
f：同斜め上よりみた像．爪の矯正度は爪の先端より爪の基部の方向へ鉗子をずらす．
g：爪を消毒，油脂除去後，爪の硬化準備液を塗布する（図 3-②）．
h：特殊光を照射し固着する．

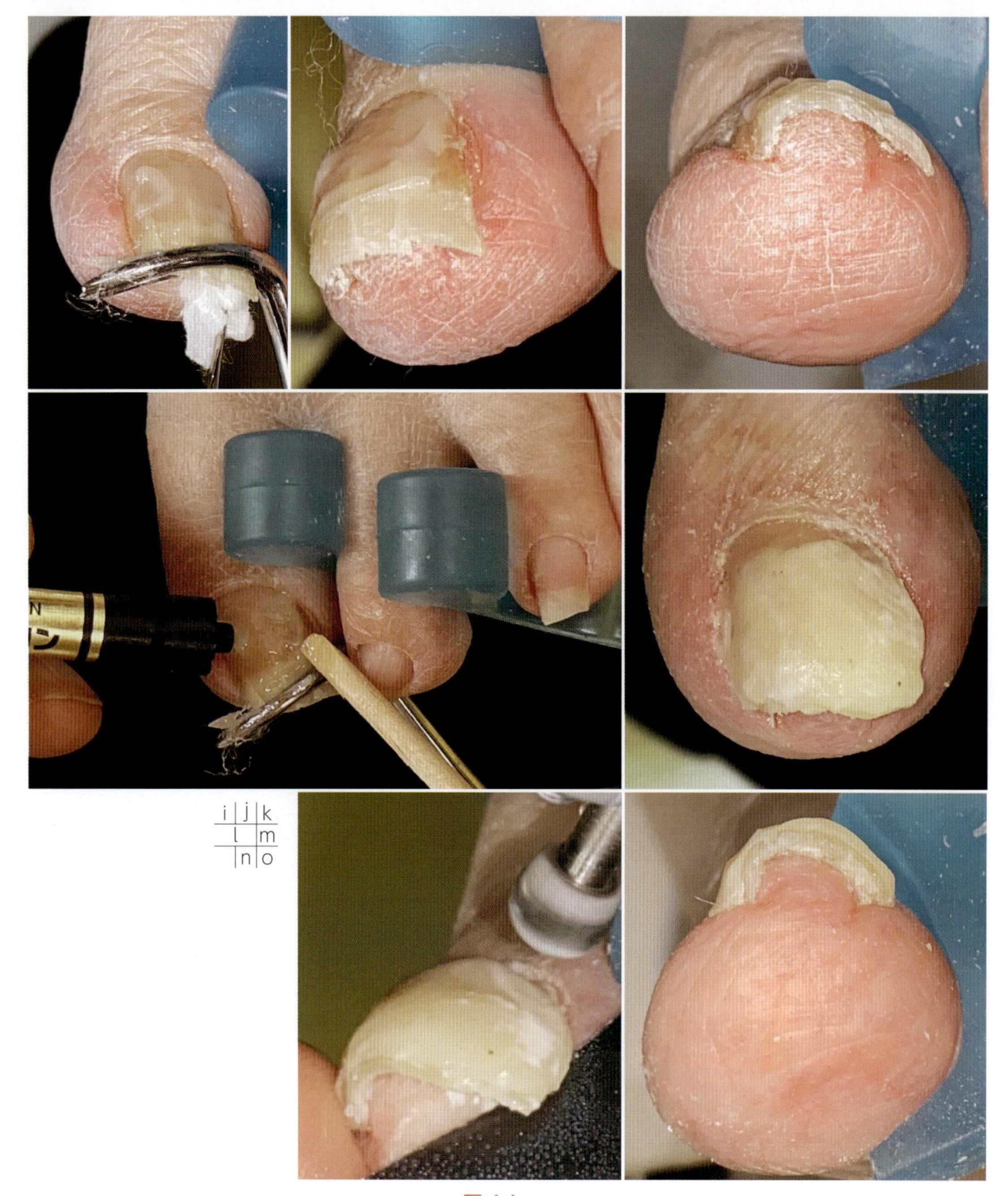

図 4-i～o

i：爪下にコットン挿入（鉗子を除去すると爪が元に戻るのを防止）
j：鉗子除去後の状態
k：爪外側部の陥入が改善（同正面像）
l：爪の内側より外側にかけ，爪になるペーストを塗布（図 3-④）．同光硬化
m：爪先端部に及ぶ平坦化が得られた．厚みが増し爪の復元を妨げ，陥入防止効果あり．挿入したコットンを除去
n：加工した追加部分は硬く，X 線の小片を爪下に挿入し，内側先端部の角をトリミングする．
o：終了（正面像）

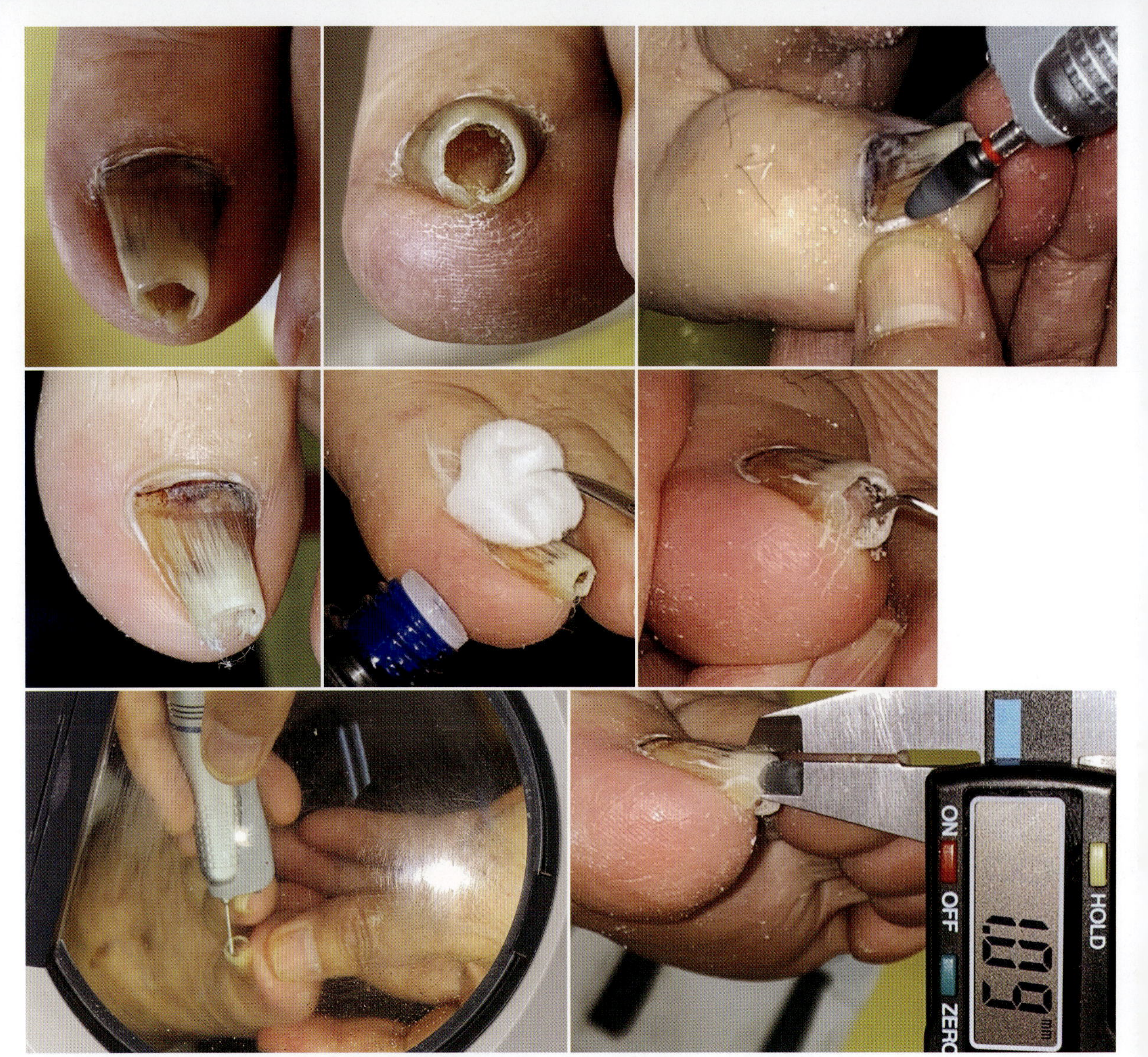

a｜b｜c
d｜e｜f
g｜h

図 5-a～h　症例 2：陥入爪症例（高度でほぼ円形），爪の厚さ 1.2 mm，爪周囲炎なし．数か月前の打撲で爪床部の陳旧性出血後の回復状態．炎症なし

a：爪両端の彎曲がつま先より基部にかけて分布する（上よりみた像）．
b：爪両端が彎曲し円形状に変形（同正面像）
c：矯正目的で爪の端を薄くトリミング（爪の矯正効果を出すため重要）
d：同爪のトリミング後の状態
e：爪の消毒．油脂や汚れを除去
f：爪の内側のゴミを除去（爪の矯正時の内側よりの牽引力を低下する目的）
g：同爪内側のトリミング．研磨器具での皮膚損傷防止を防ぐ（照明付き拡大鏡での爪と皮膚との境界部の清掃が重要である）．
h：トリミング後の爪の厚さの計測．1.09 mm であった（爪の厚さがより薄いほうが彎曲の矯正効果があるが逆に薄すぎても割れやすい．1 mm 前後の厚さでのトリミングがよい：私見）．

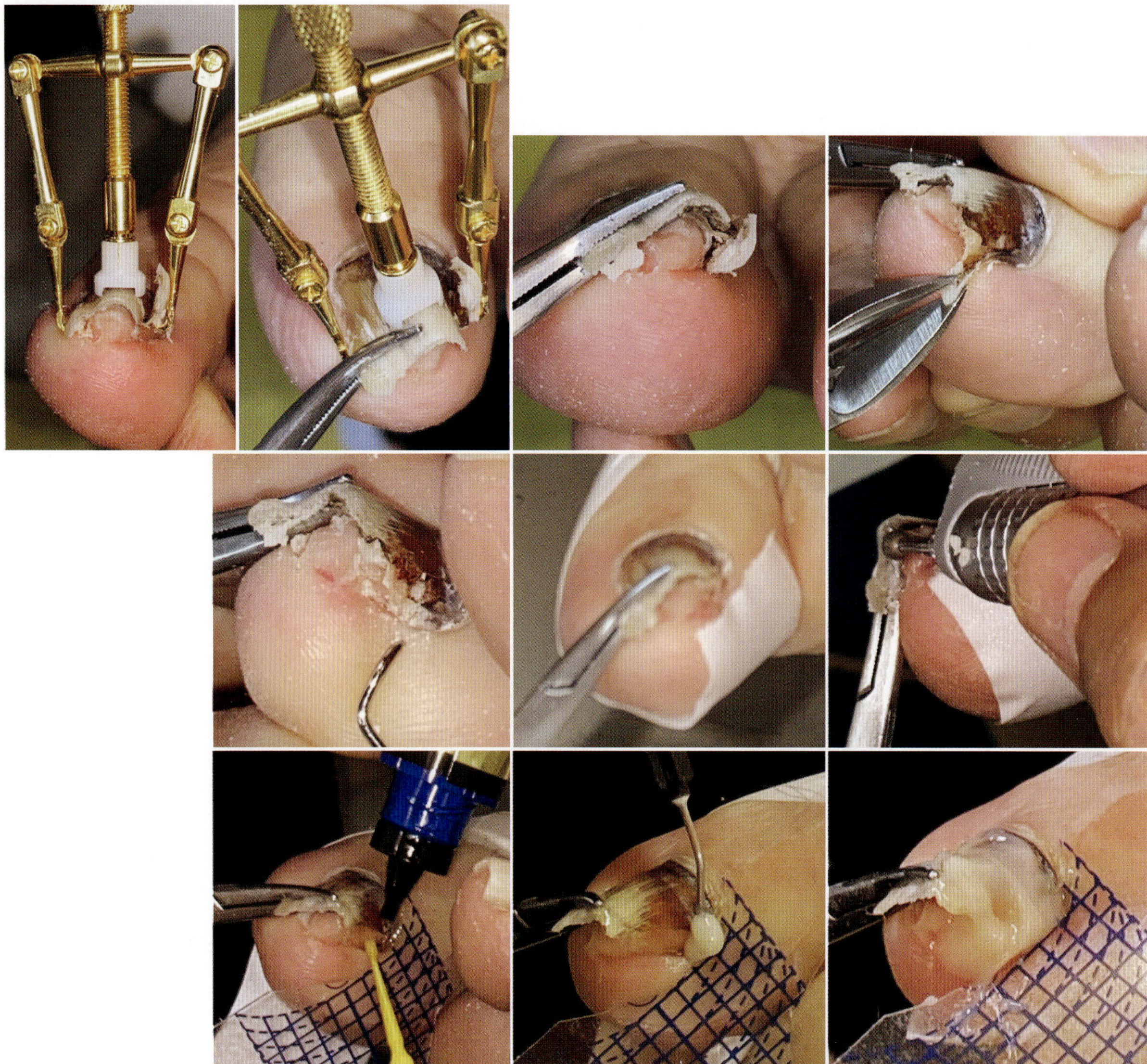

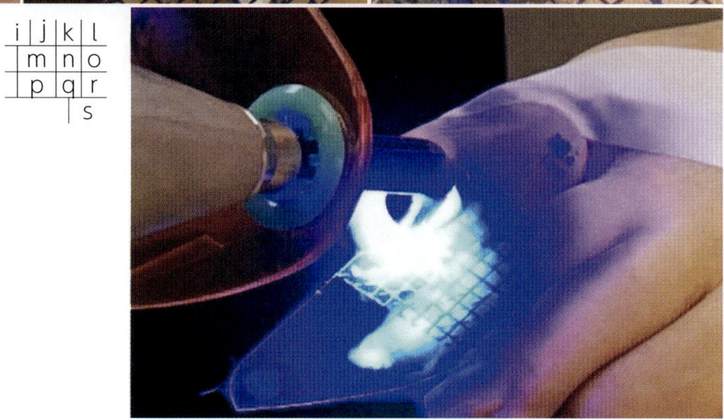

i	j	k	l
	m	n	o
	p	q	r
			s

図 5-i〜s

i：巻き爪ロボ（正面像）：両端の彎曲矯正に有用な道具である．爪の先端より基部に近い部位に装着し使用する．ゆっくり行う．爪を浸軟させてから（ぬるま湯に浸したり，スピール膏® 片をあらかじめ付着させておく）行うと効果的である．
j：巻き爪ロボで爪端を挙上したら鉗子で挟み，より直線にする（鉗子を外すとすぐ元に戻る）．
k：巻き爪ロボ除去後．爪内側部の矯正，外側部は爪が割れた状態（以前の外傷の影響もあった）
l：内側部の割れた爪を鋏で除去
m：同内側部の基部をスパーテル，鋭匙などで整える．ゴミや汚れを除去
n：布テープで内側側を引っ張り，爪をより離す，その後の処置がしやすくする．
o：爪裏のトリミング．ゴミや汚れをできるだけ除去（重要な処置で，皮膚損傷を極力避ける）
p：爪の外側部に型取りシート（図 3-⑥）を付け，硬化準備液（図 3-②）を塗布し，光硬化
q：硬化剤（図 3-④）を塗布
r：爪外側欠損部をゲルで被覆形成
s：同光硬化

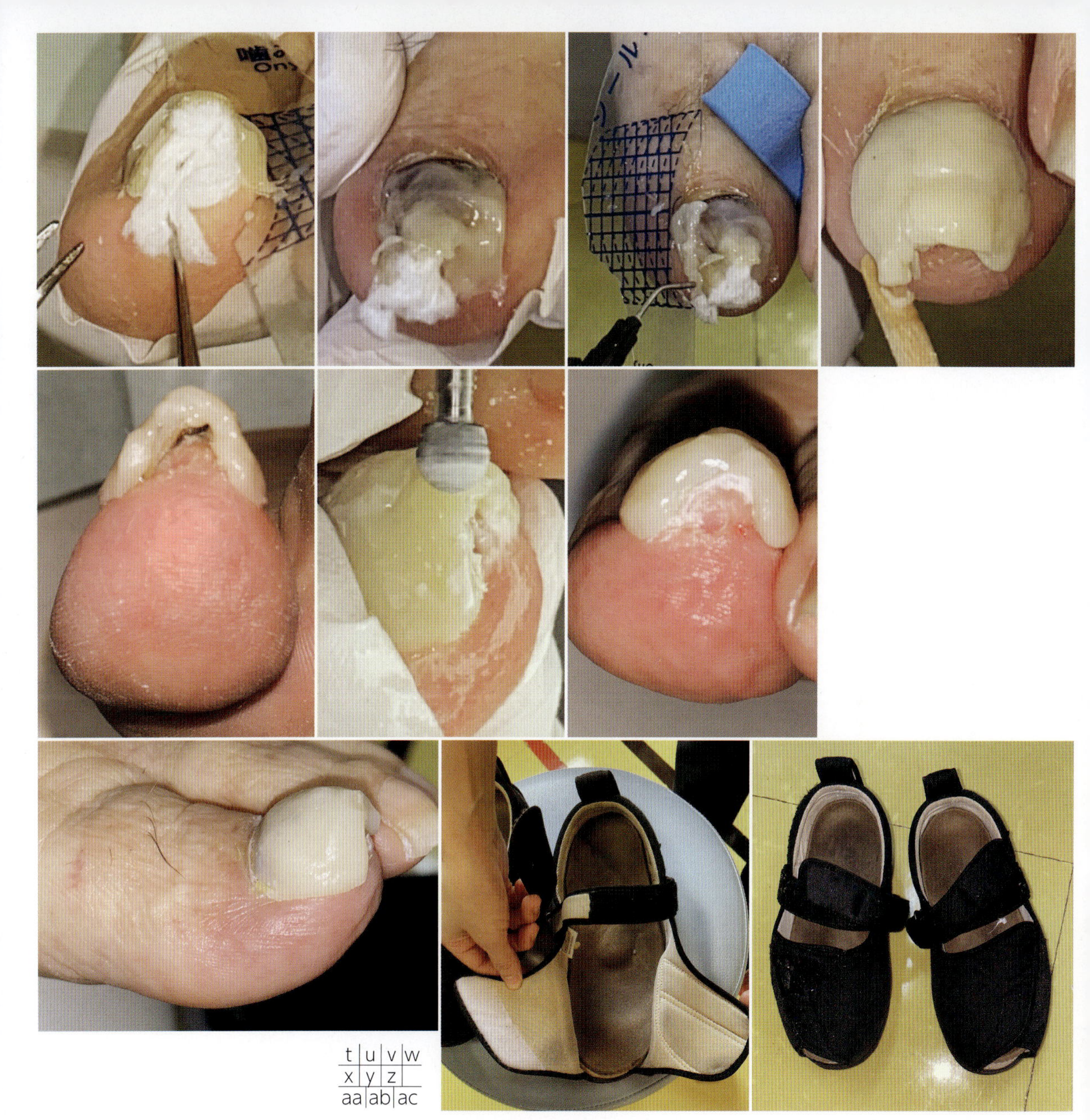

図 5-t〜ac

t：爪下にコットン挿入後，鉗子を除去
u：同斜めよりみた図
v：爪内側部に型取りシートを張り，硬化剤塗布（図 3-④）
w：爪の厚さと強度をはかるため硬化剤を重ね広げ（図 3-③），形を整える．
x：同正面像：両端の矯正がはかられ，爪の肥厚と強度を得た．
y：爪周辺のトリミング
z：同正面像
aa：同側面像．爪の肥厚が得られ，爪端の陥入矯正がはかられた．
ab：同爪への機械的衝撃予防に作製された特殊免荷中敷を作製し，市販のサンダルに装着使用
ac：サンダルは着脱が容易で，2 か所で十分な固定あり．サンダルの底はロッカー加工されている．

文献

1) 新城孝道：腎透析と爪．安木良博，田村敦志編．pp. 92-99，カラーアトラス 爪の診療実践ガイド，東京：全日本病院出版会，2016.
2) Heidelbaugh JJ, Lee H：Management of the ingrown toenail. Am Fam Physician. 79(4)：303-308, 2009.
3) Zuber TJ, Pfenninger JL：Management of ingrown toenails. Am Fam Physician. 52：181-119, 1995.
4) Mayeaux EJ Jr, Carter C, Murphy TE：Ingrown Toenail Management. Am Fam Physician. 100(3)：158-164, 2019.
5) Arai H, Arai T, Nakajima H, et al：Formable acrylic treatment for ingrowing nail with gutter splint and sculptured nail. Int J Dermatol. 43(10)：759-765, 2004.
6) Matsumoto K, Hashimoto I, Nakanishi H, et al：Resin splint as a new conservative treatment for ingrown toenails. J Med Invest. 57：321-325, 2010 {Arik, 2016 #4} Arik HO, Arican M, Gunes V, et al：Treatment of Ingrown Toenail with a Shape Memory Alloy Device. J Am Podiatr Med Assoc. 106(4)：252-256, 2016.
7) 原田和俊，山口美由紀，島田眞路：巻き爪と陥入爪の治療法．日皮会誌．123(11)：2069-2076, 2013.
8) 青木文彦：巻き爪・陥入爪に対しての保存的治療を選択する理由．創傷．3(4)：174-180，2012.
9) 菅谷文人，梶川明義，相原正記ほか：巻き爪の発生メカニズムに即した治療方針とは．聖マリアンナ医大誌．42：53-60，2014.
10) 堀口真弓，大澤葉子，山浦小百合ほか：市販の巻き爪ロボによる巻き爪矯正を試みて．日フットケア会誌．16(4)：208-212，2018.
11) Kim JY, Park JS：Treatment of symptomatic incurved toenail with a new device. Foot Ankle Int. 30(11)：1083-1087, 2009.

Ⅱ章 診療の実際—処置のコツとテクニック—

20 爪部手術の麻酔法と駆血法

診療・処置のワンポイント

- 爪部の神経支配は第1，5指と第2，3，4指とで異なる．
- 指神経ブロックでは手技により麻酔される神経の範囲が異なる．
- 指神経ブロックには4本の指神経をすべて麻酔する方法と2本の掌側指神経を麻酔する方法がある．
- 指趾専用駆血帯は駆血圧が低めであり，より安全に駆血時間を延長できる可能性がある．

Ⅰ 爪部手術における麻酔の基礎知識

爪部の手術は範囲が狭いため，ほとんどの場合，指(趾)神経ブロック(digital nerve block, digital block；以下，指ブロック)で実施することができる．また範囲は狭いが，出血が多く，止血は容易でないため，細部の観察が必要な繊細な手術は駆血して行うことが多い．指ブロックには様々な方法があるが，手指と足趾とで手技はほぼ同じであるため，本稿では手指を例に図説しながら解説する．手首や足首など，より中枢側での神経ブロックが行われる場合もあるが，ここでは言及しない．

手技によって穿刺部位や穿刺回数が異なるため，穿刺による神経・血管・腱損傷のリスク，麻酔薬注入に伴う循環障害のリスク，効果発現までの時間，穿刺時疼痛などに違いのある可能性がある．穿刺時の疼痛や組織損傷のリスクを低減するため，25～30 G程度の注射針を用いることが多い．細いほど疼痛やリスクは低減されると考えられるが，注射に要する時間は長くなる．

それぞれの方法のメリット，デメリットを知り，自身の局所解剖への理解度を勘案したうえで麻酔方法を選択するとよい．

1. 麻酔すべき神経

1本の指には動脈と同様に掌側，背側にそれぞれ1対ずつ合計4つの指神経が走っている．指の横断面でみると背側指神経はおおむね2時，10時，掌側指神経は4時，8時に位置している(図1)．指によって，また個体によっても違いはあるが，背側指神経の分布領域は一般に掌側よりも近位で終わり，基節背面を主に支配する．指腹や末節背面にある爪囲を支配するのは固有掌側指神経であり，末梢で背側に向かって分かれた枝が爪囲を支配する．ただし，第1指，5指では背側指神経が

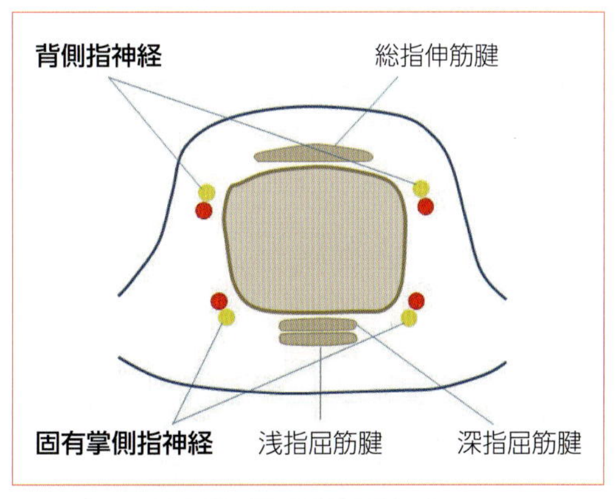

図1 指の横断面(基節骨基部)における神経の存在部位

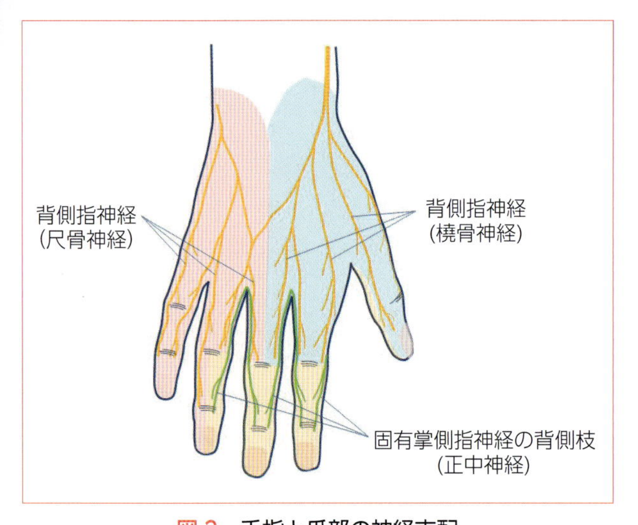

図 2　手指と爪部の神経支配
第 1，5 指の爪部は背側指神経支配であることが多い．

末梢まで長く伸びて爪部を支配する場合が多い[1)]．したがって，多くの解剖学の図譜では図 2 に示すように橈骨神経由来の背側指神経が手背・手指の橈側半分を支配し，尺骨神経由来の背側指神経が尺側半分を支配するように記載されている．ただし，第 2，3 指の中節・末節背面は尺骨神経由来の固有掌側指神経支配であり，第 4 指の中節・末節背面の橈側も同様である．背側指神経が橈骨神経，尺骨神経のどちらに由来するか，また，末梢側をどこまで支配するかには多くの変異がある．加えて，掌側と背側の指神経の間には交通枝が存在することも少なくない．正常な神経支配を有する個体では，第 2，3，4 指の爪部は固有掌側指神経のブロックのみで効果を得られる可能性があるが，第 1 指，5 指では背側指神経のブロックを必要とする確率が高い．このように個体による爪部の神経支配の違いや交通枝の存在，麻酔効果の確認までに要する時間などを考慮すると，はじめから掌側・背側両者の神経をブロックしたほうが効率的かもしれない．

2. 使用する局所麻酔薬

指ブロックで行う爪部の手術は繊細な操作を必要とするものの，駆血して実施されることが多い．このため，出血はなく，範囲も狭いので，ほとんどの場合，1 回の駆血時間内に終了する．局所麻酔薬としては，アレルギー反応を生じることが稀な，アミド型の標準的な局所麻酔薬である 1% または 2% リドカインが使用されるのが一般的である．欧米ではより長時間の麻酔効果を求めて，やはりアミド型に分類されるブピバカインが使用されることも少なくない．しかし，本邦ではブピバカインの適応症が欧米と異なり，硬膜外麻酔と伝達麻酔に限られている．さらに指ブロックは保険請求上，上肢・下肢伝達麻酔に含まれず，局所麻酔の扱いになるので，本邦では使用しにくい．

リドカインには血管拡張作用があるため，術野からの出血の制御，麻酔作用時間の延長，麻酔薬の吸収による副作用防止などを目的にアドレナリンが添加されて使用されることが多い．ところが，指ブロックにおいてはアドレナリン添加の局所麻酔薬は指趾の壊死を招くおそれがあるとして長い間，禁忌とされてきた．しかし，指趾の麻酔へのアドレナリン添加に関しては論争もあり，近年の報告では，血行障害のない患者においてはアドレナリン添加局所麻酔薬による指ブロックで壊死は生じないとされる[2)]．むしろ，アドレナリン添加の指ブロックを行うことにより，麻酔薬の作用時間が延長するとともに術野での出血が抑制され，駆血の必要性が減少するとして推奨する者も少なくない．このため近年の欧米の教本は，指ブロックはアドレナリン無添加もしくはアドレナリン添加の局所麻酔薬で麻酔すると記載してあるものが多い．本邦においても学会からの要望を受けて，厚生労働省は 2020 年 12 月に使用上の注意の改訂を指示し，アドレナリン含有リドカイン注射薬の指趾，耳への使用禁忌は削除された．

指ブロックが最も多く使用されるのは外傷など救急医療の現場である．外傷以外の爪部の疾患で手術を行う際には大部分の症例で完全な無血野の確保が必要であり，これはアドレナリン添加ではなく，駆血によってのみ達成されるものである．したがって，はじめから駆血を必要とすることが明らかな手術におけるアドレナリン添加は，有益性の恩恵を受けにくい．

なお，本邦においてアドレナリン含有リドカイン製剤には禁忌事項が多い．「コントロール不良」

などの特別な限定事項の記載なく，高血圧・動脈硬化・心不全・甲状腺機能亢進・糖尿病のある患者への使用は禁忌とされている．しかし，海外においてはこれらの合併症を有する患者が必ずしも禁忌とされているわけでない．現実的には糖尿病，高血圧，動脈硬化を有する患者は極めて多く，本邦においても禁忌とされる合併症のある患者に対しても，慎重に投与されているのが実情である．

II 指ブロックの種類と手技

指ブロックには多くの方法があるため，ここでは代表的なものについて述べる．穿刺する方向からみると背側，掌側および側面(指間)の3方向からの穿刺法があり，穿刺する位置は末節から手掌の中手骨レベルまでと多様である．固有掌側指神経から離れた背側をあえて穿刺する方法は穿刺時の疼痛を緩和するためのものである．穿刺回数からみると，1指を麻酔するのに要する穿刺回数が1回の方法と2回の方法とに分けられ，1回法は，やはり穿刺の疼痛を軽減させるものとして登場した．伝達麻酔は末梢神経の走行途中に局所麻酔薬を注入するものである．指神経は1指につき4本あるが，この4本の神経を狙って4か所に薬剤を注入する方法が指全体を麻酔する最も確実な方法である．しかし，2，3，4指の爪部は固有掌側指神経支配であるため，掌側の指神経を狙って2か所のみに薬剤を注入する方法もある．さらには掌側あるいは背側で指の中心部の1か所に注入した薬剤の拡散により，掌側の2本または背側の2本の神経を麻酔する方法もある．

背側と掌側とで，穿刺時の疼痛に有意差はないとの報告もあるが[3]，掌側の厚くて知覚が鋭敏な皮膚を穿刺するより，背側の薄い皮膚を穿刺するほうが疼痛の訴えは少ないと実感している術者は少なくない．掌側への穿刺は穿刺時の疼痛は強いが，神経走行路を穿刺しない方法であれば神経・血管損傷の可能性はない．どの麻酔方法を選択するかは，疼痛，穿刺に伴うリスク，麻酔効果への信頼性を総合的に勘案して術者が決定することになる．

1. 背側からのブロック

a) Traditional Digital Block (Oberst 法)

ドイツの外科医 Maximilian Oberst が指にコカインを投与して伝達麻酔の先駆けとなったことから，本邦やドイツでは Oberst 法と呼ばれることが少なくない．古くから行われている伝統的な方法であり，基節骨基部で4本の指神経が走るそれぞれの部位に麻酔薬を注入する方法である[4]．本法は中手骨部でのブロックに比べ，狭い組織内に麻酔薬を注入することになるので，循環障害への危惧や神経血管束を損傷するリスクがあることから実施すべきでないとの意見もある．しかし，実際には合併症は稀と考えられており[5]，現在でも広く行われている．

通常，穿刺時の疼痛が少ない背面の片側を穿刺して皮下に薬剤を注入し，固有背側指神経を麻酔する．次に針を途中まで引き抜いて方向を変え針先を掌側に向けて進め，同側の掌側皮下に薬剤を注入し，固有掌側指神経を麻酔する(図 3-a)．注射針を引き抜いた後，今度は反対側の背面を穿刺して同様に麻酔する．薬剤注入に伴う血管圧迫で患指の壊死をきたさないように1指につき注入量は2〜5 mL 程度とする．背側・掌側の針の進め方は，神経の走行部位より浅めの皮下を穿刺する方法と，背側で骨に当たるまで針を進め，その後，針を掌側に進める際に骨の側面に沿って深い位置を走らせる方法がある(図 3-b)．麻酔効果は麻酔薬の注入部位から末梢の全域に得られる．

本法では指の背面2か所の穿刺が必要であるため，最初に穿刺した針を抜かずに，これを利用して2回目の穿刺部位をあらかじめ麻酔しておくこともできる．すなわち，最初に穿刺した針を途中まで引き抜いて方向を変え，針先を末節骨の背面を横断するように反対側に向けて進め，反対側の穿刺予定部位に膨疹を形成するように皮内注射する．注射針を引き抜いた後，既に麻酔の効いた反対側の穿刺予定部位から，同様に反対側の指神経を麻酔する方法である(図 4)．この方法で針を進める際に絶えず麻酔薬を注入し続け，4本の神経

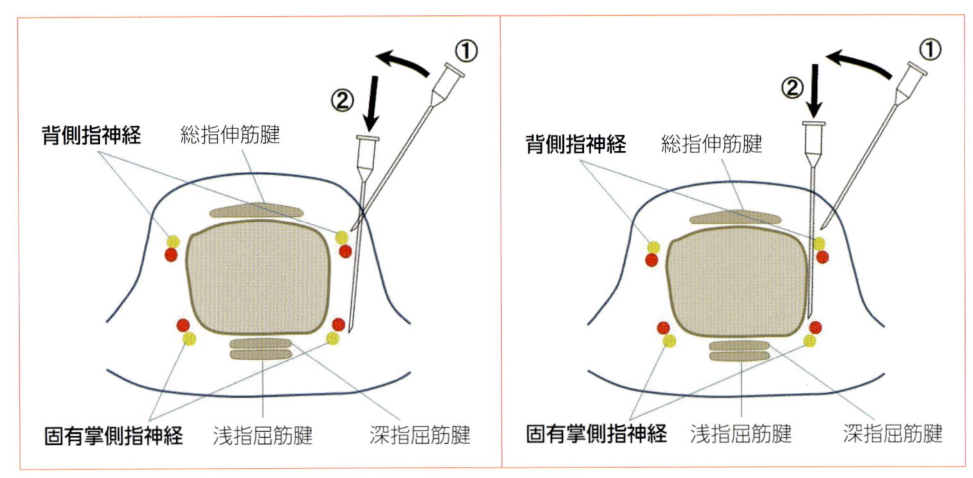

a．皮下で針を進める方法　　b．基節骨に沿って針を進める方法

図 3　Traditional Digital Block（Oberst 法）の穿刺経路

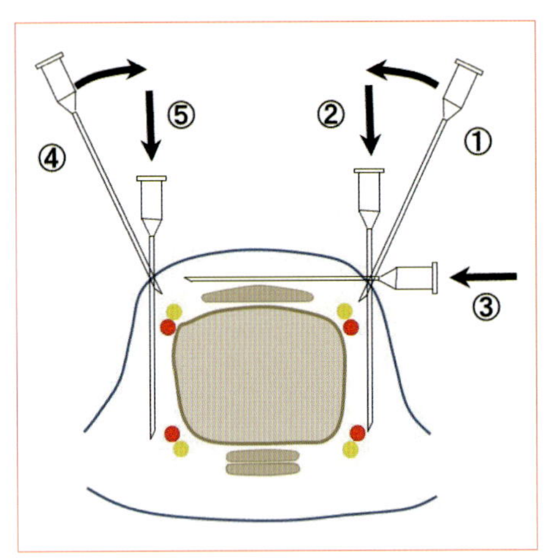

図 4　基節骨基部での指ブロック（Oberst 法の変法）
皮膚穿刺時の疼痛を 1 回にするため，1 回目に穿刺した針で 2 回目の穿刺部位を麻酔しておく．

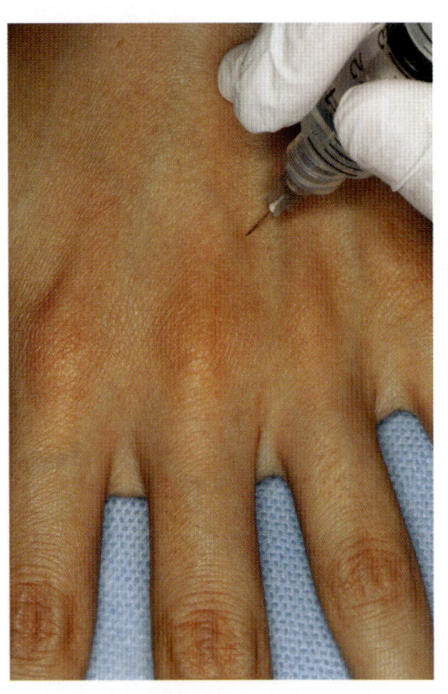

図 5　中手骨部背面からの指ブロック
中手骨頭の近位部を穿刺して中手骨の側縁に沿って針を進めながら，手背皮下から掌側皮下に麻酔薬を注入する．中手骨を挟んで両側に行う．

の走行部位のみならず，指の両側面と背面すべてに麻酔薬を注入するのがthree-sided digital blockである．指の背面に並行に針を進める方法の欠点は，伸筋腱を損傷する危険がある点である．

b）中手骨部背側からのブロック

中手骨部でのブロックは前述した基節骨基部でのブロックに比べ，麻酔薬が浸潤するスペースが広く，循環障害のリスクが低いと考えられており，古くから手の外科医や整形外科医に好まれてきた．総指神経を麻酔する方法であるため，隣接する指の一部も麻酔される．中手骨頭の近位部（中手指節関節の 2 cm 近位側）を穿刺して中手骨側縁に沿って針を進めながら，手背皮下から掌側皮下に一側につき 1〜3 mL の麻酔薬を注入する．次いで中手骨を挟んで反対側の背面を穿刺し同様に薬剤を注入する（図 5）．基節骨基部でのブロックに比べて効果発現までの時間がやや長くなる．背側を穿刺する理由は，次の掌側を穿刺する方法よりも穿刺時の疼痛が少ないと考えられるからである．また，背側皮下にも薬剤を注入することで総掌側指神経のみならず，背側指神経に分岐する手前を麻酔することができる．

c) 指の背側中央部からの皮下ブロック

掌側からの皮下ブロックと同様に，麻酔したい指の基部からMP関節中枢側までの間で指の中央部を穿刺し薬液を皮下に注入して，背側指神経のみを麻酔する．穿刺を1回にとどめるために中央部を穿刺するが，確実に麻酔効果を得るためには穿刺部位から針を指の両側の神経走行路に向けて進めて神経近傍に注入するとよい．背側指神経のみしか麻酔されないため，掌側の皮下ブロックや腱鞘内ブロックなどで背側指神経が麻酔されなかった際に補助的に用いる．

d) 末節でのブロック(distal wing block)

指ブロックのなかで最も末梢で行う方法であり，ブロックという名で呼ばれてはいるが，側爪郭と近位爪郭に麻酔薬を注入する方法であり，局所浸潤麻酔に近い．海外では古くから皮膚科医によって行われてきた．陥入爪や爪囲炎に対する処置など主に爪部の簡単な外科的処置に用いられる．注射時の疼痛を軽減させるため30 G程度の細い針をルアーロック式のシリンジに装着し，注入速度を遅くする．穿刺部位は想定される爪根部近位端の側縁から3 mm程度近位部とし，ここから針を45°程度寝かせて近位爪郭に沿って爪母の近位部に麻酔薬を注入しながら針を進める(図6)．次に穿刺部位まで針をゆっくり引き抜き，方向を変えて側爪郭に沿って麻酔薬を注入しながら針を指尖方向に進め，片側の麻酔を終える．必要があれば反対側にも同様の注入を行う．片側につき1.5 mL程度の麻酔薬が必要であるが，組織の伸展性が乏しいことから，末節は薬剤注入後，蒼白になりやすい．指尖部への麻酔効果が乏しい場合は必要に応じて同部に追加の注入を行う．

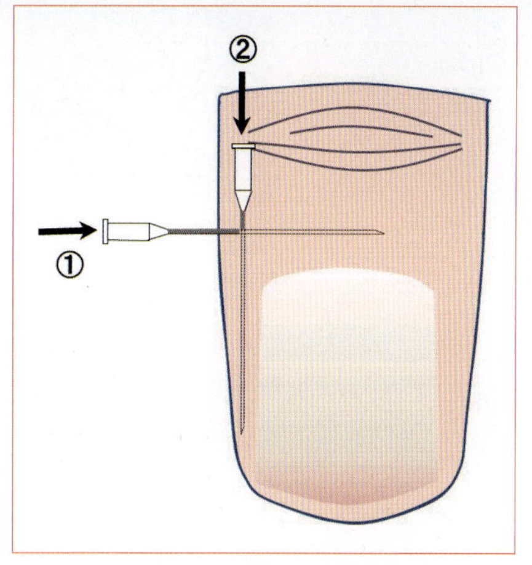

図6　末節でのブロック(distal wing block)
側爪郭と近位爪郭に麻酔薬を注入する．

2. 掌側からのブロック

a) 掌側からのブロック(2回注入法)

遠位手掌皮線(distal palmar crease)上，あるいは中手骨骨頭から1 cm中枢側で中手骨の骨間を穿刺し，一側につき2 mL程度の麻酔薬を皮下に注入して総掌側指神経を麻酔する(図7)．中手骨を挟んで両側に行う．

b) 経腱鞘指ブロック(transthecal digital block，腱鞘内1回注入指神経ブロック法)

1990年Chiuが，ばね指の治療でステロイドとリドカインを混合して屈筋腱腱鞘内に注射する際，指全体に速やかに麻酔効果が得られるのに気づいたことから指ブロックの方法として報告したものである[6]．腱鞘内から周囲に薬液が浸透することにより指神経が麻酔されると理解されている．元々，ばね指の保存的治療の手技であるため，手の外科医の間ではよく行われる．Chiuの報告以来，経腱鞘指ブロックには多くの変法が報告されている．

(1) MP関節レベルの屈筋腱表面での腱鞘内注入：Chiuが報告した方法である．手掌を上にして中手骨頭で屈筋腱を触知し，同部から約45°の角度で腱の中央部の皮膚を穿刺し，針先で屈筋腱の腱鞘を貫く(図8)．そこでプランジャーをゆっくり押しながら針を慎重に引き戻して，注射器を押す抵抗が小さくなり薬液をスムーズに注入できるようになったところに2 mL注入する．薬液注入

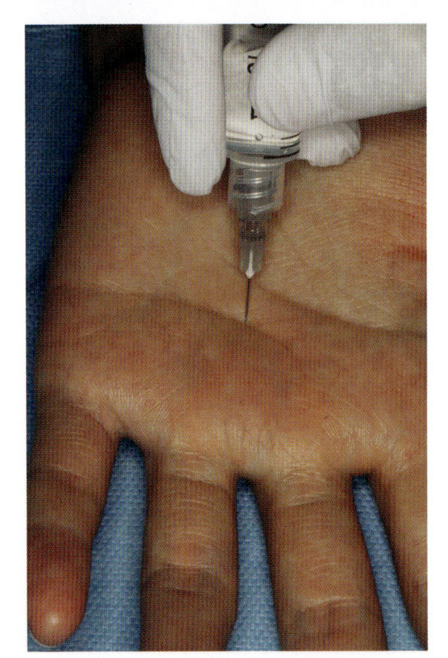

図７　掌側からのブロック（２回注入法）
遠位手掌皮線上，あるいは中手骨骨頭から１cm中枢側で中手骨の骨間を穿刺し，皮下に麻酔薬を注入する．中手骨を挟んで両側に行う．

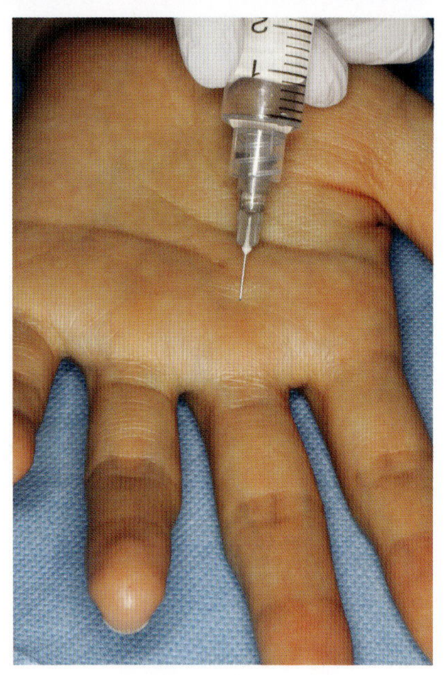

図８　経腱鞘指ブロック（屈筋腱表面での腱鞘内注入）
中手骨頭で屈筋腱の腱鞘を穿刺し，腱の掌側で腱鞘内に薬液を注入する．

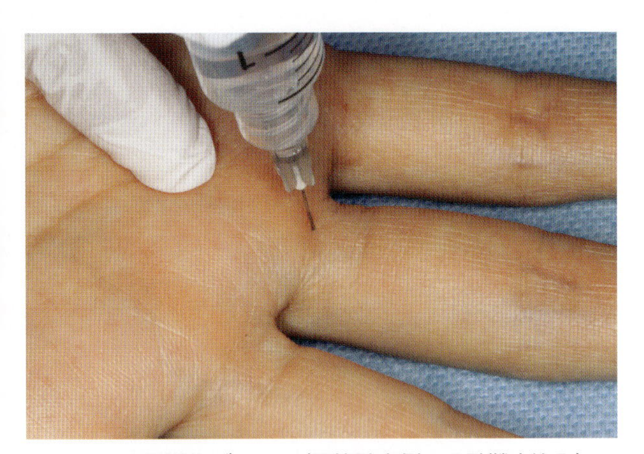

図９　経腱鞘指ブロック（屈筋腱裏側での腱鞘内注入）
手掌指節皮線の中央部を垂直に穿刺し，針先を基節骨に当てたまま屈筋腱裏側で腱鞘内に注入する．

時に術者の指を穿刺部近位側で腱に当てていれば薬液注入による腱鞘の膨隆を感じ取ることができ，また，薬液を指の末梢に送り込むことができる．穿刺部位が１か所であるため，穿刺時の疼痛が１回で済むことと，神経血管束を傷害するおそれがないのが利点である．欠点としては，１回の穿刺であっても背側穿刺や後述する掌側の皮下１回注入法と比べて，穿刺時の疼痛が強いこと，背側指神経の麻酔効果が必ずしも十分でないこと，注射部位の疼痛が遷延しやすいこと，MP関節内への誤注入が生じ得ることなどが挙げられる．背側指神経が麻酔されなかった場合，爪部が背側指神経支配である母指，小指には十分な効果が得られない．本法における腱鞘内注入の成功率は低く，皮下に誤注入された薬剤で麻酔効果が得られている可能性も指摘されている[7]．

（2）基節骨基部の屈筋腱裏側での腱鞘内注入：Chiuが報告した経腱鞘指ブロックは屈筋腱を傷つけにくいが，腱鞘内への注入が難しい．そのため，これを改変して腱の裏側で腱鞘内に薬液を注入する方法が用いられるようになった．

手掌を上にして手掌指節皮線（palmar digital crease）の中央部を垂直に穿刺し，針が屈筋腱を貫いて基節骨に当たるまで刺入する．骨に当たったら針先を引き戻さずに，そのままの状態で薬液を2〜3 mLを注入する[7]（図９）．穿刺部位が１か所であるため，穿刺時の疼痛が１回で済むのが利点である．欠点としては穿刺時のみならず，腱鞘内注入時の疼痛が強いこと，腱鞘内は注入圧が高いため，注入に時間がかかること，背側指神経の麻酔効果が不安定なことなどがある．

c）皮下ブロック（１回注入法）

Chiuの経腱鞘指ブロックの報告を受けてHar-

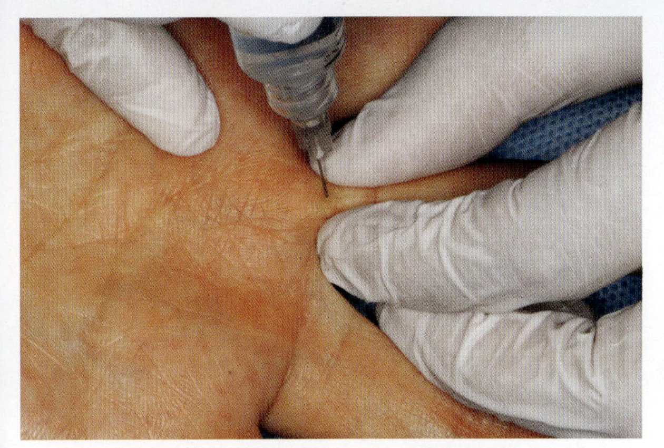

図 10　皮下ブロック(1 回注入法)
手掌指節皮線の中央部を穿刺し，皮下に薬液を注入する．

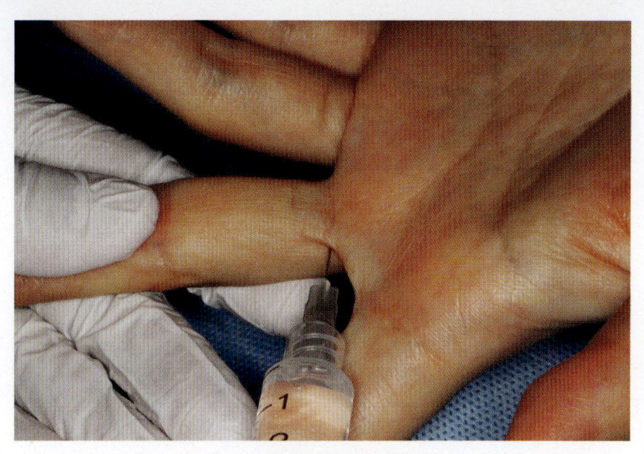

図 11　側面からのブロック
麻酔する指の指間部を穿刺し，薬液を注入後，基節骨の掌側を横切るように針先を進めて反対側にも注入する．

bisonが紹介した，より容易な指ブロック法である[8)]．経腱鞘ブロックと同じ位置から穿刺するが，針先を腱鞘には刺入せずに皮下に 2 mL 程度の薬液を注入する．注入部位を術者の指で両側からつまみ上げることにより皮下への刺入はより容易になる(図 10)．手掌指節皮線上の中点を穿刺する方法(皮線上皮下法[9)])とMP関節掌側のA1 pulley上を穿刺する方法が一般的であるが，近位指節間皮線(proximal interphalangeal crease)の中点を穿刺する方法もある[10)]．麻酔効果は経腱鞘ブロックと同等であるが，手技は格段に容易であり，疼痛は皮下ブロックのほうが少ないため，経腱鞘ブロックよりも優れた麻酔法と考えられている[11)]．このため，掌側からの 1 回注入法を好む術者は経腱鞘指ブロックよりも皮下ブロックを推奨する傾向にある．特に手掌指節皮線を穿刺する方法は皮線上の中点を穿刺するため，初心者にも容易であり，神経・血管損傷が生じることはない．さらに，手掌指節皮線の部分は周囲の掌側皮膚よりも知覚が鈍いとされている点も利点である．欠点として背側指神経に対する麻酔効果が不安定なため，母指や小指の爪部には十分な麻酔効果が得られない可能性がある．

指の中央の穿刺部位から 2 本の掌側指神経の走行する横方向に針先を進め，両側の神経走行路に薬液を注入する方法もある．

3. 側面からのブロック

麻酔する指の一方の指間部を穿刺し，骨に向けて横方向に針を進める．薬液を注入しながら針先が骨に当たるまで 1～2 mL 注入し，その後，針先が指の反対側に進むように基節骨の掌側を横切らせて反対側に同量の薬液を注入する(図 11)．1 回の穿刺で 2 本の固有掌側指神経を麻酔することになるが，少なくとも穿刺部の対側にある背側指神経は麻酔されにくい．

III　爪部手術の駆血法

駆血法は動脈壁を圧迫して一時的に閉塞させることで出血を止めるのに用いられるが，手術の際には駆血部位から末梢に血液が貯留しないよう末梢側の血液を中枢側に圧出したうえで，駆血する．四肢の手術では整形外科領域の手術で使用されるエアータニケットを装着すると圧を調節して圧迫することができる．タニケットのカフは通常，上腕あるいは大腿に巻くが，圧迫部位の頑固な疼痛(タニケットペイン)が出現するため，カフを巻く部分も疼痛がないような麻酔法を用いるのが望ましい．四肢の手術では駆血部位のすぐ近くに術野が存在する場合，末梢から巻き上げたエスマルヒ駆血帯を中枢側に巻き付けて駆血する方法がとられる場合もある．

タニケットの使用方法については明確な規定はないが，上肢に使用する場合には「術前収縮期血圧＋75～100 mmHg」，下肢に使用する場合には「術前収縮期血圧＋100～150 mmHg」が目安とされる．これに肥満などの体型や高血圧などを考慮

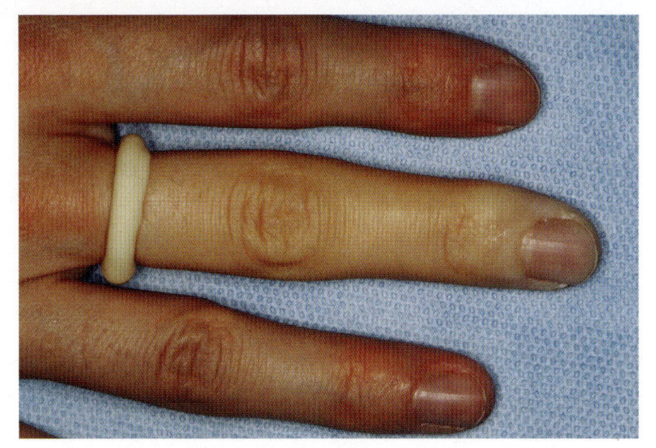

図12　手術用手袋の指の部分のみ使用した駆血法
簡便であるが，駆血帯を取り除くのを忘れないように注意する必要がある．

して駆血圧や駆血時間を設定する．駆血時間は1回90分程度としているところが多く，それ以上必要な場合には一旦，駆血を解除し，10～15分経過してから駆血し直すのが一般的である[12]．エスマルヒで駆血した場合には1時間以内の駆血でも神経麻痺を起こすことがある．一般に安全な駆血圧は200～300 mmHgとされ，表面圧が500 mmHgを超えると神経損傷を起こすといわれている．

指趾の手術もこのように四肢中枢側を駆血して行われることがあるが，多くは指ブロックで実施されるため，麻酔の効いた指趾の基部を駆血するのが一般的である．指趾の末梢側からペンローズドレーン，濡れガーゼ，指用駆血帯などで圧迫しながら血液を排除して指趾中枢側で駆血する．指趾の駆血法としては次に挙げる方法があるが，いずれの方法もエアータニケットと異なり，駆血圧を測定しているわけではなく，駆血帯の幅も狭い．したがって，エアータニケットに準じた時間，駆血することは危険であり，神経障害を起こす可能性が高まる．指趾の駆血は術者によって，あるいは同じ術者でも手術ごとに駆血圧が異なる可能性がある．したがって，安全な駆血時間は一概には論じられない．20分以上の駆血が必要な場合には20分で一旦駆血を解除し，3～5分再灌流させるべきとの報告もある[13]．欧米の教本では15分，あるいは30分，長くて60分とする記載などがある[14)15]．また，比較的低めの圧で駆血する指趾専用駆血帯のなかには90分未満とする製品もある．筆者は60分程度までは駆血しているが，一旦駆血を解除して2回駆血した症例で，指尖部までの回復に数か月要した知覚障害を経験している．

術後の指趾の壊死など重大な血行障害の報告は，ほとんど駆血帯の取り忘れによるものである[16)17]．これは駆血解除前に圧迫包帯を行った際に，包帯で駆血帯が隠れてしまい発生する．特に手術用手袋の指の部分のみを使用したときには色調も皮膚に類似しており，忘れやすいと思われる．英国ではこのため，手術用手袋を利用した駆血が禁じられている．以下に示した指趾の駆血法のうち指趾専用に開発された駆血帯が比較的大型で目立つ色をしているのは，置き忘れ防止のためである．また，駆血した際には一旦解除し，止血したうえで包帯するのが原則である．

1. 手術用手袋

a)指の部分のみ使用

手術する指趾の太さを勘案して，それに見合った手術用手袋のいずれかの指の部分を基部で切り離す．次いで，切断端と反対側の指尖部に相当する部位に剪刀で小孔を開ける．これを手術する指趾に被せて，指尖部の小孔を反転させながら末梢側から中枢側へと指趾基部までロール状に巻き上げることで組織を脱血する(図12)．駆血圧は手袋先端の小孔の大きさと指趾の太さに依存するため，孔が大きいと十分な駆血効果が得られない．また，先端の小孔を広げる際に一部のみを牽引すると手袋が裂けやすい．

この方法は駆血帯が最も目立たないため，手術終了までに駆血帯を取り除くのを忘れないように十分注意する必要がある．

b)手袋ごと着用

指ブロック後，手全体を消毒して対象となる手に手術用手袋を着用させる．次いで手術する指を覆う手袋の先端部分を1～2 mm程度剪刀で切り，小孔を開ける．この小孔を反転させながら前項「a)指の部分のみ使用」と同様に患指の基部までロール状に巻き上げることで駆血する(図13)[18]．前述の方法と基本的に同じ駆血法であるが，手袋

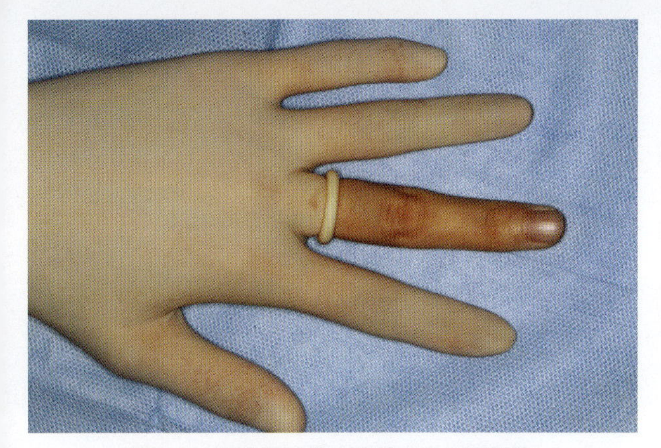

図 13　手術用手袋を装着させた駆血法
手袋装着後，術野となる指の部分のみを先端から反転させて駆血する．

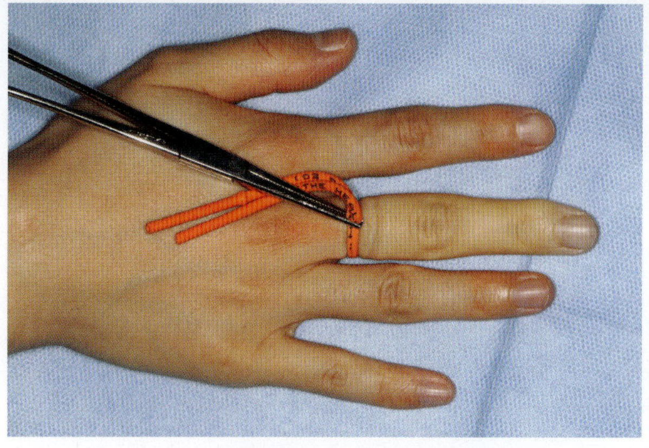

図 14　尿道カテーテルによる駆血
安価なラテックス製のネラトンカテーテルは圧をかけやすい反面，神経障害が懸念される．

の存在によって駆血解除を忘れにくい．

2. その他の医療材料

a)ペンローズドレーン

生食で湿らせたガーゼなどを指趾末梢から巻き上げて脱血し，指趾の基部をペンローズドレーンで締め上げ鉗子で固定する[19]．圧力は術者の力加減で決まるため，どの程度の駆血時間まで安全かは推し量りがたい．鉗子で固定するため，駆血解除を忘れることは考えにくい．海外では一般的な方法であるが，国内ではラテックス製のペンローズドレーンはほとんど使用されなくなっており，シリコン製に切り替わっている．

b)尿道カテーテル

前項 a)のペンローズドレーンの代わりにネラトンカテーテルなどの尿道カテーテルを用いる方法である[20]．ペンローズドレーンに比べて圧をかけやすいため，高い駆血効果を得やすい(図 14)．反面，幅の狭い領域を強く圧迫することによる神経障害が危惧される．ネラトンカテーテルも鉗子で固定するため，駆血解除を忘れることは考えにくい．なお，国内ではラテックス製のネラトンカテーテルは伸展性に乏しい塩化ビニル製などに移行しつつある．

3. 指趾専用駆血帯

a)T-ring

米国 Precision Medical Devices(PMD)社が製造する指趾専用駆血帯である．国内でも医療機器として認可され，代理店である旭光物産社を通じて近年，販売が開始された．赤いポリカーボネート製の外枠に固定された熱可塑性エラストマーの中心に直径 4.5 mm の穴が開いた滅菌済の製品である(図 15)．手術する指趾の先端をこの穴に当てて赤いリングを把持しながら指趾の基部までデバイスを押し込むという 1 つの動作で脱血と駆血が完了する．1 サイズですべての指に使用するため，指が太くて装着しにくいときや，病変部をあまり圧迫したくないときには，外枠を 2 つに折って穴を通常より大きめに広げて装着することも可能である．ペンローズドレーンなどの他の駆血法に比べて低圧での圧迫が可能なため，より安全と考えられている[21]．取り外す際には，外枠を折って中央の穴を広げて外すか，または外枠を折った後，内側のエラストマーを剪刀で切断する．なお，エラストマーにラテックスは含まれていない．外枠が赤色で目立つうえに立体的であるため，止血帯を除去し忘れることはないと思われる．

b)Tourni-Cot

Tourni-Cot はシリコン製のカラフルなリング状の駆血帯である．色と大きさの異なる 4 種類があり，指趾の太さによって使い分ける．指趾先端に装着後，中枢側に向けて脱血しながら移動させ，指趾基部で駆血する(図 16)．付属のタグは取り外すのを忘れないようにするためのものなので，タグを付けたまま装着する．駆血を解除する際には細くなっている部分を剪刀で切断する．着脱は極めて簡単であり，米国 MAR-MED 社から

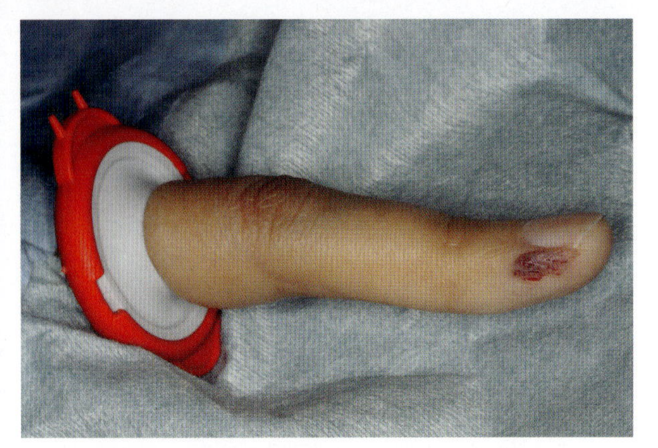

図 15　指趾専用駆血帯 T-ring による駆血
比較的低い圧力で駆血するため，安全性が高いと考えられている．

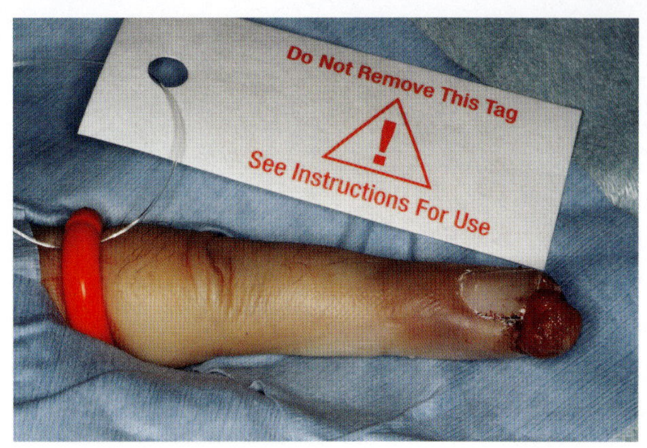

図 16　指趾専用駆血帯 Tourni-Cot による駆血
装着が簡単で比較的低い圧力で駆血でき，安全性が高いと考えられている．

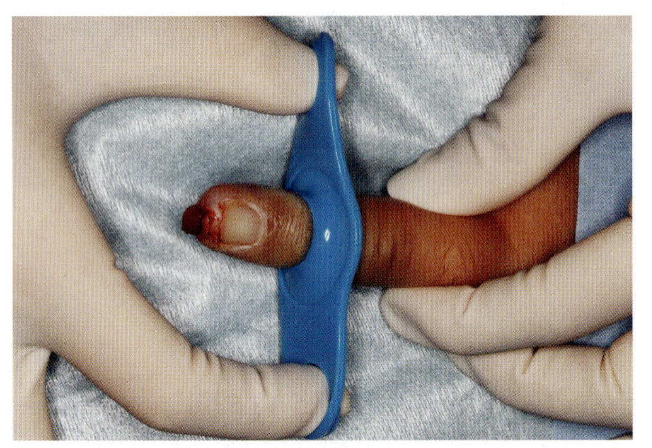

図 17　指趾専用駆血帯 Uni-Cot による駆血
末梢側から脱血しながら Uni-Cot を中枢側に移動させているところ

世界中に向けて販売されてきた歴史のある指専用駆血帯である．T-ring とともに駆血圧が低いため，安全性が高いと考えられている[21]．本邦では2020年6月に医療機器として認可を受け，JMR 社から販売が開始されたばかりである．MAR-MED 社では Tourni-Cot による駆血時間を 90 分未満にするように呼びかけている．

c) Uni-Cot

Uni-Cot は中央に指趾を通すための小孔があるプレート状のシリコンからなり，2 か所に同じ材料からなる持ち手となる部分がある．これを引っ張ることで小孔を広げ，指尖部から指に装着し，持ち手を牽引しながら中枢側に移動させ，指の基部で固定する（図 17）．T-ring と同様にサイズは 1 つのみですべての指趾に使用できる．駆血を解除するときには剪刀で切断する．T-ring から硬い持ち手であるリングの部分を取り除いて伸展性のある本体部分を持ち手としたような構造である．米国 MAR-MED 社が Tourni-Cot に次いで開発した新しい製品で，国内ではやはり 2020 年 6 月に医療機器として認可を受け，JMR 社が販売している．MAR-MED 社では Uni-Cot による駆血時間を Tourni-Cot と同様に 90 分未満としている．

d) ForgetMeNot

ForgetMeNot は紐状のシリコンの中央部にこれを通すための 2 つの穴があいたプレート状の部分を有する新しい指趾専用駆血帯である．フランスの Arex 社の製品で，紐状の部分を指尖部に一重，または二重に巻いた後，両端を中央の穴に通してから引っ張って指を圧迫する．次いで，指の基部まで脱血しながらデバイスを移動させて固定する．駆血を解除する際には製品を切断するのではなく，紐を引っ張って緩めることができるため，1 回のみの使用ではなく，滅菌して少なくとも 10 回は使用可能とされる[22]．本製品は，本稿執筆時点で国内では発売されていない．

Ⅳ　おわりに

麻酔法と駆血法は表裏一体である．指趾末節の十分な伸展性のない組織内に麻酔薬を注入する wing block では，注入圧で末梢が阻血状態になりやすい．これを駆血効果とポジティブにとらえる者もいれば，指趾壊死の可能性が頭をよぎり不安に思う者もいる．エピネフリン添加の局所麻酔薬で指ブロックした場合には，レイノー現象のように真っ白くなった指をみて回復するまで不安になるはずであり，二度と同様の麻酔法を行わなくなる術者もいると思われる．手術が終わる前に血行が回復すれば結局，駆血かアドレナリンの追加が必要となる．爪の手術はほとんどが1時間以内に終わるものであり，駆血による神経障害は稀で，起こっても通常，回復する．むしろ，駆血が不要なくらい白くなった指をみながらでは，心配で手術に集中できない術者もいるであろう．新しい治療法が報告されると，すぐに情報が拡散して新しい流れに向かいがちであるが，自分自身で十分に吟味して取捨選択する必要がある．

（田村敦志）

文献

1）Bas H, Kleinert JM：Anatomic variations in sensory innervation of the hand and digits. J Hand Surg Am. 24：1171-1184, 1999.
2）Chowdhry S, Seidenstricker L, Cooney DS, et al：Do not use epinephrine in digital blocks：myth or truth? Part Ⅱ. A retrospective review of 1111 cases. Plast Reconstr Surg. 126：2031-2034, 2010.
3）Wheelock ME, Leblanc M, Chung B, et al：Is it true that injecting palmar finger skin hurts more than dorsal skin? New level 1 evidence. Hand（N. Y.）. 6：47-49, 2011.
4）Mittelbach HR：Technique of block anesthesia. pp.32-37, The injured hand. New York：Springer-Verlag, 1979.
5）Hill RG Jr, Patterson JW, Parker JC, et al：Comparison of transthecal digital block and traditional digital block for anesthesia of the finger. Ann Emerg Med. 25：604-607, 1995.
6）Chiu DT：Transthecal digital block：flexor tendon sheath used for anesthetic infusion. J Hand Surg Am. 15：471-477, 1990.
7）前田和政，岡元　勉，園畑素樹ほか：確実な腱鞘内注入法―基節骨上腱鞘内注入法―．整外と災外．53：455-458，2004.
8）Harbison S：Transthecal digital block；flexor tendon sheath used for anaesthetic infusion（Letters to the editor）. J Hand Surg Am. 16：957, 1991.
9）長嶺里美，岡元　勉，園畑素樹ほか：1回注入指神経ブロック法における手技の正確性と麻酔効果についての検討．整外と災外．53：381-384，2004.
10）Choi S, Cho YS, Kang B, et al：The difference of subcutaneous digital nerve block method efficacy according to injection location. Am J Emerg Med. 38：95-98, 2020.
11）Low CK, Vartany A, Engstrom JW, et al：Comparison of transthecal and subcutaneous single-injection digital block techniques. J Hand Surg Am. 22：901-905, 1997.
12）宗内　巌，濱本有祐，井川浩晴ほか：駆血帯（ターニケット）による皮膚傷害症例の検討．褥瘡会誌．5：503-507，2003.
13）Becerro de Bengoa Vallejo R, Losa Iglesias ME, López DL, et al：Effects of digital tourniquet ischemia：a single center study. Dermatol Surg. 39：584-592, 2013.
14）Baran R, de Berker D, Dawber R：Nail unit tumours and surgery. pp.53-88, Manual of nail disease and surgery. London：Blackwell Science, 1997.
15）Zook EG：Preoperative and postoperative management. pp.29-35, Nail surgery：A text and atlas. Philadelphia：Lippincott Williams & Wilkins, 2001.
16）Selvan D, Harle D, Fischer J：Beware of finger tourniquets：a case report and update by the National Patient Safety Agency. Acta Orthop Belg. 77：15-17, 2011.
17）de Boer HL, Houpt P：Rubber glove tourniquet：perhaps not so simple or safe?　Eur J Plast Surg. 30：91-92, 2007.
18）Wei LG, Chen CF, Hwang CY, et al：Safe Finger Tourniquet—Ideas. Ann Plast Surg. 76（Suppl 1）：S130-132, 2016.
19）Wavak P, Zook EG：A simple method of exsanguinating the finger prior to surgery. JACEP. 7：124, 1978.
20）Ray PS, Flowers MJ：Digital tourniquet：A new technique. The Foot. 11：160-162, 2001.
21）Lahham S, Tu K, Ni M, et al：Comparison of pressures applied by digital tourniquets in the emergency department. West J Emerg Med. 12：242-249, 2011.
22）Hidalgo Díaz JJ, Muresan L, Touchal S, et al：The new digit tourniquet ForgetMeNot®. Orthop Traumatol Surg Res. 104：133-136, 2018.

Ⅱ章 診療の実際―処置のコツとテクニック―

21 陥入爪，過彎曲爪の治療：フェノール法を含めた外科的治療

診療・処置のワンポイント

- 爪甲側縁部に限局して彎曲が強い例，肉芽の増生や爪郭の肥大が高度な例がよい対象である．
- フェノール法は最も容易で再発率の少ない根治術である．
- フェノール法では合併症や爪甲幅の過度の縮小を避けるため，薬液が焼灼部位以外に浸透しないように注意を払う必要がある．
- 術後の整容性を考慮し，部分抜爪の幅をやや小さめに設定する．

Ⅰ 手術適応の考え方

陥入爪には保存的治療と外科的治療とがあり，どちらを選択するかについての基準は施術者により当然異なる．爪甲の彎曲の程度や肉芽の増生・爪郭組織の肥大の程度など，病変そのものの程度によって適応基準が一律に決定できればよいのであろうが，現実には患者側の要因として長期間の通院が可能かどうか，あるいは経済的に余裕があるかどうかなども関係してくる．施術者側には選択肢をさらに大きく左右する因子がある．すなわち，外科的治療に習熟しているかどうかである．保存的治療には様々なものがあるが，いずれも侵襲はほとんどなく，たとえ経験の少ない者が実施してうまくいかなくても，爪甲が割れる程度で重大な結果をもたらす可能性はほとんどない．しかし，外科的治療では，最も容易なフェノール法であっても，注意すべき点を知らずに実施すれば爪甲に重大な影響を与える可能性がある．したがって，外科的治療を実践する際にはその手技に関する知識とその中に潜む危険性をあらかじめ知っておく必要がある．十分に精通した術者が実施すれば外科的治療は１回で完了し，安全で根治性も高い．患者にとっては長年にわたる苦痛と保存的治療の繰り返しから解放される唯一の手段となる．

外科的治療に習熟していない場合，陥入爪・過彎曲爪は家庭医の扱うありふれた疾患であるため，保存的治療から実践せざるを得ない．時間をかけて各種の保存的治療を駆使できれば高度の症状を呈するものでも治療可能であろう．しかし，自施設で実施できる限られた方法で軽快に導ける見込みがなければ，より専門性の高い施術者のいる施設へ紹介すべきである．現在では多くの医療機関が巻き爪矯正を実施しているため，病院を受診する患者にはこれらの治療で再発を繰り返す者や根治を望む者が多くなってきている．このように前治療歴のある患者では本人の希望も重要な要素となる．

陥入爪の病期分類は複数あるが，古典的であるが簡便な Heifetz の分類（表１）が広く利用されている[1)2)]．Mozena の分類（表２）は Heifetz の分類の stage Ⅱをさらに２つに分けたもので，根本的な違いはない[3)]．一般にいずれの分類でも stage Ⅰは保存的治療が基本であり，stage Ⅱ，あるいはⅡb からが外科的治療の対象となる．特に肉芽の増生や爪郭の肥大が顕著で保存的治療を受けな

表1　陥入爪の病期分類(Heifetz, 1937年)

Stage 1	Slight erythema and swelling of the grooves in the nail bed.
Stage 2	Presence of acute infection and suppuration.
Stage 3	Chronic infection, the formation of granulation tissue surrounding the nail groove and hypertrophy of the surrounding tissues.

(文献2より引用)

表2　The Mozena Classification System for Treatment of Ingrown Nails(2002年)

Stage	Signs and Symptoms	Treatment
I	Erythema, slight oedema, and pain when pressure is applied to the nail fold	Conservative
Ⅱa	Increased Stage Ⅰ symptoms, drainage and infection, nail fold less than 3 mm	Conservative and/or matrixectomy with hypertrophic ungual labia fold reduction
Ⅱb	Increased Stage Ⅰ symptoms, drainage and infection, nail fold 3 mm or greater	Same as Stage Ⅱa
Ⅲ	Magnified Stage Ⅱ symptoms, presence of granulation tissue and nail fold hypertrophy	Matrixectomy with hypertrophic ungual labia fold

(文献3より引用)

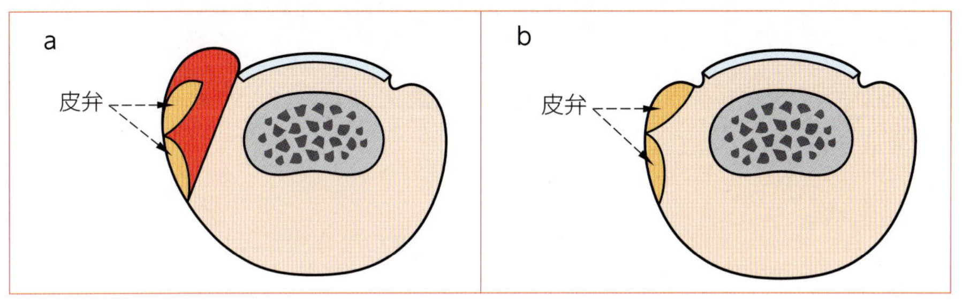

図1　Ney法
a：肥厚した側爪郭の切除範囲(赤色部分)
b：皮弁状に残した皮膚で欠損部を被覆する.
(文献4より引用)

がら慢性の経過を辿っている症例や，保存的治療で再発を繰り返している症例がよい適応となる.

II　外科的治療の種類

陥入爪・過彎曲爪の外科的治療としては，①陥入部位である爪郭のボリュームを減少させる方法，②陥入部位の爪床を平坦化する方法，③陥入する爪甲側縁を選択的に廃絶する方法が主なものであり，これに増生した肉芽の切除や末節骨隆起部の切除などが併施される.

1. 陥入部位である爪郭のボリュームを減少させる方法

側爪郭のボリュームを減少させる方法としては，腫脹した側爪郭の軟部組織を切除し，皮弁状に残した皮膚で被覆する方法(図1)[4]や，側爪郭の側面を楔状切除し単純縫縮する方法(図2)[5]，側爪郭のみならず趾尖部まで三日月状に切除して縫縮する方法(Howard-Dubois procedure，図3)などがある．Howard-Dubois procedureは，特にdistal embedding(前方陥入爪)に対して有効な外科的治療法であるが，両側の側爪郭が肥大した陥入爪などでも実施される.

2. 陥入部位の爪床を平坦化する方法

陥入部位の爪床を平坦化する方法は過彎曲の外科的矯正を意図するものである．爪床を挙上し，その下に上皮を除去した側爪郭を挿入する方法が代表的である(図4)[6]．Pincer nailのように高度に巻いた爪甲に対しては，爪床全体を爪床骨膜弁

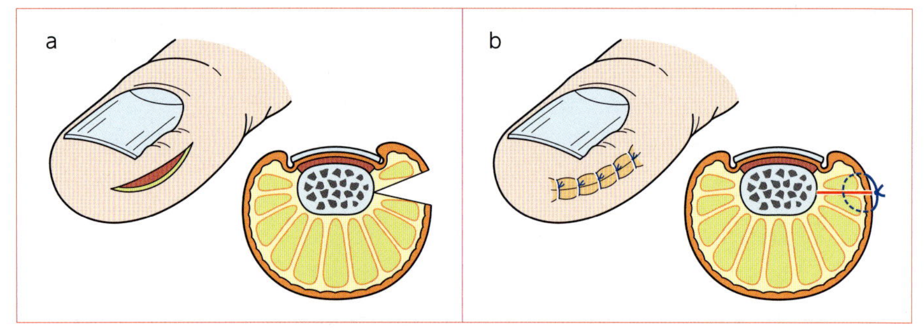

図 2　肥大した側爪郭の切除法(Bartlett 法)

a：肥大した側爪郭の側面を紡錘形切除
b：単純縫縮することで爪郭が下方へ牽引され，爪甲による圧迫が軽減

（文献 5 より引用）

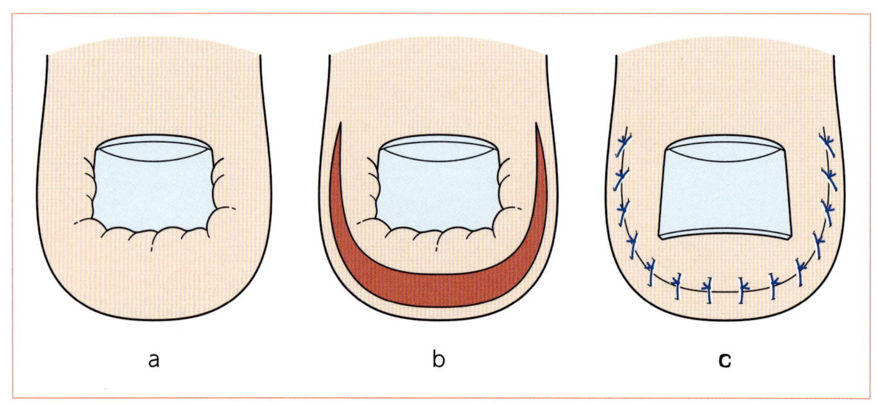

図 3　Howard-Dubois procedure の模式図

a：術前．爪甲が両側の側爪郭および遠位爪郭に陥入した状態
b：術中．爪溝から約 5 mm 離して，側爪郭から趾尖部を 3〜5 mm の最大幅で三日月状に骨に達するまで切除する．
c：手術終了時．十分な量の軟部組織を切除した後，縫合して爪郭を引き下げる．

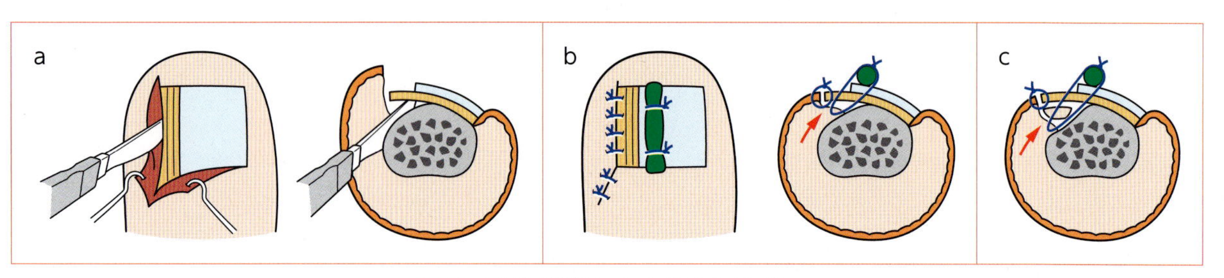

図 4　爪床骨膜弁による爪床の平坦化

a：部分抜爪後，爪溝に沿って骨に達する切開を加え，爪床骨膜弁を挙上
b：側爪郭の上皮を除去後，爪床骨膜弁下に挿入し，爪床を平坦して縫合固定
c：重症例では爪床骨膜弁下に真皮移植を行う．

（文献 6 より引用）

として挙上し，一部に割を入れたり，裏側から浅い縦切開を加えたりしながらこれを拡げ，上皮を取り除いた側爪郭の上に縫合固定する術式がある（図 5）[7)〜10)]．この場合，爪床の血行が悪くなり，末梢側が壊死することがあるので，血行を維持するためにＬ型切開とする方法（図 6）[11)]や双茎皮弁とする方法（図 7）[12)]も採られる．また，爪床中央に縦切開を加え，末節骨上で爪床を剝離して拡張した後，これを縫合し，両側の側爪郭に縫合糸をかけて逆タイオーバー法の要領で趾腹で縫合し

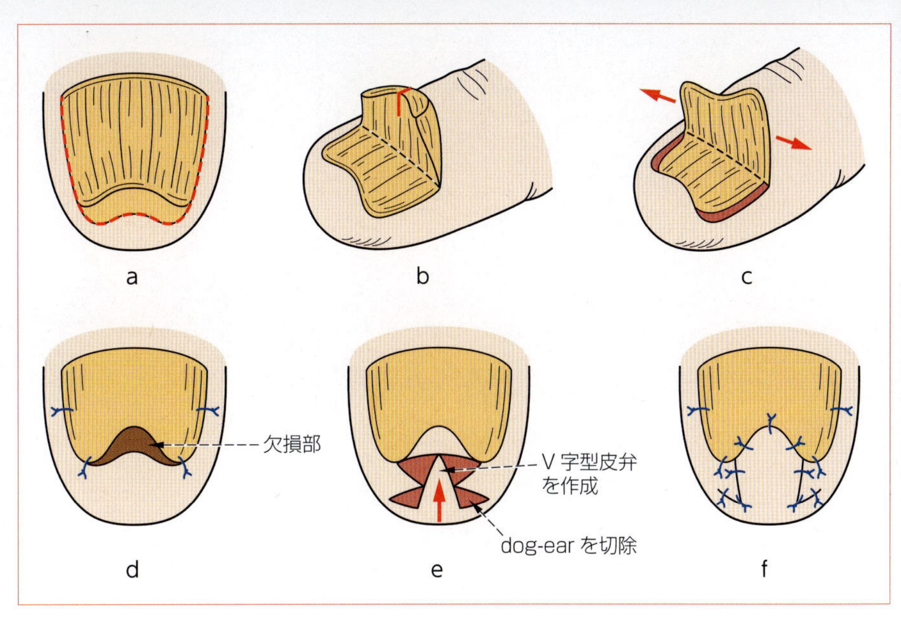

図 5
爪床全体を皮弁として挙上する手術法の 1 例
a：爪甲側縁に沿った爪郭の切開線（爪は既に抜去）
b：皮弁遠位端に正中切開を入れる．
c：拡がった爪床に合わせ，爪郭部の皮膚を切除
d：トリミングした爪郭の上に爪床を拡げて縫合すると，爪床中央部に逆 V 字型の欠損部を生じる．
e：趾尖部に V 字型皮弁を作成
f ：手術終了時
（文献 7 より引用）

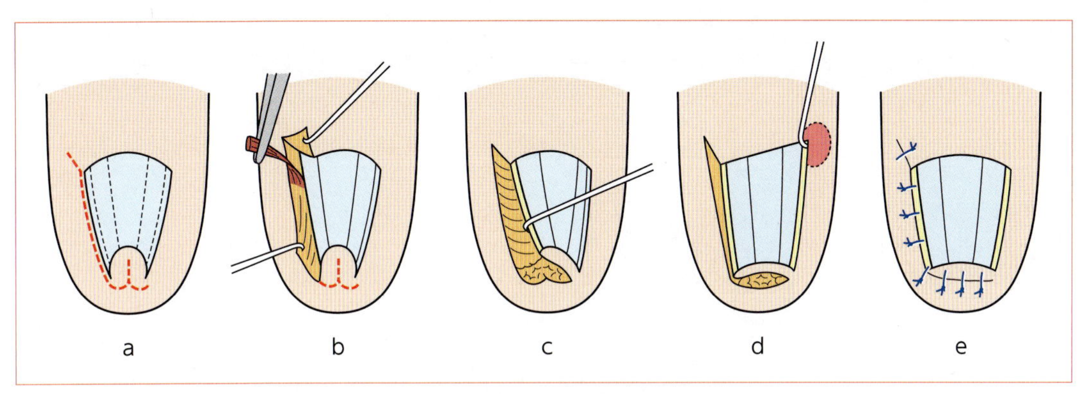

図 6　L 型切開による過彎曲爪の手術
a：爪甲分割，爪床挙上および児島 II 法による片側の陥入爪手術のデザイン
b：爪甲を分割し，彎曲が高度な側の陥入爪手術を行う．
c：爪甲・爪床を末節骨背面より剝離挙上，爪床を裏面から平坦化する．
d：陥入爪手術を行った側の反対側の爪母を切除する．
e：平坦化した爪床・爪甲を戻し，辺縁皮膚をトリミングして縫合する．
（文献 11 より引用）

て，爪床・爪郭を拡げる方法も報告されている（図 8）[13]．この方法による成功率は 80％以上とされる[13]．

Pincer nail では末節骨基部の幅が広く，爪根部の彎曲が少なくなるため爪甲先端部が過彎曲を示すという考え方も存在し[13]，爪床のみを平坦化する術式[7)9)]と彎曲部位に対応する爪母側縁の切除を併施する術式とがある[11)12)]．さらに，高度な彎曲を示す爪甲は手術操作の障害になるため，爪甲の取り扱いについては，抜爪[7)]や縦方向の分割[11)]，爪根部を残して切除[12)13)]など，術者により様々な工夫がなされている（図 9）．

Pincer nail に対する外科的根治術は，爪床を広く末節骨上で剝離挙上するという比較的侵襲の大きな手術である．術後の疼痛はかなり強く，爪床皮弁の末梢が壊死する可能性もある．また，術後の再発も少なくない．手術時に爪母側縁部を廃絶し，爪甲の幅を狭める手技を併施する術式も多い．このようなことから pincer nail の外科的根治術は安易に勧められるものではなく，今日では選択肢の広がった巻き爪矯正を継続することで患者の納得が得られればそれに越したことはない．

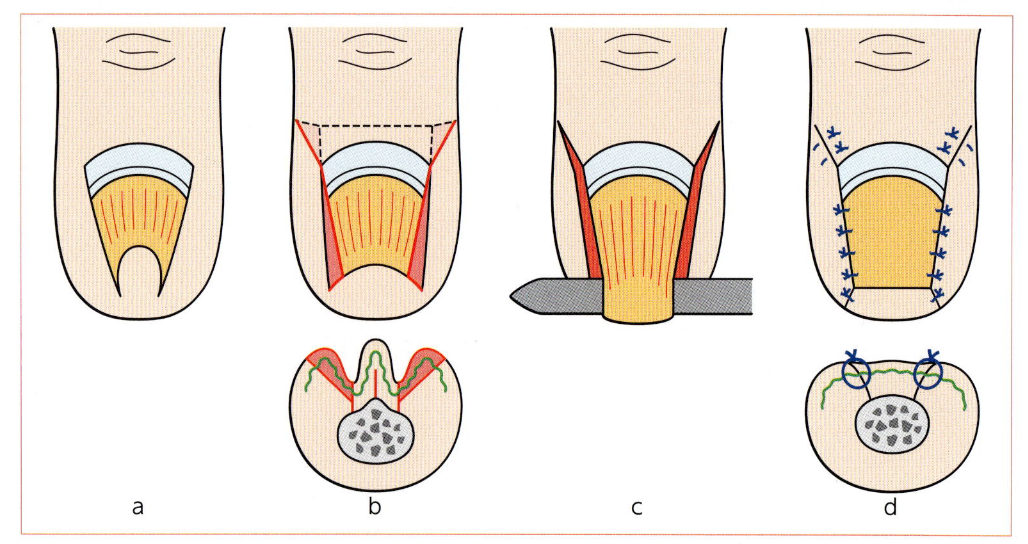

図 7　巻き爪の双茎爪床骨膜弁法

a：術前デザイン
b：皮弁の挙上．両側の側爪郭から末節骨に向けて切開を加えて，爪床骨膜弁を双茎皮弁として挙上する．
c：末節骨の処置．末節骨先端の骨棘をヤスリで削る．
d：側爪郭の皮膚を 2～3 mm の幅で脱上皮して，その上に双茎爪床骨膜皮弁を両側に開いて縫合する．
（文献 12 より引用）

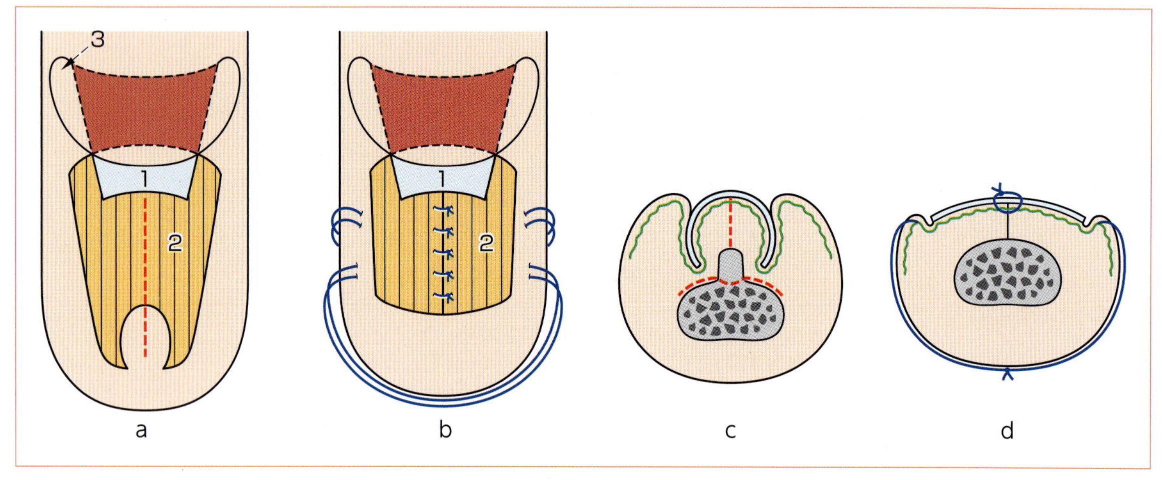

図 8　Pincer nail に対する Haneke 法

a：爪床(2)が露出するように爪甲基部(1)を残して爪甲を除去．爪甲の幅を短縮するため両側の爪母側縁部(lateral matrix horn) (3)を焼灼．爪床正中を骨に達するまで切開
b：爪床を縫合する．側爪郭にかけた縫合糸を利用して，逆タイオーバー法の要領で側爪郭を趾腹方向に牽引して爪床を拡げる．
c：術前の横断面．赤色破線が切開線．末節骨背面の骨棘はロンジュールで切除し，爪床は広範囲に剝離する．
d：術後の横断面．逆タイオーバー法の糸で爪郭を損傷しないように糸をラバーチューブ(ネラトンカテーテールなど)に通してから縫合する．図では原著に従って爪甲を描いているが，爪甲を元に戻す必要はない．
（文献 13 より引用）

3. 陥入する爪甲側縁部を廃絶する方法（爪甲縮小術）

陥入する爪甲側縁を廃絶する方法には，陥入部位の爪甲を形成する爪母部分のみを選択的に除去する方法と，陥入部位の爪甲・爪郭ごと切除する方法とがある．かつて，世界的に広く普及していた方法は後者であり，labiomatricectomy に代表される陥入部位の爪甲・爪郭・爪母を一塊に楔状

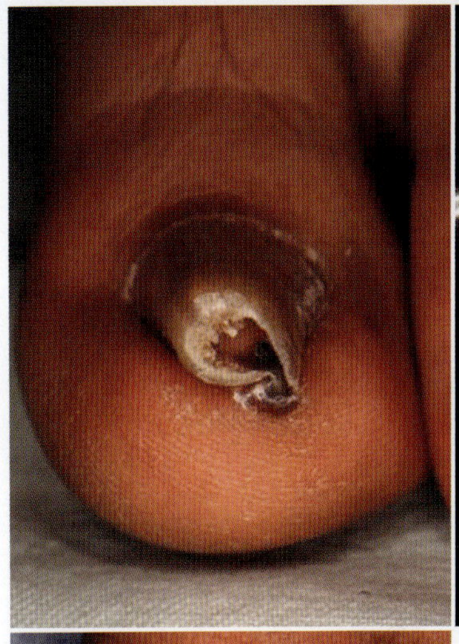

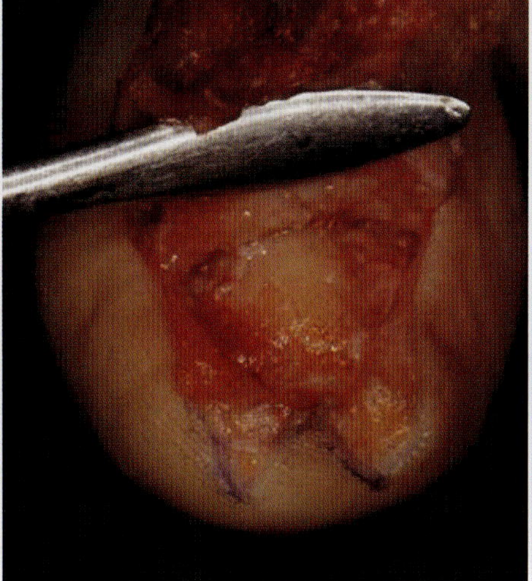

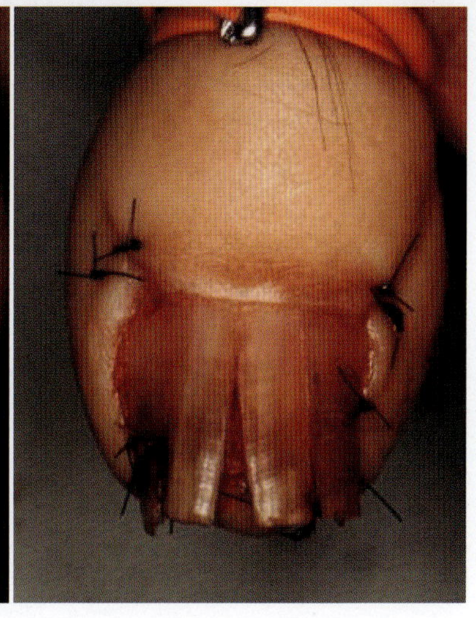

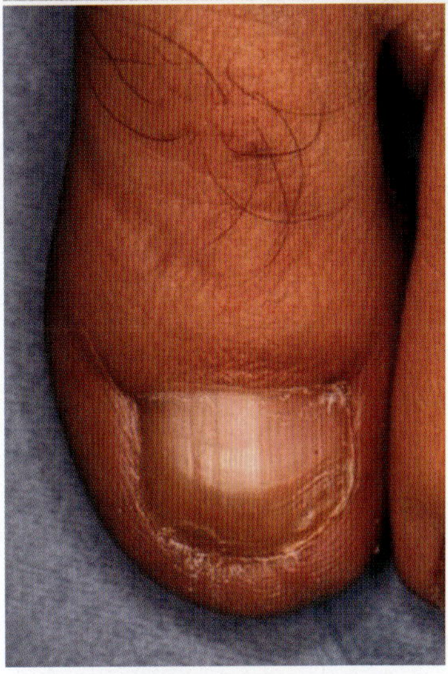

図 9

Pincer nail の手術の実際

a：治療前の高度の彎曲
b：爪甲下の骨突出部を切除して平坦化．趾尖部には割を入れた爪床中央部に挿入する三角形の皮弁を作成
c：手術終了時
d：術後 7 か月

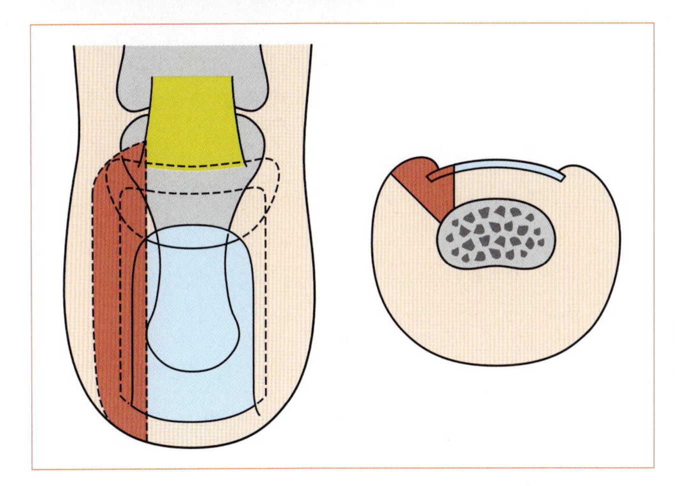

図 10

Labiomatricectomy による陥入爪手術

切除部位を示す．

（文献 14 より引用）

切除する方法が採られていた（図 10）[14]．本邦でよく知られている鬼塚法もこれにあたる（図 11）[4]．これらの楔状切除術では爪母の存在する位置を体表から推定したうえで，表面からみて紡錘形に近い形で楔状切除の範囲をデザインしている．このため，爪母近位部外側縁（lateral matrix horn）の取り残しにより，しばしば術後に爪棘の発生や皮下の塊状の爪組織再生をきたすことがある．これ

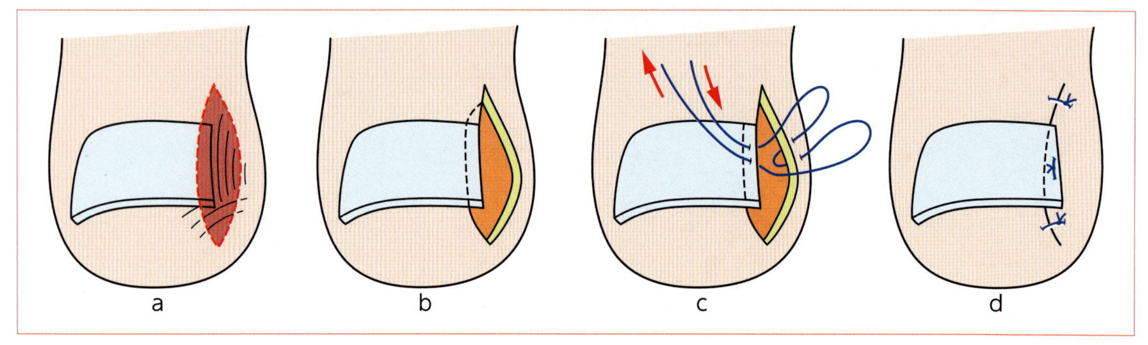

図 11　鬼塚法（DuVaries 法の変法）

a：切除範囲
b：皮膚は爪甲辺縁よりも内側で切除（破線で示した位置）
c：マットレス縫合
d：手術終了時．皮膚の縫合線は爪甲に下に入り込む．

（文献 4 より引用）

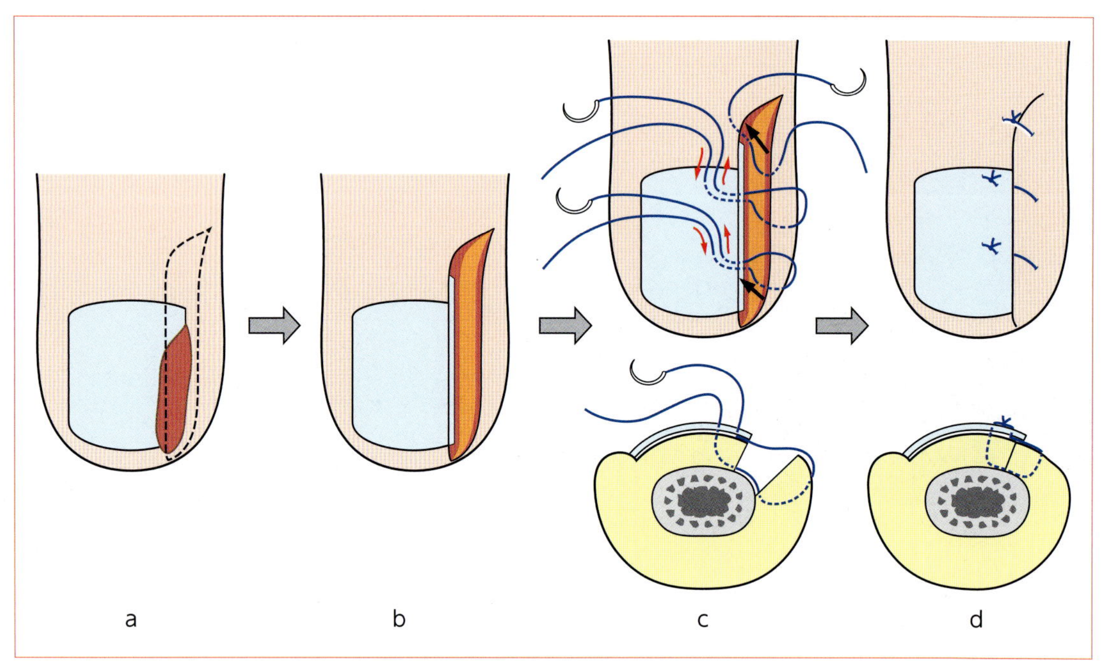

図 12　陥入爪の楔状切除術の工夫（模式図）

a：切開線のデザイン．爪母近位の側縁部（lateral matrix horn）を取り残さないように近位部では側方に長めに切開線をデザインする．
b：楔状切除直後
c：近位爪郭が最も緊張が強く創縁を寄せにくいので，黒矢印の方向へ趾の側面全体を移動させるようにして縫合する．針を赤矢印のように刺入することで縫合創は爪の下に入り込み，爪甲切断面の刺激を受けなくなる．
d：縫合終了時

を防ぐためには切除範囲を近位側方に長くとるようにするとよい．また，縫合時には縫合線が爪の下に入り込んで爪郭の切断面が爪で刺激されないように工夫する（図 12）．

陥入部位の爪甲を形成する爪母部分のみを選択的に除去する方法としては，本邦では児島 I 法が有名であり，爪母周辺のみを切除する侵襲の少ない術式である（図 13）[15]．メスや剪刀を用いた方法以外にフェノール，水酸化ナトリウム，トリクロロ酢酸，ジクロロ酢酸などの薬液を用いた化学的焼灼術や電気焼灼，レーザー蒸散なども行われている[16]．特にフェノール法による化学的焼灼術

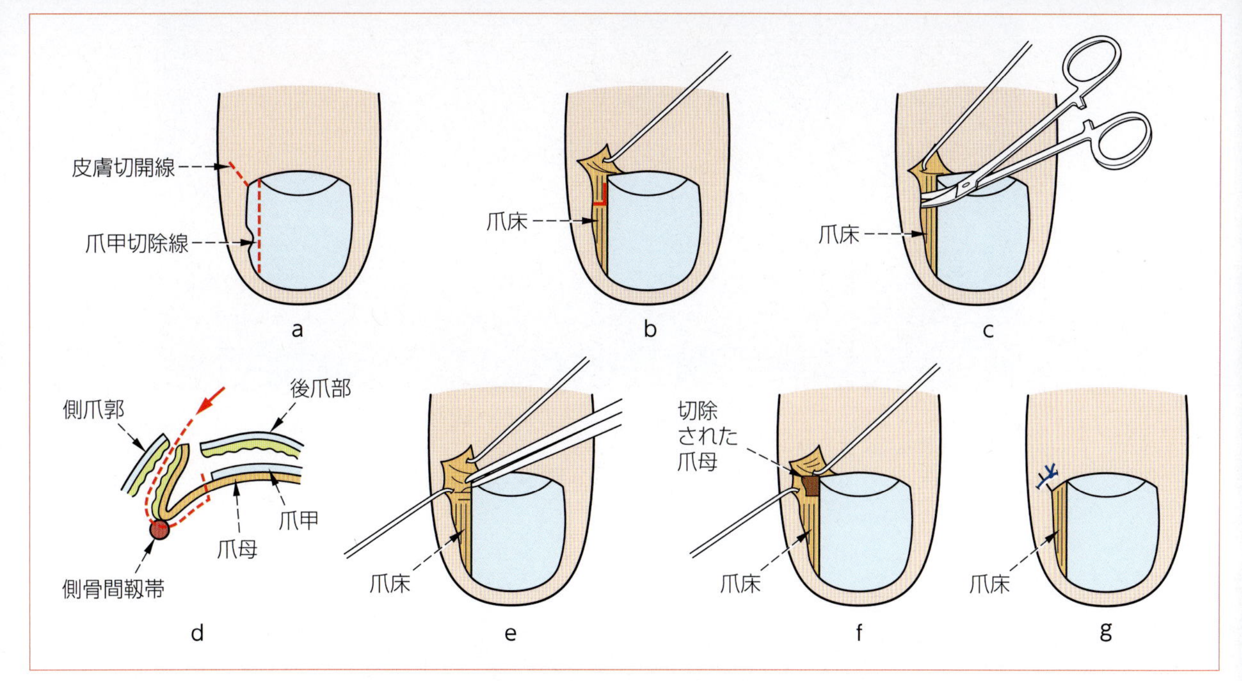

図 13　児島 I 法の手術手技

a：皮膚切開線と爪甲切除線
b：爪母の切開線(赤線)を示す.
c：側爪郭の稜線より形成剪刀を挿入し，爪母側縁までの剝離を行う.
d：側爪郭，側骨間靱帯，爪母の切除の際の位置関係を示す.
e：爪母，側爪郭を把持し，一塊として爪母方向へ剝離する.
f：切除された爪母を示す.
g：創縫合

(文献 15 より引用)

は，術後の疼痛も軽微で手技も容易なことから，楔状切除術に代わって現在でも根治術として世界的に広く実施されている.

III　フェノール法

1．フェノール法の特徴と効果

フェノール法は古くから米国の足治療士(podiatrist)や英国の足治療士(chiropodist)の間で陥入爪の治療法として普及していた方法である．しかし，欧米においても足治療士以外の医師達の間ではあまり行われていなかった．この手技を英国の足治療士から学んできた上竹[17]が，1986 年に本邦において紹介した．海外においても 1991 年，Grieg らが陥入爪に対するランダム化比較試験を行い，全抜爪，部分抜爪，部分抜爪＋フェノール法の 3 つの治療群における 1 年後の再発率を検討した[18]．その結果，再発率はそれぞれ73%，73%，9%とフェノール法の有用性を報告している．その後，木股ら[19)20]によって，1995 年に本邦 537 例の治療成績が本邦のみならず海外の形成外科医に向けて広く紹介されたことを契機に，フェノール法は世界中の様々な診療科の医師達の間で普及するに至った.

陥入爪に対するフェノール法は，陥入した爪甲側縁部を部分抜爪後，爪洞内にフェノールを塗布し，部分抜爪した爪甲側縁部を形成する爪母上皮を凝固壊死させて破壊する方法である．爪母側縁部を選択的に破壊するため，爪甲の幅はやや狭くなる．しかし，形成されなくなった爪甲側縁はもともと爪郭に隠れていたところなので，見かけ上の爪甲の幅の短縮は過剰な焼灼を行わない限り，対側とよく見比べなければわからない程度である(図 14).

フェノールには蛋白を凝固させ組織を壊死させる作用，強力な消毒薬としての作用，さらに局所の麻酔効果がある．このため，フェノール法では

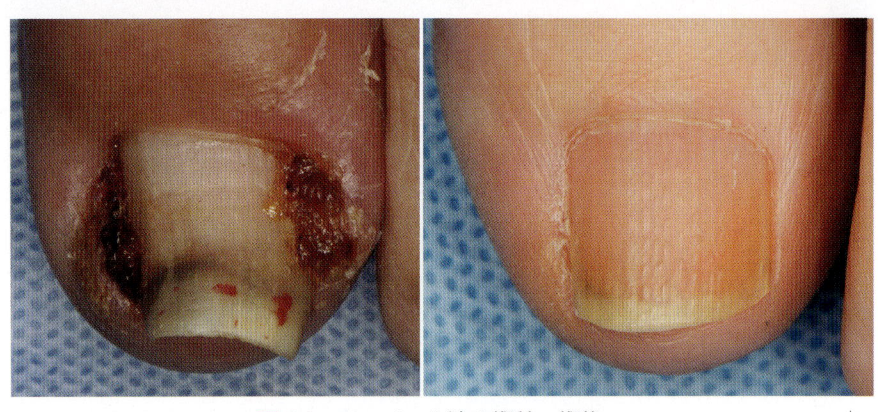

図14　フェノール法の術前・術後　a|b

a：過彎曲爪による陥入爪症状．爪甲の彎曲増加と先端付近の軽度の偏位を認める．
b：フェノール法後3年3か月．爪甲の幅の短縮は目立たず，爪の長さを適正に保って歩行することにより過彎曲や偏位も改善

術後の出血，感染，疼痛がほとんどなく，患者にとって苦痛なのは局所麻酔薬の注射時のみである．

フェノール法で焼灼する領域は，Kimataらの報告をはじめ，初期の文献では爪母以外に，近位爪郭腹側上皮，爪床，側爪郭まで焼灼しているものが少なくないが，これは爪の産生に爪母以外も関与すると考えていたためである．現在では爪を産生する組織は爪母のみと考え，焼灼の対象は爪母とするのが一般的である．ただし，狭い空間である爪洞内にフェノールに浸した綿棒を挿入するため，近位爪郭腹側上皮は必然的に焼灼されることになる．爪甲の陥入により部分抜爪後の爪溝は深く陥凹した溝を呈する．しかし，陥入していた爪甲がなくなると通常，元の溝は次第に浅くなって消失し，部分抜爪により露出していた爪床は爪甲がなくなることにより角化して爪郭様の皮膚となる．部分抜爪の際，爪甲側縁の彎曲部をある程度残しておけば，爪甲の新たな側縁に一致する部位が爪溝様に陥凹する．このため，フェノール法実施時に爪溝や爪床に対する焼灼の必要はない．

フェノールによる圧抵時間と陥入爪の再発率，あるいは廃絶したはずの爪甲の再生率は関連し，圧抵時間が短いほど爪甲は再生し，本来の目的である爪甲側縁の廃絶は達成できない．圧抵時間が長くなると爪甲側縁部の廃絶はより確実になるが，爪洞からの滲出が長く続き，完全に創傷治癒するまでの時間が長くなる．目安としては爪母に2〜3分程度フェノールを作用させることが一般的に推奨されている．しかし，滲出のある期間が長引いても疼痛などの自覚症状はなく，薄いガーゼなどを当てておけば問題ない程度である．フェノールによる圧抵時間は，Kimataらの報告では爪母に対しては3分，その後の他の報告では2〜3分程度とするものが多い．しかし，近年Becerro de Bengoa Vallejoらは，新鮮解剖遺体の母趾を用いたフェノール法の研究から4〜5分間のフェノール法を推奨している[21]．彼らの組織学的研究によれば，フェノールを1分間作用させた場合，上皮の浅層にしか凝固壊死は生じず，基底層の障害は全例軽微であった．3分間作用させた際には上皮の全層壊死が60%にみられ，4分，5分，6分間作用させた場合には全例に上皮全層の壊死が生じている．最近の臨床研究でも4分間のフェノール法では再発率が1.1%と低く，4分間を適切な作用時間としている[22]．しかし，この報告では爪棘の出現など，爪母の焼灼が不完全であったかどうかが記載されていない．一方，Kimataらの報告でも再発率は1.1%と4分間のフェノール法と同じであるが，3.7%に術後の爪棘発生を認めており，3分間のフェノール法では爪母の焼灼が不完全になる例が一定程度存在することを示している．

2. フェノール法の手技

フェノール法は局所麻酔下に実施される．通常，足趾近位部で趾神経ブロックを行う．さらに，

図 15　骨膜剥離子
爪甲に押し当てながら爪甲に接着する上皮に対して
愛護的に剥離する.

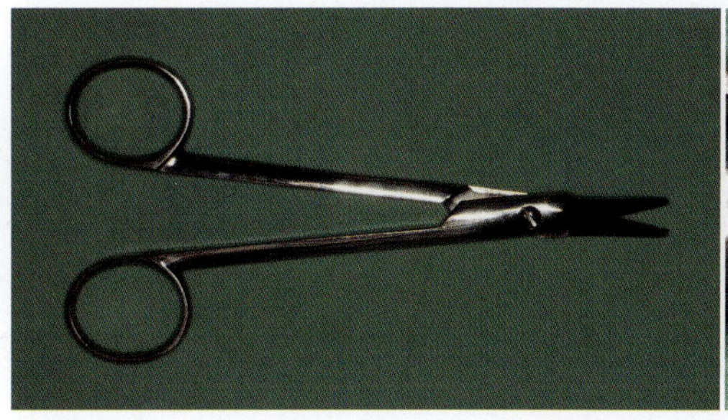
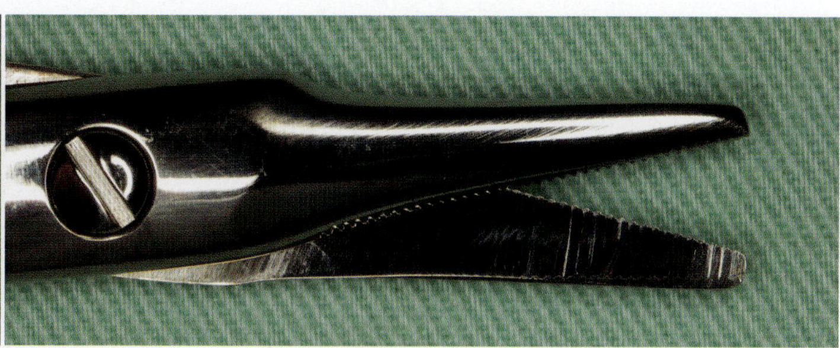

a|b
図 16　T 式爪甲剪刀改良型(ケイセイ医科工業)
a：支点の部分は幅広く強靱な造りで，両刃ギザ付きであるため，硬い爪も滑らずに切断できる.
b：刃の部分は細いので爪洞内へも挿入しやすく，先端が鈍であるため爪洞を突き破る心配がない.

血液が存在するとフェノールが血液蛋白の凝固に消費されるため，駆血して無血野を確保する．そのうえで側爪郭に陥入している爪甲側縁部を数 mm の幅で部分抜爪する．肉芽の増生が高度な場合には陥入状況がよく観察できず，爪甲の切除幅が過剰になりやすい．このようなときには部分抜爪前に肉芽を剪刀やメスなどで切除しておくとよい．部分抜爪の予定線を決める際には爪甲表面にある微細な縦線を見極め，これに沿った切開線を描いておく．特に爪甲先端が趾の軸から偏位している際には，爪甲の伸長する方向と平行な線で切開しないと過剰な幅の焼灼や焼灼不足を招く．なお，若年者では爪甲表面の縦線は目立たない．部分抜爪の際には，爪甲剥離子や骨膜剥離子(図 15)などで爪床，爪母，近位爪郭腹側上皮から愛護的に爪甲を剥離し，T 式爪甲剪刀などで爪甲側縁を切断して，部分抜爪する．爪甲が硬く肥厚している場合でも，筆者の考案した両刃ギザ付きの T 式爪甲剪刀改良型(ケイセイ医科工業)を使用すると容易に切断可能である(図 16)．除去した爪甲は爪根部の形から途中で千切れていないことを確認する．部分抜爪後は，メスや剪刀などで肉芽を平らに切除しておくと退縮を待つ必要がない．爪母は爪甲下の上皮のうち爪半月から近位側に存在するが，側縁部には多くの場合，爪半月は認めない．したがって，部分抜爪した爪洞内をフェノールで腐食させるだけでよいことになる．爪母は爪洞の下面に位置するが，近位部と側方では水平方向に伸びているため，それらの方向にもフェノールが作用する必要がある(図 17)．綿棒の先に固く巻き付けた小型の綿球を日本薬局方液状フェノール(88%以上，図 18)に浸して，ガーゼなどで余分な液を絞り取る．この綿棒を爪洞内に挿入し，爪洞下面を中心に爪母上皮の伸びている方向に圧抵する．綿球は組織に接触させるとすぐに灰白色～淡褐色調に変色する．周期的(例えば 30～60 秒ごと)に新たにフェノールに浸した綿棒に替え，圧抵時間の合計が 3～5 分になったらフェノール焼灼を終了する(図 19)．部分抜爪後の爪洞内に存在する近位爪郭腹側上皮は通常，特に圧抵しなくても綿棒が接触するため，必然的に焼灼される．部分抜爪時，またはフェノールでの圧抵操作時などに爪洞内から硬い膜状の角化物が顔を覗かせる場合があるが，これは爪上皮であり，引き抜いておく．肉芽の切断面もフェノールで短時間圧抵しておくと，止血と疼痛抑制に役立つ．フェノール圧抵が終了した後は，乾いた綿棒で爪洞に残存したフェノールを拭い取るだけでもよいが，日本薬局方無水エタノールなどを注射器などに容れて爪洞内を洗浄する場合が多い．エタノールでフェ

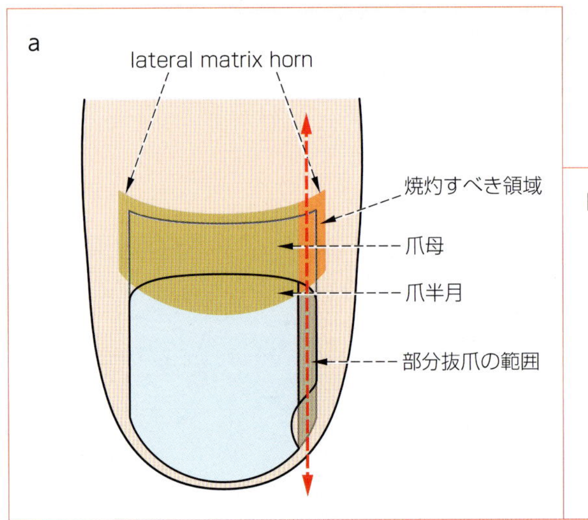

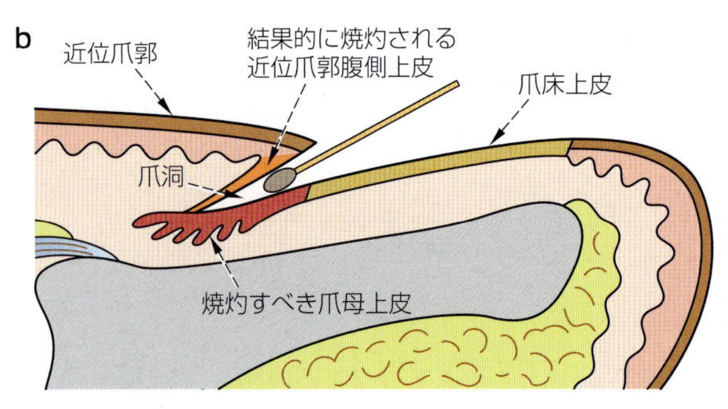

図 17　フェノール法で焼灼する組織

a：爪母は爪洞の下面に位置するが，部分抜爪で現れた爪洞の範囲より近位部と側方では広い．
b：a における赤破線部での縦断面．綿棒を挿入する爪洞と焼灼すべき爪母上皮との位置関係を示す．

図 18　フェノール法で使用する液状フェノール

通常，日本薬局方液状フェノール（88％以上）を使用する．

ノールを中和すると記載している文献も少なくないが，エタノールは単に爪洞に残存したフェノールを物理的に洗い流すために使用するに過ぎない．すなわち，フェノールは水にも溶けるが，アルコールには極めて溶けやすいため，エタノールが使用される場合が多いだけである．イソプロピルアルコールや水などもエタノールの代わりに使用される．これらの操作が終了したら駆血を解除する．フェノール処理がなされているため，通常，出血は軽微である．したがって，再陥入を助長するような強い圧迫包帯は必要ない．肉芽の切断面や部分抜爪で露出した爪床がガーゼに固着しないように抗菌外用薬などを創部に外用してガーゼを貼付しておく．数日後の包交時からはマクロゴール軟膏などの吸湿性の高い外用薬を使用すると，過度な滲出や肉芽の増生を抑制できる．なお，当科では院内調剤の 0.12％ポリミキシン B マクロゴール軟膏を使用している．

3. フェノール法の注意点

フェノール法は，外科的治療のなかでは簡便で容易な手技であり，陥入爪を根治し得る優れた手術成績が期待できる．しかし，外科的治療の特性として施設や術者により成績にばらつきがあることは避けられない．また，手技が容易であるとして，多くの医療機関の様々な診療科で短期間に実施されるようになったため，注意すべき点を守らなかったことによりうまくいかなかった例も少なからず存在するようである．このような例が過剰に取り上げられたことや巻き爪矯正の普及で，今日では外科的手技に精通した医療機関以外では実施される機会は減少しているものと推定される．

保存的治療と異なり，フェノール法では不適切な手技により，部分抜爪の範囲よりも幅広い爪甲

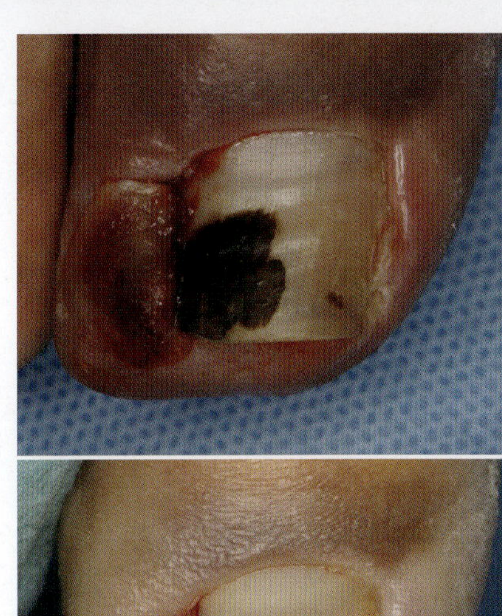
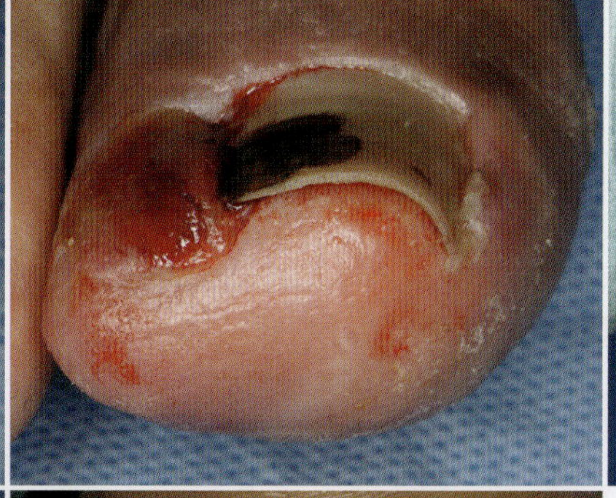
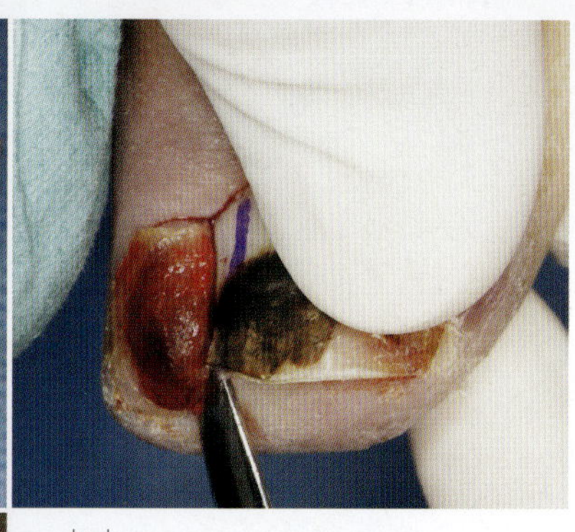
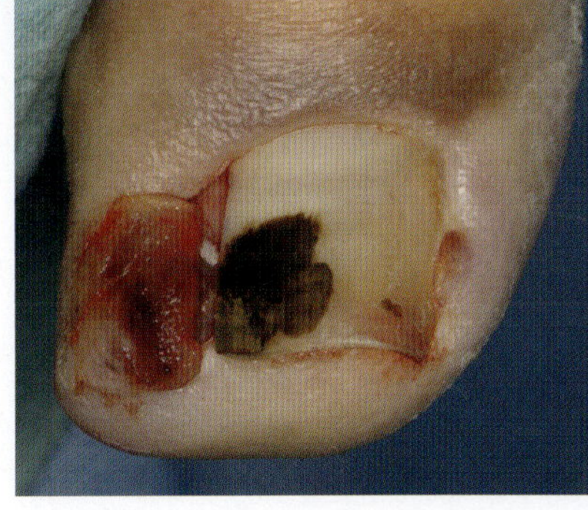
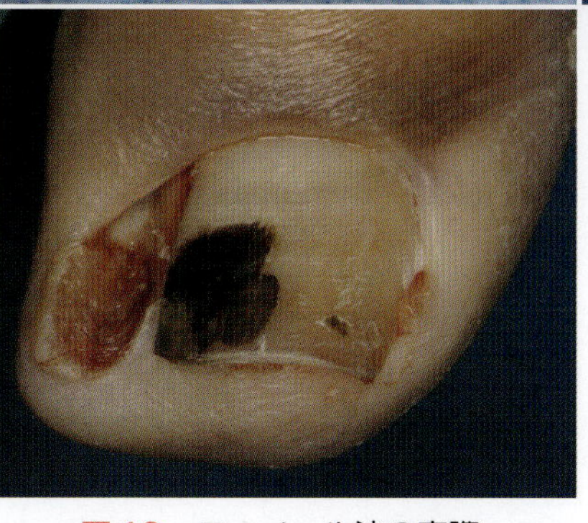
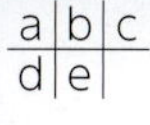

図 19　フェノール法の実際

a：治療前．肉芽形成と繰り返す炎症により，外側の側爪郭から趾尖部にかけて組織が硬く肥大している．内側にも若干の肉芽形成あり．爪甲の黒褐色斑は前医での硝酸銀圧抵による．
b：治療前．爪甲には過彎曲がみられる．
c：部分抜爪．他部位に剝離が及ばないように爪甲をしっかり固定しながら，骨膜剝離子で爪甲側縁部を爪床から剝離
d：部分抜爪後
e：肉芽を切除して爪洞内をフェノールで圧抵．肉芽の切断面も圧抵して止血．爪母にフェノール法を実施していない内側の小型の肉芽も切除してフェノール処理している．

の廃絶や，稀には全爪甲の廃絶など，合併症が出現することもありうる(図 20)．したがって，このような障害を引き起こさないように，注意すべき点を十分に認識したうえで施術しなければならない．

フェノールは液体であるために治療すべき部位に隙間なく浸透し，最も治療しにくい爪洞先端まで容易に焼灼できるという利点を有する．しかし，液体であることが爪への重大な合併症を引き起こす要因にもなっている．すなわち，手術操作中に残すべき爪甲がぐらついて爪母上皮から剝離した場合，余剰のフェノールがここに浸透して治療対象外の爪母を焼灼してしまう可能性がある．爪甲と爪床との結合は強固であるが，爪甲と爪母との結合はこれに比べて脆弱である．したがって，フェノール法で最も注意すべき点は部分抜爪時に残すべき爪甲の辺縁付近が上皮から剝離しな

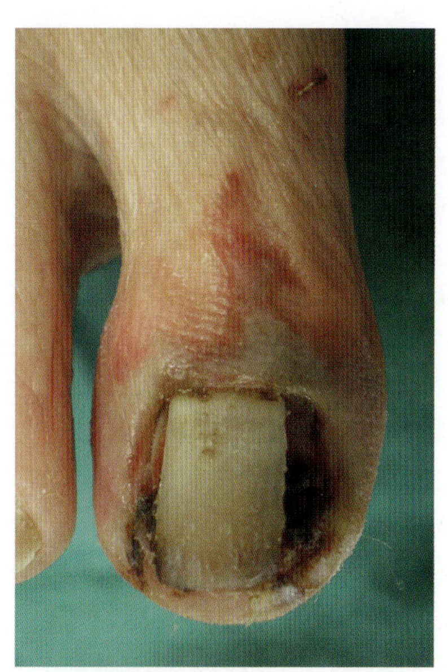

図 20　不適切な手技で行われたフェノール法の術後臨床像

他医でフェノール法を受けて 4 日後．部分抜爪後の爪床のみならず，側爪郭，近位爪郭の広範囲に紅斑と灰白色斑がみられる．フェノールの液量が多すぎて周囲に付着ないし流出したものと推定される．

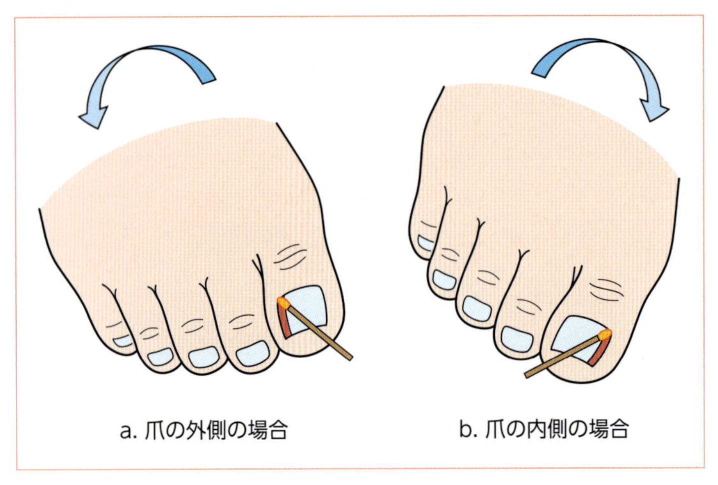

図 21
フェノール法を実施する際の足の傾き
a：爪の外側に実施する場合には，足部を外転・外旋あるいは内がえし（inversion）させるなどして焼灼部位を下にする．通常，仰臥位であればこの肢位となる．
b：爪の内側に実施する場合には足部を内転・内旋あるいは外がえし（eversion）させるなどして焼灼部位を下にする．足を保持していないと a の肢位になってしまう．

いように注意深く爪甲の剝離および切断の操作をすることと，フェノールに浸した綿棒をガーゼで固く絞って余剰のフェノールを除去することである．そのために部分抜爪の際には，残すべき爪甲がぐらつかないように片手でしっかり固定したうえで，爪甲剝離子や骨膜剝離子などを用いて剝離すべき範囲のみ上皮から剝離する．爪甲先端部から一気に爪洞内までを剝離すると爪甲が余分に剝離しやすいので，爪甲の残すべき側を固定しながら，少しずつ爪甲側縁の剝離と剪刀による切断を進めるとよい．また，母趾の両側を一度に手術せざるを得ないときには，2か所目の部分抜爪の際，爪甲がぐらつきやすくなる．余分な爪甲剝離を生じないように，固定しにくい側（利き手が右であれば向かって左側）を最初に部分抜爪するなどの工夫が必要である．

部分抜爪の幅にも気をつける．爪甲の横方向の彎曲が軽微なところまで部分抜爪すると爪甲の幅が狭くなりすぎて整容的に劣ることになる．爪甲側縁部の彎曲が強く爪郭に深く食い込んだ部分のみを部分抜爪するに留めるのが望ましい．

部分抜爪後は，フェノールに浸した綿棒をガーゼで圧して余分なフェノールを吸い取った後に爪母側縁を圧抵する．このとき綿棒に含まれているフェノールが多いと，残すべき爪甲と予期せず剝離された爪母との間に浸透して予定よりも幅の狭い爪になりやすい．圧抵中に爪洞内から滲み出すようではフェノールが多すぎるので，綿棒の絞りを固くして調節する．また，フェノール圧抵時には処置する爪母側縁が残った爪甲に対して下になるように足を傾けさせて，重力によってフェノールが健常部へ浸透するのを防ぐ（図 21）．特に母趾の内側を焼灼する場合に注意が必要であり，圧抵中は絶えず足を保持する必要がある．

圧抵時間が再発率に及ぼす影響については，1 分，2 分，3 分の圧抵により再発率はそれぞれ 12.5%，3.9%，2.1%であったとの報告がある[23]．フェノール法による患者の苦痛は麻酔の注射のみなので，筆者は長年，爪母を5分間圧抵しており，治療部位からの爪甲再生，あるいは爪棘形成はまずない．3 分間の圧抵で創傷治癒に 2 週前後の期間を要し，わずかに爪甲再生の可能性が残る．5 分間の圧抵では創傷治癒に4〜6週を要するが，初期の1〜2週以外は．軽度の滲出があるのみで患者の負担はほとんどない．また，5分間圧抵しても，初期から吸湿性の強い外用薬で創面を乾燥傾向に保つと，2 週前後で痂皮化してドレッシングを不要にすることもできる．

長時間の圧抵は深部の組織を腐食させる懸念があるが，上皮が存在する部位では簡単には深部に浸透しにくい．実験的研究では 6 分間までのフェノール処置は組織学的に深部組織へのダメージを与えないことが明らかにされているが[21]，肉芽の切断面など上皮が存在しない部位では組織が変色するまでの短時間の圧抵に留める必要がある（用法上は損傷皮膚や粘膜へは使用しないことになっている）．

（田村敦志）

文献

1) Heifetz CJ：Ingrown toe-nail：a clinical study. Am J Surg. 38：298-315, 1937.
2) Dadaci M, Ince B, Altuntas Z, et al：Skin bridging secondary to ingrown toenail. Pak J Med Sci. 30：1425-1427, 2014.
3) Mozena JD：The Mozena classification system and treatment algorithm for ingrown hallux nails. J Am Podiatr Med Assoc. 92：131-135, 2002.
4) 鬼塚卓弥：Ingrown nail 爪刺（陥入爪）について．形成外科．10：97-105，1967.
5) Richardson EG：Disorders of nails. Crensshaw AH, ed. pp. 2835-2850, Campbell's operative orthopaedics, vol 4. 8th ed, Mosby-Year Book Inc, 1992.
6) Umeda T, Nishioka K, Ohara K：Ingrown toenails：an evaluation of elevating the nail bed-periosteal flap. J Dermatol. 19：400-403, 1992.
7) 宇田川晃一：彎曲爪（Incurvated nail）の手術法．手術．39：249-253，1985.
8) 児島忠雄，室田英明，河野稔彦ほか：Endonychia constrictivea（incurvated nail）とその手術法．形成外科．21：100-104，1978.
9) 大野宣孝，竹内ひろみ，鹿児島博子ほか：陥入爪の手術法．日形会誌．2：231-238，1982.
10) 宮島　哲：巻き爪の手術療法．創傷．3：160-166, 2012.
11) 児島忠雄，後藤昌子，二宮邦稔：巻き爪（彎曲爪）の手術．外科治療．67：453-456，1992.
12) 黒川正人，柳沢　曜，川崎雅人ほか：われわれの行っている巻き爪治療―双茎爪床骨膜弁法―．創傷．3：167-173，2012.
13) Baran R, Haneke E, Richert B：Pincer nails：definition and surgical treatment. Dermatol Surg. 27：261-266, 2001.
14) Mogensen P：Ingrowing toenail. Follow-up on 64 patients treated by labiomatricectomy. Acta Orthop Scand. 42：94-101, 1971.
15) 児島忠雄：陥入爪．外科治療．79：430-434，1998.
16) Haneke E：Controversies in the treatment of ingrown nails. Dermatol Res Pract. 2012：783924, 2012.
17) 上竹正躬：陥入爪の治療―爪母基フェノール法の紹介―．日本医事新報．3244：14-18，1986.
18) Grieg JD, Anderson JH, Ireland AJ, et al：The surgical treatment of ingrowing toenails. J Bone Joint Surg Br. 73：131-133, 1991.
19) 木股敬裕，上竹正躬：フェノール法による陥入爪の治療成績．形成外科．35：179-190，1992.
20) Kimata Y, Uetake M, Tsukada S, et al：Follow-up study of patients treated for ingrown nails with the nail matrix phenolization method. Plast Reconstr Surg. 95：719-724, 1995.
21) Becerro de Bengoa Vallejo R, Losa Iglesias ME, Viejo Tirado F, et al：Cauterization of the germinal nail matrix using phenol applications of differing durations：a histologic study. J Am Acad Dermatol. 67：706-711, 2012.
22) Montesi S, Lazzarino AI, Galeone G, et al：The recurrence of onychocryptosis when treated with phenolization：does phenol application time play a role? A follow-up study on 622 procedures. Dermatology. 235：323-326, 2019.
23) Tatlican S, Yamangöktürk B, Eren C, et al：Comparison of phenol applications of different durations for the cauterization of the germinal matrix：an efficacy and safety study. Acta Orthop Traumatol Turc. 43：298-302, 2009.

22 爪部の手術療法

診療・処置のワンポイント

- 爪部に好発する疾患を知り，術前にできる限り正確な臨床診断を行う．
- 爪甲の変化から病変部位を推定し，アプローチの方法を決定する．
- 爪母の損傷を少なくし，可能であれば爪母の近位端を多めに残す．
- 近位爪郭の切開部位と爪母の切開部位をできる限り一致させない．

Ⅰ 爪部手術の特徴

爪部は極めて小さな領域であり，ここに爪甲，爪母，爪床，爪郭，末節骨，伸筋腱，靱帯などの様々な組織が密に接して存在している（図１）．神経，血管も末梢であるために細く分枝していて，手術中にそれぞれを確認することは困難である．発生する病変も通常，小型であるため，手術は他部位に比べると著しく繊細な操作を要求される．爪甲の変化によって病変の存在に気づくことが多いが，ボーエン病や悪性黒色腫などのように爪母そのものを侵す疾患以外は爪甲を周囲から圧排することによって変形を起こすものである．したがって，爪甲の変形そのものは病変の発生部位の推定には役立つが，病変の質的診断にはあまり貢献しない．安易に爪部の病変を切除すると，爪甲の変形や萎縮，欠損をきたす可能性があるため，爪部の手術においては各部位の解剖学的特性とその機能をよく理解している必要がある．また，爪部の各部位に好発する疾患とその特徴を知って，術前にできる限り正確に臨床診断をつけて，病変部へのアプローチの仕方を誤らないようにすることが大切である．

Ⅱ 爪部に好発する病変の手術の際に考慮すべき疾患特性

爪部手術では陥入爪や爪甲分裂症なども対象になることがあるが，本項では主に腫瘍性病変を念頭に置いて説明する．爪部にも種々の腫瘍が発生するが，外科的治療の対象になる主な腫瘍性病変は表１に挙げたような疾患である．各疾患の具体的な手術法については種々の文献や成書に記載があるので，ここでは詳細は省略する．しかし，同一疾患でも，術者により手術方法は様々であり，

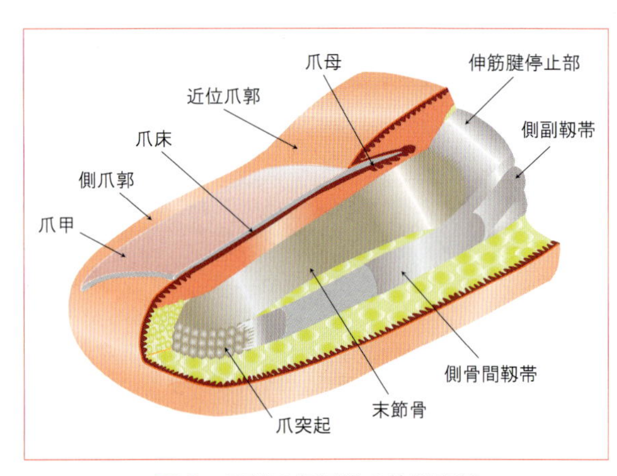

図１　爪部の各組織の位置関係

表1　主な爪部腫瘍

1. 良性腫瘍
単純黒子，色素細胞母斑 グロムス腫瘍 Koenen 腫瘍 後天性爪囲被角線維腫 爪下外骨腫 毛細血管拡張性肉芽腫 指趾粘液囊腫 onychomatricoma onychopapilloma
2. 悪性腫瘍
悪性黒色腫 ボーエン病 有棘細胞癌 特殊型：onycholemmal carcinoma malignant proliferating onycholemmal cyst

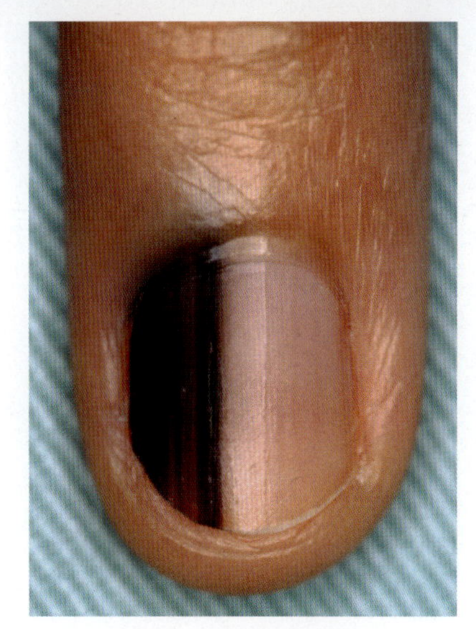

図2　爪甲色素線条
思春期以降に生じ，色調が濃く幅の広い色素線条では上皮内悪性黒色腫を考慮する．

陥入爪へのフェノール法のように確立した術式は多くの爪部腫瘍には存在しない．その理由としては，爪に関連した多くの組織が狭い領域に密接して存在するため，疾患特性と病変発生部位により対処法を変えなければならないからである．

実際に治療する際に，知っておくべき各疾患の特性を以下に記す．

1. メラノサイト系腫瘍

爪甲のメラニン沈着はメラノサイトの活性化(melanocytic activation)による hypermelanosis とメラノサイトの増殖(melanocytic proliferation)に起因するものに分けられる[1]．前者は外傷，薬剤，内分泌疾患，妊娠，Peutz-Jeghers 症候群，Laugier-Hunziker 症候群などの種々の病態を背景に生じ，メラノサイトの増殖を伴わない．後者には単純黒子(lentigo)，色素細胞母斑，悪性黒色腫が含まれ，いずれもメライサイトの増殖を伴うが，その程度は基底層における軽度の個別性増殖から大型の胞巣形成に至るまで様々である[2]．いずれも爪甲に褐色〜黒色調の色素線条を呈することが多く，多数の爪甲にみられればメラノサイトの活性化によるものと推測することは容易である．しかし，病変が単発の場合には，悪性黒色腫の早期病変を含むメラノサイトの増殖性疾患との鑑別が問題になり，ときに生検や外科的切除により組織学的検索を必要とすることもある．

メラノサイト系腫瘍を疑って病変を切除ないし生検する際には，あらかじめ知っておかなければならないことがある．腫瘤を形成していたり，爪甲の破壊を伴っていたりするなど悪性黒色腫であることが臨床的に明らかな場合を除けば，鑑別のために外科的操作を加えなければならないのは主に，爪母に病変が存在することを示唆する爪甲色素線条である(図2)．爪甲そのものに色調異常以外の大きな変化がなければ，仮に悪性であっても melanoma *in situ* である可能性が高い．爪部に生じる悪性黒色腫は通常，末端部黒子型のため，早期の病変は組織学的にも単純黒子や色素細胞母斑との鑑別が極めて難しい．掌蹠などの進行した末端部黒子型黒色腫の結節部から少し離れた辺縁色素斑部の組織像が，単なる単純黒子と区別できない組織像を呈することと同じである．したがって，組織像が確認でき，そこに明らかな悪性像を確認できなくても，臨床像から悪性が疑わしい場合にはどう対処するか，あらかじめ方針を決めておくとよい．

掌蹠の色素細胞母斑はしばしば皮丘・皮溝に平行な長軸を有する紡錘形の色素斑を呈しており，このことはダーモスコピーで皮溝平行パターンを呈することが多いことと関連している．爪母にお

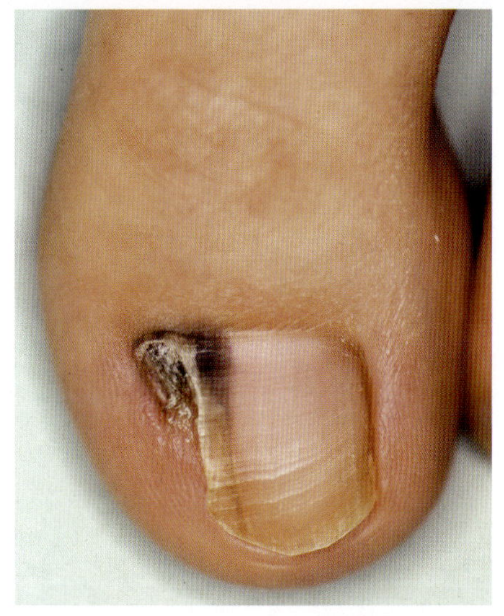

図3　爪部ボーエン病の臨床像
爪甲側縁部の爪母に生じ，爪甲破壊を伴う色素線条を呈している．

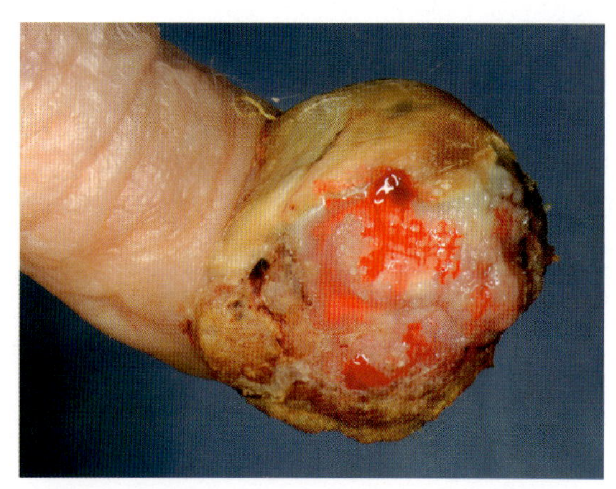

図4　爪部ボーエン病から生じた有棘細胞癌
2年前，近医での生検時には腫瘤はなく，ボーエン病と診断されていた．

いては上皮索が爪甲に対して斜めの方向に伸びており，爪床では指趾の長軸に平行に配列しているため，母斑や悪性黒色腫の早期病変もしばしば長軸方向に長い病変を形成する．したがって，爪母が病変の主体であることが推定される幅の狭い色素線条であっても，極端なものでは近位爪郭や，爪下皮を越えた指尖部にまで色素斑の拡大がみられることがある(Hutchinson's sign)．これは良性病変を疑い，爪甲の変形を最小限に抑えられるように爪母の病変部のみを切除する計画を立てた際に問題となり，手術中に初めて気づくことになる．また，爪甲除去後の湿潤している爪母に存在する色素斑の境界は，掌蹠の母斑のように明瞭には識別しにくい．このため，小さく切除することで爪甲への影響を最小限にしようとすると再発の可能性が掌蹠に比べて高くなる．

2. ケラチノサイト系腫瘍

爪部に発生するケラチノサイト系腫瘍はほとんどがボーエン病か有棘細胞癌である．爪郭，爪床，爪母に発生し，爪母を侵した場合には比較的初期から爪甲の形態的変化を伴う(図3)．爪母を侵したボーエン病は爪甲色素線条を呈することが多く，爪甲側縁部に好発するが，側縁部以外の発生もそれほど稀ではない[3]．ヒト乳頭腫ウイルス(human papillomavirus；HPV)が検出され，粘膜型 high risk HPV が発癌に関与していると考えられている[4]．爪母や爪床の病変範囲を直接観察できないため，色素沈着や破壊のある爪甲に対応する爪母・爪床を病変部と考えて切除することになる．このとき，健常な爪甲をできるだけ幅広く温存するように横方向の切除マージンを狭くすると再発しやすい．有棘細胞癌も爪母・爪床に発生するが，悪性黒色腫に比べると発生頻度はかなり低い．したがって，爪部に爪甲破壊を伴う腫瘤や潰瘍をみた際には，黒くないからといって有棘細胞癌とは限らず，無色素性黒色腫を常に念頭に置いて，周囲に脱色素斑がないか観察する必要がある．爪母・爪床の角化様式は表皮と異なり，正常ではいずれも顆粒層を経ずに角化する．爪母の角化様式は onychokeratinization，爪床の角化様式は onycholemmal keratinization と呼ばれることがある．爪部の有棘細胞癌では，しばしば trichilemmal keratinization に類似した顆粒層を形成しない角化様式を示す．このため，皮膚付属器である爪の癌として onycholemmal carcinoma，malignant proliferating onycholemmal cyst などと呼称される場合もある[5)6)]．爪部の有棘細胞癌においても粘膜型 high risk HPV の関与が知られており，ボーエン病からの進展例も少なくないと考えられる(図4)．他部位に生じた有棘細胞癌に比べ

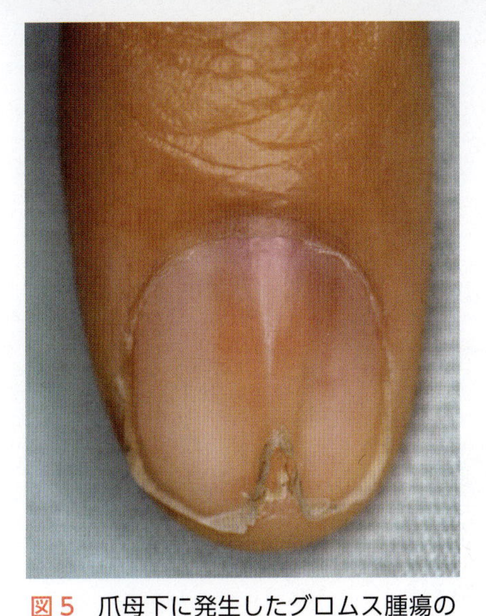

図 5　爪母下に発生したグロムス腫瘍の臨床像
爪母直下は好発部位であり，爪甲に縦方向の隆起を生じやすい．

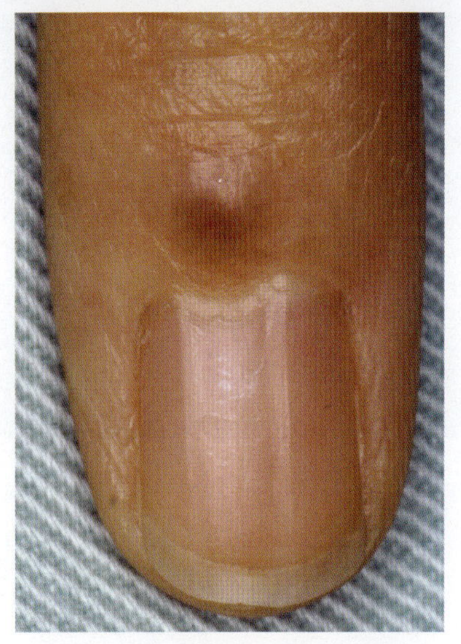

図 6　近位爪郭のグロムス腫瘍
爪甲は上から圧排され，縦方向の溝状陥凹を生じている．

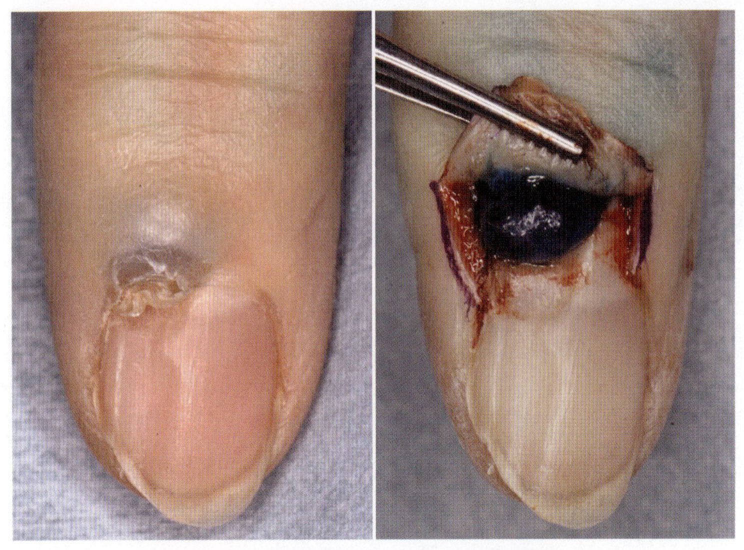

a|b　**図 7　近位爪郭腹側に生じた粘液囊腫**
a：手術時，DIP 関節掌側から関節包内に青色色素を少量注入すると，囊腫が青染する．
b：近位爪郭を翻転すると囊腫が濃染しているのがわかる．

ると転移は稀であり，骨浸潤も 20%以下とされ，アグレッシブな治療を控える傾向にある．

3. グロムス腫瘍

グロムス腫瘍の好発部位は爪甲下であるが，ここに発生するグロムス腫瘍の多くは腫瘍細胞が充実性増殖を示すため（solid glomus tumor），被覆上皮を残して腫瘍のみを核出することが可能である．また，爪甲の変化のみならず，腫瘍に圧排されて下床の骨が陥凹していることも少なくない．爪甲下発生例は爪床よりも爪母下に好発し，ここでは爪甲が柔らかいため，下からの圧排で縦方向に隆起しやすい（図 5）．しかし，指趾粘液囊腫のように近位爪郭に発生して爪甲を上から圧排することで縦方向の陥凹が現れることもある（図 6）．

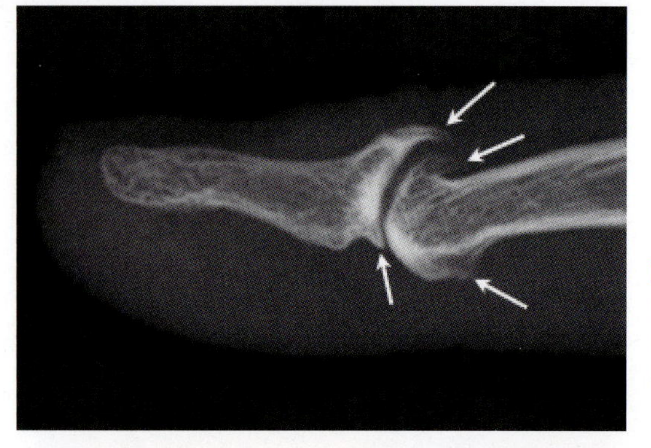

図 8
指趾粘液囊腫の患者の DIP 関節単純 X 線側面像
関節裂隙の狭小化や骨棘形成（矢印）がみられ，骨棘は特に背側で顕著である（図 9 の症例）．

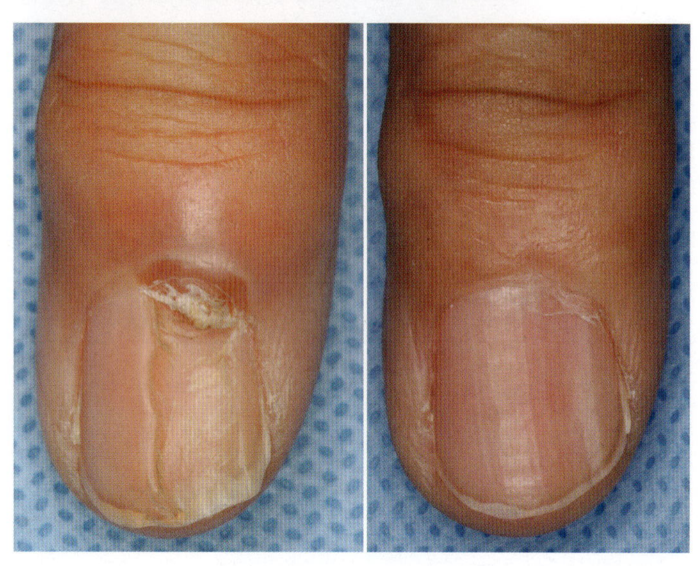

a|b

図 9
指趾粘液囊腫に対するテーピングの効果
a：治療前．右第 3 指の粘液囊腫
b：DIP 関節のサージカルテープ固定で囊腫は消失し，陥凹も改善

4. 指趾粘液囊腫

指趾粘液囊腫の発症機序としては諸説あるが，関節包内から滑液が漏出して貯留したものとの考えが，臨床像や経過を説明するうえで最も合理的である（図 7）．ほとんどの例で DIP 関節の関節症性変化が背景にみられることから，関節面の粗糙化や骨棘形成により関節包の摩耗や損傷が生じ（図 8），炎症に伴う滑液産生の増加と相まって，損傷部位から滑液が漏出して組織抵抗の少ないところに貯留したものと考えられる．したがって，囊腫摘出は根本的な治療法ではないが，保存的治療に比べると成功率が高い[7]．また，囊腫自体を摘出せずに滑液の流出路である細い茎を同定・結紮する手術でも高い治癒率が得られる[7]．手術以外にも凍結療法が奏効したり，漏出が既に止まっている病変では内容液吸引のみで軽快したりすることもある．使用頻度が高く，関節内圧が高まりやすい指趾では再発しやすく，手指よりも足趾のほうが術後再発率は高い[7]．これらのことから，手術で成功率が高い理由は，手術手技にかかわらず，術後 2 週程度は包帯固定により DIP 関節の可動域が制限されるので，関節の安静が保持されて，この間に関節包の損傷部位が修復されるためではないかと筆者らは考えている．実際，サージカルテープを DIP 関節周囲に巻いて数週～数か月間，術後に類似した可動域制限を設けて日常生活を過ごしてもらうと，多くの例で改善あるいは治癒する（図 9）．

臨床的には，指趾末節背面から近位爪郭内に病変を形成することが多く，爪甲の変形を生じる場合には上からの圧排による縦方向の陥凹が圧倒的に多い．しかし，近位爪郭から爪母の下にかけて爪根部を挟み込むように発生する場合や，爪母下に存在し，爪甲を下から圧排することで爪下グロ

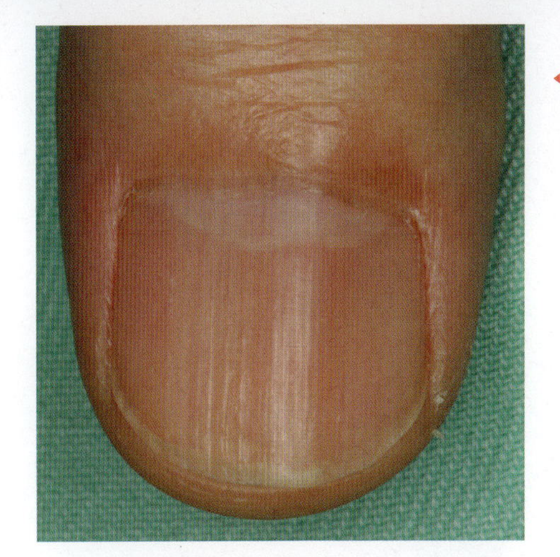

◀図 10
爪下粘液嚢腫の臨床像
爪母を下から圧排することにより爪甲に縦の隆起を生じている．

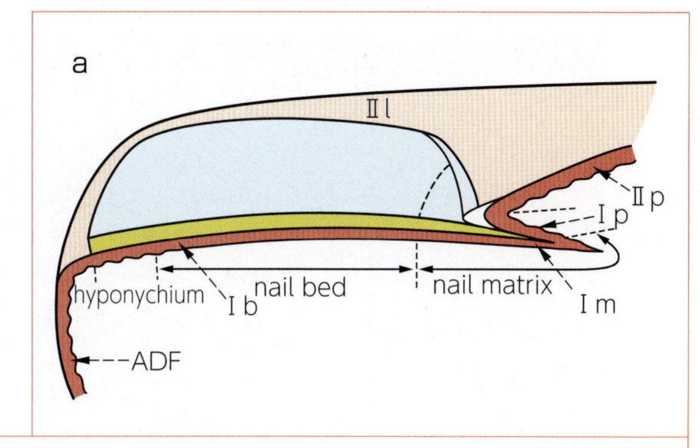

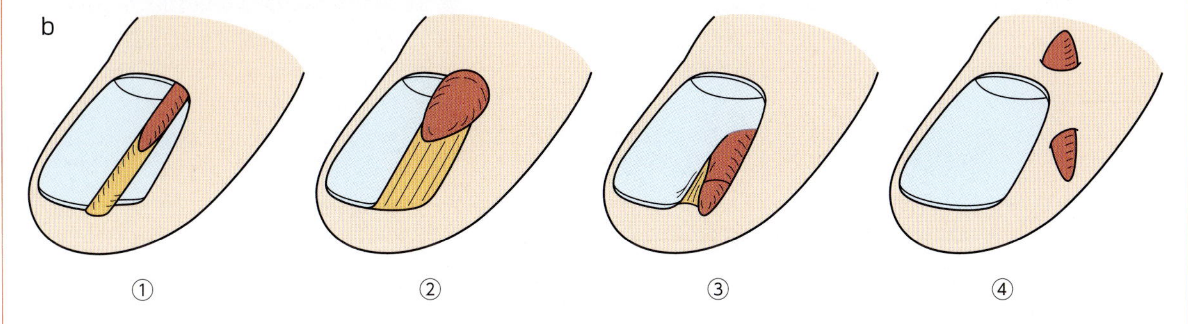

図 11　後天性爪囲被角線維腫の分類
a：分類の模式図．Ⅰ型は爪甲を侵すもの（①Ⅰp：近位爪郭腹側より発生，②Ⅰm：爪母下結合織から発生，③Ⅰb：爪床から発生）．Ⅱ型は爪周囲に発生し，爪甲を侵さないもの
b：臨床像と各病型の関係を示す模式図①Ⅰp，②Ⅰm，③Ⅰb，④ⅡpとⅡl
（p：proximal nail fold，m：nail matrix，b：nail bed，l：lateral nail fold，ADF：acquired digital fibrokeratoma）

（Yasuki 分類：文献 8 より引用）

ムス腫瘍のように尾根状の縦隆起をもたらすこともある（図 10）．

5. 後天性爪囲被角線維腫

最も多くみられるのは近位爪郭の遠位端で近位爪郭下面から爪甲の上に腫瘍が姿を現すタイプである．これは Yasuki 分類（図 11）[8]のⅠp 型，またはⅠm 型に該当するが，いずれの型であるかは実際に手術してみないとわからない場合が多い．いずれも近位爪郭に生じた指趾粘液嚢腫のように腫瘍直下に位置する爪甲に縦方向の溝状陥凹をもたらす（図 12）．本腫瘍は爪を取り囲む組織から発生し，ここから突出するように成長するが，基部から切除すれば通常，再発しない．爪母の下から発生するⅠm型のほうが爪甲の菲薄化や欠損など爪甲への影響が大きい．

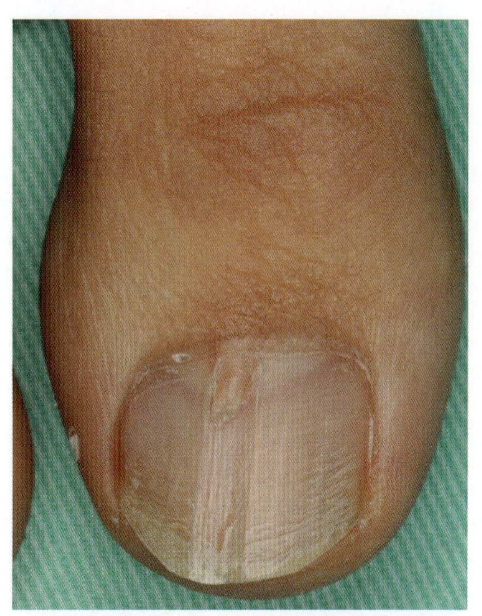

図 12　後天性爪囲被角線維腫の臨床像
近位爪郭腹側面に発生し，爪甲に縦方向の溝状陥凹を生じている（Ⅰp 型）．

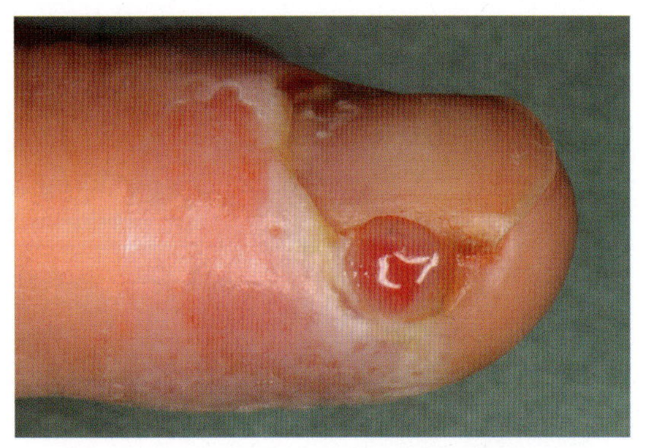

図 13　側爪郭に生じた毛細血管拡張性肉芽腫
陥入爪などによる肉芽と鑑別が必要である.

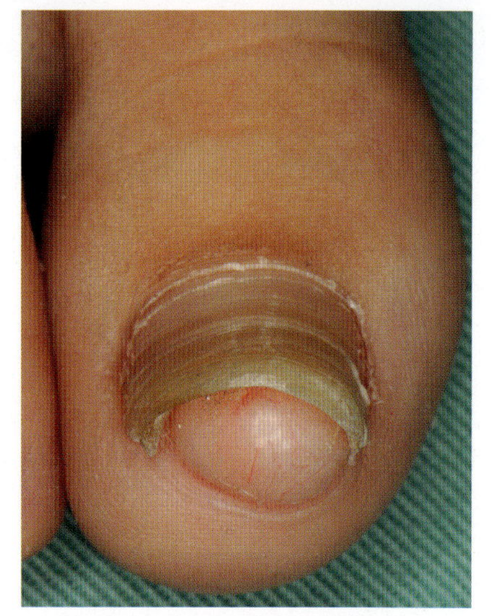

図 14　爪下外骨腫の臨床像
爪甲を下から圧排して変形させている.

6. 毛細血管拡張性肉芽腫

指趾末梢は毛細血管拡張性肉芽腫の好発部位であり，軽微な外傷を受けやすい近位爪郭や側爪郭にも発生する．特に側爪郭に発生すると爪甲側縁に接して陥入爪による肉芽と見誤られることがある（図 13）．また，陥入爪による肉芽を毛細血管拡張性肉芽腫と解釈する者もいるようである．しかし，両者は原因も組織像も明らかに異なり，毛細血管拡張性肉芽腫では腫瘍そのものを治療する必要があるが，陥入爪による肉芽では爪甲に対する処置が中心となる．

7. 爪下外骨腫

爪下外骨腫は若年者に多く，爪甲を下から圧排して変形させるが，爪甲遊離縁の下に硬い可動性のない腫瘤を触知することが多いので通常，診断は容易である（図 14）．手術時に注意すべきこととしていくつかの点が挙げられる．まず，第一にX 線像で確認されるのは骨化した部分で，周囲を取り巻く軟骨帽は写りにくい．このため，通常，X 線像よりも大きな腫瘍が存在する．したがって，被覆皮膚を腫瘍から剝離する際には軟骨帽を誤って皮弁側に含めて取り残すことがないように注意が必要である．また，X 線像で腫瘍は末節骨遠位端の手前付近にみえることが多いが，爪甲との位置関係では実際の腫瘍基部の近位端は爪甲近位部の下であることが多い．このため，十分な広さで爪床を剝離しないと取り残す恐れがあり，軟骨組織を取り残すと再発する．爪床を広く挙上すると腫瘍中心部付近の被覆皮膚は菲薄化していて血流が悪く，創閉鎖に使用できない場合が多い．さらに，腫瘍の中心部に近い菲薄化した皮膚を皮弁として残すと，皮弁内に線維軟骨や硝子軟骨など骨形成能のある組織が遺残する可能性が高くなり，再発の要因となり得る．

本症の病因として，外的刺激による反応性増殖とする説と腫瘍性病変とする説があるが，近年の研究では後者を支持する染色体転座 t(X;6)(q24–26;q15–25) が認められており[9)〜11)]，WHO 骨腫瘍分類では軟骨形成性腫瘍（chondrogenic tumours）の 1 つに分類されている[12)]．

III　爪部の解剖学的特徴を踏まえた手術操作の注意点

多くの成書や論文では疾患ごとに手術法を記載しているが，実際の手術では発生部位によって爪甲や爪周囲の組織をどのように処理して病変にアプローチするかが大切になる．そのため，本項では主に発生部位と関連して手術法を説明する．実地臨床では，前項で述べた疾患特性と本項での内容を組み合わせて手術方法を選択する．また，爪

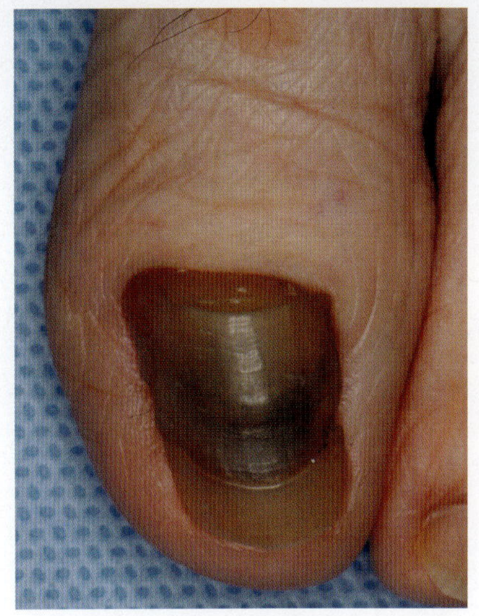

図 15　Retronychia（後方陥入爪）の臨床像
爪甲基部が浮き上がり，段差をなすように下層に存在する爪甲の一部が覗いている．

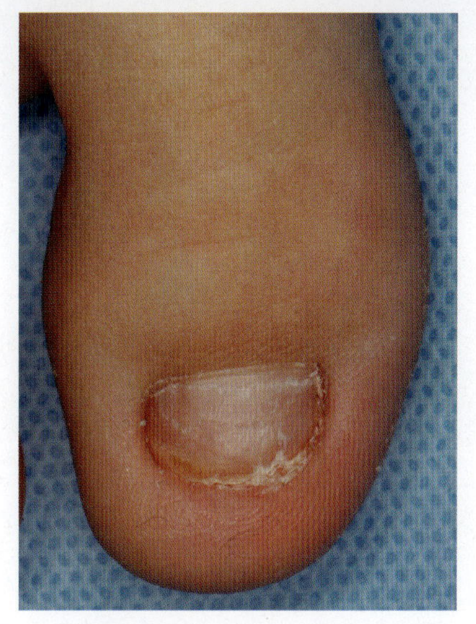

図 16　全抜爪後の前方陥入（distal embedding）
爪下外骨腫を全抜爪のうえで切除し，術後 4 か月．爪床の隆起により生長してきた爪甲先端が爪床に軽度埋もれているが，自覚症状はなく，このまま無処置で問題なく生長した．

部の手術は駆血せずに行うと，出血により術野がみえなくなるので，通常，指神経ブロック下に駆血して実施する．麻酔法と駆血法についての詳細は別稿（II 章 20，pp. 181〜191）を参照されたい．

1. 抜　爪

抜爪そのものが治療手段となることは稀であり，通常は爪甲下の病変の存在部位を明らかにして，切除や生検を行うために抜爪する．全抜爪と部分抜爪があり，フェノール法などの陥入爪の外科的治療においては部分抜爪が最初のステップとして行われる．また，過彎曲爪の外科的矯正術には全抜爪後に実施する方法もある．これらのほかに，抜爪が治療の中心をなす疾患として retronychia（後方陥入爪）（図 15）や爪外傷・爪部の化膿性疾患の一部などがある．

抜爪において注意すべきことは，爪母，爪床，近位爪郭の上皮をできる限り損傷しないように愛護的に爪甲から剝離することに尽きる．そのためには骨膜剝離子，爪甲剝離子，あるいはモスキート止血鉗子など，先が鈍で厚みのない器具を爪甲と爪床および爪甲と近位爪郭との間に挿入し，爪甲側に擦りつけるようにして上皮から剝離していく．爪根部近位端まで達したら，それ以上先に器具が進まなくなるので，爪甲に十分なぐらつきが生じたことを確認して爪甲を引き抜く．抜爪後，爪床創面の被覆に抜爪した爪甲を再利用して，ドレッシング交換の手間を省いたり，爪床の隆起を抑制したりすることがしばしば行われるが，長持ちさせることは難しい．抜爪後，爪甲が完全に再生するまでの間，爪床の隆起による前方陥入（distal embedding）を予防するため，はじめからテーピングなどを行うことを推奨する者もいるが，ほとんどの場合，何もしなくても疼痛を生じることなく先端まで伸びる（図 16）．

2. 生　検

爪部の生検は重要な外科的手技であり，詳細は別稿（I 章 2，pp. 13〜23）に記した．

3. 爪母の切除

爪母の手術では爪甲の形成部位に瘢痕を生じるが，特に爪母病変を切除した際には部位や面積に応じて縦裂から萎縮・欠損など重大な爪の障害をきたす可能性がある．爪母の切除を必要とする疾患の大部分は爪母上皮内に病変が存在する腫瘍である．代表的なものは爪甲色素線条を呈する色素細胞母斑，早期悪性黒色腫，ボーエン病，有棘細胞癌，onychomatricoma などである．このなかで

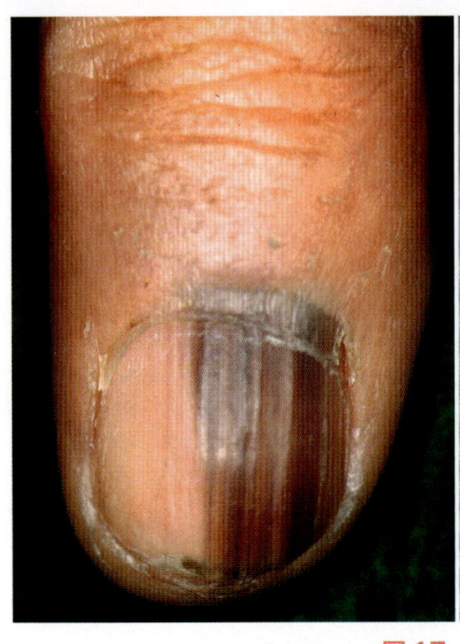
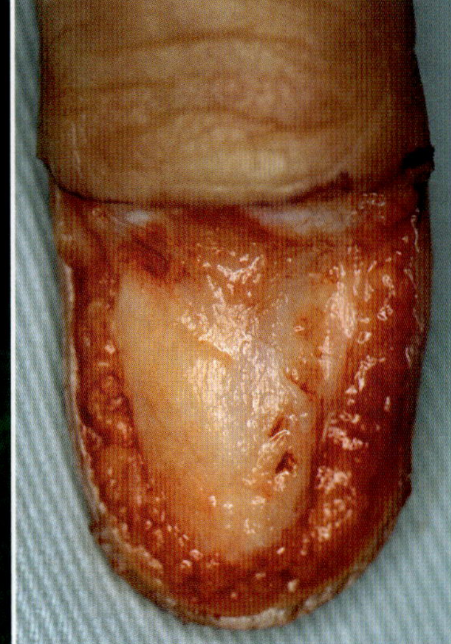
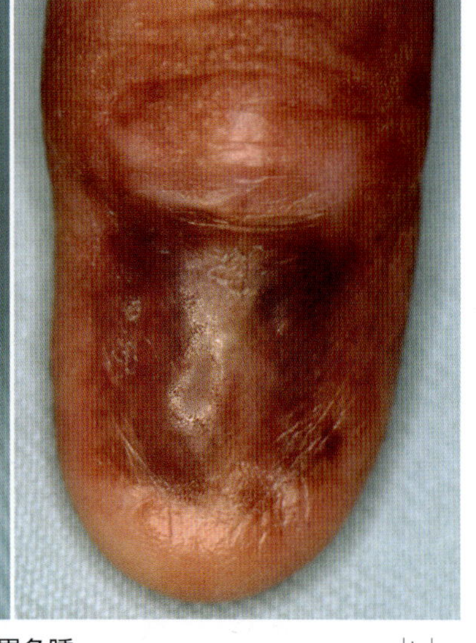

図 17　爪甲色素線条を呈する上皮内悪性黒色腫　a|b|c

a：術前．中央寄りの線条辺縁部では色素沈着が先端まで達しておらず，拡大中であることが推測できる．
b：術中
c：分層植皮術後 1 年 6 か月．分層植皮であるため色素沈着が強い．

色素細胞母斑は切除の必要性はないが，しばしば，上皮内悪性黒色腫と臨床的，病理組織学的に鑑別が困難な例があることから切除の対象になることがある．爪母の手術の際に問題となるのは病変の拡がりである．爪母に限局するのか，爪床や近位爪郭腹側にまで及ぶのかは多くの場合，爪甲を除去してみないと判断できない．したがって，想定される疾患により切除の範囲を爪母のみにするのか，爪床あるいは近位爪郭腹側まで含むのかなどの違いが生じる．病変の拡がりを推測するには，ダーモスコピーなどで爪切り直後の爪甲遊離縁を観察し，色素沈着の位置を調べるとよい．色素沈着が爪甲全層に及んでいれば爪母全体に病変があることが示唆される．爪甲の上層，中層，あるいは下層に限局していれば，それぞれ爪母の近位部，中間部，遠位部に病変が存在することが推定される．

悪性腫瘍においては，ある程度の切除マージンが必要なため，爪母のみを切除することはなく，爪母・爪床・爪郭を含めて一塊に切除し，多くの場合，骨膜上，ときに骨上に全層または分層植皮する（図 17）．採皮部はどこでもよいが，色素沈着をきたしにくく角層の厚い足底穹窿部を好む者もいる．臨床像から浸潤癌であることが明らかであれば患指の切断や指列切断を行うことが多いが，浸潤が深くないことが予想される場合には末節骨を温存し，植皮が選択される場合もある（図 18）．この際，注意すべきは爪と骨との間に脂肪織の層が介在しないため，爪床を突き破ったり，爪母を取り残したりしないことである．爪母の近位部は伸筋腱の末節骨停止部に極めて近接しており，爪母の最も近位部は伸筋腱停止部から 0.8 mm，あるいは 1.2 mm しか離れていないといわれている[13)14)]．また，末節骨遠位端には粗糙な ungual process と呼ばれる隆起部がある．爪床を挙上する際，遠位端から開始すると ungual process の背側を越えたところで爪床を突き破りやすい．したがって，それよりも近位部で骨膜に達してから前方を剝離したほうが安全である．近位部における深部の剝離は伸筋腱停止部まで進めれば，爪母近位端を越えることになる．

色素線条などで爪母を切除する際には，線条の上を覆う近位爪郭を骨膜剝離子などで爪甲から剝離し，線条から離れた位置で近位爪郭に 2 か所の切開を加える．切開を加えた近位爪郭を翻転すると色素線条の起始部が確認できる．しかし，爪甲

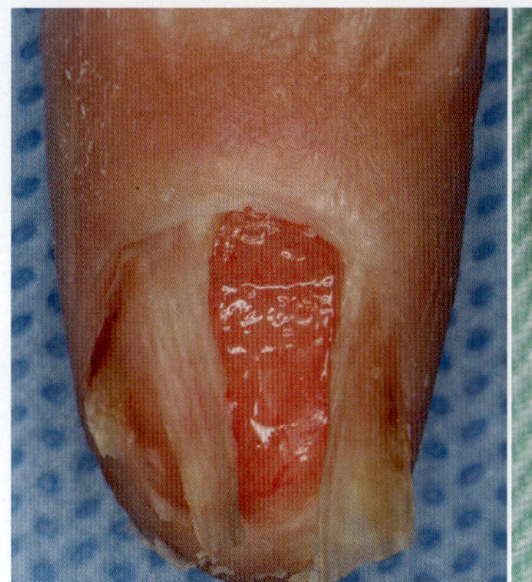
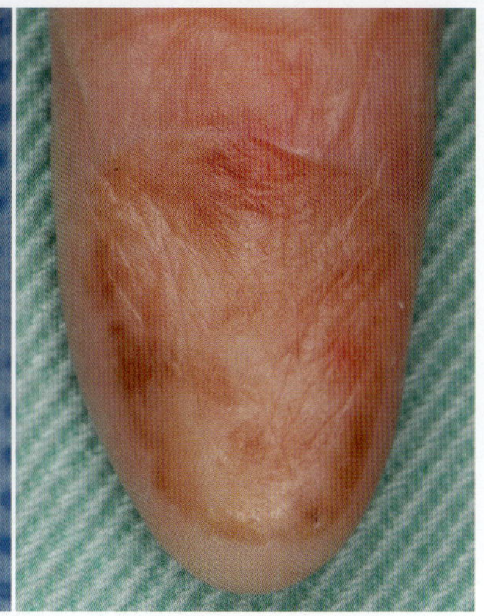

a|b

図 18
爪下有棘細胞癌
a：爪甲の破壊を伴って爪母から爪床全体に及ぶ有棘細胞癌
b：全層植皮後７か月．分層植皮例（図 17）に比べて色素沈着や植皮片の収縮が少ない．

の上からでは色素斑の遠位端はわからない．したがって，切除を目的とした場合には全抜爪，部分抜爪あるいは色素線条の基部付近を含む爪甲を剝離・翻転して爪母の色素斑を直視下に確認後，切除したほうがよい．幅広い悪性を疑わせる色素線条を切除する際には，病変内を傷つけないで全摘するために線条を含む爪甲に爪母，爪床を付けたまま一塊として切除することになる．この場合，狭小化したわずかな爪甲を残しても，整容的にも機能的にもほとんど意味がないので，爪部を全切除したほうがよい場合が多い．比較的幅が狭く爪甲を温存する場合には欠損部を縫縮するが，爪母・爪床を下床から剝離しても伸展性は少ないため，縫縮できる幅は限られる．

爪母の病理標本を作製する際には，異型細胞の存在部位や組織像の変化を確認しやすいように色素線条に平行な縦方向の連続切片が推奨されている[1)15)]．しかし，爪部で長軸方向のきれいな切片を作成することは技術的には難しい．また，掌蹠のメラノサイト系病変では検体を皮丘・皮溝に直交するように切り出すことが勧められている．したがって，爪母・爪床の病変に対して色素線条に直交する方向で切片を作成することは必ずしも悪いことではないと考えられる．

4. 近位爪郭病変の手術

近位爪郭の病変は，背面の皮膚側を中心に発生する病変，腹側面を中心に発生する病変および両者の中間部である真皮内に発生した病変に分けて考えるとよい．近位爪郭の皮内や腹側に発生した腫瘍では爪根部を上から圧排し，爪甲に縦の溝状陥凹をきたすことが多い．

近位爪郭は末梢へいくに従って厚みのない組織となるので，この部位の手術では，背面からアプローチするのか，近位爪郭を翻転して腹側からアプローチするのか，あるいは近位爪郭の全層を切除するのか，術前の臨床像や画像検査所見などから判断する．近位爪郭背面からアプローチする際には病変発生部位の近位爪郭の厚みを考慮して，その下に存在する爪甲，爪母まで切除しないように気をつける必要がある．近位爪郭腹側面の病変に対しては，病変部を挟むように側方の離れた位置で２か所近位爪郭を切開し，翻転して病変部を摘出する．摘出後は創面を閉鎖する必要はなく，そのまま翻転した爪郭を元に戻して切開部を縫合しておけばよい．爪甲の萎縮を伴う場合には爪甲を挟んで爪母下にも病変が存在する可能性が高く，粘液囊腫においてときにみられる（図 19）．

近位爪郭の全層を切除した場合や背側や腹側の病変を切除したことにより，遠位の爪郭の血流が維持できなくなった場合には近位爪郭を全幅にわたり短縮すると，近位爪郭の組織欠損が目立たなくなる（図 20）．

5. 爪床上皮下病変の手術

爪床上皮下の結合織内や骨に発生した病変は爪

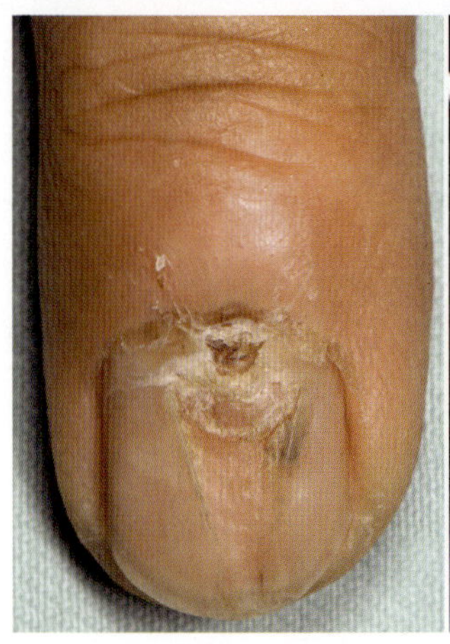
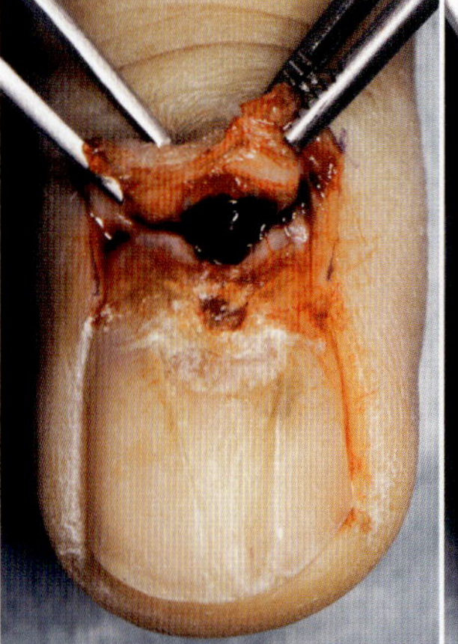
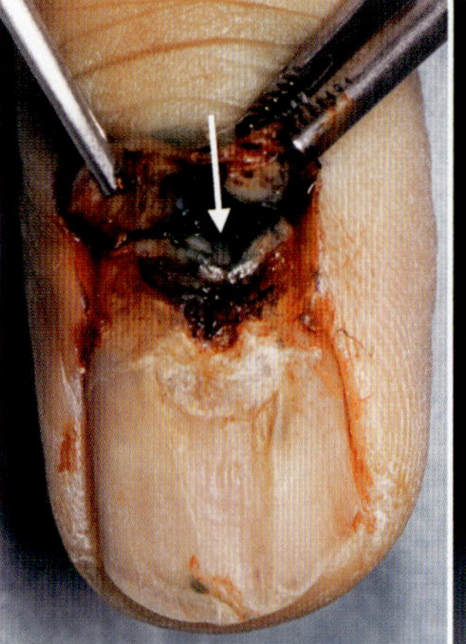
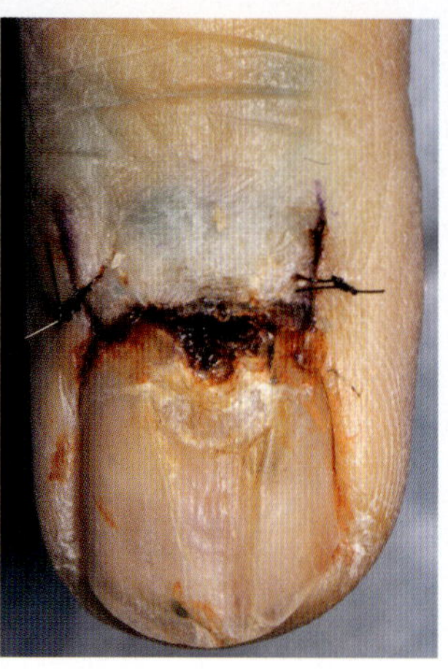

a|b|c|d

図 19　近位爪郭腹側に生じた粘液嚢腫の手術

a：近位爪郭の隆起は軽微であるが，爪甲の縦の陥凹と萎縮を伴う．
b：DIP 関節掌側から関節包内へ青色色素を少量注入したため，爪根部を上下に跨ぐように存在する濃染した嚢腫が確認できる．
c：嚢腫摘出後．爪根部中央には嚢腫による圧排で生じた楔状の凹み（矢印）がみられる．嚢腫摘出後，中枢側は電気凝固している．
d：手術終了時

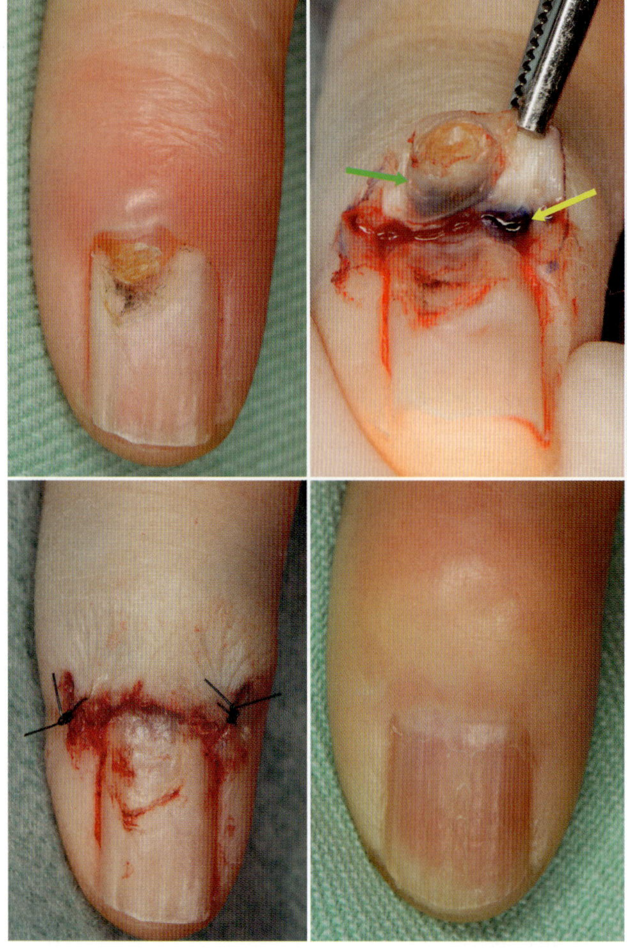
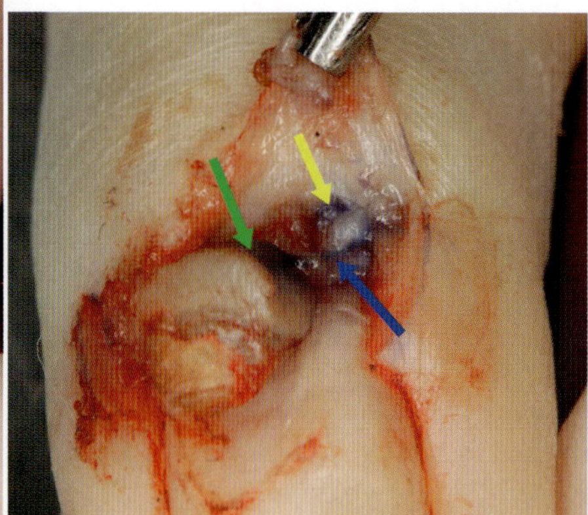

a|b|c
d|e|

図 20
近位爪郭遠位部に生じた粘液嚢腫の手術

a：術前．近位爪郭遠位部に及んだ嚢腫の一部が爪甲上に現れており，爪郭の発赤腫脹を繰り返していた．
b：術中（近位爪郭を挙上）．色素の DIP 関節内注入により青染した近位爪郭腹側の嚢腫（緑色矢印）と，さらに右奥にみられる青色色素に濃染した小型の嚢腫（黄色矢印）
c：術中．近位爪郭腹側の嚢腫（緑色矢印）は直上の近位爪郭背面皮膚を一部含めて切除．近位爪郭腹側の嚢腫と右奥の嚢腫（黄色矢印）は細い青染する流出路（青色矢印）で連絡している．
d：手術終了時．嚢腫直上の近位爪郭皮膚を切除したため，これに合わせた長さで近位爪郭を全幅にわたり切除して短縮した．
e：術後 1 年．再発はなく，近位爪郭の短縮による爪根部の露出は整容的に問題ない．

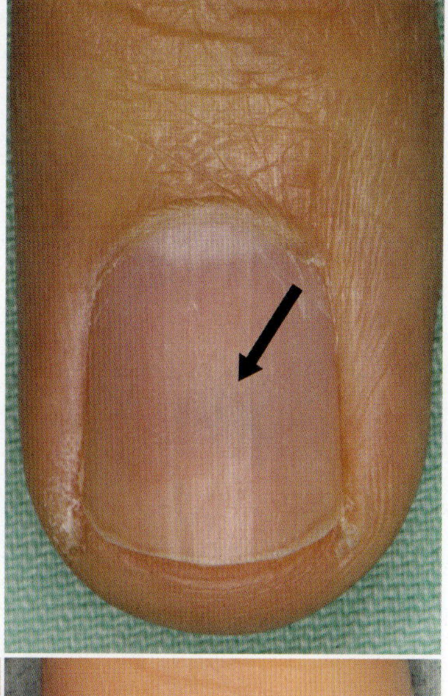
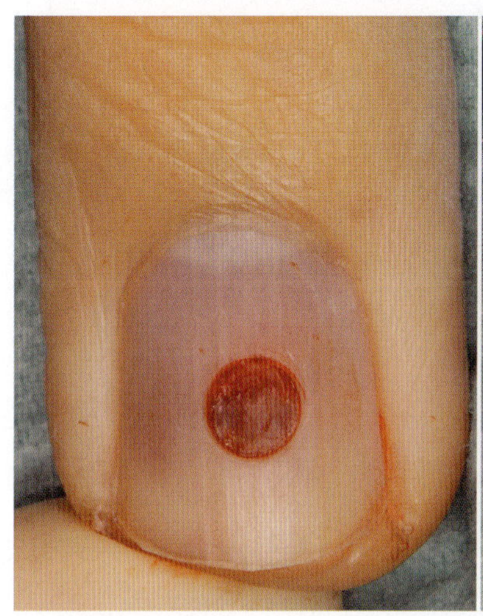
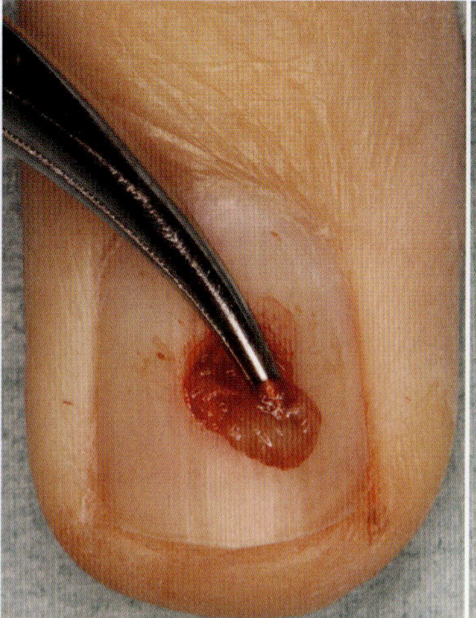
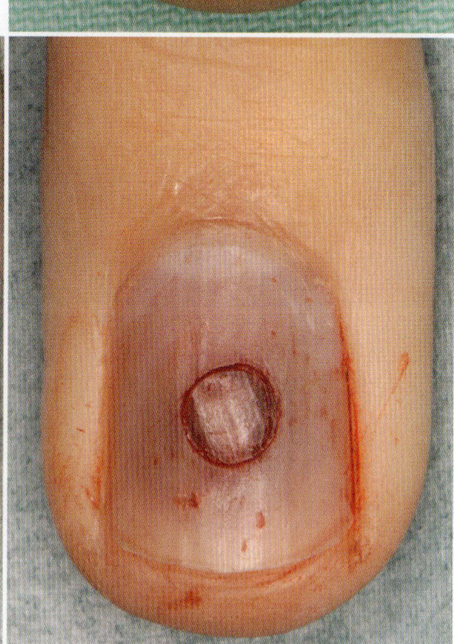

図 21
爪床のグロムス腫瘍
a：爪床にわずかに青色調を呈する領域が透見される.
b：5 mm トレパンで爪甲を開窓し，爪床を直接観察して腫瘍の局在を確認．青紫色の腫瘍が透見される.
c：爪床を切開して腫瘍を摘出
d：爪甲を元に戻して手術終了．開窓部はテープで固定する.

床を切開，あるいは皮弁状に剝離挙上して病変部を摘出するのが原則である．この際，硬い爪甲が手術の妨げになるので，始めに全抜爪，部分抜爪あるいは病変部直上の爪甲を除去して開窓するなどの処置が必要である．その後，病変の位置を爪床上皮の上から確認して爪床に切開を加える．頻度の高い対象疾患としてはグロムス腫瘍や爪下外骨腫が挙げられる．グロムス腫瘍は小型のものが多いので，爪甲ごとトレパンでくり抜く方法も報告されているが，爪甲表面からみた色調の違いだけでは腫瘍の大きさはわからない．したがって，生検ではなく切除が目的の場合には，取り残しのないように直上の爪甲を大きめのトレパンなどで除去したうえで，爪床に切開を加え，腫瘍を剝離摘出すべきである(図 21).

爪下外骨腫は画像所見から受ける印象よりも腫瘍基部が爪床近位部まで及んでいることが多い．そのため，腫瘍基部を肉眼的に確認できるように爪床のほぼ全体を挙上する．全抜爪または近位爪郭付近までの爪甲部分切除を始めに行うことで爪床の剝離を容易にする．腫瘍中心部を被覆する菲薄化した皮膚は，紡錘形に腫瘍とともに切除するようにデザインし，爪床の側縁に近い部位で爪床を挙上するための縦切開を加え，軟骨成分を皮弁側に含めないように注意深く爪床を腫瘍から剝離する(図 22)．「3．爪母の切除」の項でも述べたように，前方から爪床の剝離を進めると腫瘍の近位端付近で爪床を突き破りやすいので，側方から骨に達するとよい．腫瘍の周囲を全周性に正常の骨が現れるまで剝離して腫瘍の茎部を確認してか

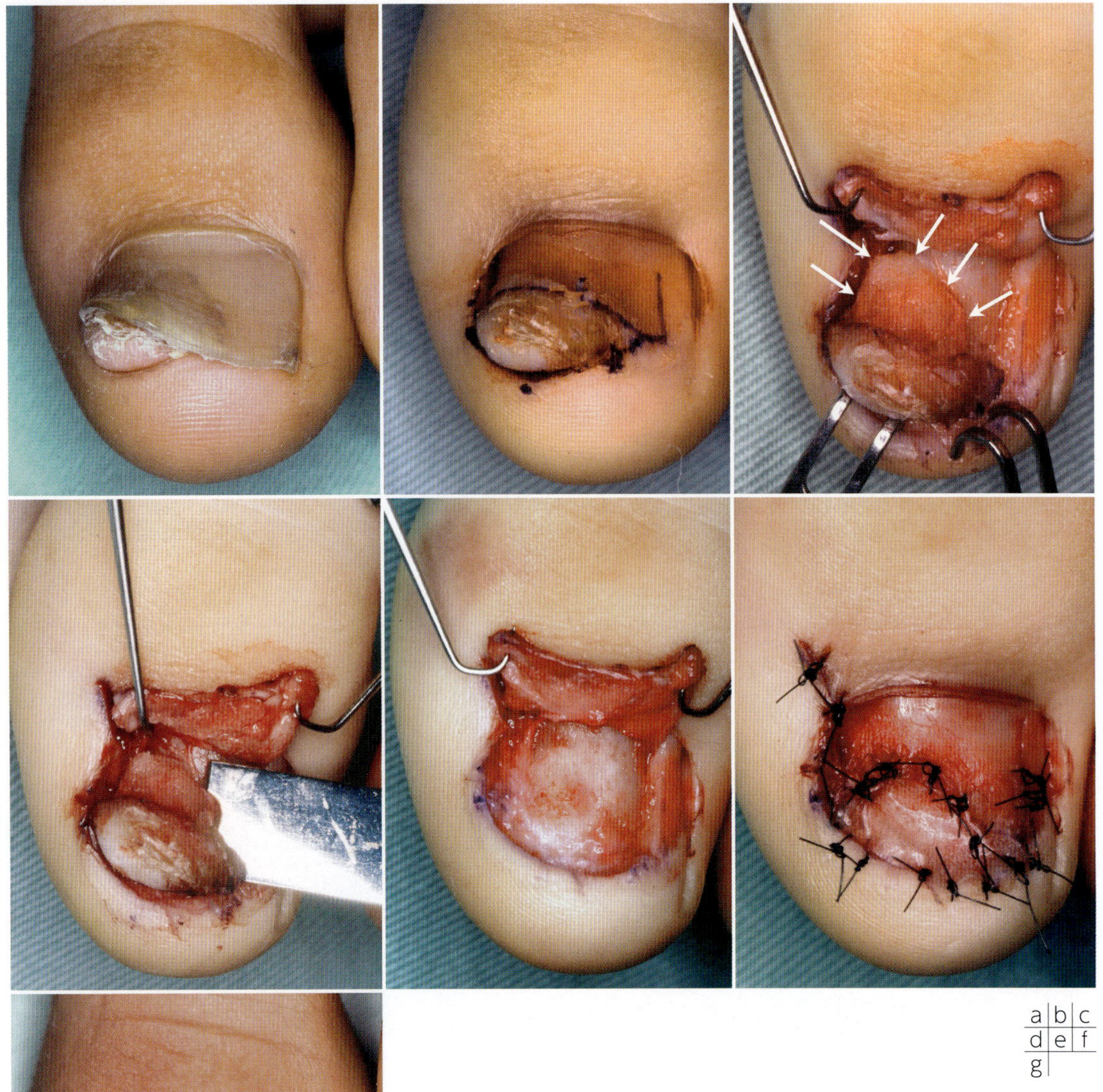

図 22
爪下外骨腫の手術
a：術前．爪甲下の可動性のない腫瘤
b：抜爪後の皮切デザイン．腫瘍上の菲薄化した皮膚は腫瘍とともに切除する．
c：爪床皮弁を挙上・翻転して腫瘍基部を露出．腫瘍基部は爪床近位端まで続いている（矢印）．
d：腫瘍基部をノミで切除
e：外骨腫切除後の末節骨の切断面
f：爪床を元に戻して趾尖部の皮膚と縫合し，爪床欠損部には人工真皮を移植
g：術後２年３か月．人工真皮移植部位には爪甲剥離がみられる．

ら腫瘍基部を切断する．腫瘍の切断には爪切鉗子，リュウエル（円ノミ鉗子），あるいは平ノミなどを用いる．きれいな組織標本を作製するには平ノミが優れるが，切断に時間がかかり，患趾をしっかりと把持していなければならないので助手は恐怖感を味わうことになる．爪切鉗子で切断するのが容易である．リュウエルを使用する場合には組織の挫滅を防ぐため丸く抉られた刃の中に腫

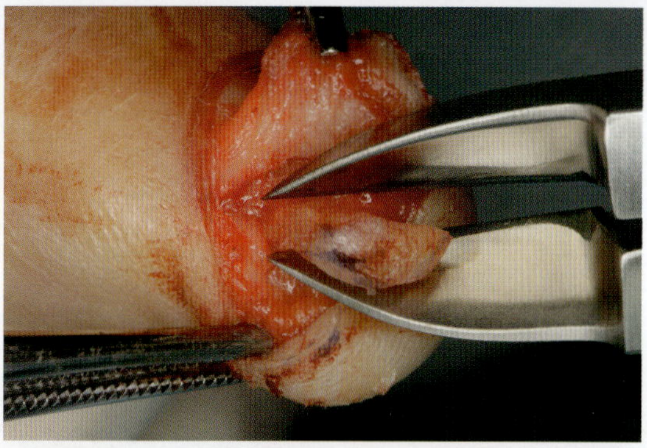

図 23
爪切鉗子による爪下外骨腫の切断
刃に反りのない爪切鉗子を用いて腫瘍基部で切断する.

a|b

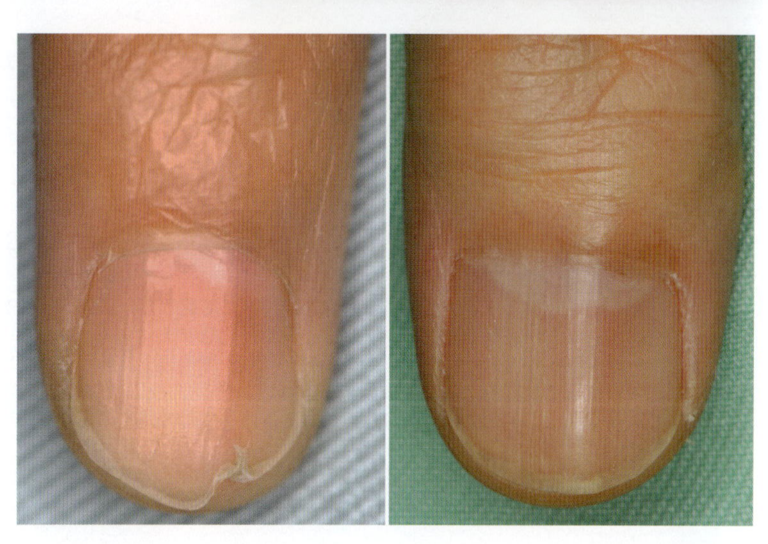

図 24
爪甲に縦隆起をきたす爪母下の腫瘍
a：爪母下のグロムス腫瘍
b：爪母下の粘液嚢腫

瘍が入り込むようなサイズを選ぶ．爪切鉗子の場合は刃に反りのないものが適する(図 23)．骨の断端はリュウエルなどで平らに成形して，皮膚欠損部を縫合する．皮膚欠損部が縫縮できない場合には無理に閉鎖しないで一部を開放しておくか，人工真皮で被覆する(図 22-f)．皮膚切除範囲を大きくしなければ，多くの症例で縫縮可能である．

6. 爪母下病変の手術

爪母下の病変を摘出する際には，爪母はできる限り切除せず，切開して術野を確保することにより摘出する．爪母の下に好発する主な腫瘍はグロムス腫瘍であり，ときに指趾粘液嚢腫も爪母の下に発生する．いずれも爪甲基部から始まる尾根状の縦の隆起をきたすため，臨床像は酷似する(図 24)．これに対して，後天性爪囲被角線維腫が爪母下に発生した場合(Ｉm 型)には，爪根部を貫いた腫瘍が上から爪甲を圧排するため，近位爪郭腹側から発生した場合(Ｉp 型)と同様に爪甲に縦の陥凹をもたらす．

爪母下病変の手術では，まず始めに病変の位置を明らかにするために近位爪郭を爪甲から剝離後，2 か所に切開を加えて翻転させる．グロムス腫瘍では色調の違いから爪根部を通して腫瘍の位置が確認できるので，摘出が容易になるように腫瘍上の爪甲にも一部切開を加えて翻転すると，切開摘出に必要な爪母表面の術野が確保できる．腫瘍上の爪甲を剝離・翻転するためにはその前方の爪甲にトレパンで開窓し，開窓部を足がかりとして爪根部を剝離・切開すると簡単である(図 25)．腫瘍は爪母上皮直下に存在するため，腫瘍上の爪母をごく浅く切開し，腫瘍を剝離摘出する(図 26)．爪母の切開では，切開線が爪母近位部に及ぶのは避けたほうがよいので，大きな切開が必要な場合には横方向に切開する．腫瘍は狭いスペースに閉じ込められているが，しばしば骨の陥凹を伴って意外に深部まで存在する．したがって，爪

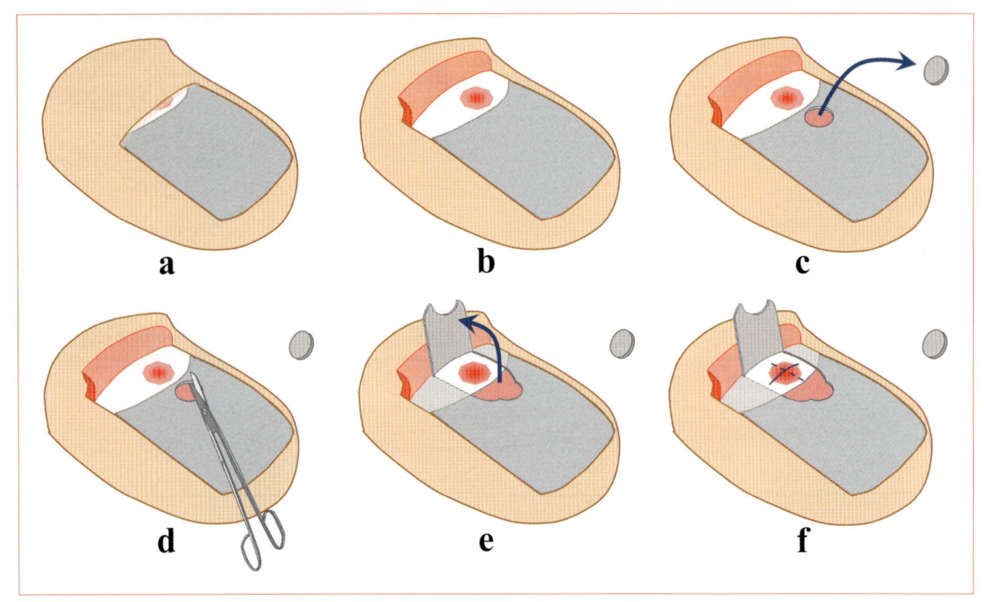

図 25　爪母下の腫瘍へのアプローチ法

a：爪母下のグロムス腫瘍の例
b：近位爪郭を爪甲から剥離後，両端を切開して翻転し，腫瘍の位置を特定する．
c：腫瘍の末梢側でトレパンを用いて爪甲を開窓する．
d：開窓した部位から爪甲の中枢側を剥離し，腫瘍摘出に必要な幅だけ爪甲を基部まで切開する．
e：切開した腫瘍上の爪甲を翻転する．
f：腫瘍上の爪母に横方向（青線），または縦方向（青破線）の切開を加えて，腫瘍を剥離・摘出する．

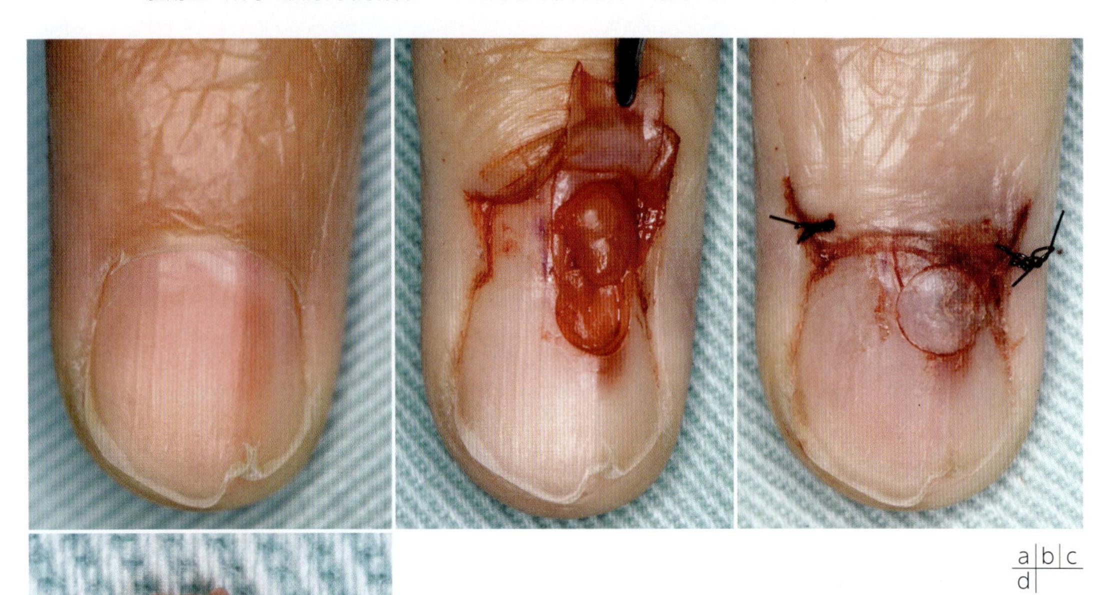

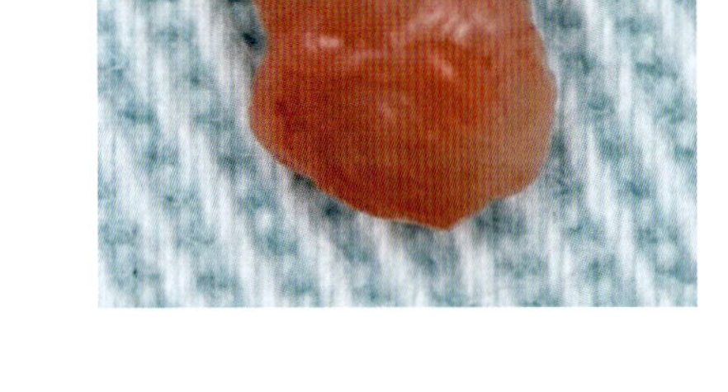

a|b|c
d|

図 26
爪母下に発生したグロムス腫瘍の手術

a：術前．爪甲に尾根状の縦隆起を認める．
b：術中所見．爪甲をトレパンで開窓後，開窓部より近位の爪甲を部分的に爪母から剥離して近位爪郭とともに翻転（鑷子で把持しているのは翻転した爪甲基部）．爪母を切開し，腫瘍を剥離．腫瘍が切開創から顔を出したところ．
c：手術終了時．切開部を縫合後，爪甲と近位爪郭を元に戻したところ
d：摘出された腫瘍

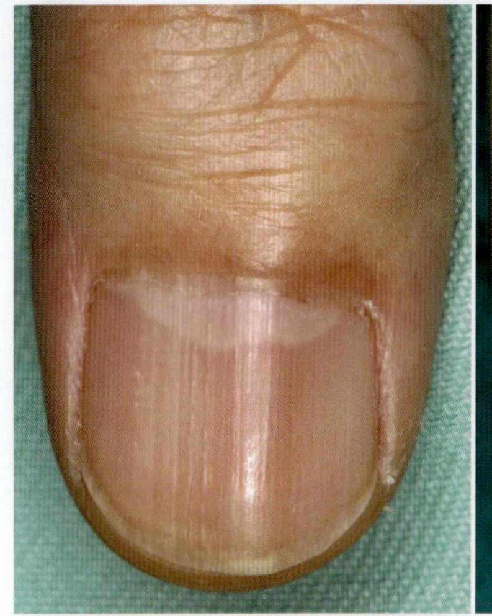
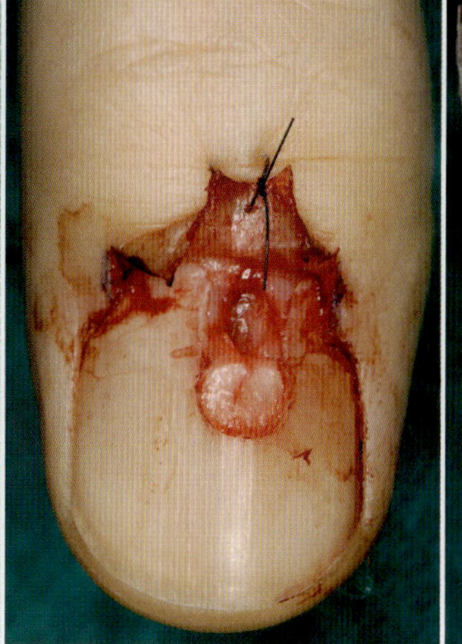
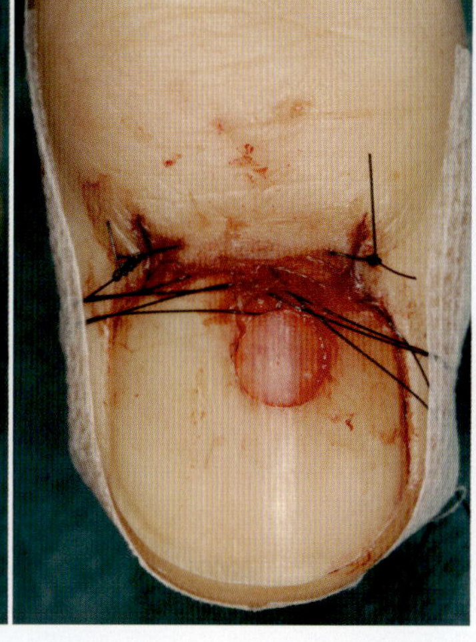
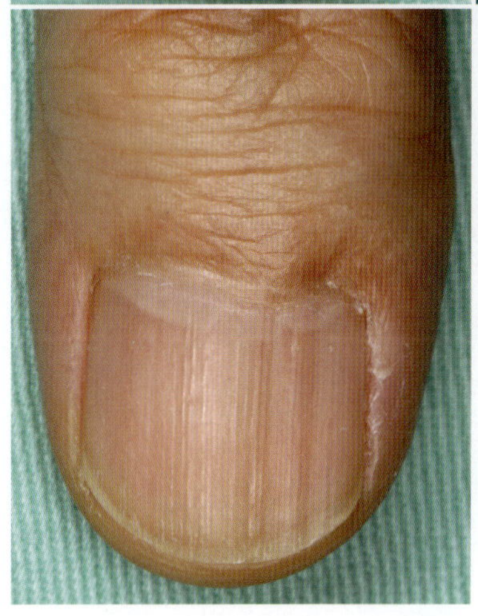

a|b|c
d|

図 27
爪下粘液囊腫の手術
a：術前．爪甲基部から尾根状の縦隆起がみられる．
b：術中所見．爪甲にトレパンで開窓後，開窓部より近位の爪甲を部分的に爪母から剝離して近位爪郭とともに翻転し，皮膚に縫合固定．爪母を切開すると爪母下に透光性のある囊腫が出現
c：手術終了時．囊腫を可及的に切除して爪甲と近位爪郭を元に戻して縫合．爪母の縫合創は糸を引けば抜けるようにしてある．
d：術後 1 年．再発はなく，爪甲の縦隆起は消失

母をできる限り損傷せず，剝離摘出するにはモスキート止血鉗子のような先の細い小型の器具ですくい取るような操作が必要である．病変を摘出した後は，爪母切開部を細い吸収糸で縫合するか，ナイロン糸で引き抜けるように創縁を閉鎖し，翻転した爪甲や開窓した爪甲は顕著な変形がなければ元に戻しておく．

爪母下の粘液囊腫でも基本的には同様であるが，疾患の性質状，全摘を目指す必要はない．爪母に大きな損傷を与えない範囲で摘出を心がけ，爪母下に瘢痕を形成させる（図 27）．摘出が困難な場合には術野から直接，内容液を穿刺して診断を確定し，閉創する．閉創後は少なくとも 2 週は DIP 関節の可動域制限を加えるようにドレッシングし，固定の効果に期待する．

爪母下に発生した後天性爪囲被角線維腫は，爪根部を基部で圧排，または貫いて近位爪郭遠位端から爪の上に姿を現す．爪甲の縦方向の陥凹を伴うが，必ずしも萎縮を伴うとは限らず，近位爪郭腹側から発生したものと臨床的に鑑別することは難しい．したがって，腫瘍基部がどちらに存在しても対応できるように，近位爪郭と腫瘍，および腫瘍と爪甲表面の両者の間を骨膜剝離子などで剝離した後，近位爪郭の 2 か所を切開して翻転させる（図 28）．腫瘍は爪根部の最も中枢側で爪根基部を裂くようにして爪の上に現れる場合もあるが，しばしば，図 28-b のように爪根部を途中で貫くように出現する．いずれも場合も，腫瘍を基部から切除すればよいが，できる限り周囲の爪母を犠牲にしないために腫瘍をくり抜くように切除する必要がある（図 28-c）．切除後の爪母の欠損が大きければ縫合するが，3 mm 以下程度であれ

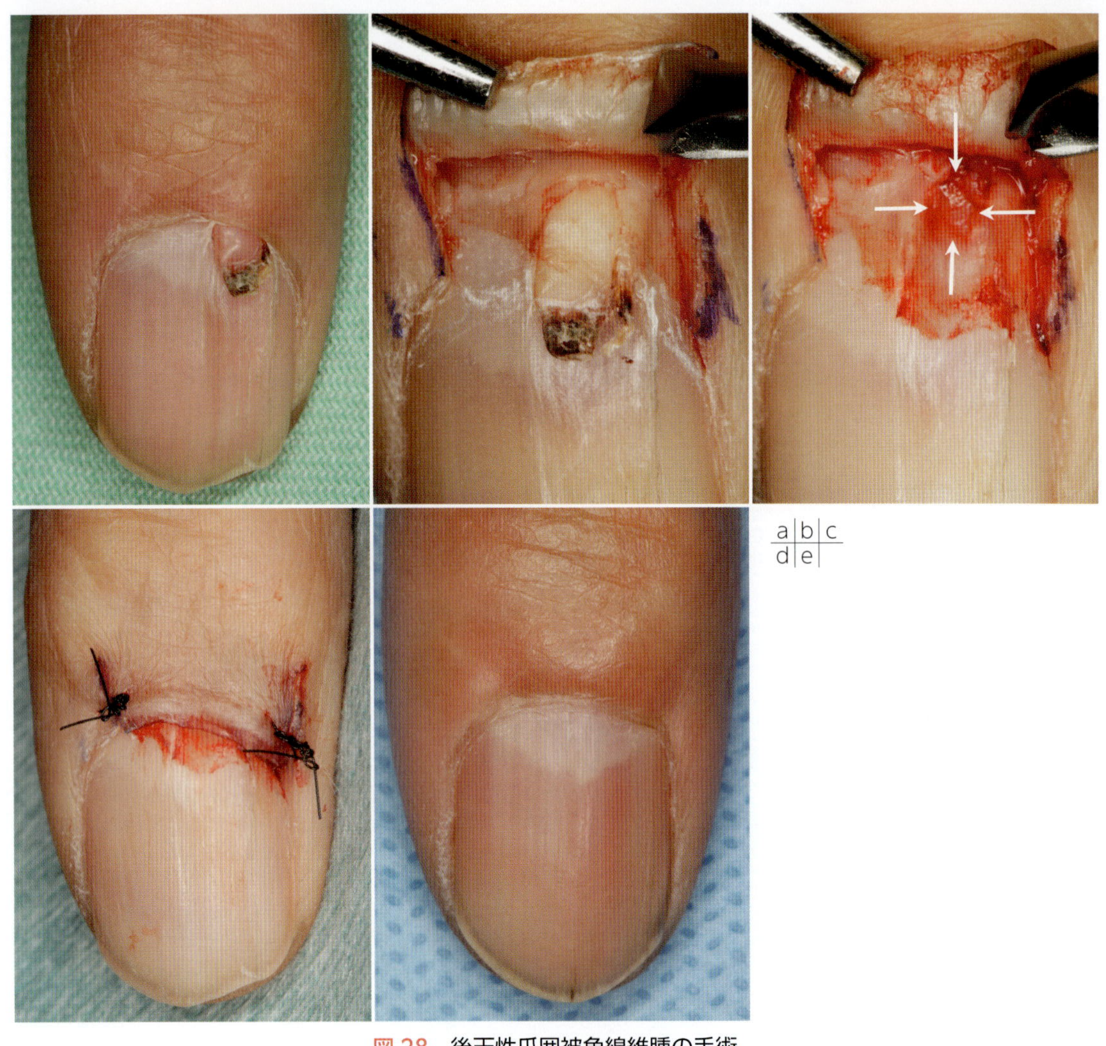

図 28　後天性爪囲被角線維腫の手術

a：術前．爪甲に縦方向の陥凹があり，その基部には小結節がみられる．
b：術中所見．近位爪郭を翻転すると，爪根部を貫いて腫瘍が爪甲の上に現れている．
c：腫瘍切除後．爪母の損傷範囲を最小限にするため，腫瘍の基部をくり抜くようにして摘出している．矢印は腫瘍摘出によって生じた爪甲・爪母の欠損部を示す．
d：手術終了時．翻転した近位爪郭を元に戻して縫合
e：術後 8 か月．再発はなく，爪甲の陥凹は消失している．

ば開放創のままで，翻転した近位爪郭を元に戻して縫合しておけばよい．

7. 爪洞摘出を含む手術

この項でいう爪洞摘出とは近位爪郭腹側から爪母まで，すなわち，爪根部を包む上皮を一塊に摘出することを意味するが，必ずしも全幅にわたり切除するものではなく，病変部の存在する縦断面において連続した組織塊として摘出することを指す．

爪母から発生する上皮内癌では，診断時には既にある程度幅が広いため，多くの場合，切除マージンを考慮すると全幅にわたり爪洞を摘出することになる．これについては「3. 爪母の切除」の項で既に述べた．また，陥入爪の楔状切除術などの爪甲短縮術も爪洞の摘出を本質とする手術である（Ⅱ章 21，pp. 192～205 の稿参照）．悪性腫瘍以外でも，爪甲色素線条を呈する爪母の色素細胞母斑が稀に近位爪郭腹側まで及ぶことがある．幅が狭く良性病変が想定される場合には，切除後に縫合するが，爪母と近位爪郭腹側の創が同一縦断面上

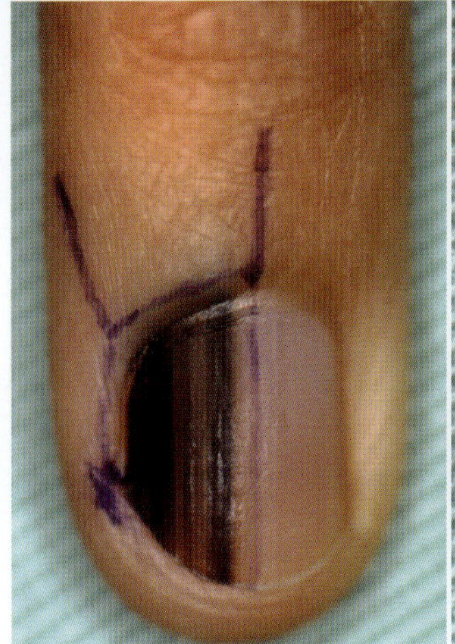
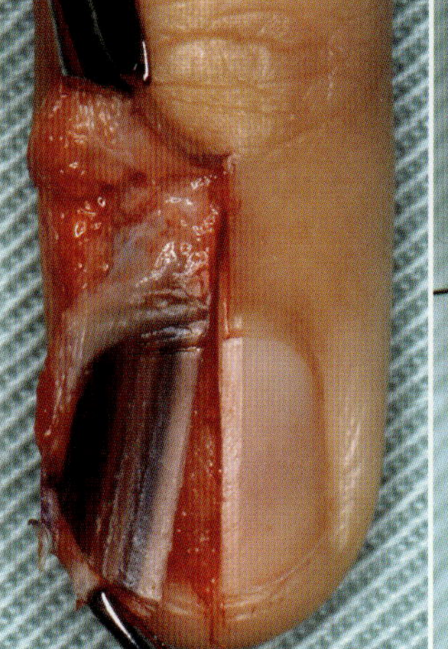
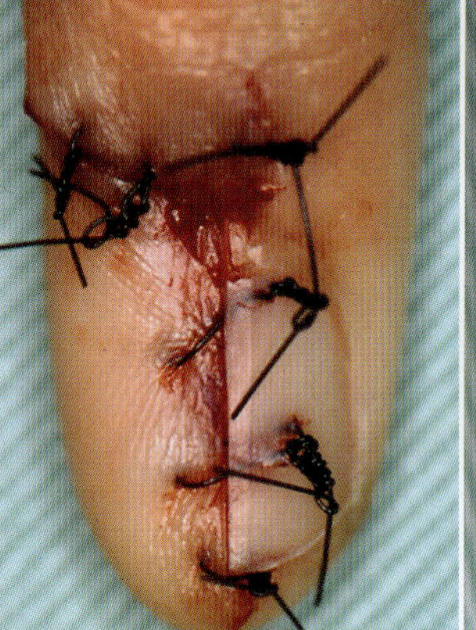
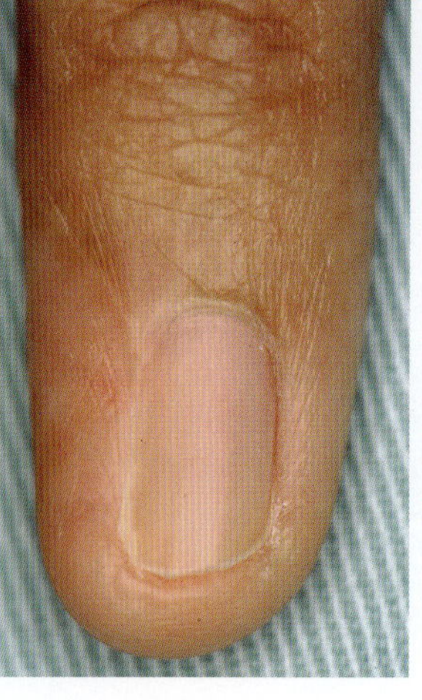

a|b|c|d

図 29　爪甲色素線条の手術

a：爪甲辺縁部に生じた色素線条の切除のデザイン
b：近位爪郭の皮膚は爪甲に近い部分を除いて皮弁状に挙上．色素線条に対応する爪洞は爪床，側爪郭を含めて一塊に切除
c：手術終了時．欠損部は縫縮している．
d：術後１年

に存在することになる．爪洞摘出後のこのような創では，近位爪郭と爪母の瘢痕が収縮したり，癒合したりすることにより，爪母の連続性が絶たれやすくなる．このため，爪甲縦裂や翼状爪などの術後の爪甲の障害が出現しやすい．悪性の疑いを捨てきれず，爪床を含めた爪洞を全摘する場合でも病変部が爪甲辺縁部に存在すれば縫縮することも可能である(図 29)．

(田村敦志，長谷川道子)

文献

1) Ruben BS：Pigmented lesions of the nail unit. Semin Cutan Med Surg. 34：101-108, 2015.
2) Ruben BS：Pigmented lesions of the nail unit：clinical and histopathologic features. Semin Cutan Med Surg. 29：148-158, 2010.
3) 長谷川道子，清水　晶，田村敦志：爪甲色素線条を呈した爪部 Bowen 病一症例報告と爪部 Bowen 病内外報告 156 例の検討．日皮会誌．128：1327-1332，2018.
4) Shimizu A, Tamura A, Abe M, et al：Detection of human papillomavirus type 56 in Bowen's disease involving the nail matrix. Br J Dermatol. 158：1273-1279, 2008.
5) Chaser BE, Renszel KM, Crowson AN, et al：Onycholemmal carcinoma：a morphologic comparison of 6 reported cases. J Am Acad Dermatol. 68：290-295, 2013.
6) Alessi E, Zorzi F, Gianotti R, et al：Malignant proliferating onycholemmal cyst. J Cutan Pathol. 21：183-188, 1994.
7) de Berker D, Lawrence C：Ganglion of the distal interphalangeal joint(myxoid cyst)：therapy by identification and repair of the leak of joint fluid. Arch Dermatol. 137：607-610, 2001.
8) Yasuki Y：Acquired periungual fibrokeratoma—a proposal for classification of periungual fibrous lesions. J Dermatol. 12：349-356, 1985.
9) Dal Cin P, Pauwels P, Poldermans LJ, et al：Clonal chromosome abnormalities in a so-called Dupuytren's subungual exostosis. Genes Chromosomes Cancer. 24：162-164, 1999.
10) Zambrano E, Nosé V, Perez-Atayde AR, et al：Distinct chromosomal rearrangements in subungual(Dupuytren)exostosis and bizarre parosteal osteochondromatous proliferation(Nora lesion). Am J Surg Pathol. 28：1033-1039, 2004.
11) Storlazzi CT, Wozniak A, Panagopoulos I, et al：Rearrangement of the COL12A1 and COL4A5 genes in subungual exostosis：molecular cytogenetic delineation of the tumor-specific translocation t(X;6)(q13-14;q22). Int J Cancer. 118：1972-1976, 2006.
12) Yoshida A, Bloem JL, Mertens F：Subungual exostosis. Antonescu CR, et al eds. pp. 345-347,

WHO classification of tumours/Soft tissue and bone tumours, 5th edn, IARC, 2020.
13) Morgan AM, Baran R, Haneke E：Anatomy of the nail unit in relation to the distal digit. Krull EA, et al eds. pp. 1-28, Nail surgery：a text and atlas, Lippincott Williams & Wilkins, 2001.
14) Shum C, Bruno RJ, Ristic S, et al：Examination of the anatomic relationship of the proximal germinal nail matrix to the extensor tendon insertion. J Hand Surg Am. 25：1114-1117, 2000.
15) Krull EA：Longitudinal melanonychia. Krull EA, et al eds. pp. 239-274, Nail surgery：a text and atlas, Lippincott Williams & Wilkins, 2001.

23 爪囲のウイルス感染症

診療・処置のワンポイント

- 爪甲色素線条を呈するBowen病の多くは悪性型HPVが検出され，臨床的には爪甲辺縁に生じ角化を伴うことが多い．部分切除例では再発例もあり注意を要する．特に爪周囲型Bowen病は尋常性疣贅との鑑別が重要である．HPVタイピングが診断の一助となる．

I はじめに

爪囲のウイルス感染症ではヒト乳頭腫ウイルス(human papillomavirus；HPV)感染症が代表的である．本稿ではHPV感染による爪部Bowen病を中心に，HPV関連皮膚腫瘍である有棘細胞癌(squamous cell carcinoma；SCC)，尋常性疣贅，単純ヘルペスウイルス(herpes simplex virus；HSV)によるヘルペス性瘭疽，コクサッキーウイルスA6型による爪甲脱落症などについても概説する．

II HPVの基礎知識

子宮頸癌の原因ウイルスとして有名である．HPV感染と子宮頸癌との関連性を指摘したHarald zur Hausenは2008年にノーベル賞を受賞している．これまでに200種類以上のHPVが報告され，現在もその数は増えている(International HPV Reference Center, https://www.hpvcenter.se/)．HPVは環状2本鎖のDNAウイルスであり，E1，E2，E4，E5，E6，E7，L1，L2遺伝子から構成されている(図1)．HPVは皮膚基底層に感染し，角化細胞が角層に至るまでに遺伝子発現を変化させる．E，Lはearlyとlateの意味であり，角化細胞が基底層から分化するのに従い，E1～E7が発現し，最終的にはカプシド蛋白であるL1，2が発現しウイルス粒子となる(図2)．この発現パターンにより，HPVは生体の免疫から巧妙に逃れている．

HPVの分類はL1遺伝子の塩基配列の違いによってなされている．L1配列に10%以上の違いがあれば，新たなHPVタイプとなる．HPVのタイピングにはL1領域の遺伝子を増幅するプライマーが使用されることが多い．ちなみにHPVのワクチンにはL1蛋白からなるウイルス様粒子(virus-like particle；VLP)が用いられている．

皮膚に感染するHPVのタイプは，皮膚型，疣贅状表皮発育異常症型(EV型)，粘膜型ハイリスク，粘膜型ローリスクに分類される(表1)．通常の疣贅は皮膚型，Bowen病やSCCで検出されるタイプは粘膜型が多い．EV型は疣贅状表皮発育異常症やエイズなどの免疫不全を有する特殊な状態で検出される．

HPVによる皮膚腫瘍は，感染するHPVタイプにより臨床像が異なる(表2)．HPV型と臨床・病理組織所見の相関は「HPV型特異的細胞変性あるいは細胞病原性効果」と呼ばれている[1]．疣贅を例に挙げると，尋常性疣贅(HPV型：2a，27，57)，扁平疣贅(HPV型：3，10)，ミルメシア(HPV 1a型)など，例外もみられるが臨床像は基本的に

LCR (long control region)

E: Early genes
E1:複製と維持
E2:複製開始とE6, E7転写制御
E4:ウイルス粒子放出
E5:免疫回避と宿主成長因子促進
E6:p53 結合
E7:pRB 結合

L: Late genes
L1:Major capsid protein
L2:Minor capsid protein

P97: 初期プロモーター
P670:後期プロモーター

E6 E7 LCR L1 A_L P97 P670 E1 E4 A_E E2 L2 E5

図 1　HPV のゲノム構造

HPV の遺伝子発現は long control region (LCR) の制御を受け，初期遺伝子 (E1，2，4，5，6，7) から発現が開始される．プロモーターは P97 であり poly A (A_E) を付加される．角化細胞の分化に従い，初期遺伝子から後期遺伝子の発現に変わる．プロモーターは E7 領域にある P670 であり，poly A シグナルは A_L である．それぞれの遺伝子の働きは図に記入した．

(Stanley M：Gynecol Oncol. 117 (2 Suppl)：S5-10, 2010. より改変)

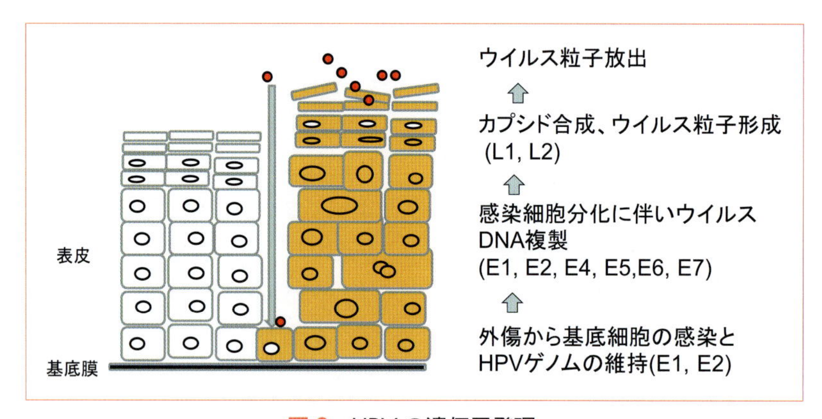

図 2　HPV の遺伝子発現

微小な傷から HPV 粒子が侵入し感染が成立する．図に示すように角化細胞の分化に従い遺伝子発現を変えながら顆粒層から角層で粒子形成する．

表 1　HPV の遺伝子型

皮膚型	HPV1/2/3/4/7/10/26/27/28/29/34/36/37/38/41/48/49/57/60/63/65/75/76/77 ほか
疣贅状表皮発育異常症型 (EV 型)	HPV5/8/9/12/14/15/17/19/20/22/23/24/25/36/46/47/49/59 ほか
粘膜型ハイリスク	HPV16/18/26/31/33/35/39/45/51/52/53/56/58/59/66/68/73/82 ほか
粘膜型ローリスク	HPV6/11/13/32/34/40/42/43/44/57/69/71/74 ほか

表 2　HPV の遺伝子型*と臨床像

HPV1a	ミルメシア
HPV2a/27/57	尋常性疣贅
HPV3/10	青年性扁平疣贅
HPV5/8	疣贅状表皮発育異常症
HPV60	ウイルス性足底嚢腫，ridged wart
HPV4/60/65	色素性疣贅
HPV6/11	尖圭コンジローマ
HPV16	Bowen 様丘疹症，有棘細胞癌

*：主な HPV タイプのみ記載

感染するHPV型が規定している[2].

皮膚悪性腫瘍においてもHPV関連の報告はみられ，Bowen病，SCCが代表的な疾患である．疣贅に比べHPV型のバリエーションは少なく，子宮頸癌で検出されるHPV16型が圧倒的に多い．後述するHPV関連Bowen病では子宮頸部異形成で検出されるタイプが散見され，皮膚の上皮内癌と子宮頸部異形成の関係は興味深い．HPV関連による皮膚悪性腫瘍は手指，外陰部に好発する[3]．稀な遺伝性疾患であり，特徴的なEV型のHPVが検出される疣贅状表皮発育異常症ではHPVによる発がんがみられる．当科でも疣贅状表皮発育異常症における外毛根鞘癌を経験した．小児期より癜風様の皮疹が多発し，頭部に外毛根鞘癌が出現した．検出されたのはEV型のHPV20型であった[4]．HPV5，8型などの一部のEV型HPVでは発がんの報告があり，注意を要する．

Ⅲ HPVタイピングと組織内局在の証明

検体としては，ホルマリン固定されたパラフィンブロックを使用することが多い．HPVはDNAウイルスであり，感度は低くなるが抽出されたDNAでタイピングは可能である．患者組織からのDNA抽出，タイピングは倫理委員会の承認を得てから行っている．例を挙げると，悪性型のHPV感染を疑った場合，パラフィンブロックからDNAを抽出し（プロメガ社のMaxwell® 16などを使用），HPV L1領域のDNAを増幅するL1C1/L1C2プライマー[5]を用いてPCRを行う．L1C1/L1C2プライマーは悪性型のHPVを，GP5+/GP6+プライマーは悪性型，皮膚型，EV型を，CPIIS/CPHPVRプライマーは皮膚型，EV型をよく検出できる．注意する点は，検出が予想されるHPVに合わせてプライマーを選択することである．PCR後はPCR産物をゲルより切り出し，ダイレクトシークエンシングを行う．得られた塩基配列を元にタイピングを行う．PCRの結果のみではコンタミネーションの可能性もあり，標本内のウイルスDNAの局在を確認する．当科ではDAKO社のGenPoint™，Catalyzed Signal Amplification Systemを用いた*in situ* hybridizationを使用している．HPVの免疫染色はDAKO社の抗HPV抗体（K1H8）を用いて行っている．免疫染色，*in situ* hybridizationとも検出できるHPV型が限られており，使用するプローブを事前に確認する必要がある．

Ⅳ 爪部Bowen病

Bowen病の原因の1つとしてHPV感染が知られている．当科で経験したBowen病66例（爪部を含む全体）を検討したところ，HPV陽性例は9例（13.6%）であった．内訳は，HPV56型が6例（爪部＋四肢），HPV16型が2例（外陰部），HPV58型が1例（爪部）であった．HPV陽性Bowen病の特徴としては，①Bowen病の発症年齢としては低い20～30代の若年者にもみられる，②爪，外陰部などに多い，③爪甲色素線条のような特徴的な臨床像を呈するものが多い，などが挙げられた．興味深いことに48歳女性に生じた右鼠径部のHPV56型陽性Bowen病は黒色調の結節であり，通常のBowen病とは異なる臨床像を呈していた[6]．

爪部Bowen病は外陰部Bowen病と並びHPV感染が多く，重要な疾患である．次に爪部Bowen病におけるHPV感染について述べる．我々は最近，これまで報告された爪部Bowen病を含む爪部SCCにおけるHPV感染を解析した[7]．これによると，病変部から検出されるHPV型は爪甲色素線条/爪下型と爪周囲型で異なることが明らかになった．爪甲色素線条/爪下型では，HPV16型が半数近くを占め，HPV56型が続くのに対して，爪周囲型ではHPV16型が半数近くであるのは同様であるが，HPV73型やHPV33型が続き，両者の間で差があることがわかった．これらの結果は，それぞれのHPV型に組織指向性があることを示している可能性がある．

1. 爪甲色素線条/爪下型Bowen病（図3～7）

当科で経験した爪甲色素線条型Bowen病を紹介する．図示するように当科では爪甲色素線条型

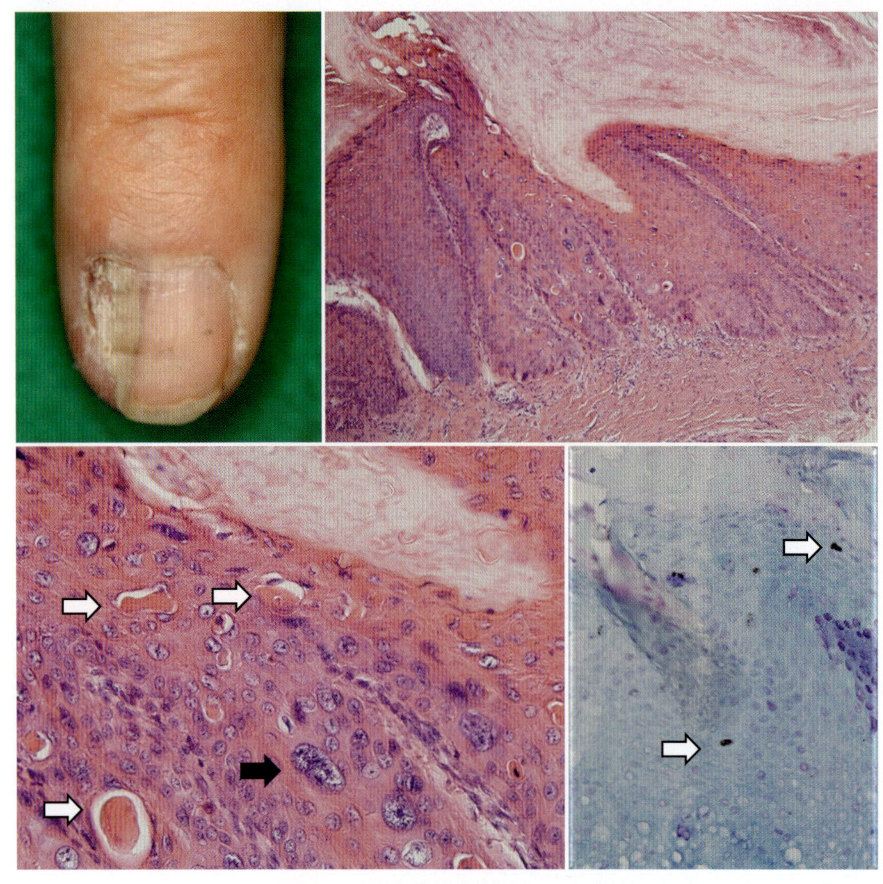

図 3　爪甲色素線条型 Bowen 病

67 歳，男性．左手第 2 指に色素線条あり(a)．爪母，爪床を含め一塊に切除した．爪甲辺縁に病変がみられた典型的なタイプであった．病理組織学的に表皮の肥厚，乳頭腫症がみられ(b)，大型の異型細胞，クランピング細胞(白矢印)と好酸性の異常角化(黒矢印)を認めた(c)．悪性型 HPV をプローブとした *in situ* hybridization で核に一致して陽性細胞がみられた(d)．切除組織より HPV56 型を検出した．

（文献 6 より）

Bowen 病を多く経験している．HPV56 型感染が爪甲色素線条を呈する機序は不明である．しかし，爪甲色素線条/爪下型 Bowen 病における HPV の感染部位は爪母と推定されるため，HPV56 型が爪母組織に親和性が高く，感染細胞がメラノサイトを刺激する因子を産生している可能性がある．

2. 爪甲色素線条/爪下型 Bowen 病のダーモスコピー所見について

Bowen 病で色素沈着をきたす機序はメラノファージなどの存在による．しかし，爪甲色素線条/爪下型 Bowen 病の一番の特徴は，過角化による爪甲の変形・肥厚である．また，爪甲下の角質増殖もみられる[8]．爪甲の色素沈着が爪甲の先端まで及ばない例もある[9]．ダーモスコピーはメラノーマの爪甲色素線条との鑑別に有効であるが，診断が困難な症例も多い．

3. 爪周囲型 Bowen 病

爪周囲型 Bowen 病は爪郭を中心とする爪周囲に生じた Bowen 病である．当科の症例としては少ないが，既報告での約半数はこのタイプである[7]．当科の経験症例を提示する(図 8)[10]．自験例のように尋常性疣贅との鑑別が困難な例もあり注意を要する．尋常性疣贅との鑑別には生検と HPV タイピングが有効であると思われた．

4. 爪部 Bowen 病の治療について

爪部 Bowen 病が疑われた場合，生検の適応についてはケースバイケースで対応している状況である．先述のようにダーモスコピーが有用である

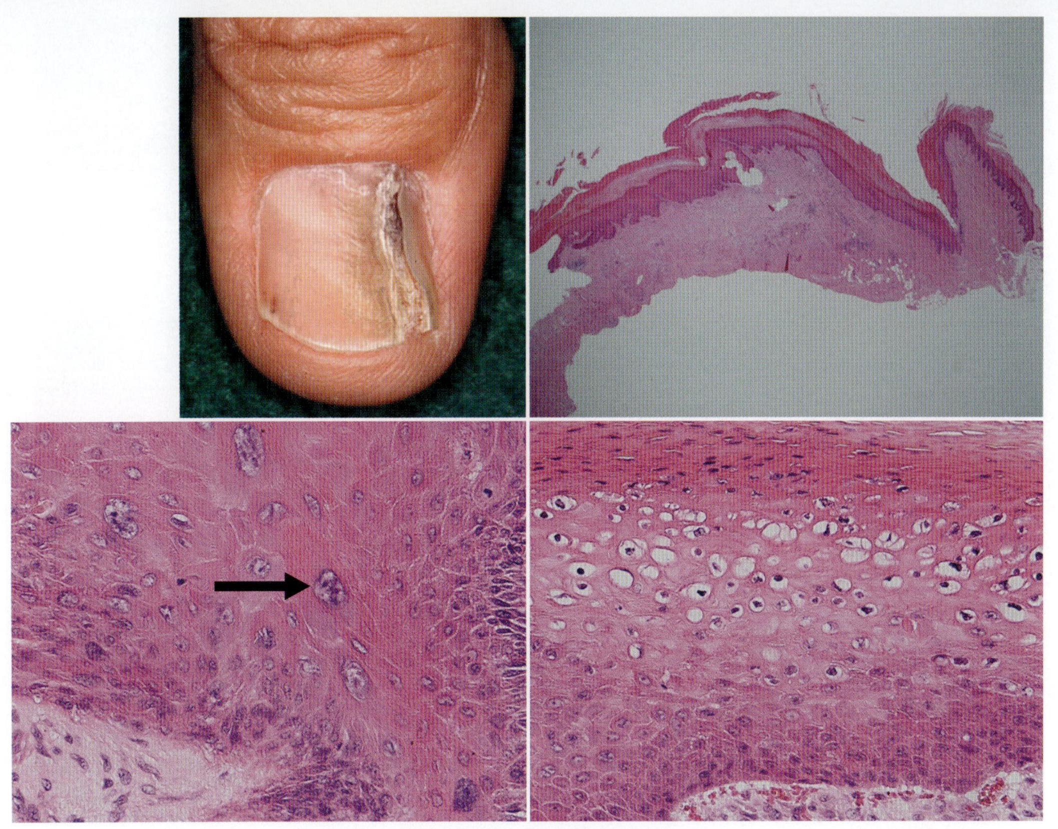

a|b
c|d

図 4　爪甲色素線条型 Bowen 病

70 歳，男性．左手第 1 指に色素線条あり，爪甲破壊を伴っていた(a)．爪母，爪床を含め一塊に切除した．表皮の肥厚，乳頭腫症がみられ(b)，大型の異型細胞がみられた(c)．一部に著明なコイロサイトーシスがみられた(d)．切除組織より HPV56 型を検出した．　（文献 6 より）

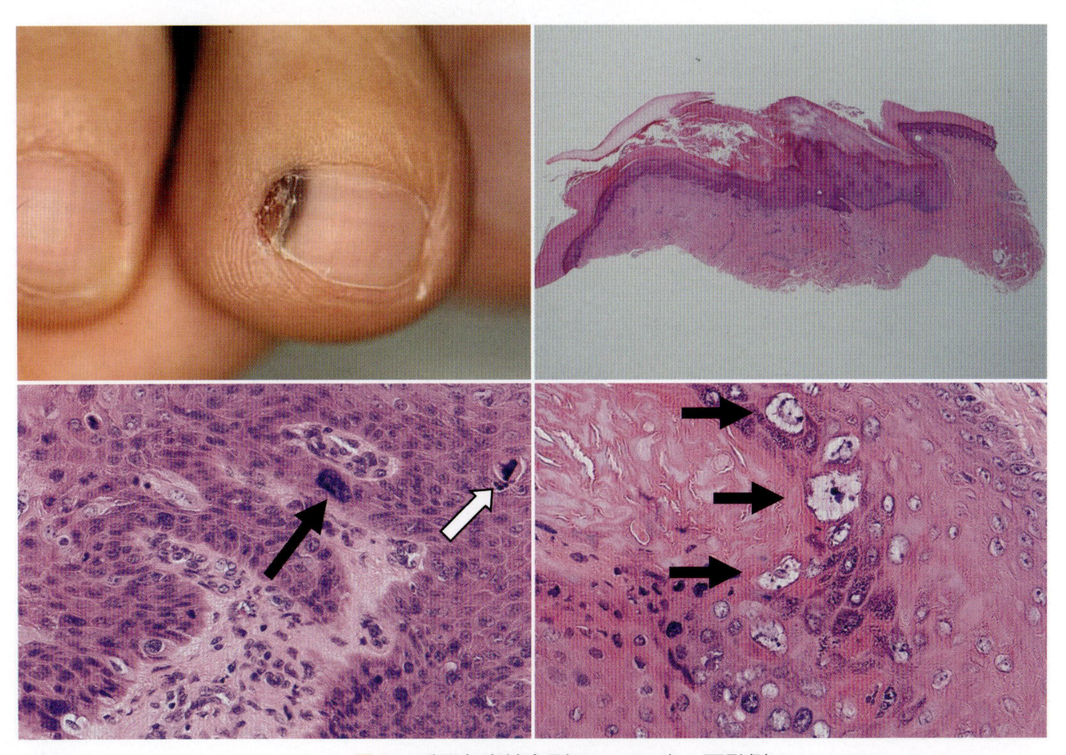

a|b
c|d

図 5　爪甲色素線条型 Bowen 病，再発例 1

35 歳，男性．左足第 2 趾に色素線条あり(a)．色素線条を含め楔状切除した．表皮の肥厚，乳頭腫症がみられ(b)，大型の異型細胞(黒矢印)と個細胞角化がみられた(白矢印)(c)．一部にコイロサイトもみられた(d)．約 1 年後に再発し，再度切除した．切除組織より HPV56 型を検出した．

（文献 3 より）

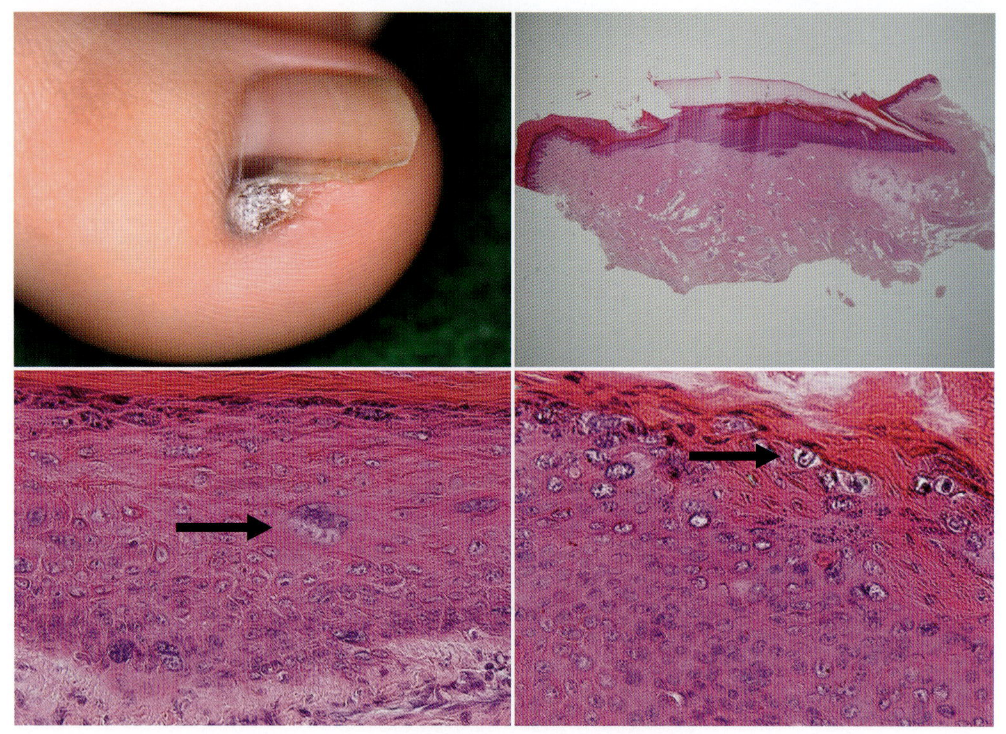

図 6　爪甲色素線条型 Bowen 病，再発例 2

a | b
c | d

29 歳，女性．6 か月前から左第 1 趾の色素性病変を自覚した．爪辺縁に角化を伴う爪甲色素線条あり(a)．爪甲線条を含め楔状切除した．病理は表皮肥厚(b)，大型の異型細胞(c)，コイロサイト(d)を認めた．術後再発を繰り返し，最終的には爪母に対するフェノール焼灼を行い治癒した．

（文献 3 より）

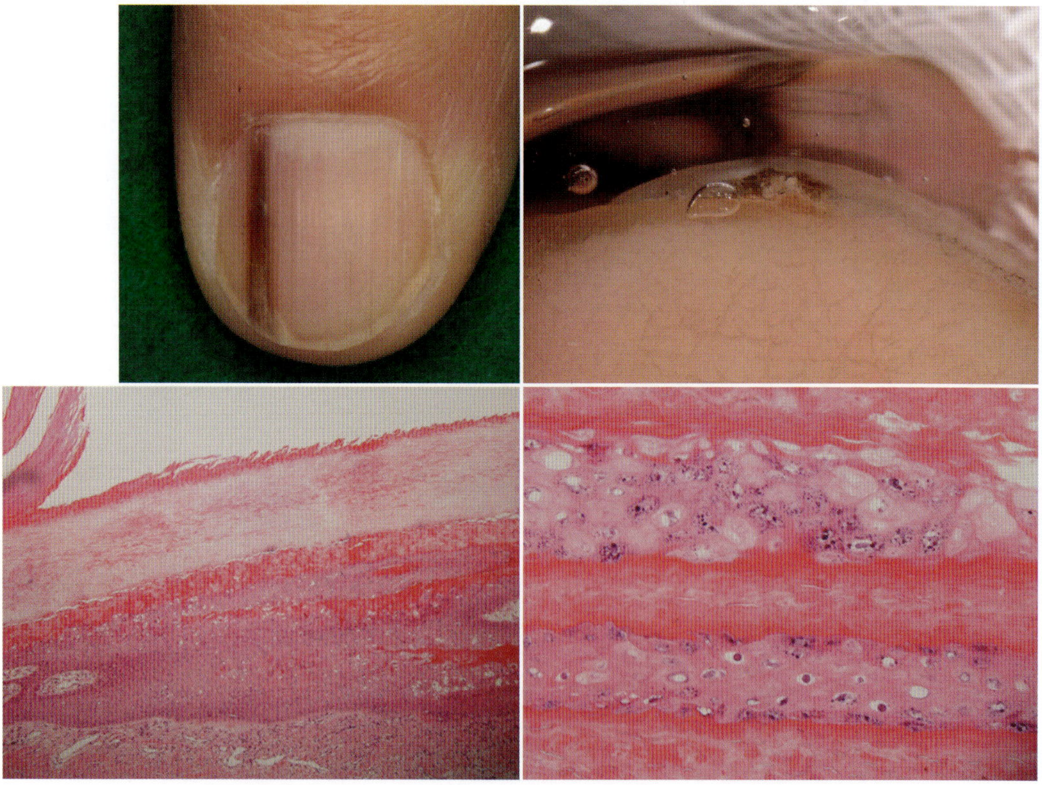

図 7　爪甲色素線条型 Bowen 病，爪甲色素線条が中央寄りにみられたタイプ

a | b
c | d

70 歳，男性．左手第 2 指爪甲に色素線条あり(a)．ダーモスコピーでは爪下に角質増殖を認めた(b)．爪母爪床を含め一塊に切除した．病理組織学的に表皮肥厚，異常角化(c)，異型細胞，コイロサイトーシス(d)を認めた．切除組織より悪性型の HPV67 型を検出した．通常，爪甲色素線条型 Bowen 病は爪甲側縁に出現するが，この症例では爪甲側縁に色素線条がみられない．

（文献 8 より）

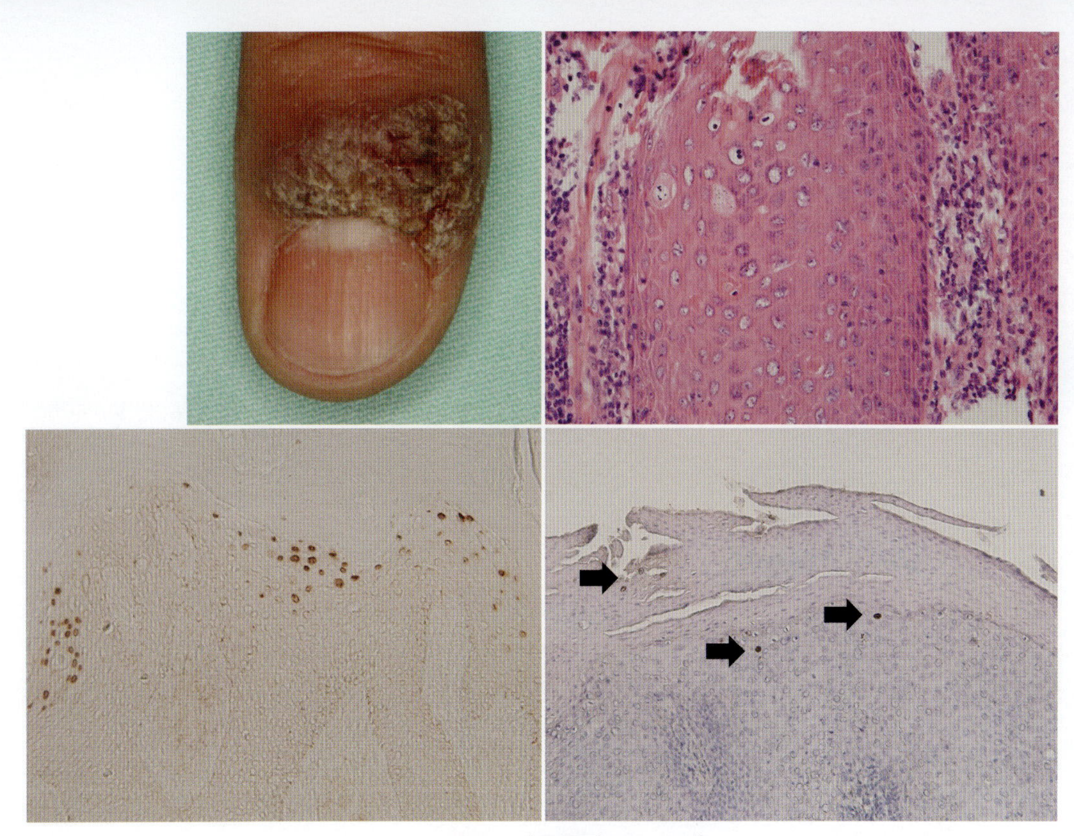

a|b
c|d

図 8 爪周囲型 Bowen 病

36 歳，男性．右手第 3 指後爪郭に疣状結節あり (a)．生検組織から Bowen 病を疑い，疣状結節を切除し植皮した．病理組織学的に表皮の肥厚，乳頭腫症がみられる (b)．悪性型 HPV をプローブとした *in situ* hybridization で核に一致して陽性細胞がみられた (c)．免疫染色でも同様に陽性細胞がみられた (d)．切除組織より悪性型 HPV58 型を検出した．

（文献 10 より）

が，メラノーマが否定できない場合は爪母，爪床を含め一塊に切除する．当科では爪甲色素線条/爪下型 Bowen 病は全例切除しているが，そのうち 2 例で再発した．いずれも楔状切除した症例であり，切除範囲が不十分であった可能性が高い．ウイルス感染により生じる Bowen 病の場合，外見よりも広い病変を有する可能性がある．特に爪甲色素線条/爪下型 Bowen 病は爪母に対する HPV 感染であるため，爪母の処理が十分でないと再発する可能性がある．楔状切除後，再発を繰り返し，最終的には爪母を広範にフェノール焼灼した例を経験している．HPV 感染症であることを念頭に置き，切除範囲を慎重に決定し，特に爪母の処理は注意深く行う必要がある．術前に爪部 Bowen 病が強く疑われる場合は，患者に再発の可能性を伝えておくとよい．

V 爪部 SCC

爪部 SCC でも HPV の検出が報告されている．我々の解析でもこれまでに報告されている HPV 関連 SCC のうち，浸潤癌は 136 例中 53 例であった．多くは悪性型の HPV16 型感染による．我々の既報告例の集計では，爪部 SCC では HPV16 型が半数以上，次いで HPV18 型などの粘膜悪性型がすべてであり，子宮頸部癌で一般的にみられる型により占められていた．それに対し爪部 Bowen 病では，HPV16 型が約半数を占めるのは同様であるが，HPV56 型，73 型など比較的マイナーな粘膜悪性型の HPV が多く，SCC に比べ多様性がみられた[7]．理由は明らかではないが，多様な HPV 型により爪部に前癌病変が形成され，そのなかで HPV16 型などの悪性度の高いタイプでの

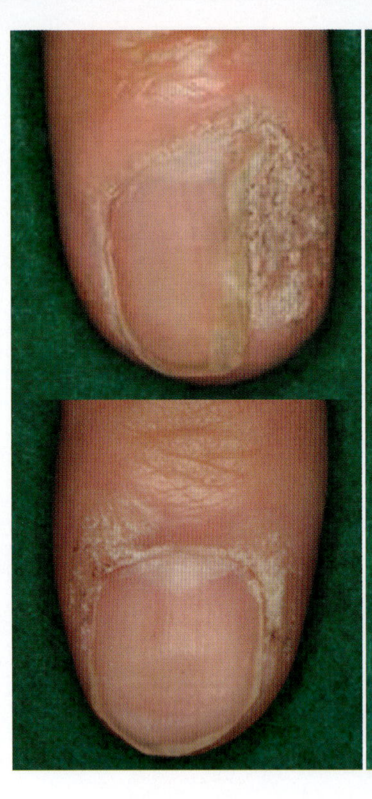
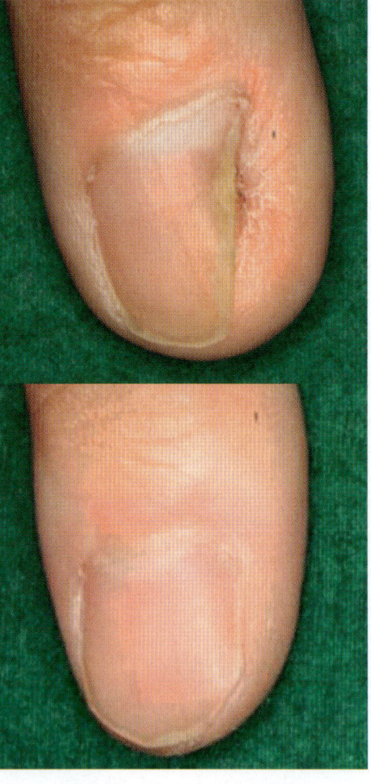

a|b

図9
自験例提示
症例は60歳，男性．15年来の疣贅が爪周囲にみられる．液体窒素療法，ステリハイド®などで治療を試みたが難治であった．インフォームドコンセントを得たのち，SADBEによる局所免疫療法を試みたところ，3回の塗布で速やかに治癒した．皮膚擦過物より皮膚型のHPV27型を検出した．HPV27型は日本人における尋常性疣贅のうち，約6%で検出されるタイプである．HPVタイプと局所免疫療法の有効性についての関係は不明である．
a：治療前
b：治療後

み浸潤癌が形成されると考えられる．

VI 性感染症としての爪部SCCおよび爪部Bowen病

爪部SCCおよび爪部Bowen病は，他部位のHPV関連病変を合併することがある．Forslundらは子宮頸癌を合併した爪部SCCの2例を検討し，両疾患ともHPV16遺伝子の配列が一致しているのを報告した[11]．さらにForslundらは爪部SCCと子宮頸癌合併例の5例を報告し，子宮頸癌が生じた後に爪部病変が出現しているのを明らかにした[12]．Alamらは，爪部SCCの23例を検討し，2人に子宮頸部病変があるのを報告した．さらに5人の男性患者では妻が婦人科手術を受けていた(HPV感染は不明)[13]．以上より，HPVが外陰部–爪部でsexual transmissionしている可能性が示唆される[7]．

VII 爪部の疣贅(図9)

川島は本邦におけるウイルス性疣贅の治療実態を調査し，そのなかで部位別受診患者数として手指爪周囲に生じる例は14.7%と報告している．手指爪周囲の尋常性疣贅は難治であり，患者満足度は極めて低い結果が得られている[14]．爪周囲に限った検討は不明であるが，手指に生じる尋常性疣贅のHPVタイプとしては，HPV1a型が約半数を占める[15]．爪周囲の尋常性疣贅は難治であり，通常の液体窒素凍結療法に反応しないことも多い．液体窒素凍結療法のほかには，グルタルアルデヒド外用，サリチル酸絆創膏貼付，ヨクイニンエキス内服などが挙げられる．筆者は10年以上難治であった爪周囲の尋常性疣贅に対しsquaric acid dibutyl ester(SADBE)による局所免疫療法を行い著効した例を経験している．川島の報告でも足底疣贅，手指爪周囲の疣贅に対し，局所免疫療法が5%程度行われており，施設によって使用頻度の差がみられるようである．SADBEは激しい接触皮膚炎を生じる可能性があり十分経験を積んだ医師が行う必要があるが，液体窒素凍結療法のような疼痛もなく，有効な治療となる可能性がある．尋常性疣贅に対する治療としては，液体窒素凍結療法が最も一般的であるが，爪周囲の尋常

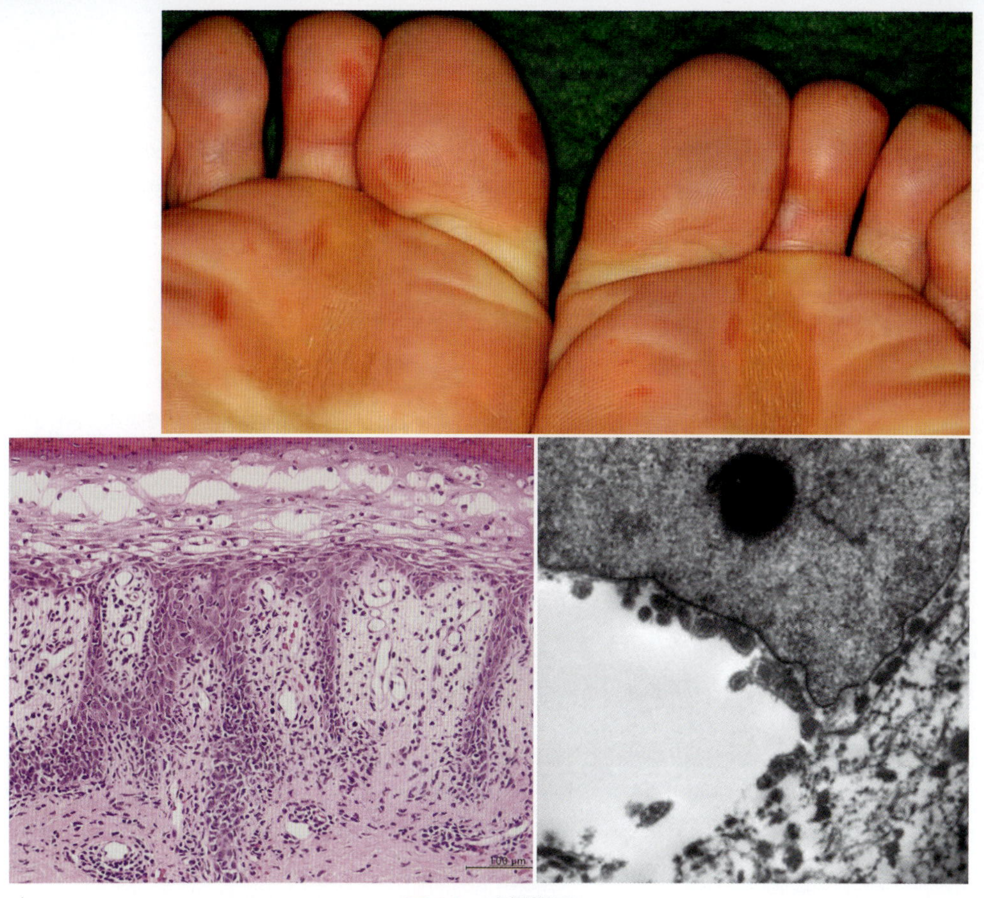

a
b|c

図10　症例提示

症例は48歳，女性．初診の4日前から39℃台の発熱あり．翌日より，手足に軽度の疼痛を伴う皮疹が出現，当科を紹介受診した．手足口病の子どもとの接触はない．手掌，足底に米粒大までの浸潤を触れる紫紅色斑が多発していた(a)．口腔内病変なし．病理組織学的に角層下に血漿成分と思われる物質の沈着がみられ，有棘層から顆粒層の角化細胞が球状変性しており，膜のみが網目状に残存していた(b)．パラフィンブロックより核酸を抽出し，コクサッキーウイルスA6型を検出した．電子顕微鏡により，有棘層において直径20～30 nmのウイルス粒子が多数みられた(c, ×10,000)．

（文献18より）

性疣贅などの難治性疣贅に対しては，種々の治療法が報告される．しかし，症例数が少なく保険適用でない方法も多い．爪周囲の尋常性疣贅は身近な疾患であるが，治療に難渋することが多く，新しい治療法の開発が望まれる．

2019年に尋常性疣贅診療ガイドライン2019(第1版)が発表された[16]．ガイドラインでは疣贅に対する各種治療の特徴や使い方はもとより，疣贅の種類，感染するタイプなども詳しく紹介されている．特に爪部周囲の疣贅は難治であり，治療を行ううえで，ガイドラインに掲載された尋常性疣贅，足底疣贅，多発性疣贅治療の3つのフローチャートが参考となる．

Ⅷ　その他

1. ヘルペス性瘭疽

爪周囲に生じるほかのウイルス性疾患としては，ヘルペス性瘭疽が挙げられる．ヘルペス性瘭疽は指しゃぶりをする小児や歯科医などの医療従事者に多い．感染するウイルスタイプはHSV1型，ときにHSV2型がみられる．ヘルペス性瘭疽は見逃されやすく，注意が必要である．Tzanck testで診断を確定する．治療は抗ヘルペス薬の内服を行う．

2. 手足口病(図10)

最近コクサッキーウイルスA6型による非定型

的な皮膚症状が報告されている．大型の水疱が臀部，下肢などに出現し，膿疱，紫斑ほか多彩である．口腔粘膜病変に乏しく，食欲不振はあまりみられない．稀ではあるが，手足口病により爪甲剝離をきたすことがある．手足口病後の爪変形は，手足口病に罹患してから1〜2か月後にみられ，その多くは爪の横線や爪甲脱落である．コクサッキーウイルスA6型感染による症例が多く，爪変形，爪脱落の集団発生例もある[17)]．爪甲からコクサッキーウイルスA6型が検出されることから，ウイルス感染が直接的な原因と思われる．最近我々は，コクサッキーウイルスA6型感染による掌蹠の小紅斑のみの軽症例を経験した．爪症状は呈さなかったが，コクサッキーウイルスA6型感染が通常の手足口病とは異なる臨床像を呈することを示している[18)]．

（清水　晶）

文献

1）江川清文：ヒトパピローマウイルスと皮膚疾患．ウイルス．58：173-182，2008.
2）清水　宏：ウイルス感染症．p. 494，あたらしい皮膚科学，第3版，東京：中山書店，2018.
3）Shimizu A, Tamura A, Abe M, et al：Detection of human papillomavirus type 56 in Bowen's disease involving the nail matrix. Br J Dermatol. 158：1273-1279, 2008.
4）Motegi S, Tamura A, Endo Y, et al：Malignant proliferating trichilemmal tumour associated with human papillomavirus type 21 in epidermodysplasia verruciformis. Br J Dermatol. 148：180-182, 2003.
5）Yoshikawa H, Kawana T, Kitagawa K, et al：Detection and typing of multiple genital human papillomaviruses by DNA amplification with consensus primers. Jpn J Cancer Res. 82：524-531, 1991.
6）Shimizu A, Tamura A, Abe M, et al：Human papillomavirus type 56-associated Bowen disease. Br J Dermatol. 167：1161-1164, 2012.
7）Shimizu A, Kuriyama Y, Hasegawa M, et al：Nail Squamous Cell Carcinoma：A Hidden High-risk HPV Reservoir for Sexually Transmitted Infections. J Am Acad Dermatol. 81：1358-1370, 2019.
8）Shimizu A, Yasuda M, Hoshijima K, et al：Detection of human papillomavirus type 67 in subungual Bowen's disease presenting as longitudinal melanonychia. Acta Derm Venereol. 95：745-746 2015.
9）川端康浩：爪甲色素線条をみるポイントと診療方針を教えてください．皮膚臨床．50：1416-1421，2008.
10）Kato M, Shimizu A, Hattori T, et al：Detection of human papillomavirus type 58 in periungual Bowen's disease. Acta Derm Venereol. 93：723-724, 2013.
11）Forslund O, Nordin P, Andersson K, et al：DNA analysis indicates patient-specific human papillomavirus type 16 strains in Bowen's disease on fingers and in archival samples from genital dysplasia. Br J Dermatol. 136：678-682, 1997.
12）Forslund O, Nordin P, Hansson BG：Mucosal human papillomavirus types in squamous cell carcinomas of the uterine cervix and subsequently on fingers. Br J Dermatol. 142：1148-1153, 2000.
13）Alam M, Caldwell JB, Eliezri YD：Human papillomavirus-associated digital squamous cell carcinoma：literature review and report of 21 new cases. J Am Acad Dermatol. 48：385-393, 2003.
14）川島　眞：ウイルス性疣贅における治療実態調査．臨床医薬．28：1101-1110，2012.
15）Hagiwara K, Uezato H, Arakaki H, et al：A genotype distribution of human papillomaviruses detected by polymerase chain reaction and direct sequencing analysis in a large sample of common warts in Japan. J Med Virol. 77：107-112, 2005.
16）渡辺大輔，五十嵐敦之，江川清文ほか：尋常性疣贅診療ガイドライン2019（第1版）．日皮会誌．129：1265-1292，2019.
17）渡部裕子，難波千佳，藤山幹子ほか：手足口病後の爪変形，爪脱落の集団発生．日皮会誌．121：863-867，2011.
18）Hattori M, Shimizu A, Tsukagoshi H, et al：A Mild Phenotype of Hand, Foot and Mouth Disease Caused by Coxsackievirus A6. Eur J Dermatol. 27：527-528, 2017.

Ⅱ章 診療の実際―処置のコツとテクニック―

24 爪囲，爪部の細菌感染症

診療・処置のワンポイント

- 爪囲，爪部の細菌感染症は日常診療においてしばしば遭遇する疾患である．感染巣に対し必要に応じて適切な外科的治療を行い，感染を鎮静化させることが重要である．

指尖部は外界と触れることが多く，外傷の頻度が高く，爪囲および爪部の感染症は日常診療においてしばしば遭遇する疾患である．爪囲，爪部の細菌感染の進展と治療は，解剖学的構造の理解が必要である．

I 爪囲炎(paronychia)

数時間で感染が広がる急性炎症と，6週間以上の刺激に多彩な感染が合併して生じる慢性炎症に分かれる[1)].

1．急性爪囲炎

爪囲炎は手の細菌感染症のうち最も多い感染症で50%を占める[2)]．母指と示指に最も多く発生する．爪甲は近位爪郭と両側の側爪郭，遠位の爪下皮で周囲の角質と繋がって固定されており，硬い爪甲と薄くて軟らかい爪郭の間の爪溝は傷つきやすく，汚染を除去しにくい(図1)．感染部位により，爪下皮炎，爪側炎，近位爪郭炎がある[3)]．指尖部の打撲，異物の刺入，スポーツなどの繰り返しの刺激，汗孔周囲炎，湿疹などをきっかけに感染，化膿する．爪囲のささくれ(さかむけ)や深爪，マニキュア操作などにより感染することが多い．また，小児においては指しゃぶりや爪噛みにより生じる場合がある．近年，消化器癌の治療薬として用いられている上皮成長因子受容体(epidermal growth factor receptor；EGFR)阻害薬は，増殖・分化が活発な爪母細胞に作用し，活性化EGFRが著しく減少すると角化異常が起こり，爪甲の菲薄化・易刺激性がみられ，爪周囲の皮膚の炎症をきたして爪囲炎や陥入爪が起こる[4)].

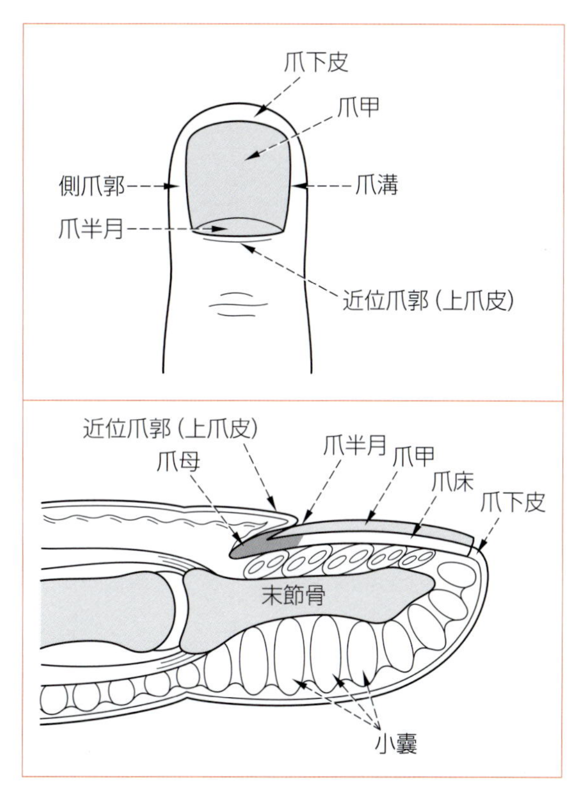

図1 爪部，爪囲の構造
(文献3より引用)

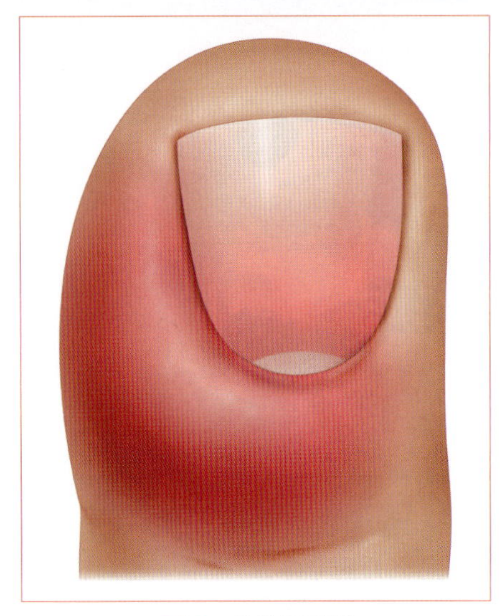

図 2　急性爪囲炎

a)臨床所見

急性爪囲炎は 1 本の指の爪囲に限局して発生する．外傷 2〜5 日後に生じることが多い[5]．当初は皮内または皮下に小さな膿瘍を形成し，灰白色を呈する(図 2)．その後，爪郭に限局した発赤，腫脹，圧痛を生じる．膿瘍を形成しない場合もある．過剰な肉芽を形成すると，爪浮動性の所見を呈する．爪郭の近位部と爪甲の隔壁が破綻して近位爪郭の感染へと波及していく．さらに，炎症がびまん性に蜂窩織炎として爪郭全体に波及する．爪甲と爪郭の間隙から膿が自然排出することもある．起炎菌は黄色ブドウ球菌が最も多いとされている．しかし，細菌検査を行った約半数に混合感染が検出されたとの報告もある[6]．小児では指しゃぶりや爪噛みによって生じるために口内細菌などの嫌気性菌が培養されることも多い．好気性菌では黄色ブドウ球菌のほかに，レンサ球菌(*Streptococcus pyogenes*)や緑膿菌(*Pseudomonas pyocyanea*)，プロテウス(*Proteus vulgaris*)，口腔内細菌の *Eikenella corrodens* が多く，嫌気性菌はバクテロイデス属(*Bacteroides* species)，グラム陽性嫌気性球菌(*Peptococcus* species)，グラム陰性嫌気性桿菌(*Fusobacterium* species)が多い[5]．指圧迫テストは感染の早期診断に有用で，膿の有無を診断できる[5]．

乾癬と Reiter 症候群も近位爪郭を侵し，急性爪囲炎のような症状を起こすので，鑑別を要する．反復する急性爪囲炎はヘルペス性爪囲炎を鑑別する．ヘルペス性爪囲炎は小児のヘルペス患者の口腔内のケアを行う歯科医，歯科衛生士など歯科・口腔外科関連の職業に多い[5]．

b)治　療

膿瘍を形成する前の段階では，薬浴や抗生物質投与の保存的治療を行う．温かい湯を用いたヒビテン浴やブロー液(13%酢酸化銀)が有効とされる．疼痛抑制には非ステロイド性消炎鎮痛薬やアセトアミノフェンが用いられる．軽症例では抗生物質入り軟膏(ゲンタマイシン軟膏など)の塗布で軽快する．軽快しない場合は経口または点滴でペニシリン系やセフェム系第一世代を投与するが，口内細菌などが関与している場合はクリンダマイシン(ダラシン®)やアモキシシリン・クラブラン酸カリウム(オーグメンチン®)が推奨されている[6]．

保存的治療で軽快しない場合，波動を示す腫脹や膿があれば指神経ブロック下に小さな止血鉗子やモスキート鉗子，11 号のメス刃を爪と爪郭の間に挿入して排膿を行う(図 3-a)．21 G か 23 G の針の先端で爪郭を持ち上げてもよい．皮膚の切開は不必要である[7]．ドレナージができるよう，薄いガーゼ片を 24〜48 時間挿入する．2 日以内に明らかな改善が得られない場合は，深い切開が必要になる．側爪郭から近位爪郭に，片側または両側に皮膚切開を加えて排膿を行う(図 3-b)．切開，排膿だけでは感染の鎮静化が得られない場合は，近位爪郭を翻転し根部の切除を行う．両側に切開を入れて翻転し，フラジオマイシン硫酸塩貼付剤(ソフラチュール® 貼付剤)を挟んでおく[8)9)](図 3-c)．この際，爪母を損傷しないように注意する．炎症が爪下の広い範囲に及んでいれば，爪の全切除が必要となる．爪根部除去後，壊死組織，肉芽が残らないように切除する．術後の経口抗生物質の投与は必要ない[10]．抗がん剤による爪囲炎に対しては発赤・腫脹であれば洗浄と副腎皮質ステロイドの外用薬(strongest)が用いられるが，肉芽形

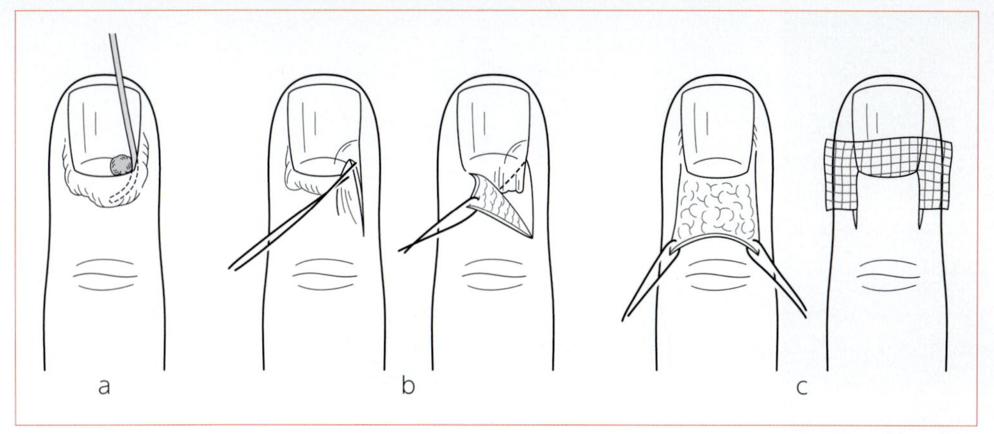

図 3　急性爪囲炎の切開，排膿

a：針やプローブによる排膿
b：片側切開による排膿
c：両側切開による排膿．ガーゼを留置することもある．

成を認める場合は外科的処置が必要となる[11]．

2. 慢性爪囲炎

a) 臨床症状

慢性爪囲炎は急性炎症とは異なり，爪郭における刺激物やアレルギー源などによる多因子性の炎症反応であり，皿洗いや指しゃぶり，爪上皮の切りすぎ，化学物質の接触など，様々な誘因で発症する．皿洗い，バーテンダーなど手が濡れる頻度の高い職業従事者や，水泳などのスポーツ競技者に多く発生し，糖尿病や免疫機能低下の患者に合併しやすい．初期症状は近位爪郭の腫脹と圧痛，爪郭の湿潤が主体で急性炎症ほどの発赤を生じない．爪は変形し，爪上皮は消失し，爪郭や近位爪郭は瘢痕様に肥厚する（図 4）．利き手側の母指，示指，中指に多く，かつ複数指が罹患することが多い．症状は 6 週間以上持続する．炎症や疼痛は水や湿潤環境に曝露された後に悪化する．95％の症例に真菌のカンジダ（*Candida albicans*）が培養で検出され，同時にグラム陰性桿菌，グラム陰性球菌，非結核性抗酸菌なども検出される[5]．緑膿菌の感染は爪甲剝離症や，手を水に漬けることの多い人に発生する．爪甲剝離部の爪が緑色になることから，緑色爪症候群と呼ばれる（図 5）[12]．転移性腫瘍，爪下メラノーマ，扁平上皮癌などとの鑑別が重要である．

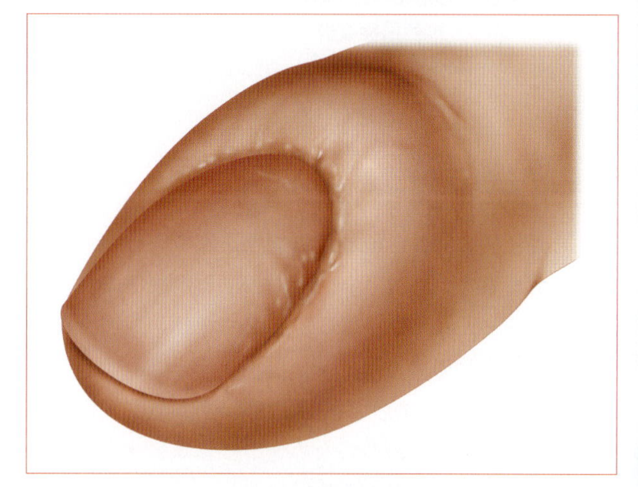

図 4　慢性爪囲炎

b) 治　療

治療は手の湿潤環境を避けることが重要である．また悪化要因となる刺激物の曝露，例えばマニキュアや指しゃぶりなどを避ける．爪は短く切る．ビニール手袋を使用する際は，その下に綿製の手袋をはめる．薬物療法は，ステロイド剤と抗真菌剤入り軟膏の局所投与が最も推奨されている．経口抗真菌剤はめったに必要としない．二次的感染を予防する目的で抗菌剤入りのローションまたは軟膏を用い，それでも軽快しない場合，経口抗菌剤を投与する場合がある[5]．外科的な切開排膿では軽快しない．近位爪郭縁から 3 mm 近位部に 5 mm の厚みで三日月状に切除して，肥厚した瘢痕組織を除去する開窓術（eponychial marsupialization）が行われている[13][14]（図 6-a）．近位爪郭を切除する方法もある（図 6-b）．また，近位爪

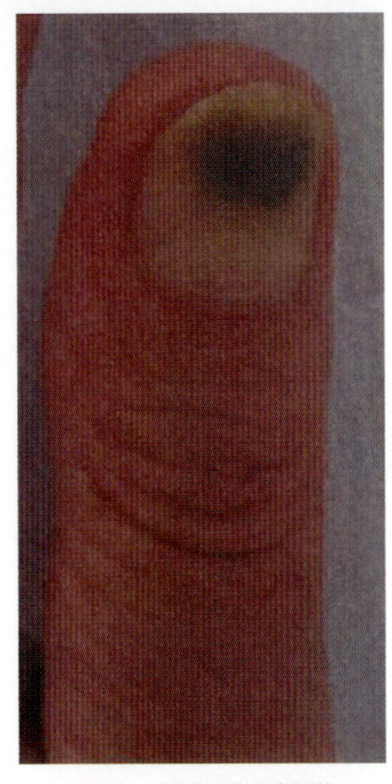

図5　緑色爪症候群
（文献12より引用改変）

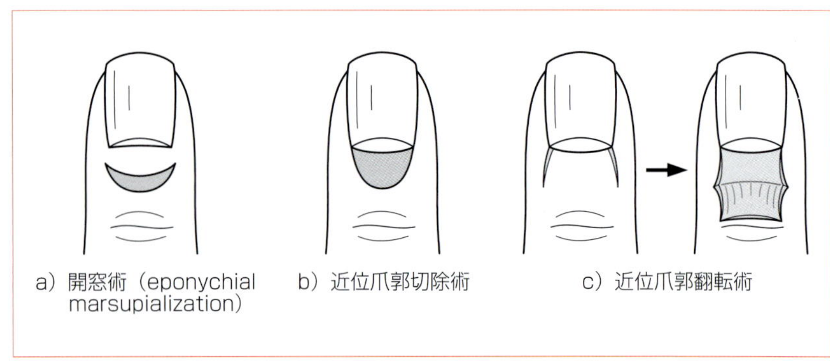

図6　慢性爪囲炎の手術法
a：開窓術(eponychial marsupialization)
b：近位爪郭切除術
c：近位爪郭翻転術(Swiss roll technique, square flap technique)

郭を斜方向に5 mmずつ切り込んで方形の近位爪郭を翻転し，ドレナージを行う方法(Swiss roll technique)[15]や，さらに皮下の増殖した瘢痕組織を切除する方法(square flap technique)[16]が開発された(図6-c)．爪や爪囲の皮膚の変形，変色を遺残する場合が多いため適応は慎重にすべきである[17]．治療に対する反応は遅く，数週～数か月を要することが多い．軽～中等症でも，約2か月間の治療を要する．

II　瘭疽(felon, whitlow)

広義には指末節部の感染症の総称であり，爪側炎や近位爪郭炎などの爪囲炎も本症に含まれるが，狭義には指腹の皮下膿瘍を指す．

指腹には末節骨の骨膜から表皮まで15～20の結合組織の強靱な隔壁があり，閉鎖された小嚢に分かれている[18]．また，遠位指皺壁に一致して線維性膜組織が存在する．このおかげで，物を指先でつまむとき，皮膚のずれを防止し巧緻性を高めている(図1)．小嚢の周囲には神経終末が多数分布して，鋭敏な感覚を司っている．この小嚢に炎症が起こると，初期の段階では脂肪組織は壊死するが隔壁は残存し炎症を周囲に及ぼさない．そのため，この小嚢内で膿瘍を形成すると，小嚢の内圧が高まるために，独特の強い拍動性疼痛を引き起こす．感染巣は隔壁を越えて進展し，やがて瘻孔形成に至る(図7)[19]．瘭疽は切創によって起こることは稀であり，いわゆる爪囲のささくれ(さかむけ)や小さな刺創に続発することが多い．

1. 臨床所見

疼痛，圧痛が著明であるにもかかわらず，外見上の発赤，腫脹がさほど認められないことがある．炎症が隔壁を破って周囲に広がれば発赤腫脹も現れる．一方で，炎症が深部に波及し，骨髄炎やDIP関節炎，屈筋腱鞘内に波及する可能性もある[18]．また指尖部の血行を阻害し，末節骨の壊死の原因となることがある．母指，示指に多い．代表的な起炎菌は黄色ブドウ球菌であり，なかでも近年MRSAが増加している[20]．診断は膿瘍が皮膚に及んできていれば容易であるが，強靱な皮下組織に閉じ込められている場合には困難なことがある．激しい痛みが12時間以上続く場合は，膿瘍があると考える必要がある[21]．

2. 治　療

治療はまず内服の抗生物質を投与するが，膿瘍を形成する場合は切開，排膿が有効である．その

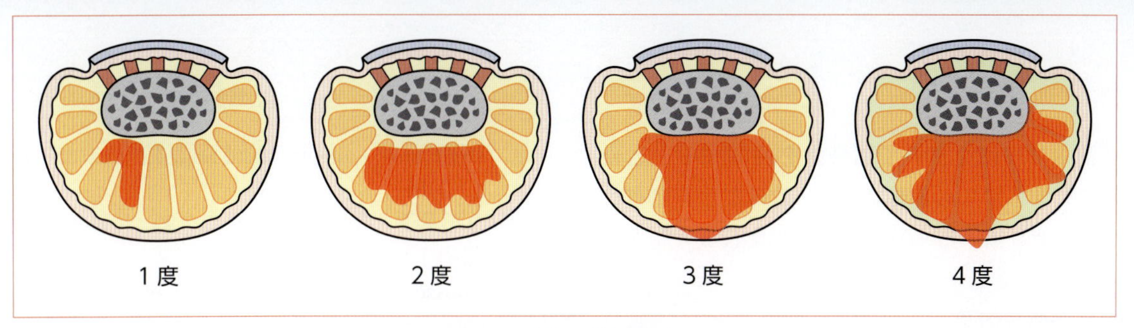

図7　瘭疽の進展様式

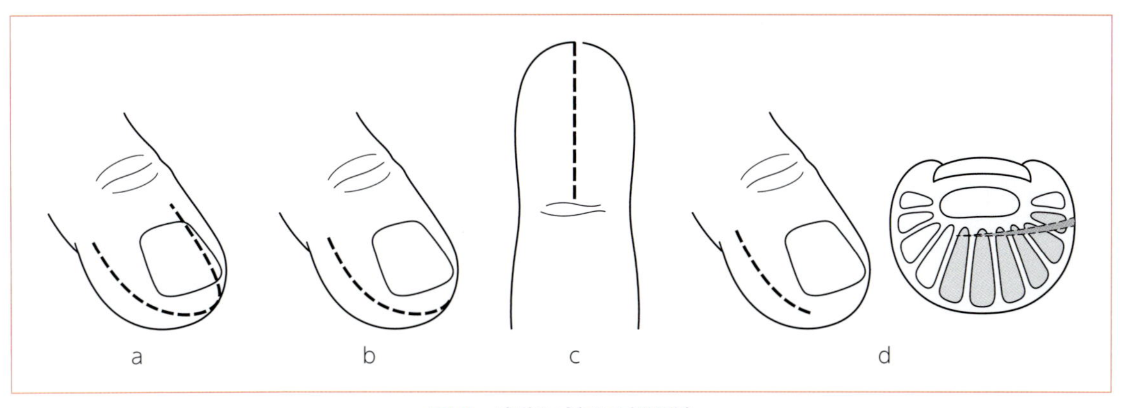

図8　瘭疽に対する切開法
a：Fish-mouth 型切開．現在では禁忌である．
b：Hockey stick または J 型切開
c：掌側正中縦切開
d：片側側方切開
（文献3より改変）

際，炎症のあるすべての小嚢の隔壁を確実に開放し排膿することが重要である．指尖部の神経血管束の走行は，指腹の両側に走行している．神経血管束を損傷しないために，爪の辺縁から2〜3 mm以内の側方から末節骨の掌側に平行に骨に沿って切開するのが安全とされている[22]．切開は指神経ブロック下に行い，止血帯を用いて術野の視野を良好に保って行う．切開は以下の方法が行われてきた(図8)[7,9,23,24]．術後の経口抗生物質の投与は必要ではない[10]．

a) Fish-mouth 型切開

本法は以前に広く行われていたが，現在では禁忌とされている．爪の指尖からDIP関節まで爪の両側方を切開して，感染巣を開放し，掌側の皮弁が挙上できるまで展開する．感染巣を開放したままガーゼを留置し，感染巣が軽快した後に創を閉鎖する．指尖部の壊死や有痛性瘢痕を生じやすく，小嚢の隔壁を大きく破綻するため指先の皮膚の可動性を生じ，物の把持が困難になる．

b) Hockey stick または J 型切開

本法は重症例に用いる場合があるが，指尖部に有痛性瘢痕を生じるので通常は行われない．指の尺側に正側方切開をDIP関節の掌側皮線の遠位部から指尖部を越えて対側の角まで置き，感染巣を展開する．掌側の組織はすべての区画を開放し，洗浄を行う．創を開放したままガーゼを2日間留置する．その後，洗浄，消毒を行い感染巣が軽快した後に創を閉鎖する．

c) 掌側正中縦切開

感染巣が空洞になって限局している症例に適応がある．指尖の掌側に限局した圧痛がある場合，掌側のアプローチで切開する．皮切は横切開と縦切開の2通りあるが，横切開は指神経損傷の危険性がある．縦切開はDIP関節の皮線から指尖部まで正中に皮切を置いて感染巣を展開する．込めガーゼは必ずしも必要でない．軟膏などを塗布したガーゼを用いる．有痛性瘢痕を生じる可能性がある．

d)片側側方切開

感染巣が限局していない場合に推奨される方法である．片側側方切開をDIP関節の皮線の遠位から爪甲の角まで置いて感染巣を開放する．通常は指の尺側で行い，母指と小指は橈側で行う．創を開放したままガーゼを2日間留置する．その後，洗浄，消毒を行い感染巣が軽快した後に創を閉鎖する．

（尼子雅敏）

文献

1）尼子雅敏，有野浩司，根本孝一：手の外科領域の感染症．リウマチ科．38：93-102，2007.
2）Flower JR, Ilyas AM：Epidemiology of adult acute hand infections at an urban medical center. J Hand Surg. 38A：1189-1193, 2013.
3）尼子雅敏，有野浩司，根本孝一：爪部，爪周囲の感染症．MB Derma．184：76-80，2011.
4）白藤宣紀：EGFR阻害薬による皮膚障害と治療．医学のあゆみ．241(8)：567-572，2012.
5）Rigopoulos D, Larios G, Gregoriou S：Acute and Chronic paronychia. Am Fam Physician. 77：339-346, 2008.
6）Brook I：Paronychia：a mixed infection. J Hand Surg. 18B：358-359, 1993.
7）根本孝一：手の感染症の診断と治療．日本手外科学会編，pp. 69-73，第16回秋期教育研修会テキスト，東京：日本手外科学会，2010.
8）Rockwell PG：Acute and chronic paronychia. Am Fam Physician. 63：1113-1116, 2001.
9）津下健哉：炎症性疾患．pp. 626-629，私の手の外科，第4版，東京：南江堂，2006.
10）Pierrant J, Delgrande D, Mamane W, et al：Acute felon and paronychia：Antibiotics not necessary after surgical treatment. Prospective study of 46 patients. Hand Surg Rehabil. 35：40-43, 2016.
11）丸田章子：爪囲炎・爪障害のケア．月刊薬事．61(8)：1390-1396，2019.
12）Chiriac A, Brzezinski P, Foia L, et al：Chloronychia：green nail syndrome caused by Pseudomonas aeruginosa in elderly persons. Clin Interv Aging. 10：265-267, 2015.
13）Keyser JJ, Eaton RG：Surgical cure of chronic paronychia by eponychial marsupialization. Plast Reconstr Surg. 58：66-70, 1976.
14）Bednar MS, Lane LB：Eponychial marsupialization and nail removal for surgical treatment of chronic paronychia. J Hand Surg Am. 16A(2)：314-317, 1991.
15）Pabari A, Iyer S, Khoo CT：Swiss roll technique for treatment of paronychia. Tech Hand Up Extrem Surg. 15：75-77, 2011.
16）De Almeida LM, Papaiordanou F, Machado EA, et al：Chronic paronychia treatment：Square flap technique. J Am Acad Delmatol. 75：398-403, 2016.
17）Montgomery BD：Chronic paronychia. putting a finger on the evidence. Aust Fam Physician. 35：811-813, 2006.
18）津下健哉：炎症性疾患．pp. 515-520，手の外科の実際，第6版，東京：南江堂，1985.
19）Mann RJ：Felon. pp. 21-29. Infection of the hand, Pennsylvania：Lea & Febiger, 1988.
20）Osterman M, Draegwer R, Stern P：Acute hand infection. J Hand Surg Am. 39：1628-1635, 2014.
21）Clark DC：Common acute hand infections. Am Fam Physician. 68：2167-2176, 2003.
22）Kilgore Jr ES, Brown LG, Newmeyer WL, et al：Treatment of felons. Am J Surg. 130：194-198, 1975.
23）内西兼一郎，伊藤恵康，堀内行雄：化膿性炎症．pp. 166-167，手の外科入門，東京：南山堂，1987.
24）Dumontier C, Le Viet D：Pulp and paronychial infections of the hand. Malizos KN, et al ed. pp. 119-126, Infections of the hand & upper limb. Athens：Paschalidis Medical Publications, 2007.

25 爪甲肥厚，爪甲鉤彎症の病態と対処

診療・処置のワンポイント

- 爪甲の肥厚するパターンには，主に①爪甲の３層構造全体の肥厚(厚硬爪甲)，②爪甲の重層(爪甲鉤彎症)，③爪甲下角質増殖の３つのパターンがあり，それぞれは併存してみられることもしばしばある．皮膚疾患を除くと，ほとんどが爪にかかる不適切な圧力のために起こると考えられる．爪が爪床に沿って遠位方向に伸びるように爪甲の向きを整えることが処置のポイントになるが，それ以外にも靴の圧迫がかかっている場合には，足の爪が靴にぶつからないように指導すること，また爪への荷重のかけ方に関する指導も必要である．

Ⅰ はじめに

地域保健研究会のデータによれば，65歳以上の高齢者の44％に足の母趾の肥厚爪がある[1)]．また肥厚した状態は下肢機能の低下へとつながり，放置することは転倒リスクの上昇をもたらす[2)]．ところが，本人や家族はどうすることもできずにその状態を放置していることが多く[1)]，また皮膚科を含む医療関係者も適切な加療を行えているとはいえない現状がある．日常診療していても，しばしば爪切りの依頼をいただく(図１)．爪甲肥厚を起こす疾患は爪白癬や尋常性乾癬などが挙げられるが，皮膚疾患のために起こる炎症性の変化だけではなく，足は外的刺激の影響を受ける解剖学的部位である．このことが理由で生じる爪の肥厚性の変化について，主に本稿では取り上げる．

Ⅱ 爪甲肥厚の病態

爪甲肥厚の状態を爪の厚くなるパターンから，①厚硬爪甲，②爪甲鉤彎症，③爪甲下角質増殖によるものに大別する．①は爪甲の過角化にあたり，②は爪甲の成長方向が上向きになることで生じる．③は爪白癬や乾癬など爪床が過角化する皮膚疾患に生じることが多いが，外的刺激が誘因となり，特に遊離端部分の角質が増殖することがある．増殖形態が似通っているため爪白癬と誤診されることがある．さらに，①厚硬爪甲は②爪甲鉤彎症に進展することが知られており，③爪甲下角質増殖に②爪甲鉤彎症が続発してくることもある．

1. 厚硬爪甲

厚硬爪甲は，爪甲が厚くなり硬くなる症状を呈する(図２)．母趾に生じやすいとされる．爪甲は爪母より３層で作られるが，３層全体が厚くなると考えられる病態である．

厚硬爪甲は爪甲が遠位に伸びづらくなった結果，爪の角化が遅延して生じているように臨床的にはみえる．図2-aは爪の手術後数年経過した後に生じた例で，爪床と剥離し，さらに細くなった爪が巻き爪を呈している．図2-bはフットケアサロン(足の専門店PEDI CARE，横浜市)にてケアを受けた例であるが，山登り後に爪下出血をきたし，その後新しい爪が出てきたものの，厚みを増すだけで先方に伸びなくなったというものであった．厚いだけではなく，先端と内側に陥入し埋没している．

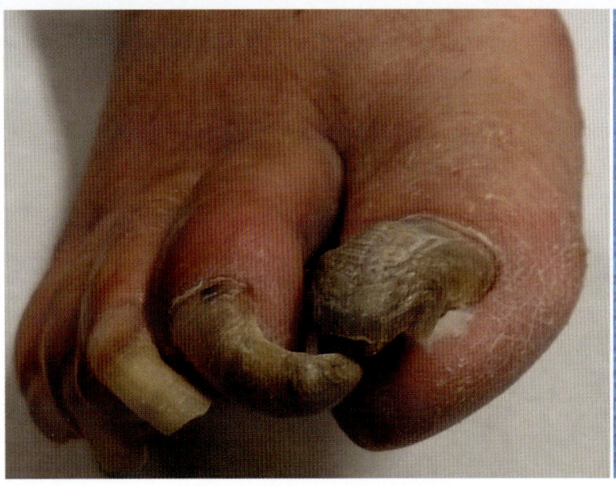
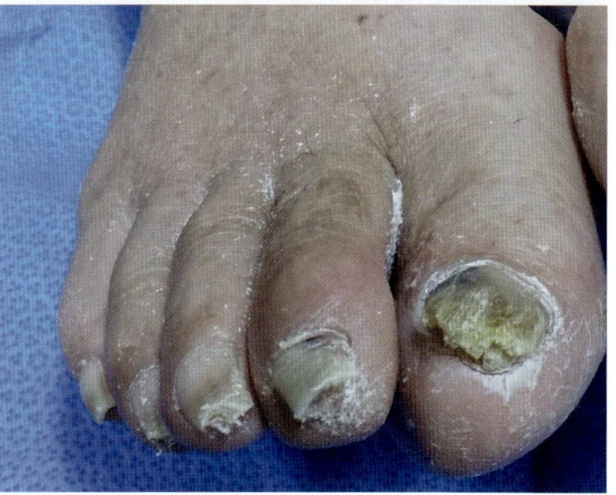

図 1

a|b

84 歳，女性．心不全の加療で入院中．母趾の爪甲が厚くなったことをきっかけに爪切りが自分ではできなくなり，数年間経過している．

a：初診時

b：グラインダーと爪切りで爪甲の長さを整えたところ

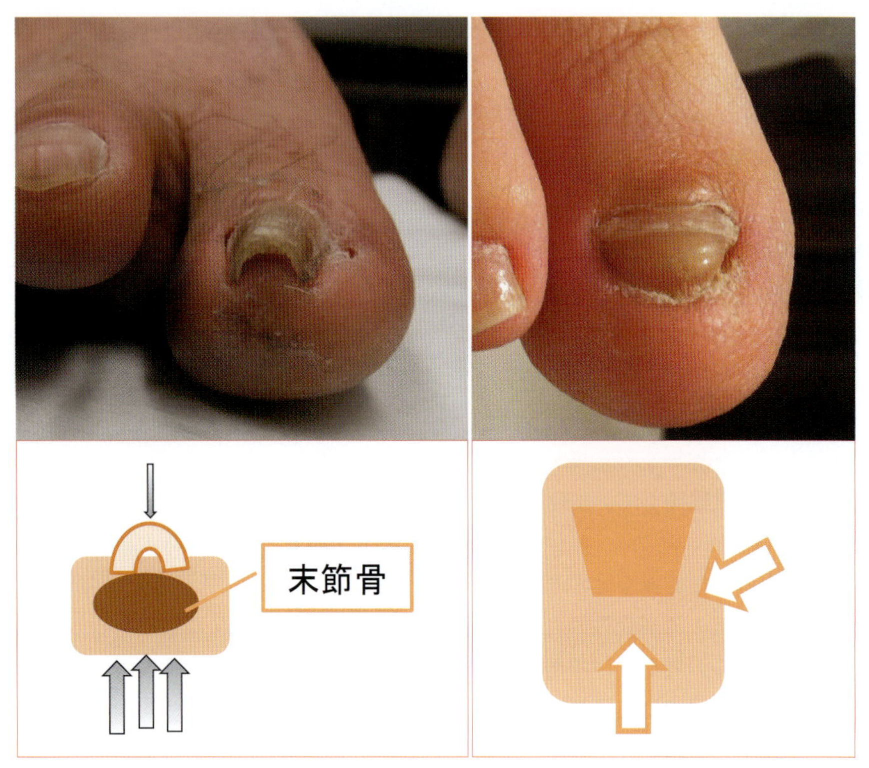

図 2　厚硬爪甲

a|b

a：爪床・爪母の部分除去後のトラブル．爪甲は幅が狭くなったために，下からの圧力に応じられなくなっている．また爪甲は肥厚し，巻き爪変形をきたしている．

b：登山後，爪甲が剝がれ，新しい爪が伸びてきているところ．末節骨の隆起に先端は阻まれ，さらに横からは押され，爪は前に伸びなくなって埋没している．既に基部に近いところに横線が入っている．

（足の専門校 SCHOOL OF PEDI 桜井祐子さんご提供）

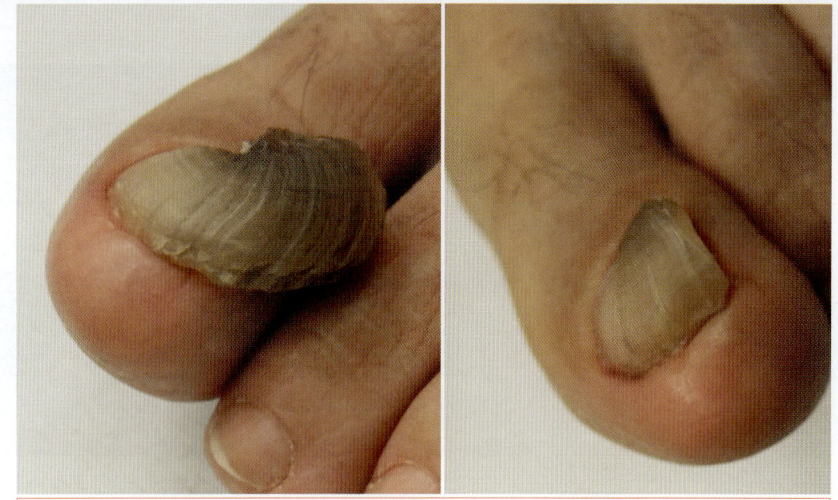

a|b
c

図 3
爪甲鉤彎症
何層にも爪甲が重なる．末節骨ないし軟部組織の肥厚を認める．b は完全に爪甲の線維の向きが外側に向いている．爪甲は削っていくと小さい三角形ないし四角形の形の爪が残る．

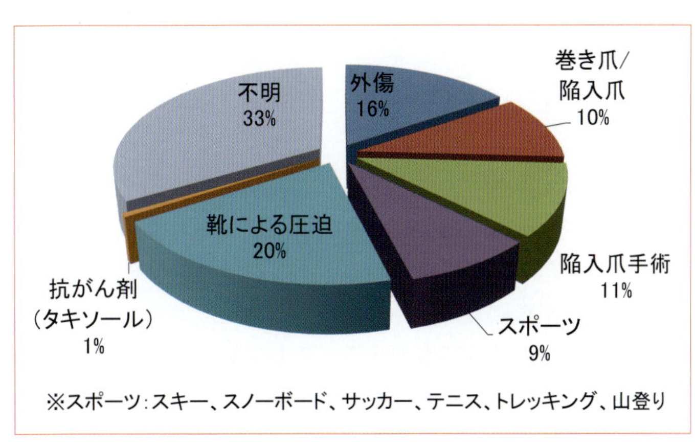

図 4　爪甲鉤彎症の発症転機についての調査結果
東京医科歯科大学フットケア外来受診患者 100 例の検討

2. 爪甲鉤彎症

爪甲鉤彎症は爪甲が何層にも重なって厚くなった状態で，重なっている爪は爪床から剝離している（図 3）．厚硬爪甲を放置すると爪甲鉤彎症になる場合もある[3]．

爪甲鉤彎症のきっかけとなったエピソードを100症例（159足趾，爪白癬陽性例は除く）で検討した結果，多くは女性で，スポーツや山登りなどの外傷，きつい靴を履いたこと，そのほかに陥入爪・巻き爪の手術，爪囲炎など，爪母に対してなんらかの炎症があった後に生じたと思われ，だいたいこれが70%を占めた（図 4）．図 3-b のように，外傷後に爪母から伸びてきた新しい爪が，隆起した末節骨や皮膚の軟部組織に阻まれて遠位に伸びづらくなる．末節骨や皮膚の軟部組織の隆起は，外傷後で爪のない状態や爪甲が短く末節骨を覆うことができない場合に起こるとされている[3]．爪母から伸びてきた爪は，その隆起部に差し掛かると伸びるのを終え，また新たな爪が爪母から伸びてくることを繰り返し，重層していくと

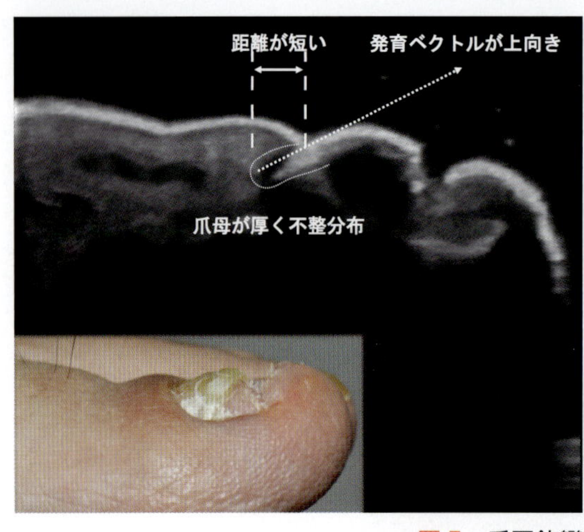

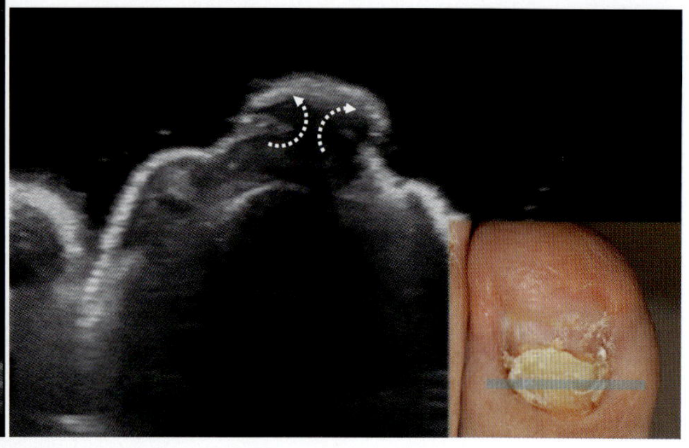

図 5　爪甲鉤彎症を削った後のエコー像　a|b

a：爪甲の伸びる方向が上向きになり，爪母が厚く不整に分布している．
b：横断面でみると，上に向いた爪は横に張り出して，まるでヤギの耳のようにみえる．
（株式会社ケーズメディカル 安部啓介さんご提供）

考えられる．爪甲鉤彎症の重層している爪を削り，残った爪をエコーで観察すると，爪甲のベクトルは上向きとなり，横断面でみると上に伸びた爪は横にヤギの耳のように伸びている（図 5）．末節骨や軟部組織に阻まれて遠位に伸びにくくなった爪は，上方に向かって成長するようになり，側爪に向かって張り出した爪が，今度はストッパーになってしまうことがエコー像から推測される．爪母が変性してみえることから，爪を作り出す爪母の角化能力も低下していることが推測される．後爪郭部の短縮は爪甲のベクトルが上向きに変形した結果と思われる．

上述した 100 症例の検討のうち，外傷・炎症を除く残りの 30％は誘因が不明であった．この 30％について足の変形の有無を検討したところ，ほとんどの症例で開張足や外反母趾（IP 外反母趾を含む），母趾回外変形があった．母趾が変形することで，母趾腹側への荷重が不十分になることがある（後述）．また，母趾爪甲側爪郭の内側や外側から強く押される圧がかかる．押された爪には横線がみられるようになり（図 6-a），さらに症状が進むと，側爪溝と爪床から剝離した爪甲が重層するようになる（図 6-b）．おそらく，このようにして側爪から押される場合，自覚症状なく，いつの間にか爪甲鉤彎症（図 6-c）に進行していくのではないかと推測される．

3. 爪甲下角質増殖

白癬の場合には白癬菌が爪甲の遠位部あるいは側爪郭から爪甲に侵入して感染し，次第に拡大する．罹病期間が長くなると爪甲下角質増殖は次第に高度になるが，爪甲表面は光沢があり，硬く変形もないことがある[3]．臨床的には母趾以外の第 2，3 趾に爪甲肥厚を呈する場合（図 7）に白癬の増殖パターンと非常に似る[4]．この場合には，もともと足に外反母趾などの変形が強くあり，第 2 趾がハンマートゥやマレットトゥといった変形をきたしており，足趾の先端に物理的圧迫が加わり，爪甲下の角質増殖を生じるのではないかと推測している[4]．

4. 爪甲下角質増殖＋爪甲鉤彎症

爪白癬の場合に爪甲下角質増殖が高度になってくると，爪甲が上向きに押し上げられ，爪甲鉤彎症になるとされる[3]（図 8）．臨床的には上向きへ重層する爪は，末節骨に阻まれて成長ベクトルが上向く以外にも，通常かかるべき母趾腹側の床を押す力が加わらず，足趾先端が上向きになってしまうことが，上向き変形を高度にする要因になっているようにみえる．足の機能は経年劣化していくため，長年白癬に罹患しているという理由以上に，足趾の変形，荷重の偏りが影響していることが考えられる．

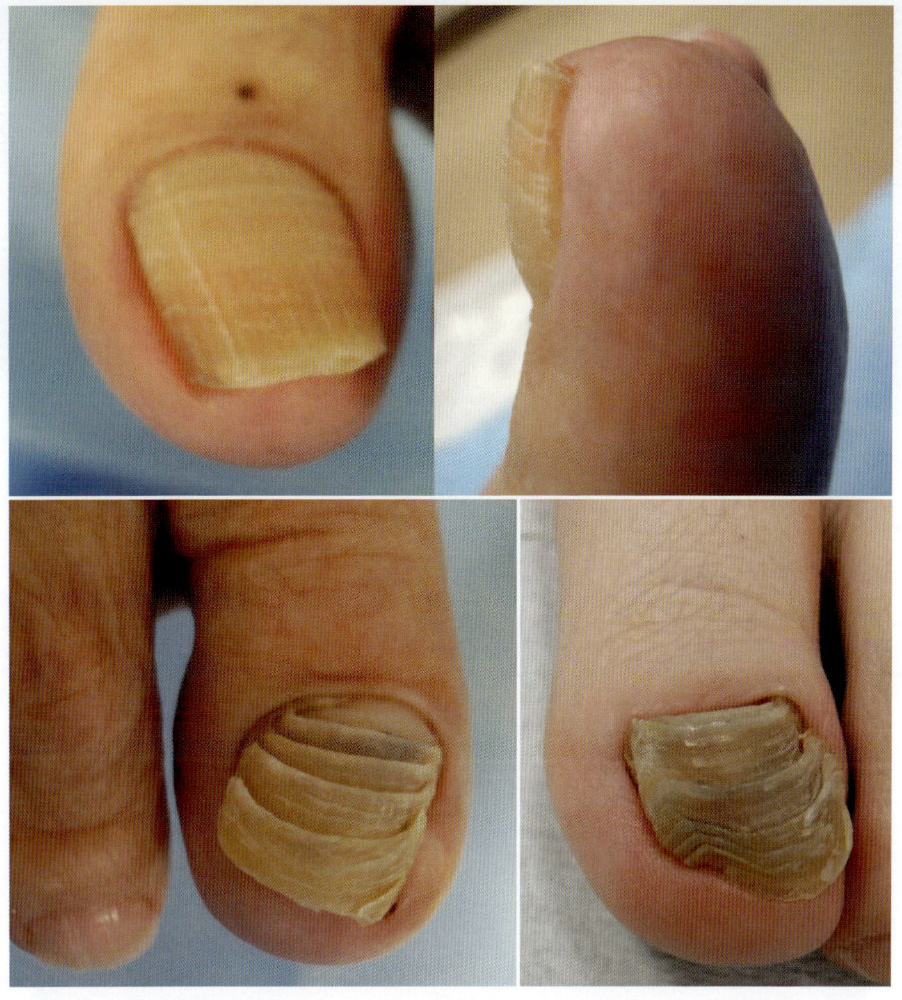

a
b|c

図6

a：左母趾．爪甲はやや厚みがあり，横線が多数入っている．
b：同じ症例の右母趾．爪床と側爪との結合がなくなった浮いた爪が数層重なる．aの状態からbになったのではないかと推測できる．また，これが進行するとcのような爪甲鉤彎症になると思われる．

III 治　療

1. 爪甲下角質増殖

母趾以外の第2，3趾の爪甲下角質増殖型肥厚爪の場合には，尿素軟膏やサリチル酸含有軟膏が有効である．母趾の爪甲下角質増殖を伴う巻き爪変形では，ビタミンD_3ローションを使用すると改善することがある（保険適用外）（図9）．爪甲剝離をしている部分に目がけてローションを外用する．

2. 厚硬爪甲・爪甲鉤彎症

末節骨の隆起のある厚硬爪甲や爪甲鉤彎症の場合には，手術で末節骨を平坦化する爪床形成術が有効であるが，手術までは望まない患者も多い．隆起が軽度であれば，骨の隆起を抑えるようにテーピングを行う．厚硬爪甲の状態で炎症がない場合には，民間のフットケアサロン（図10）での処置も可能である．爪甲の肥厚を削り，爪甲周囲に溜まり陥入を増悪させるような余分な角質を取り除きながら，巻き爪の矯正を併用し，爪甲の正常な成長を促している．筆者の所属する病院のフットケア外来では，フットケアの技術を習得した看護師が，爪郭の両端を圧迫している余分な角質や爪を丁寧に除去した後，厚く重なった爪甲を削り，末節骨の隆起にはテーピングや，末節骨を

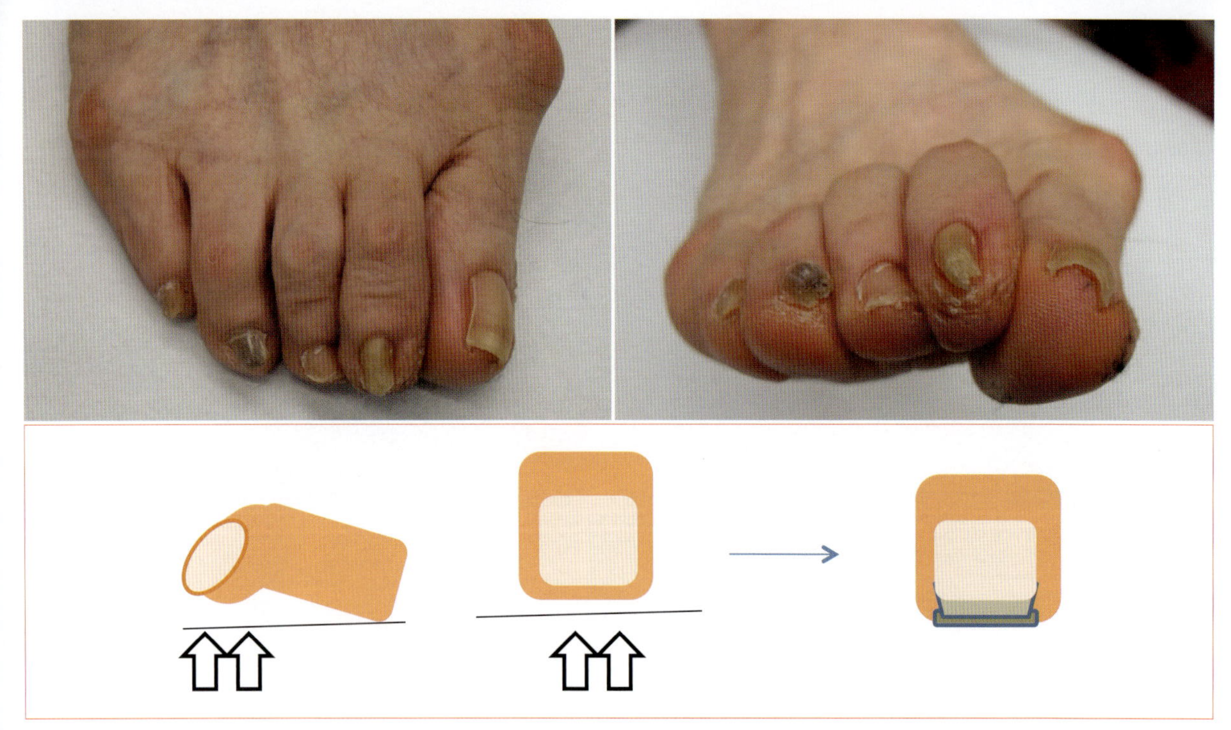

図7　第２趾にみられる肥厚爪
爪甲下角質が先端部で増殖し，足趾の先端に角化を伴っている．足の変形として，高度の外反母趾，内反小趾，ハンマートゥを伴っている．
（文献５より引用）

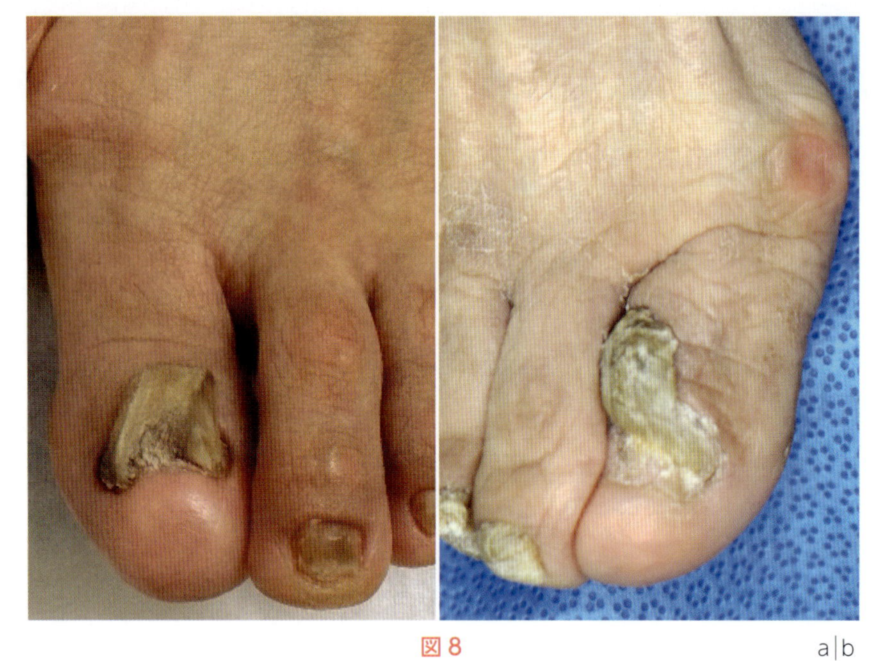

図8　a|b
a：爪甲鉤彎症の例
b：爪白癬の例．爪甲下に角質増殖を伴い，爪甲の成長ベクトルが上方向となり重層している．

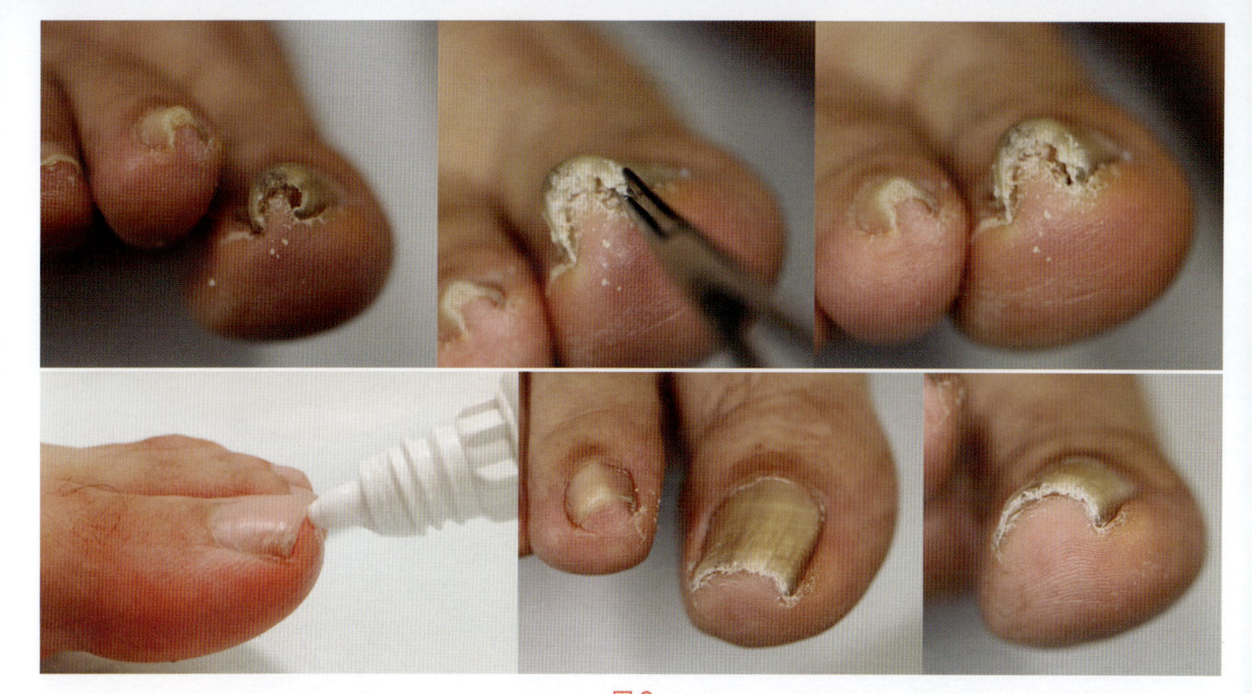

a/b

図 9

a：爪甲下角質増殖を伴う巻き爪に対して，ペアンを用いた矯正を行う．
b：ビタミンD_3ローションを爪甲下に垂らすように外用して 2 か月後，爪甲の肥厚は取れ，巻き爪も改善している．

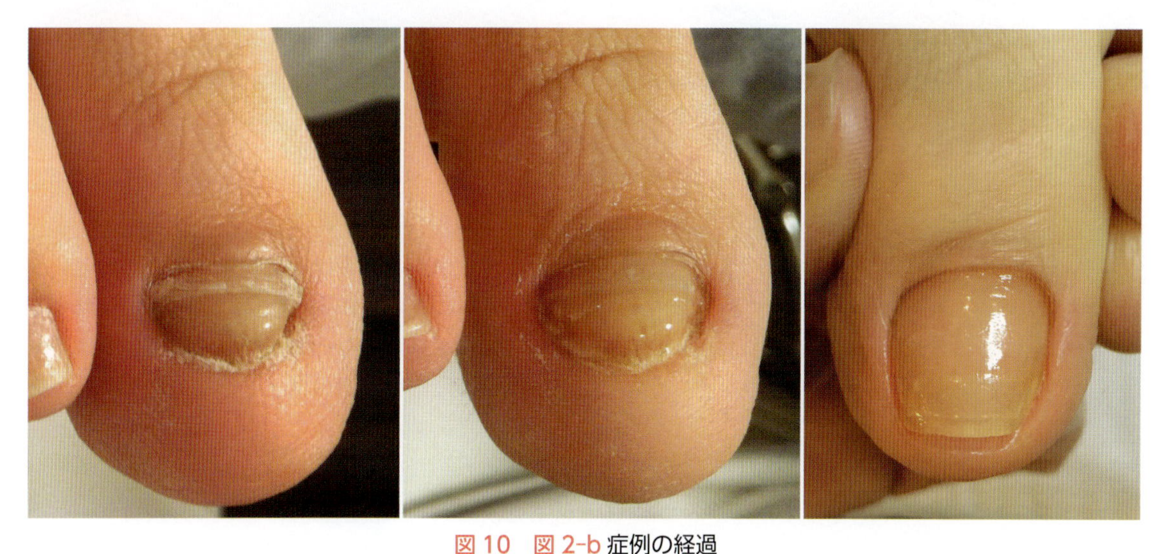

図 10　図 2-b 症例の経過

フットケアサロン（足の専門店 PEDI CARE）にて余分な角質の除去，厚みの調整，巻き爪の変形に対してB/S® スパンゲ装着にてケアされ，2 年の経過で改善

（足の専門校 SCHOOL OF PEDI 桜井祐子さんご提供）

覆うようにアクリルをつける方法を行っている．削り処置をした後になかなか正常な爪甲が伸びてこないときに，ビタミンD_3ローションを使用すると改善することがある（保険適用外）（図 11，12）．この方法で約 80％の症例は数年の経過で正常に近い爪が生えてくるが，末節骨の隆起に阻まれているために，本来の位置まで爪甲が伸びない症例も多い．

3. セルフケア

どのタイプの肥厚爪であっても物理的圧迫は治

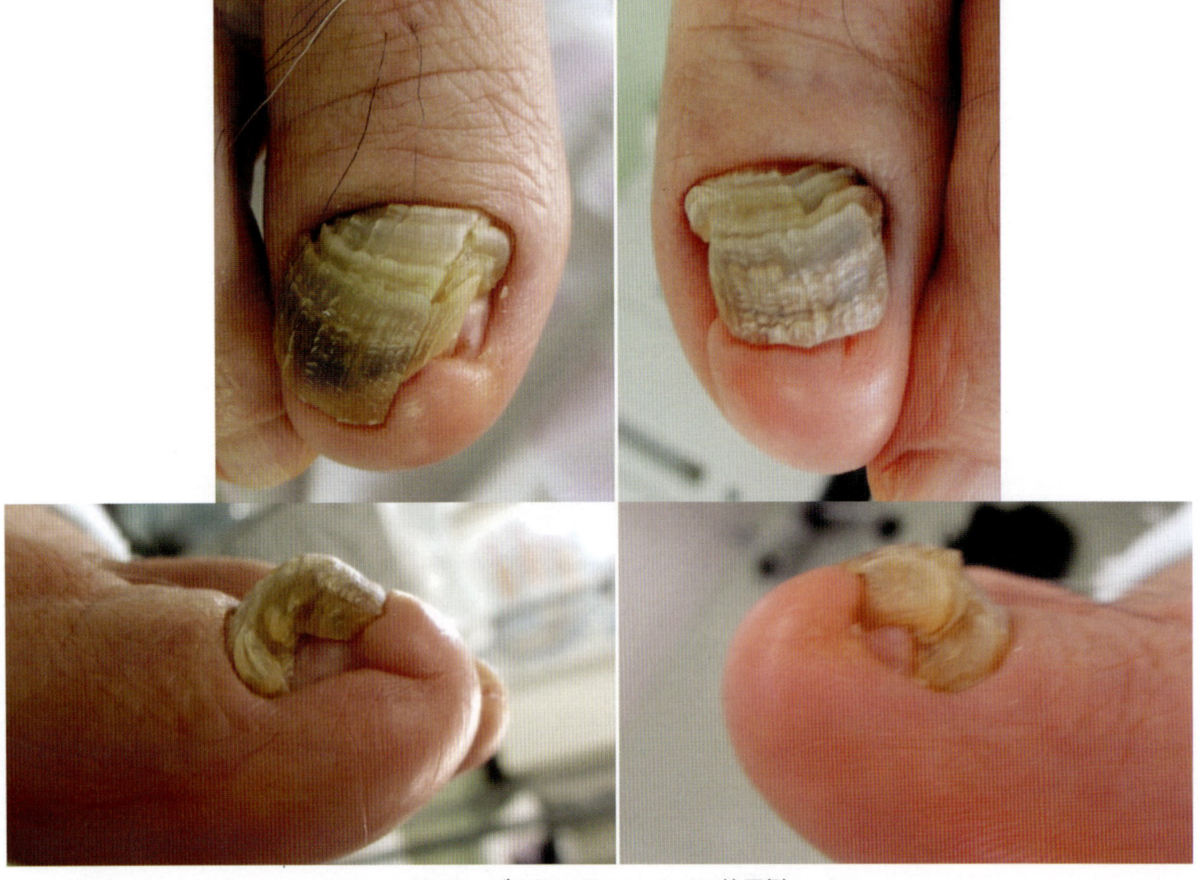

図 11　ビタミン D_3 ローション使用例
両母趾ともに爪甲鉤彎症を呈する(初診時).
(東京医科歯科大学皮膚科看護師　本林麻紀子さんご提供)

療を妨げるため，靴の指導は欠かさない[5]．処置と処置の間には，自宅でのセルフケアを併用する．細い毛の歯ブラシなどで側爪溝や後爪郭に溜まる余分な角質を洗浄し，爪と周囲の皮膚を保湿するなどと指導している．

Ⅳ　おわりに

爪が肥厚したために，爪切りが難しくなり来院された方にお聞きすると，いつの間にか変形し，爪切りができなくなって，どうしたらよいかわからずに放置されてしまったということが多い．恥ずかしいので，家族の前でも靴下を脱がずに過ごし，なかなか気づかれなかったという例もあった．爪の問題から起こる足の機能の低下はADLの低下へとつながりやすいと考えれば，早い段階でより積極的な介入をするべきだろう．特に外傷後に爪甲鉤彎症になることを考えれば，爪甲が脱落した後，爪が正常に伸びるようにテーピングなどでサポートする必要があるし，不適切な靴を履くことによる余分な外力は極力取り除きたい．厚硬爪甲の段階で民間のフットケアスペシャリストやネイリストに相談するのも1つの手だろうと思う．また，爪白癬の放置や治療不足は最も問題である．本邦の爪白癬患者は1,100万人おり，高齢になるほど高率に発症している[6]．人生100歳時代を迎え，これまで以上に疾患啓発を進めるとともに，適切な治療が積極的に行われるべきである．また，肥厚爪に対して保険点数の請求できる保存的処置が「爪甲除去(60点)」以外にはないというのも，現状の問題の打開を阻んでいる要因である[7]．診療も治療もハードルが高く感じる肥厚爪であるが，病態を理解し，適切な治療や指導，多業種連携につなげたい．

(高山かおる)

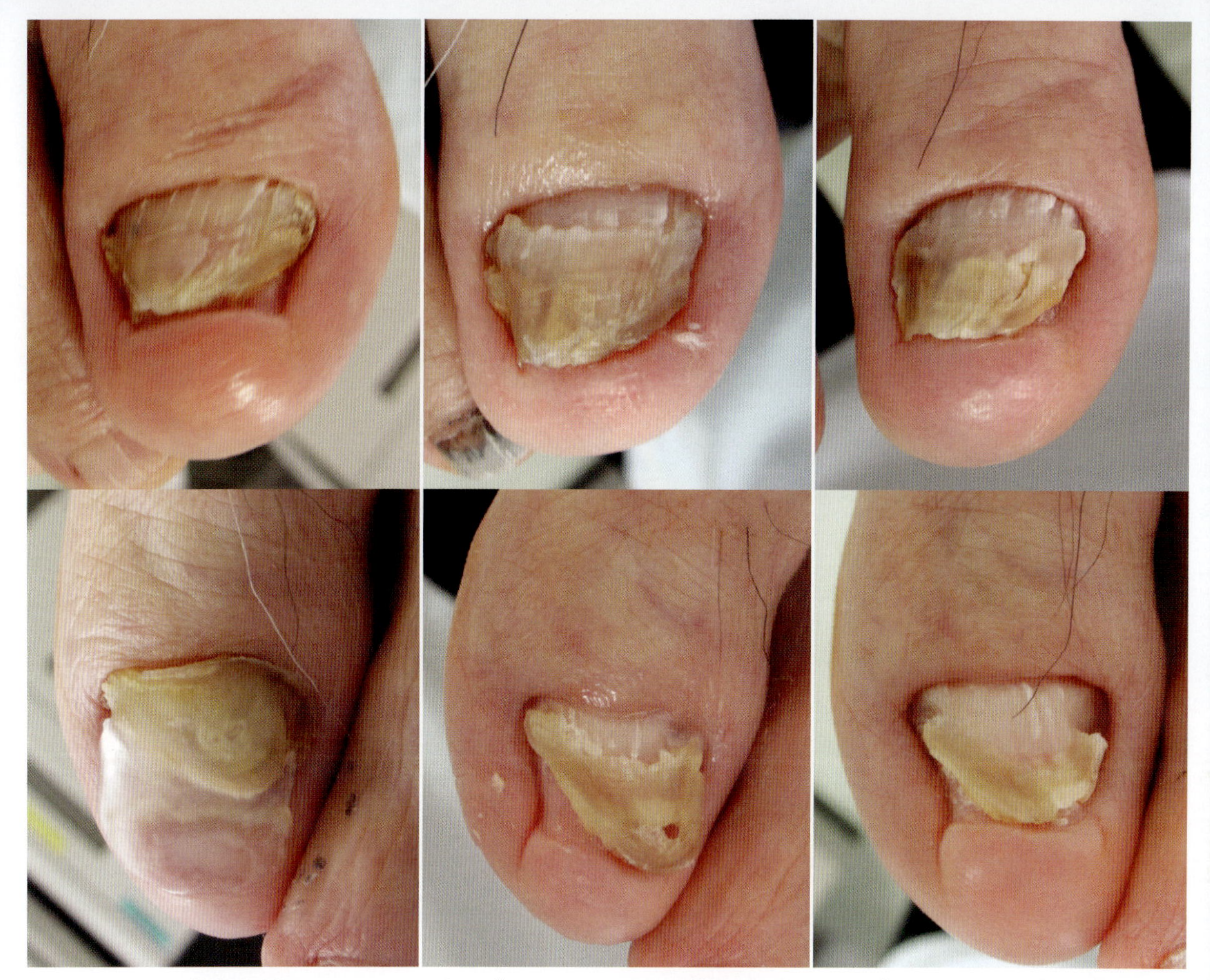

a．初診後２年　　b．ビタミンD_3ローション使用４か月　　c．ビタミンD_3ローション使用７か月

図12　図11 症例の治療経過

初診時から約２年の経過で a の状態．ビタミンD_3ローションを爪床に塗布し始めてから４か月後(b)には基部から綺麗な爪が 2～3 mm 伸びてきていることが確認でき，成長速度の改善とよい爪甲を作り出せる状態に回復してきたことがわかる．

（東京医科歯科大学皮膚科看護師 本林麻紀子さんご提供）

文 献

1) 地域保健研究会：フットケアのあり方に関する研究委員会，2003.
2) Imai A, Takayama K, Satoh T, et al：Ingrown nails and pachyonychia of the great toes impair lower limb functions；improvement of limb dysfunction by medical foot care. Int J Dermatol. 50(2)：215-220, 2011.
3) 東　禹彦：爪 基礎から臨床まで，第２版，東京：金原出版，2016.
4) 高山かおる，上田暢彦：第Ⅱ足趾にみられる肥厚爪．皮膚病診療．33(3)：233-236，2011.
5) 高山かおる：Q48 爪を守るための靴の履き方を教えてください．皮膚臨床．62(6)：988-995, 2020.
6) 渡辺晋一，西本勝太郎，浅沼廣幸ほか：本邦における足・爪白癬の疫学調査成績．日皮会誌．111：2101-2112，2001.
7) 高山かおる：爪切り難民と爪甲除去(麻酔を要さない)60 点．臨皮．74(8)：568-569，2020.

Ⅲ章 診療に役立つ＋αの知識

Ⅲ章　診療に役立つ＋αの知識

26 悪性腫瘍を含めて爪部腫瘍の対処の実際
―どういう所見があれば，腫瘍性疾患を考慮するか―

Ⅰ　はじめに

爪部には様々な腫瘍が発生し得るが，実際に遭遇する頻度が比較的高いものとして，良性腫瘍では粘液嚢腫，グロームス腫瘍，爪下外骨腫，被角線維腫，そして悪性腫瘍では悪性黒色腫，有棘細胞癌，ボーエン病などが挙げられる[1)2)]．本稿においては，それぞれの疾患における各論的な記載は最小限とし，爪の異常を主訴に患者が受診した際に腫瘍性病変を疑うべき所見，診断の進め方について解説する．

Ⅱ　腫瘍性病変を疑う爪の異常

1．基本的な注意事項

爪の異常を訴える患者の診察の際には，主訴となっている爪以外の指趾もすべて観察する．爪甲の黒色線条を主訴に悪性黒色腫疑いとして紹介されてきた患者で，ほかの指趾を観察すると程度は軽いものの同様の黒色爪をきたしている症例はよく経験する．その場合は生理的変化，ないし全身的な要因による色素沈着がむしろ疑われる．しかし，爪白癬などを長く患っている患者に腫瘍性病変を合併することもあるので，既存症に目を奪われて観察を怠ることのないように注意する（図１）．

問診に際しては現在の状況に至るまでの病歴をよく確認する．最初に異常を自覚したのはいつごろで，症状や所見は進行性か，それとも間欠的に繰り返すのか．一般論として腫瘍性病変であれば進行性であり，特にそれが比較的短期間で進行している場合には悪性腫瘍の疑いを持たなければならない．しかし，爪下に生じた腫瘍は長期間にわたって厚い爪甲に覆われた状態で発育するので，患者が肉眼的に自覚するまでには相当の時間が経過している．また，後爪郭部に生じた粘液嚢腫は

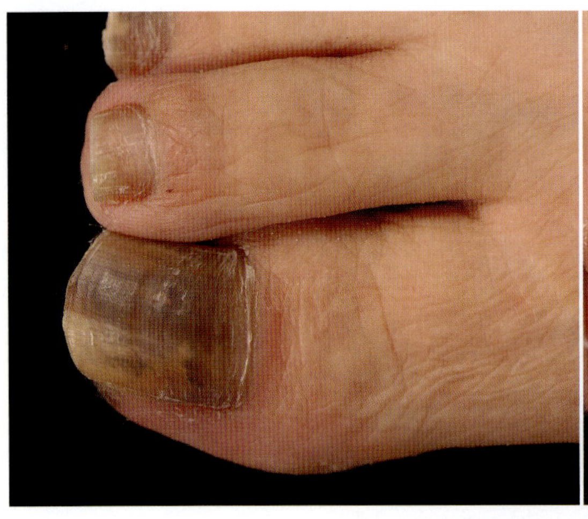
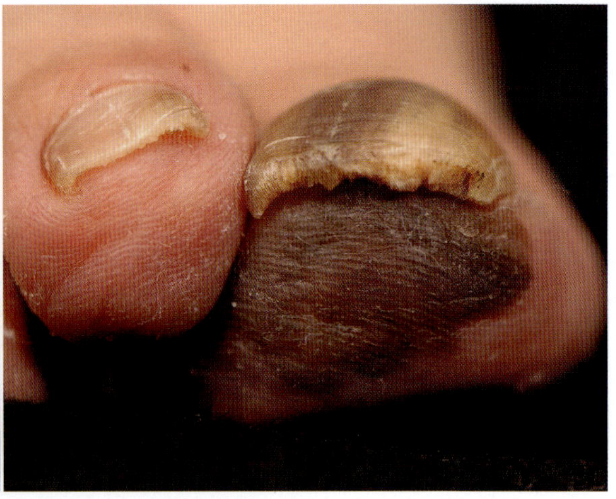

図１　爪白癬の患者に合併した母趾の悪性黒色腫

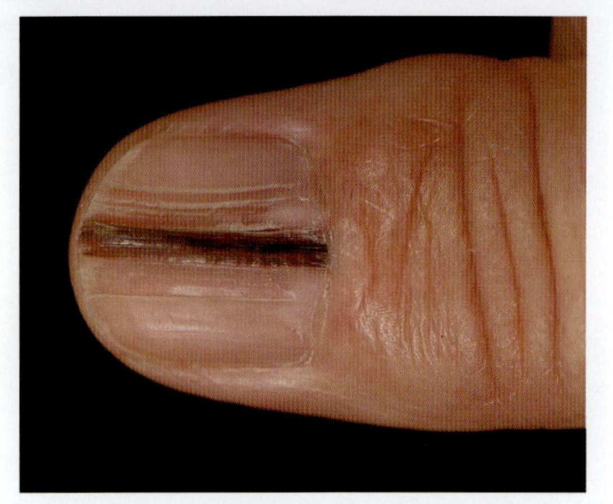

図 2　爪甲色素線条を呈したボーエン病
線条に一致して爪甲の粗糙化を認める．

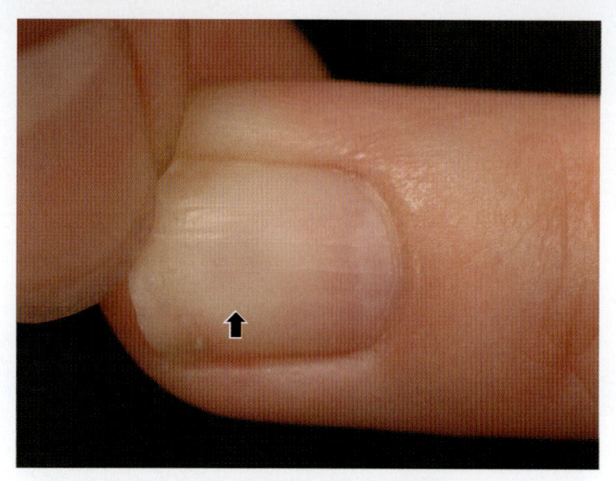

図 3　爪下グロームス腫瘍
痛みを主訴に受診．爪甲を圧迫するとわずかに紅色調に透見される（矢印）．

自然排出と再燃を繰り返すことによって，爪甲の溝や縦裂を間欠的に繰り返すことがある．出血の既往の有無も重要な所見である．肉芽状の結節は陥入爪，感染でもみられる所見であるが，それが進行性で出血を伴う場合には悪性腫瘍を疑う根拠となる．また，患者は何かしらの爪の異常，特に黒色変化に気づいたときに，それが外傷による血マメと思い込んでいることが少なくない．医師も患者の申告する“外傷歴”につられて過小診断へ誘導されないように注意する．

2. 色調の異常

a）黒色の爪

爪の黒色変化を呈する腫瘍の多くはメラノサイト系病変であり，それらは爪甲の縦方向の線条として始まり，爪甲色素線条と呼ばれる．その多くは良性の母斑であるが，一部は悪性黒色腫の早期病変の可能性がある．爪甲色素線条の鑑別疾患についての解説は他稿に譲る．

悪性黒色腫以外に爪の黒色変化をきたす腫瘍としては，ボーエン病や有棘細胞癌が挙げられる．爪甲の粗糙化を伴う色素線条をみた場合には，ボーエン病を疑って組織検査を行う（図 2）．

b）その他の色調

爪甲下に青みを帯びた暗紅色調変化をみた場合には，爪下グロームス腫瘍の可能性を考慮する（図 3）．なかにはその色調が不明瞭で，白色の halo を主訴に受診するケースもある．増大すると腫瘤に一致して爪甲縦裂を伴う．寒冷刺激で増強する圧痛や自発痛を伴うことも特徴的である．

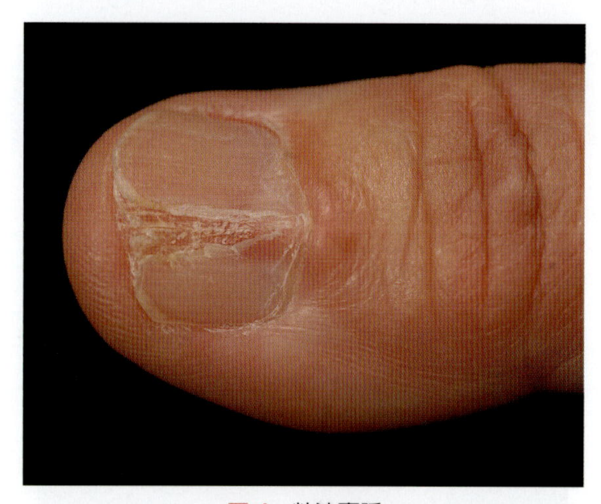

図 4　粘液嚢腫
後爪郭の膨隆とそれに連続する爪甲縦裂症を認める．

3. 形状の異常

a）爪甲の変形

1 本の指趾に限局して爪甲に縦裂，縦溝，肥厚，粗糙化などの形状の変化をみた際には，爪母もしくは爪床からの腫瘍の可能性を考慮する．後爪郭の軽度膨隆とそこから連続する爪甲の縦溝をみた場合には，粘液嚢腫の可能性が高い（図 4）．後爪郭を穿刺してゼリー状内容物の排出をみれば診断が確定する．爪下グロームス腫瘍においても腫瘍に一致した部分から遠位側に伸びる縦線，縦裂を伴うことがある．また，当初は爪甲の縦裂であってもそれが進行性に拡大していく場合や，爪甲が

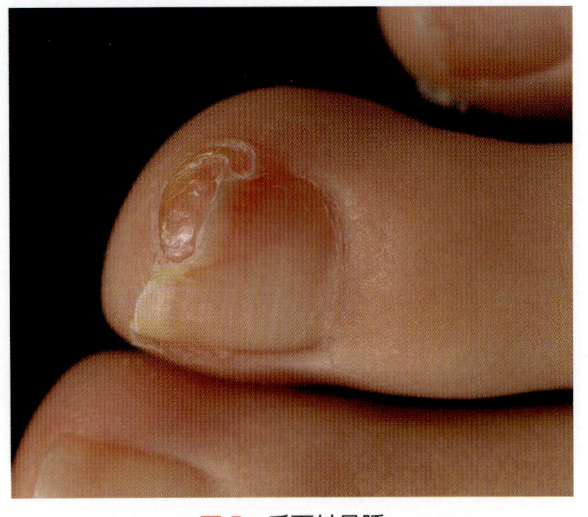

図5　爪下外骨腫
骨様硬の爪下結節によって爪甲剝離症をきたしている.

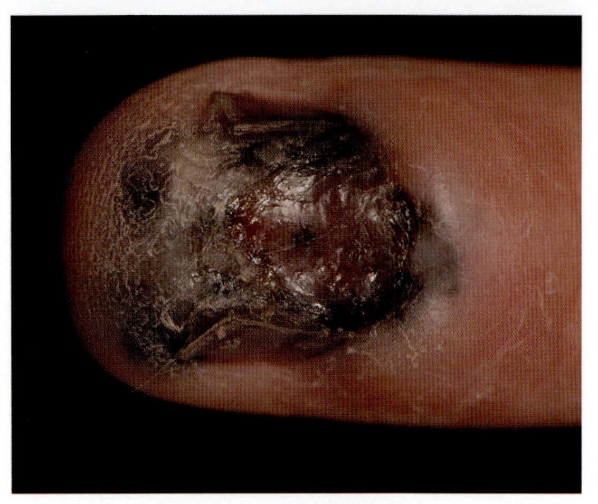

図6　悪性黒色腫
高度の爪甲破壊と黒色，紅色の腫瘤形成

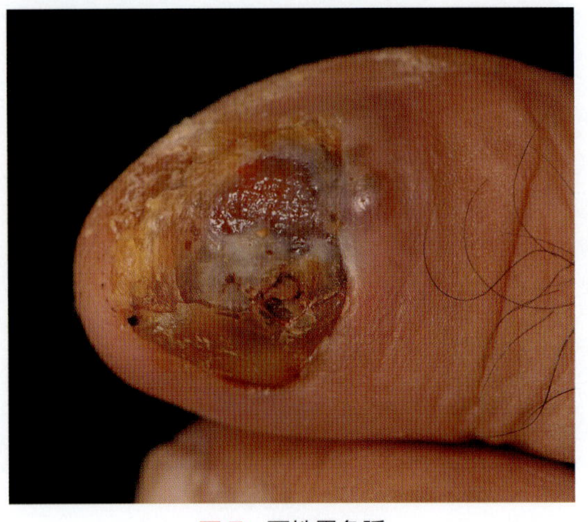

図7　悪性黒色腫
爪甲の破壊と紅色の肉芽状結節.
色素の有無は不明瞭

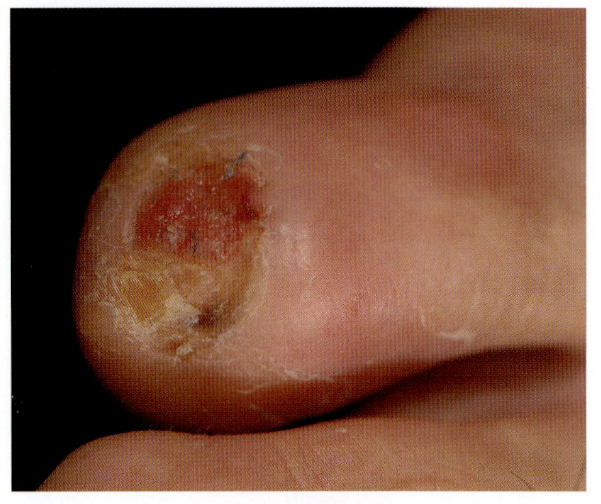

図8　有棘細胞癌
軽度の角化を伴う紅色肉芽状結節.
爪甲は大半が脱落している.

不規則・無秩序に破壊されて脱落している際には悪性腫瘍，特に悪性黒色腫と有棘細胞癌の存在を疑う.

b）爪甲剝離症

爪甲剝離症は爪甲が爪床から離れて浮き上がっていく状態で，遠位端から始まる．外的刺激，感染症，抗がん剤の副作用などが原因のことが多いが，爪床に生じた腫瘍(爪下外骨腫，有棘細胞癌，悪性黒色腫)によって爪甲が押し上げられて剝離症の状態になっていることもある(図5).

c）結節，腫瘤

爪甲の破壊を伴って黒色の結節，腫瘤を認める場合には悪性黒色腫を強く疑う(図6)．しかし，爪部悪性黒色腫の結節は無色素性で肉芽状外観を呈することも多い(図7)．残存する爪甲の色素線条の有無，爪郭への色素の染み出しをよく確認する．有棘細胞癌も爪甲の破壊を伴って疣贅状～肉芽状の結節を呈する(図8)．表面の角質形成がみられれば有棘細胞癌を疑う根拠となる．これらの悪性腫瘍においては，爪甲の変形脱落を伴った易出血性の肉芽状結節が唯一の所見となる場合もあり，陥入爪や慢性の外的刺激に伴う化膿性肉芽腫との鑑別が難しい(図9)．また，腫瘍であっても二次感染などで爪囲炎症状を伴うため，余計に炎

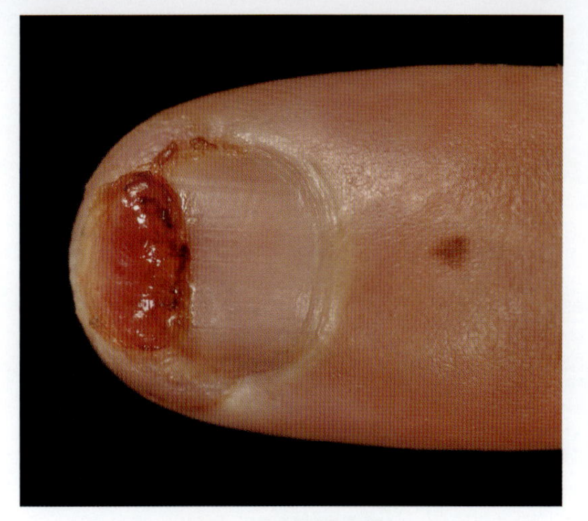

図 9　化膿性肉芽腫
深爪に伴って易出血性の肉芽を形成

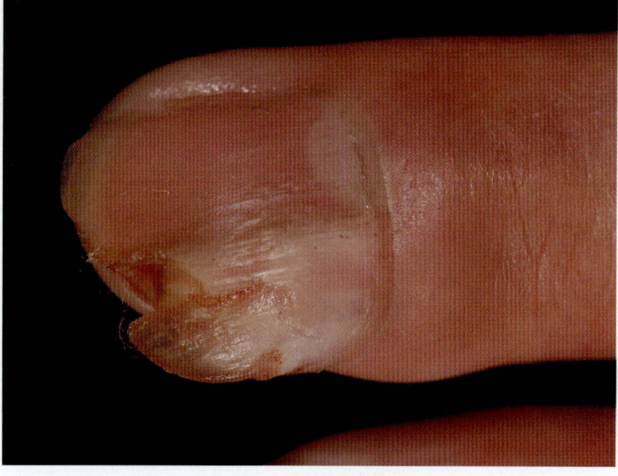

図 10　被角線維腫
側爪郭に円錐状の角化性結節を認める.

症性疾患と誤診されやすい. 保存的治療に反応しない爪部の肉芽状結節をみた際には, 一度は腫瘍性疾患の可能性を考慮する.

10～20 代の若年者の足趾で爪甲を押し上げるように硬い疣贅状結節が生じた場合には, 爪下外骨腫の可能性が高い. ウイルス性疣贅の診断で凍結療法が繰り返されている症例もみられる.

後爪郭もしくは側爪郭に表面が硬く角化した突起状の結節をみたら, 被角線維腫を疑う (図 10). 後爪郭に生じた場合には爪甲を圧迫して陥凹変形を伴う.

III　検査の進め方

1. ダーモスコピー

肉眼による観察での色素の有無にかかわらず, ダーモスコピー診断はすべての爪部病変に対して行う. 爪下血腫に対するダーモスコピーの診断精度は極めて高いが, 悪性黒色腫においても二次的な出血でヘモジデリン沈着を伴うことはあるので注意する. 多少でも不安があるようであれば, 1～2 か月後に再度診察し, 爪下の色素斑が遠位側に移動したことを確認する. 爪甲色素線条に対してダーモスコピー診断を行う際には, 色調の不均一性および爪郭部への染み出しの有無などを確認する. 線条の色調のグラデーションが連続的でない場合などは早期悪性黒色腫を疑う.

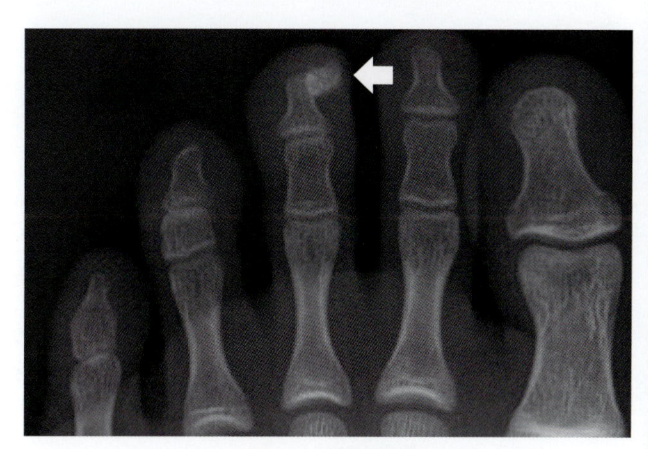

図 11　爪下外骨腫
末節骨と連続した突起状の骨陰影を認める (矢印).

2. 画像診断

爪甲剝離を伴う骨様硬の疣贅状結節をみたら, 爪下外骨腫を疑って単純 X 線撮影を正面, 斜めからの 2 方向で撮影する. 末節骨と連続する突起状の骨陰影を認めれば確定診断となる (図 11). 爪下グロームス腫瘍の診断には MRI が有効とされる[1]. そのほかにも, 悪性黒色腫や有棘細胞癌などの悪性腫瘍で手術を計画するに当たっては骨浸潤の有無を評価するために X 線撮影を行い, 必要に応じて MRI も考慮する.

3. 生　検

視診, ダーモスコピーによる臨床診断に加えて X 線, MRI などによる画像検査でも確定診断に至らず, 悪性腫瘍の可能性が完全に否定できなけれ

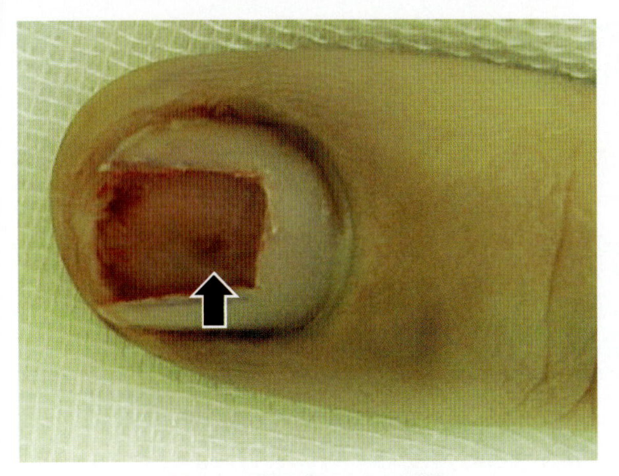

図 12　爪下グロームス腫瘍
爪甲を開窓し，腫瘍を視認したところ（矢印）

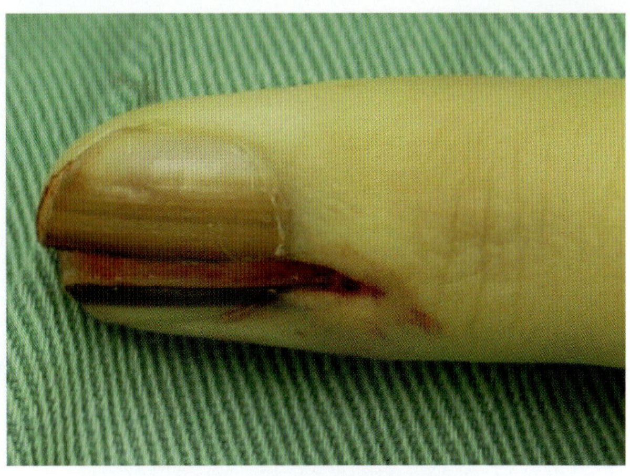

図 13　爪甲色素線条の生検
爪母から爪下皮にかけて長紡錘形に切り出している．

ば，生検による組織診断を必ず行う．グロームス腫瘍を疑った場合は，まずは爪甲下の腫瘍の存在を確認することが必要であり，爪甲を開窓して腫瘍を視認したうえで切除生検を行う（図 12）．爪床に生じた化膿性肉芽腫は，物理的刺激の除去や感染のコントロールないしステロイド外用などで退縮することが多いが，これらの保存的治療に反応しないときは悪性腫瘍の可能性を考慮して生検を行う．その場合は結節部からの部分生検で構わない．

黒色調を伴った爪甲の変形・破壊に加えて結節形成を認め，臨床的に悪性黒色腫の診断が確実と思われれば，当院では生検は行わずに最初から型通りの手術治療を行っている．それは早期例においても同様であり，不規則で幅の広い爪甲色素線条で定型的な Hutchinson 徴候を認める場合には臨床所見のみで確定診断としている．最も取り扱いが難しいのはそれらの所見が乏しい爪甲色素線条である．成人期以降に生じた色素線条で進行性に幅が拡大する場合には生検を考慮する．生検にはいろいろな方法があるが，小さな検体では切り出しがうまくいかずに評価不能となりやすいので，筆者は原則として色素線条を含めて爪母から爪下皮までを長紡錘形に切り出している（図13）．しかし，問題はその病理組織診断の感度である．臨床的には早期悪性黒色腫が確実と思われるケースであっても，爪母・爪床メラノサイトの異型所見は非常に軽微なことが多い．よって，臨床診断に悩むような疑診レベルの症例が生検の結果によって確定診断に至るというケースは，実際にはほとんどない．爪甲色素線条の患者に対して生検を考慮する際には検査の意義と限界も含めて説明し，生検とするか定期観察とするかはインフォームドコンセントに基づいた個別対応が現実的であろう．

Ⅳ　爪部悪性腫瘍の治療

爪部悪性腫瘍の手術治療に際しては，指趾の温存が可能かどうかの判断がまず必要となる．爪床爪母から末節骨までの距離は 1 mm 程度と近接しているため，爪甲の変形や潰瘍，結節形成などがみられれば真皮浸潤ありとみなして切断術が選択されることが多かった．術前の画像検査で骨浸潤が明らかであれば切断術は避けられないが，近年では真皮浸潤を伴う悪性黒色腫であっても末節骨の温存は可能とする見解もある[3]．それを検証するための国内多施設での臨床試験も行われている[4]．

爪床爪母の全切除を行う場合には，近位側の爪母は側方に末広がりとなっているので取り残さないように注意する．末節骨の骨膜は線維性結合組織であり，温存すれば植皮はより生着しやすいが，根治性に不安があれば骨皮質直上まで切除する．植皮は全層，分層のいずれでも可能であり，当院では足底土踏まずからの分層植皮を好んで用いている（図 14）．

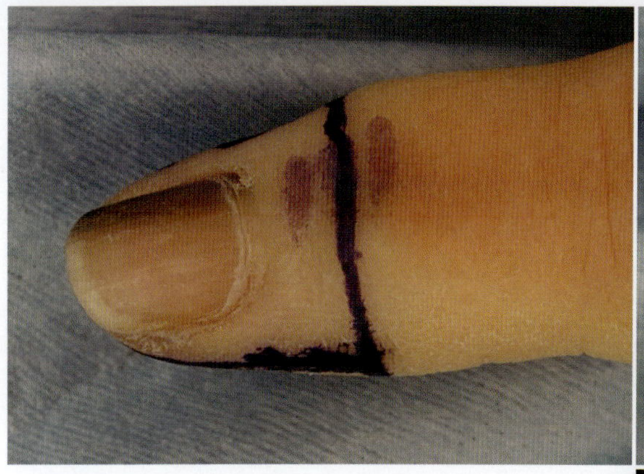

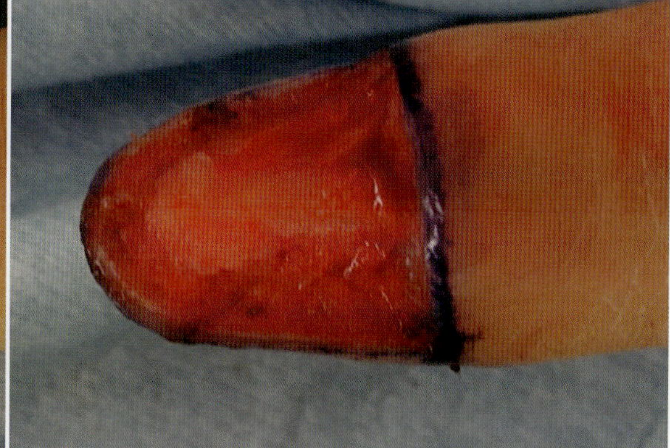

図 14
爪床爪母の全切除術
a：Melanoma *in situ* の症例
b：切除時
c：足底土踏まずからの分層植皮で再建．術後 1 年

V おわりに

爪部の異常をみた際に腫瘍性病変を疑うべきポイントと，その取り扱いについて記載した．しかし，爪部に関するプライマリケアは皮膚科が行うとは限らず，患者は様々な診療科を受診する．爪は外科系クリニックにおいて安易な侵襲的処置が行われやすい部位であり，再発を繰り返した末にようやく他院で診断に至る爪部悪性腫瘍の症例は少なくない．それらに対する注意喚起を他科に向けて発信していくことも皮膚科医の責務であろう．

（竹之内辰也）

文 献

1）宇原　久：爪の腫瘍．日皮会誌．122(3)：587-592，2012．
2）Richert B, Lecerf P, Caucanas M, et al：Nail tumors. Clin Dermatol. 31(5)：602-617, 2013.
3）Nakamura Y, Ohara K, Kishi A, et al：Effects of non-amputative wide local excision on the local control and prognosis of *in situ* and invasive subungual melanoma. J Dermatol. 42(9)：861-866, 2015.
4）Tanaka K, Nakamura Y, Mizutani T, et al：Confirmatory trial of non-amputative digit preservation surgery for subungual melanoma：Japan Clinical Oncology Group study(JCOG1602, J-NAIL study protocol). BMC Cancer. 19(1)：1002, 2019.

コラム

A 本邦と欧米諸国での生活習慣の差異が爪に及ぼす影響

本邦での生活様式全般について欧風化が進行しているが，食生活でも完全な欧風化というには差があるように，住環境でもまだ差異が残る点もある．畳の居室のちゃぶ台に，座って食事を摂ったりお茶を飲んだりという生活様式は，食堂でテーブルに椅子という様式に変換した家庭が圧倒的に多くなったであろうし，さらに畳に和風寝具ではなく，ベッドを用いる生活も一般的になった．青壮年層が自分の嗜好で住居環境を変えていったばかりでなく，従来の和式の住宅様式は下肢に対する負担が大きく，むしろ高齢者で身体機能の低下を自覚するようになってから欧風化のメリットを受容する側面が大きいともいえる．

ところが，これだけ欧風化が進行しつつある現状でも，欧米の一般家庭と決定的に異なるのは，玄関での靴の履き替えである．積極的に欧風化を推進しても，外から帰って靴のまま住宅内部に入る住居様式を採用するケースはほとんどない．欧米家庭でも帰宅して，室内の履物に履き替える場面がないわけではないが，日本のように建物内外の画然とした境界として玄関を位置付ける発想はないのが普通である．

その結果，靴を履く時間の長短に差を生じることになる．さらに時間を遡って草履，下駄を履く場面が多かった時代では，より顕著な差異があったと想像できる．しかし，現代では公的建物にあっては建物に入る際，入口で履き替えるというケースは小中学校などを除きほとんどなくなってきた．けれども，こういう様式の変化もそう大昔のことではなく，筆者が小学生だった昭和30年代前半では公的病院，図書館など多くの公共施設や企業の建物では，入口には下駄箱が鎮座して，そこで下足を脱いでスリッパに履き替える様式が普通であった．さすがに筆者のジェネレーションでは体験がないが，戦前は映画館や劇場でも下足番がいて，履物を管理していた情景を仏文学者の桑原武夫の自伝[1]などで確認することができる．

靴を履く時間の延長は，当然爪を含めた足に影響を与える．殊に青壮年期の女性では社会進出の進行とともに爪のトラブルや，胼胝・鶏眼，外反母趾などが高度成長期以前に比較して飛躍的に増加しているが，フットケア，ネイルケアが状況の変化に対応して普及しておらず，疾患の増加を招くことになる．欧米では起床から入浴，就寝時まで靴を履き続けることがあり得るので，爪，足のトラブルが多く，それに対する対処も昔から配慮されてきた．ここでは関連する２つの事項について触れる．

欧米では podiatry（足治療学）という領域があり，それに従事する podiatrist という職種がある．chiropodist も似た職種だが，この語は語源的にはギリシャ語の cheir＝手，pous＝足が合成された用語で，米国では以前用いられたが，現在は podiatrist という職種名で統一されている．因みに米国の podiatrist は医師資格の上に位置する専門医資格であり，資格所有者は必ず医師である．英国では事情が異なり，我が国の接骨院を設置する柔道整復師のように，医師の養成とは別系列の資格である．国によって制度上の差があるにしても，欧米では古くから国家資格として制定されているが，日本ではこうした資格は確立されていない．

もう1点は爪の切り方に関してで，本書でも爪切りについて解説してもらっているが，我が国では社会的に正しい爪の切り方が認知されていない．陥入爪は単一な誘因で発症する疾患ではないにしても，爪の切り方，殊に深爪は状況の増悪に決定的に関わる重要な因子である．ところがこの国では爪切りはほとんどの場合，夫々が勝手に自己流で爪を切っており，正しい爪の切り方を教示する場面がない．本質的には家庭教育の問題だと思うが，多くの問題で家庭の教育機能が減衰しつつある現状では改善は期待できない．それに代わり学校で爪の切り方が教育されればよいが，現状ではほとんど未整備であり，本来ならこういう問題に指導的立場に立つべき保健の先生が，多くの場合正しい爪の切り方を知らないので生徒指導は覚束ない．陥入爪は増加の一途を辿るありふれた疾患だが，医療側に適切な治療法が広く認識される必要があるのと同時に，正しい爪の切り方についての知識の普及が必須である．

靴を履く時間が長くなりつつあるといっても，欧米に比較するとまだ変化の途上にある現在が，考えようでは対策を進めるには好機であると捉えることもできる．

（安木良博）

文献

1）桑原武夫：思い出すことを忘れえぬ人，pp. 67–68，東京：講談社文芸文庫，1990.

コラム

B 爪疾患はどの診療科に受診すればよいか？

爪を専門に扱う独立した診療科はないので，患者は自分の判断で受診する診療科を選択しているのが現状である．爪は皮膚科で扱うという認識が漸次拡がってきてはいても，皮膚科のほか，整形外科，形成外科，一般外科などが選択されている．しかし，爪疾患は特異性のある領域であり，たとえ皮膚疾患に対する診療知識，経験が十分あったとしてもそれとは別な配慮が必要である．それ故にこそ本書「カラーアトラス 爪の診療実践ガイド」のような教本の存在理由があり，学会でも爪疾患をテーマとした講演は人気が高いのが常である．

爪の疾患と一口にいっても，そこには多種多様な疾患が含まれる．爪疾患で最も多い爪白癬でいえば，年齢とともに罹患率が上昇し，本邦でのデータでは60〜70歳代以上では4人に1人を超えている．爪白癬という自覚がないまま放置したり，OTC市販薬で治療にならない対処がなされる場合も多い．イトラコナゾールやテルビナフィンが開発され，グリセオフルビンに代わって投与され始めた時代には，爪白癬が治る疾患になったというキャンペーンが新聞などで何度も繰り返され，患者が自ら希望して医療機関を受診する状況が現出した．こういう知識が普及すること自体は悪いことではないはずだが，当初は予想しなかった思わしくない問題も登場してきた．爪の肥厚，混濁が継続している患者が，別の件で受診した際，気になっている爪の症状についてコンサルトすると，「それは爪の水虫，いい飲み薬があるのでついでに処方してあげる」として内服抗真菌薬の投与が開始されるというストーリーである．1年以上内服を続けても全く改善の兆しがないとして皮膚科を受診し，事情が判明する．こういうケースの診療科はほとんど内科で，その際に足の爪を診察してくれるのはまだよいほうで，真菌鏡検はおろか，視診さえ行われずに内服薬が投与されるというケースも多い．爪の混濁，肥厚には爪白癬以外の疾患も含まれるが，そういった点は顧慮されない．開始時に診察がなされていないのだから，以降の検討もないまま，ただ延々と同処方が繰り返される．診療とは呼べない低次元の診療疑似行為を唯々諾々と許容する患者側にも責任の一半がある．その意味で，2014年秋から投与が可能となった爪白癬に対するエフィコナゾール爪外用液や2016年に認可されたルリコナゾール爪外用液では，処方に当たり真菌の直接鏡検が前提として課せられたのは前進といってよい．爪白癬または爪甲の混濁，肥厚に関する問題は皮膚科医に受診すべきだが，内科で不用意に相談しないことを追加しなければならないのは，我が国の医療の問題点に関わる点で残念というほかない．

爪のトラブルのうち，刺し爪，巻き爪は増加する一方の疾患で，履物や爪切りという生活習慣と密接な関係を有するが，本書の別のコラムで述べたのでここでは触れない．受診

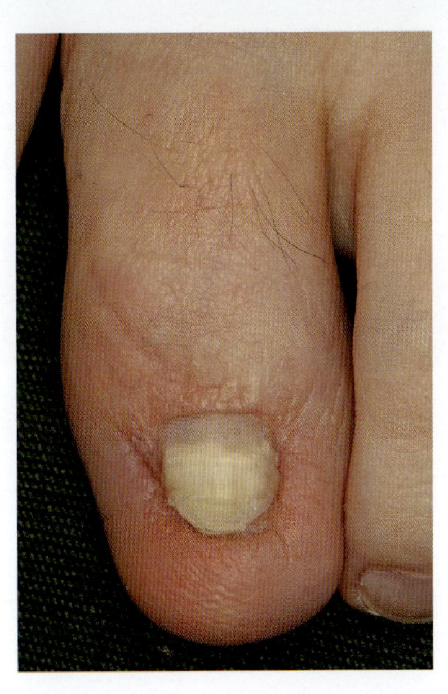

◀図 1
47 歳，女性
両母趾について数回の抜爪を繰り返された結果，爪甲の伸びは著しく遅延し，小型となり爪郭に埋没

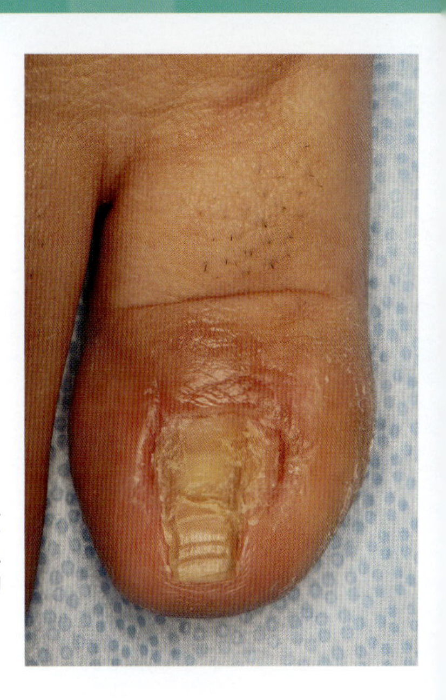

図 2▶
47 歳，女性
両母趾の陥入爪でフェノール法にて治療．爪甲形成廃絶の幅が広く，残った爪甲は狭く，爪床，爪郭の炎症が存続．整容的，機能的な問題を残す．

した患者に訊ねてみると，この稿の初めに記載したような種々の診療科に受診している実態が明らかになるが，結論的にはどの診療科を選択すべきかという問題より，何科であれ担当医の爪に対する理解度，習熟度のほうがはるかに関与が大きい．爪白癬と異なり疼痛が強く日常の QOL に直接影響するので，患者があらかじめ検討することなく駆け込んだ外科系医療施設で，急性症状に対して外科的対処が即刻実施されてしまうことが多く，永続的問題を残しやすい．

ここでは陥入爪，過彎曲爪に対する誤った治療の結果として，整容的，機能的に大きな問題を残した症例や，爪囲膿皮症に関連した症例を若干供覧する．

図 1 に示す症例は MB Derma. No. 184 でも供覧した同一例の対側の左母趾で，初診時 47 歳，女性．当初存在した両母趾の陥入爪に対して，受診した整形外科で数回に及ぶ抜爪が繰り返し実施された結果，混濁，肥厚，伸展遅滞をきたし，小型化した爪甲が爪郭に埋没するように存在する．真菌鏡検は数回実施したが陰性であった．

陥入爪に対して抜爪は改善手段とはならず，行ってはならない治療である．抜爪そのものが悪いというより，抜爪後，爪母，爪床は爪という保護構築を失って無防備に曝されることになり，爪床炎，爪囲炎が惹起されやすくなる．抜爪を頻回に行う外科系医師にはしばしばこの点が理解されておらず，爪甲再生までの期間に適切な処置，指導がなされないまま放置される．抜爪術は実施する際，それ以外に対処法がないかどうかの吟味とともに，完全に爪甲が再生するまでの期間の管理責任を負うという意識が必須である．

図 2 は 2016 年春に受診した例で，奇しくも初診時年齢が同じ 47 歳，女性．外科系病院で両母趾の陥入爪に対してフェノール法による対処が行われたという．しかし，両側ともフェノール処置された幅が過大で，爪甲は中央部分に狭く残るのみで，整容的に大きな問題が残る．より重大な問題は，母趾にかかる体重や歩行時の負担を本来は趾骨の幅より大きい爪甲が負担できなくなってしまう機能的問題で，術者はこれらの母趾爪甲の機能的側面を理解しないままフェノール法を実施したと推測される．

図 3 のような後爪郭の膿瘍は，抗生剤の投与と抗菌剤外用の対処だけで時間延ばしをせ

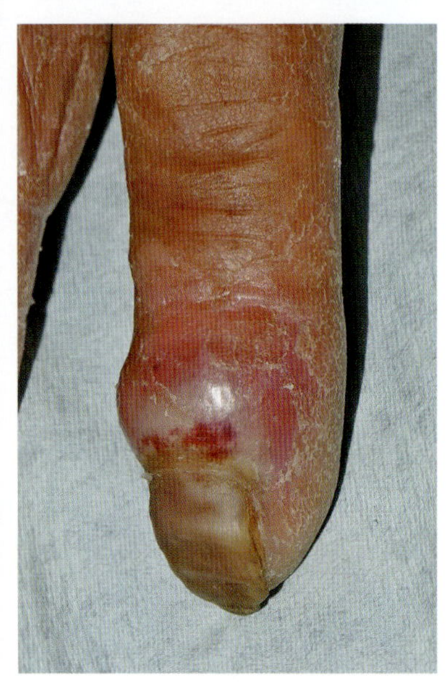

◀図 3
70 歳，男性
後爪郭の膿瘍，糖尿病がある．抗生剤服用 3 日でも症状改善なし．小切開で多量の排膿

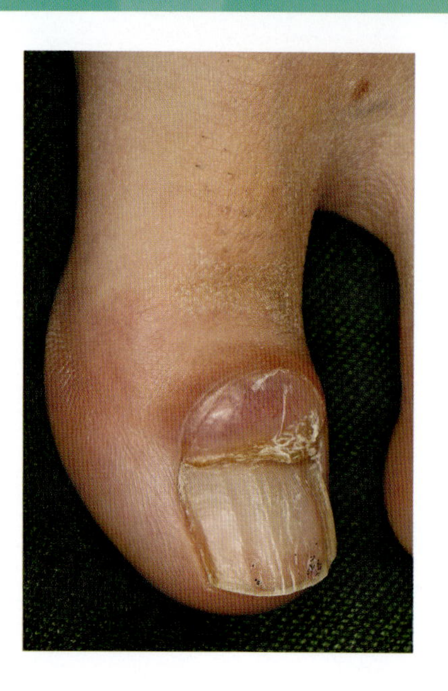

図 4▶
21 歳，女性
後爪郭の膿瘍で化学療法のみで経過遷延．形成された肥厚性瘢痕．爪上皮，後爪郭は後方へ移動し，その前下方から結節が出現，増大．表面に毛細血管拡張を認める．

ず即刻切開排膿すべきである．後に問題を残すような瘢痕を作らず，ごく小切開で多量の排膿を認める．現にこの例は外科医が保存的治療をしただけでは症状は全く改善せず 3 日目に受診し，局麻なしで 18 G 針で切開，2〜3 mL の排膿があり 1 日で略治した．勿論，抗生剤内服を併用する．

図 4 は適切なタイミングでの切開排膿を回避したツケがどんな形で回ってくるかを示す好例である．21 歳，女性の左母趾の後爪郭に形成された硬い結節で，生検してこれが肥厚性瘢痕であることを確認した．糖尿病を含め格別の既往歴のない学生で，治療はケナコルト® 懸濁液をアドレナリン無添加キシロカインで希釈し，局注 7 回実施したところで平坦化し，本人が満足して治療を打ち切った．

これらを供覧する目的は前医を告発しようとしているのではなく，自戒の意味からである．担当医としては，診察した現症と自己の診療上の対応力を客観的に判断し，対応に限界を感じた場合は然るべき施設に紹介する労を惜しんではならない．

（安木良博）

コラム

C　ニッパー型爪切りに関する話題

本書でも爪の切り方を含めたネイル・ケアについて解説していただいており，ここでは爪切り用具に限定した話題を取り上げる．

肥厚がない正常爪甲であれば，市販されているどの爪切りであっても不都合は感じないかもしれない．爪切りにも種々のタイプがあるが，それらを網羅的に取り上げてそれぞれに解説を加えるのが本稿の目的ではないので，病的爪，殊に肥厚して硬化した爪甲や厚硬爪甲，爪甲鉤彎症などで普通の爪切りでは剪断に難渋する場合に用いる器具について考えてみよう．爪切りはどんな形態の製品であれ，テコの原理を応用して硬い爪を切る仕組みだが，肥厚して通常より硬度を増した爪を切るためにはニッパー型爪切りが適している．ニッパー型爪切りの基本構造はどの製品もすべて同一であるが，細部をみると刃の角度，材質，仕上げ，バネの構造などの点では様々で，夥しいメーカーが参入して製品を市場に供給している．

ここでそのごく一部を写真で提示するが，形態だけみても細部に種々の差があるのが察していただけると思う．製品の質は価格に如実に反映しており，千円以下で入手できるものから高価な製品では二万円を超えるものもある．そのすべてを検証することはできないから，せいぜい 20 種ほどを実際に使用したに過ぎないが，それでも質的に相当の差が感じられる．

図１に示すのは千円台で購入できる製品．図２はドイツの Henckels 製 Zwilling® ブランドの製品．図３もドイツ製で小型の製品．全体的な形態，仕上げは図４の製品に酷似している．図４は新潟三条市にある諏訪田製作所の製品．この爪切りで切るとポソッという低

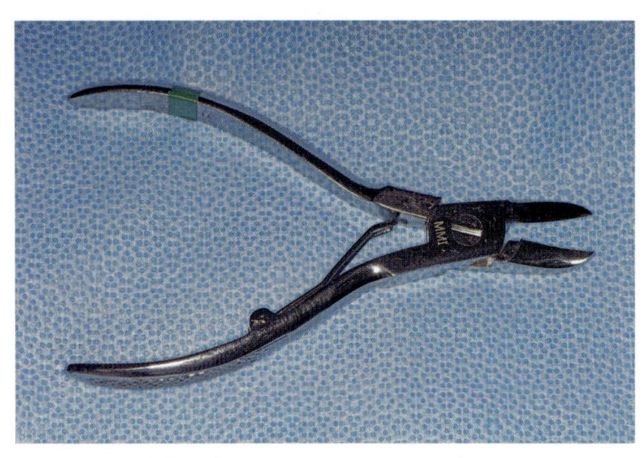

図１　比較的安価に入手できるニッパー型爪切り

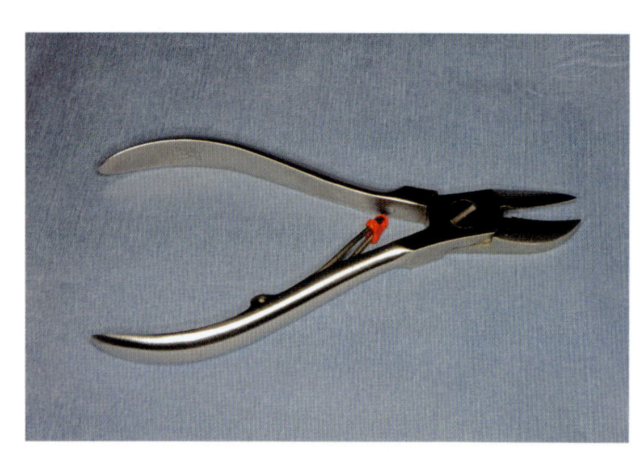

図２　Henckels 製 Zwilling® ブランドの製品

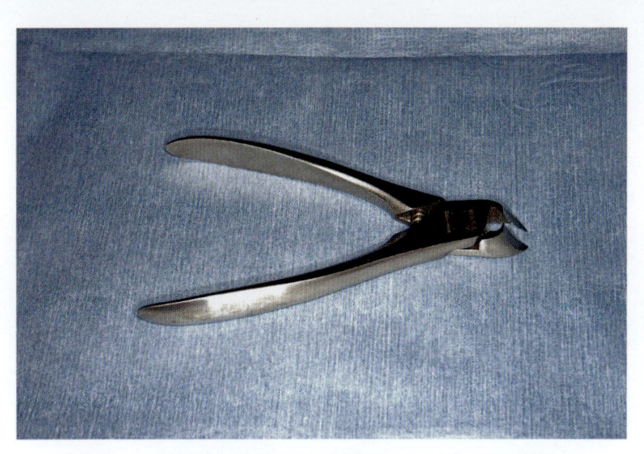

図 3　一般的な製品より小型のニッパー型爪切り

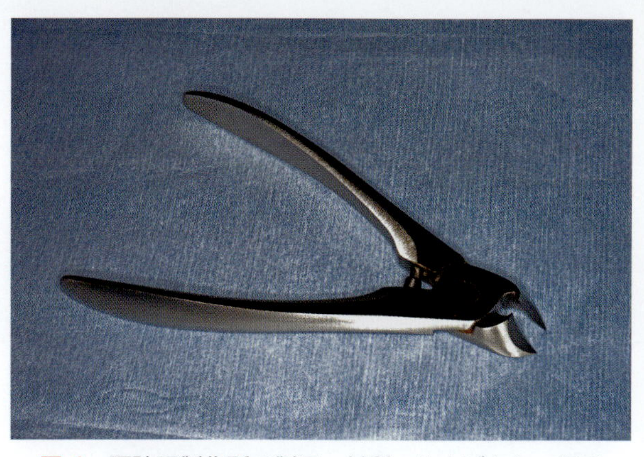

図 4　諏訪田製作所の製品．材質，仕上げとも一級品

い地味な音しかしない．切れる爪切りはパチンと音がするという固定化した印象があるが，実は本当によく切れる爪切りでは音が異なるのが実感できて興味深い．Henckels の技術者も SUWADA® の技術を目標にしているという話が伝わってくるほどこの爪切りの材質，仕上げは素晴らしく，切れ味は独特である．

爪が硬くて切れずに困っており，爪を切って欲しいという訴えには日常のベッドサイドでよく遭遇する．診療行為としては点数算定されておらず，担当医が爪を切ってくれるとの思い込みが固定するのは困るが，爪の切り方を教示する教育的意義で初回に実施することは有用である．その際，なるべく切れる爪切りを備えておかないとフラストレーションが貯留する．

（安木良博）

索　引

欧 文

A

B

C

D

E

F

G

H

I

K

L

M

N

O

和文

さ

し

す

せ

そ

た

つ

カラーアトラス
爪の診療実践ガイド 改訂第2版

2016年10月15日　第1版第1刷発行(検印省略)
2021年 6 月15日　第2版第1刷発行(検印省略)

編　者　安　木　良　博
　　　　田　村　敦　志

発行者　末　定　広　光

発行所　株式会社　全日本病院出版会
東京都文京区本郷3丁目16番4号7階
郵便番号113-0033　電話（03）5689-5989
FAX（03）5689-8030
郵便振替口座　00160-9-58753
印刷・製本　三報社印刷株式会社

©ZEN-NIHONBYOIN SHUPPAN KAI, 2021.

・本書に掲載する著作物の複製権・翻訳権・上映権・譲渡権・公衆送信権（送信可能化権を含む）は株式会社全日本病院出版会が保有します.
・JCOPY ＜(社)出版者著作権管理機構 委託出版物＞
本書の無断複写は著作権法上での例外を除き禁じられています. 複写される場合は, そのつど事前に, (社)出版者著作権管理機構（電話 03-5244-5088, FAX03-5244-5089, e-mail：info@jcopy.or.jp）の許諾を得てください.
本書をスキャン, デジタルデータ化することは複製に当たり, 著作権法上の例外を除き違法です. 代行業者等の第三者に依頼して同行為をすることも認められておりません.

定価はカバーに表示してあります.

ISBN　978-4-86519-283-4　C3047